普通高等教育经管类系列教材

运营管理

第3版

主　编　刘国胜　张毕西
副主编　石　平
参　编　彭维文　刘彩燕　廖　诺　詹　静

机械工业出版社
CHINA MACHINE PRESS

本书既注重介绍运营管理的传统理论和方法，也注重对运营管理前沿理论的探讨，更注重相关理论和方法在企业实践中的应用；既包括定性概念和原理的论述，也包括定量化模型和方法的介绍。全书共 18 章，分别为运营管理概述、运营战略、信息技术变革和运营管理、产品与服务设计、运营系统及其工艺流程组织、运营系统选址与设施布置、流水生产组织、运营计划、从 MRP 到 ERP、运营作业计划与调度控制、网络计划技术及其应用、运营系统库存管理、现场管理、精益生产、供应链管理、工作设计与员工组织、质量管理、先进制造技术及理论。本书力求理论与企业实际应用有效结合，避免理论脱离实际，在讲述理论和方法时做到通俗易懂，各章节内容相互衔接，形成一个完整的运营管理内容体系。

本书可作为高等院校管理类专业的教材或参考书，也可作为其他专业选修课程的教材或参考书，还可供企业管理人员参考。

图书在版编目（CIP）数据

运营管理 / 刘国胜，张毕西主编． -- 3 版． -- 北京：机械工业出版社，2025. 10． --（普通高等教育经管类系列教材）． -- ISBN 978-7-111-79184-3

Ⅰ．F273

中国国家版本馆 CIP 数据核字第 20254HU429 号

机械工业出版社（北京市百万庄大街22号　邮政编码100037）
策划编辑：曹俊玲　　　　　责任编辑：曹俊玲　施　红
责任校对：贾海霞　张　薇　封面设计：张　静
责任印制：任维东
北京新华印刷有限公司印刷
2025 年 10 月第 3 版第 1 次印刷
184mm×260mm・26 印张・711 千字
标准书号：ISBN 978-7-111-79184-3
定价：79.80 元

电话服务　　　　　　　　网络服务
客服电话：010-88361066　　机　工　官　网：www.cmpbook.com
　　　　　010-88379833　　机　工　官　博：weibo.com/cmp1952
　　　　　010-68326294　　金　书　网：www.golden-book.com
封底无防伪标均为盗版　机工教育服务网：www.cmpedu.com

前　言

随着"中国制造 2025"战略的推进，我国制造业和服务业迅速发展，以珠三角地区为代表的制造业被誉为"世界制造中心"。在这一背景下，各行业对高素质运营管理专业人才的需求日益增长。近年来，国家不断强调数字经济和智能制造的重要性，推动企业转型升级。然而，人们对运营管理的认识仍存在局限，普遍认为其仅为执行性职能，主要解决中低层管理问题。这种观点导致从事运营管理的人员层次和地位普遍较低，进而影响学生对该课程的学习兴趣，造成各行业中高素质运营管理人才的短缺。这一短缺在很大程度上加剧了企业（尤其是中小企业）在效率、质量、成本和市场响应等方面的问题，这些问题与缺乏高素质运营管理人员密切相关。

20 世纪 80 年代末，美国麻省理工学院成立研究小组，历时五年，对日本汽车企业的竞争优势进行了深入研究。研究表明，日本汽车企业之所以能够超越美国同行，正是源于其独特而高效的运营管理模式及理论体系。这一发现指出，企业成功不仅依赖良好的战略，更需要高效的运营管理体系。这一研究迅速影响了美国大学管理类专业的教育方向，使得运营管理课程的教学逐渐受到重视。

近年来，我国许多高校在运营管理课程中引入了美国教材，包括直接翻译和改编的版本。这些教材具有较强的理论性和系统性，为提升我国运营管理教学水平发挥了重要作用。然而，在教学实践中，如何将教材中的理论与我国企业面临的实际问题更好地结合起来，依然是一个亟待解决的课题。本书致力于将理论与本土案例结合、将理论方法在实际问题中应用等，形成更符合我国管理人才培养目标的本土化运营管理课程体系。

基于这样的目标，编者在参考国内外教材的基础上，结合多年从事运营管理课程教学的经验和研究成果编写了本书。本书在多届本科、全日制研究生、MBA 和工程硕士教学中使用，获得了教师和学生的一致好评，相应的运营管理课程也被评为广东省精品课程。

本书在运营系统及其工艺流程组织、运营系统选址与设施布置、流水生产组织、运营计划、运营作业计划与调度控制、运营系统库存管理等章节中，引入了编者近年来的部分研究成果。这些成果中涉及的问题大多来自企业实践，既能引导学生分析和思考，提高他们的学习兴趣，也能为企业运营管理人员提供参考。

在编写过程中，编者参考了大量国内外文献资料，主要参考文献已列于书后，在此，诚挚感谢这些文献作者的贡献。由于编者水平有限，书中难免有不妥之处，恳请读者批评指正。

编　者

目 录

前言

第1章 运营管理概述 ... 1
学习目标 ... 1
引导案例 ... 1
1.1 运营管理简介 ... 1
1.2 服务运营系统的特点 ... 6
1.3 运营管理的发展历程 ... 7
1.4 运营管理的新环境 ... 9
1.5 运营管理的发展趋势 ... 10
本章小结 ... 11
思考与练习题 ... 11
案例分析 ... 12

第2章 运营战略 ... 13
学习目标 ... 13
引导案例 ... 13
2.1 运营战略概述 ... 14
2.2 制造业运营战略框架 ... 16
2.3 服务业运营战略框架 ... 18
2.4 运营战略匹配 ... 19
2.5 制造企业运营战略框架 ... 20
本章小结 ... 21
思考与练习题 ... 21
案例分析 ... 21

第3章 信息技术变革和运营管理 ... 23
学习目标 ... 23
引导案例 ... 23
3.1 信息文明与新旧动能转换 ... 23
3.2 物联网、"互联网+"与大数据 ... 30

3.3 信息技术变革对运营管理的影响 ... 33
本章小结 ... 40
思考与练习题 ... 40
案例分析 ... 41

第4章 产品与服务设计 ... 44
学习目标 ... 44
引导案例 ... 44
4.1 新产品研发背景 ... 44
4.2 新产品设计管理 ... 51
4.3 工艺流程决策 ... 55
本章小结 ... 57
思考与练习题 ... 57
案例分析 ... 58

第5章 运营系统及其工艺流程组织 ... 60
学习目标 ... 60
引导案例 ... 60
5.1 运营系统及其过程分类 ... 60
5.2 服务运营系统及其分类 ... 63
5.3 运营过程组织 ... 64
5.4 客户订单与业务流程的关系 ... 69
5.5 转换过程的物料流转方式 ... 70
本章小结 ... 78
思考与练习题 ... 79
案例分析 ... 79

第6章 运营系统选址与设施布置 ... 81
学习目标 ... 81
引导案例 ... 81
6.1 运营系统选址决策 ... 81
6.2 运营系统选址方法 ... 83

6.3 运营系统设施布置原则 ………… 86
6.4 运营系统设施布置优化方法 ……… 88
本章小结 ……………………………… 101
思考与练习题 ………………………… 101
案例分析 ……………………………… 103

第7章 流水生产组织 …………………… 104
学习目标 ……………………………… 104
引导案例 ……………………………… 104
7.1 流水生产的基本原理 …………… 104
7.2 单一对象流水线组织设计 ……… 107
7.3 多对象流水线组织设计 ………… 114
本章小结 ……………………………… 120
思考与练习题 ………………………… 121
案例分析 ……………………………… 122

第8章 运营计划 ………………………… 124
学习目标 ……………………………… 124
引导案例 ……………………………… 124
8.1 运营计划概述 …………………… 125
8.2 运营计划体系 …………………… 126
8.3 运营计划指标及其确定 ………… 127
8.4 运营能力计划决策 ……………… 130
8.5 运营计划的线性规划方法 ……… 145
8.6 产品出产进度安排的原则 ……… 148
8.7 主生产计划 ……………………… 149
本章小结 ……………………………… 153
思考与练习题 ………………………… 153
案例分析 ……………………………… 154

第9章 从MRP到ERP …………………… 157
学习目标 ……………………………… 157
引导案例 ……………………………… 157
9.1 MRP概述 ………………………… 157
9.2 MRP的处理逻辑 ………………… 158
9.3 能力需求计划 …………………… 164
9.4 从闭环MRP到MRP Ⅱ …………… 165
9.5 ERP ……………………………… 167
本章小结 ……………………………… 171
思考与练习题 ………………………… 171
案例分析 ……………………………… 172

第10章 运营作业计划与调度控制 …… 173
学习目标 ……………………………… 173
引导案例 ……………………………… 173

10.1 作业计划标准 …………………… 174
10.2 作业计划的编制方法 …………… 184
10.3 运营作业计划控制 ……………… 188
10.4 作业计划任务排序 ……………… 189
10.5 订单生产计划投产量决策 ……… 201
10.6 服务业中的服务作业排序 ……… 203
本章小结 ……………………………… 210
思考与练习题 ………………………… 210
案例分析 ……………………………… 212

第11章 网络计划技术及其应用 ……… 215
学习目标 ……………………………… 215
引导案例 ……………………………… 215
11.1 网络图和网络计划技术方法 …… 215
11.2 网络图时间参数计算及关键路线
　　 确定 ……………………………… 220
11.3 网络计划的优化与实施管理 …… 225
本章小结 ……………………………… 231
思考与练习题 ………………………… 231
案例分析 ……………………………… 233

第12章 运营系统库存管理 …………… 235
学习目标 ……………………………… 235
引导案例 ……………………………… 235
12.1 库存概述 ………………………… 236
12.2 库存控制模式 …………………… 240
12.3 库存优化模型 …………………… 243
本章小结 ……………………………… 256
思考与练习题 ………………………… 256
案例分析 ……………………………… 257

第13章 现场管理 ……………………… 261
学习目标 ……………………………… 261
引导案例 ……………………………… 261
13.1 现场与现场管理 ………………… 262
13.2 现场5S管理 ……………………… 265
13.3 定置管理 ………………………… 269
13.4 目视化管理 ……………………… 272
13.5 搬运管理 ………………………… 273
本章小结 ……………………………… 275
思考与练习题 ………………………… 276
案例分析 ……………………………… 276

第14章 精益生产 ……………………… 279
学习目标 ……………………………… 279

引导案例 ······ 279
14.1 精益生产概述 ······ 280
14.2 准时生产 ······ 282
14.3 看板管理 ······ 284
本章小结 ······ 287
思考与练习题 ······ 287
案例分析 ······ 287

第15章 供应链管理 ······ 290
学习目标 ······ 290
引导案例 ······ 290
15.1 供应链管理概述 ······ 290
15.2 供应链的不确定性与牛鞭效应 ······ 293
15.3 供应链合作伙伴关系 ······ 294
15.4 基于供应链的采购管理 ······ 296
15.5 供应商管理 ······ 298
15.6 客户关系管理 ······ 299
15.7 供应链整合 ······ 300
15.8 供应链契约与协调 ······ 307
15.9 供应链绩效评价 ······ 320
本章小结 ······ 322
思考与练习题 ······ 322
案例分析 ······ 323

第16章 工作设计与员工组织 ······ 325
学习目标 ······ 325
引导案例 ······ 325
16.1 工作组织与工作设计 ······ 326
16.2 工作测量 ······ 328
16.3 员工报酬模式 ······ 336
本章小结 ······ 338
思考与练习题 ······ 338

案例分析 ······ 338

第17章 质量管理 ······ 340
学习目标 ······ 340
引导案例 ······ 340
17.1 质量管理原理 ······ 340
17.2 质量管理方法与工具 ······ 345
17.3 统计过程控制与过程能力分析 ······ 356
17.4 质量检验与抽样技术 ······ 365
17.5 ISO 9000 质量体系 ······ 372
17.6 全面质量管理与六西格玛管理 ······ 376
17.7 服务质量管理 ······ 382
本章小结 ······ 384
思考与练习题 ······ 384
案例分析 ······ 386

第18章 先进制造技术及理论 ······ 387
学习目标 ······ 387
引导案例 ······ 387
18.1 约束理论 ······ 388
18.2 敏捷制造 ······ 393
18.3 柔性制造系统 ······ 396
18.4 并行工程 ······ 398
18.5 计算机集成制造系统 ······ 401
18.6 大规模定制 ······ 402
18.7 绿色制造 ······ 404
本章小结 ······ 406
思考与练习题 ······ 406
案例分析 ······ 406

参考文献 ······ 408

第 1 章

运营管理概述

> **学习目标**
> （1）掌握生产运营系统的概念、运营管理的职能、运营管理的内容、运营管理的目标。
> （2）了解运营管理的地位和作用，以及学习运营管理的意义。

◆【引导案例】

肯德基要把食品本土化进行到底

2002 年，麦当劳的竞争对手肯德基开始在中国部分城市的餐厅供应早餐，并于同年推出了两款极具中国本土特色的花式早餐粥：海鲜蛋花粥和香菇鸡肉粥，至此正式拉开了肯德基加快产品本土化的大幕。此后每年，无论是早餐还是正餐，肯德基都会推出一定数量的符合中国消费者口味需求的本土化产品。

2008 年 1 月 21 日，油条这种任何一个中国人都再熟悉不过的早餐品种，开始出现在全国各大肯德基餐厅。肯德基这次推出的"安心油条"，是继花式早餐粥之后的又一款本土化全新产品。

新春伊始，当你走进肯德基餐厅，闻到米饭和"醇豆浆"四溢的清香时，不要以为走错了地方。肯德基正大张旗鼓地把中国人最传统的饮品摆在洋快餐的餐桌上。

此外，一直专注于推广咖啡文化的星巴克，饮料单上居然出现了白牡丹、碧螺春以及乌龙茶等几款传统的中国茶。而且，星巴克还热衷于推出一些"节令"食品，如在端午节推广自己的"星冰粽"，在中秋节推出月饼。而另一个杀入中国市场的世界知名餐饮品牌哈根达斯每年都会在中秋节推出冰淇淋月饼，年销售量可达 200 万盒。

2018 年端午节的前一天，我竟然在肯德基吃到了最钟爱的粽子。看来，肯德基注定要把食品本土化进行到底了。其他一些世界级餐饮巨头也在试水本土化。麦当劳呢？它要隐忍到何时？

1.1 运营管理简介

1.1.1 运营系统

运营系统是指通过预定的流程和方法将投入的资源转换为预定产品的系统。这里所说的产品既包括实物型的有形产品，也包括劳务型的无形产品。传统上，人们把实物产品的转换系统称为生产系统，而把以生产系统为对象的管理称为生产管理；将转换无形产品的系统称为服务系统，而把面向服务系统的管理称为运营管理。本书中的运营管理包括面向生产系统和服务系统的管理。随着世界各国，特别是发达国家经济发展中服务业所占的比重逐年增加，运营管理的对象逐步向服务领域扩展。近年来，生产运营管理课程已被统称为"运营管理"。

制造产品或提供服务均需通过运营系统来实现从投入到产出的转换过程。以制造业为例，生产系统的投入包括厂房（建筑物）、人员、设备、原材料、资金、信息等一系列资源。

生产系统的转换过程是指运用相应的设施，通过一定的工艺流程和方法，改变产品的形状、尺寸，即产品的物理性质或化学性质，最终把其变成产成品的过程。图1-1给出了运营系统的结构及其运行关系。

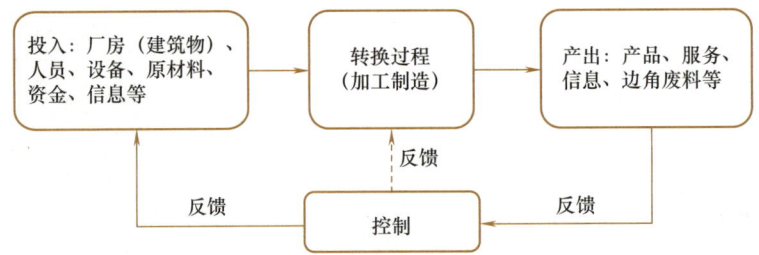

图1-1 运营系统的结构及其运行关系

同理，对于服务系统，转换过程是指通过投入包括建筑物、人员、设备等各种物质资源，为服务对象提供相应的服务，达成服务目标的过程。表1-1列出了不同行业投入、转换和产出的要素实例。

表1-1 不同行业投入、转换和产出的要素实例

社会组织	投入	转换	产出
学校	教师、教室、实验室及设备等	教学	知识人才
医院	设施、医生、护士、药品等	检查、诊断、手术、治疗等	健康的人
工厂	厂房、原材料、工人、设备等	加工制造	产成品
物流企业	仓库、搬运设施、车辆等	仓储、运输	位置（空间）或时间改变
航空公司	飞机、乘务员、机场设施等	飞行	将乘客送到目的地

1.1.2 运营管理的职能

1. 运营管理的计划与决策职能

（1）能力决策与规划。企业一方面要做好市场需求总量的预测，另一方面要掌握市场需求的波动形式和波动幅度，更要考虑市场需求的长远发展趋势。能力决策与规划的原则是既要尽量满足市场需要，同时又能充分利用产能。

（2）选址与设施布置。选址是指选择和确定运营系统的空间位置。选址和设施布置涉及技术、经济、管理、地方政策、环境与生态保护等一系列影响因素，会对企业（组织）产生长期、重大的影响，因而是运营战略的重要内容之一。

（3）产品（服务）决策。这是指确定生产的品种、产量、档次等。根据对企业的环境和条件、企业的优劣势等的分析，以及市场的需求状况，确定企业产品（服务）的品种、档次和规模。产品决策决定了生产什么、生产多少、如何生产的问题，因而它既是企业的总体战略，也是运营战略的决策问题。

(4) 自制或外包决策。随着市场竞争的不断加剧、供应链管理理论和实践的发展，企业需要明确自身的核心能力，确定企业的核心业务，进而集中有限资源做好核心业务，巩固和提升核心竞争力，在此基础上，可考虑把一些自身不具优势的非核心业务外包出去。

(5) 计划与调度控制。计划与调度是指企业的中短期运营计划，包括确定生产什么、生产多少、何时生产、何时完工、哪个部门生产等；对运营系统的相关人员、设备、物料等各项资源的有效运用有计划地进行安排、控制和优化。

2. 运营管理的组织职能

根据运营系统的业务特点和要求，先确定运营系统管理权力的集中程度，再确定管理组织的结构模式。例如，在多品种、小批量、订单式运营条件下，运营管理系统常采用权力下移的形式，运营计划和控制工作大多由业务层掌握，业务部门多按工艺专业化原则组成；而在大批量、通用型产品、运营比较稳定的条件下，运营计划和控制工作由企业职能部门掌握，业务部门一般按产品专业化原则组成。

3. 运营管理的控制职能

运营管理的控制指标主要包括对进度、库存、质量、成本、效率等方面的控制。控制过程一方面要向运营系统输入相应指标的控制标准，按标准控制系统运行；另一方面要根据运营系统的实际运行效果，发现实际运行状况与标准之间的差异，进而查明原因，采取措施，消除差异，确保系统运行处于良好状态。为此，要求企业建立完善的管理信息体系，确保及时、准确地收集并掌握运营系统运行状况的信息，为运营管理控制提供可靠的依据。

4. 运营管理中的员工管理职能

运营系统的员工需求量取决于其业务量的大小。当市场需求旺盛时，企业可能会出现员工短缺；而在市场需求淡季时，可能会出现员工过剩。企业员工数不可能随短期需求的波动进行实时增减，考虑到新员工培训需要时间和成本，辞退多余的员工需做出相应赔偿等，因而必须从较长期（如一年或以上）的角度考虑，确定相对稳定的合理员工数。当业务量超出运营系统正常产能时，可以考虑适当安排员工加班，而加班工时一方面受到劳动法的约束，另一方面企业也将承担较高的工时成本，因而必须综合考虑满足需求和运营系统的效率及稳定，合理地配置员工。

5. 运营管理的指挥职能

指挥职能是指把具体的计划要求安排和落实到各个岗位和员工，同时通过有效的激励机制，如定额工资制、绩效工资制、个人计酬、小组计酬、精神奖励、物质奖励等方式，使各部门和人员能按目标、计划和要求积极地工作。指挥职能还包括发布工作指令和作业分配，按照任务的工艺流程和工作内容把任务层层分解，在任务内容、执行单位和执行时间上落实到部门、岗位和个人。通过指挥职能，运营系统能有条不紊地高效率运行。

1.1.3 运营管理的内容

运营管理是指对运营系统的设计、构建、运行、维护等一系列活动过程的管理。运营管理通过管理职能，使运营系统正常运行并得到不断优化，实现高效率、低成本运行，为企业的生存和发展提供有效的支持。

运营系统的规划设计和构建包括产品研发和设计、运营能力决策与规划、流程设计和选择、选址规划、设施规划与布置。运营系统的规划设计和构建是企业战略层次的问题，其结果将给企业带来重大并且长期的影响，对企业的生存和发展具有重要的意义。

运营系统的运行和维护包括运营计划与进度控制、人员配备及组织、物料供应与库存控制、

成本控制与质量保证等。表1-2给出了运营管理的内容。运营系统的运行过程管理决定了系统运行的效率、质量、成本、效益，最终决定了企业的竞争力。

表1-2 运营管理的内容

	决策内容	要解决的基本问题
运营系统构建	需求预测	一定时期内产品或服务的需求展望
	产品和服务设计	确定顾客需要的产品和服务 确定产品的质量和服务水平
	选址决策	确定运营系统的地理位置
	能力需求决策	确定运营系统产能及实现产能的方案
	业务（工艺）流程设计	选择业务流程和作业方法
	运营系统布置	确定运营系统和设施等的布局
	员工组织与工作设计	员工组织模式、流程设计、工作设计、员工激励方式
	流水生产组织	单品种流水线组织 可变流水线组织 混合流水线组织
运营系统运行管理	综合计划	根据市场需求预测结果，确定以综合单位表示的产量，用于确定产能配置、人员招聘、外协规模、资金需求、库存水平等
	运营计划及作业计划	运营计划制订 作业计划制订 计划实施与进度控制 物料需求计划
	库存管理	单周期物资订货批量决策 常规条件的订货批量决策 价格优惠条件的订货批量决策 库存控制模式 库存分类管理 常规条件的订货批量决策 价格优惠条件的订货批量决策
	精益生产系统	准时化运营与零库存管理 看板管理 现场管理 零缺陷管理
	供应链管理	供应链合作伙伴的选择与管理 供应链运营下的计划与控制 供应链运营风险和利益协调 供应链信息流和物流的组织与协调
	质量保证体系	工序能力及六西格玛管理 质量标准和质量认证体系 质量保证体系的构建和控制 质量管理数理统计方法 抽样检验理论及其应用

1.1.4 运营管理的目标

运营管理的目标就是要达到高效率、低成本、高柔性、高效益,为企业的生存和发展提供有力支持。具体来说就是使运营系统发挥最大的效能,并在质量、成本、交货期、柔性等方面取得最佳的效果。

(1) 提高运营系统的运行效率。通过对运营系统科学地计划、组织、协调和控制,使生产运营系统的各要素密切配合,避免过程中断和等待,优化工艺流程和方法,加强员工培训,改善员工激励,提升员工的主动性和积极性,合理规划和优化生产运营系统的布局,缩短生产过程的物流路线等,最终实现系统的高效率运行。

(2) 减少运营系统的库存量。运营系统库存包括原材料、辅助材料、在制品、零部件、产成品等。减少库存是指在保证系统正常运行的条件下,使各环节库存最小化。减少库存可以减少流动资金占用、加速资金周转;同时易于暴露运营系统存在的问题,促进运营系统问题的彻底解决。

(3) 降低运营系统的运行成本。生产成本主要由物料消耗成本、工(台)时消耗成本、运行管理成本等组成,因而提高运营效率、降低物料消耗、减少库存是成本控制的主要任务。生产成本的降低有利于增强企业的竞争力,有利于企业的健康发展。

(4) 提升运营系统的产品质量。产品质量是企业生存和发展的基本要求,也是企业参与市场竞争的基本条件。产品质量的形成过程包括设计、生产、使用等全过程,影响产品质量的要素包括设备、人员、材料、方法、环境等。因此,为了保证质量,企业必须建立有效的质量保证体系,实施全面质量管理。加强产品质量控制是运营管理的重要目标之一。

(5) 确保运营系统订单的交货期。快捷、准时交货是决定企业竞争力的重要因素,是衡量企业运营管理水平、客户满意度的重要指标。准时交货可以赢得客户信任,提升企业信誉,进而扩大市场份额。产品能否准时交货主要取决于产品生产准备周期和制造周期,而生产准备周期和制造周期很大程度上取决于运营系统的管理水平,因而确保快而准的交货期是运营管理的重要目标之一。

1.1.5 运营管理的地位和作用

通过分析企业的管理系统结构及关系,可以了解运营系统的地位和作用。企业管理系统的主要职能模块包括财务管理、营销管理和运营管理。这三大职能对实现企业经营目标均起着非常重要的作用。

(1) 财务管理。运营系统运行过程中需要占用大量的资金,财务管理一方面为企业运营活动提供资金保障,另一方面通过财务管理的手段和方法,计划、监督和控制企业资金的运用,避免企业资金在使用过程中的损失和浪费,最终实现企业的成本目标和利润目标。

(2) 营销管理。营销管理决定了企业产品的市场销售状况,是实现企业产品价值的重要职能。营销管理对运营系统的运行模式、运行效率、运行成本等有着直接的影响;反过来,满足市场需要、实现市场营销目标、提升市场竞争力,又要靠运营系统及其管理来保证。

(3) 运营管理。在市场竞争环境下,企业的发展战略、组织结构、财务管理、营销策略都有可能成为决定企业成败的关键因素。而从市场用户(消费者)的角度来看,能否提供满意的产品和服务是关键。为了确保用户满意,则必须品种齐全、交货及时、质量良好、价格合理、服务周到,而这些主要取决于运营系统及其管理水平。可见,运营管理是决定企业生存和发展的重要职能。

1.1.6　学习运营管理的意义

（1）运营管理提供了系统化解决问题的方法。运营管理包括一系列科学、系统解决运营系统问题的理论和方法。运营管理的对象是运营系统，运营系统的影响要素多、运行过程复杂，解决运营系统问题必须借助系统的理论、手段和方法。运营管理是经过长期的运营实践总结提炼，结合运筹学、优化和控制理论、概率与数理统计理论、计算机仿真技术、现代管理理论和方法等形成和完善起来的管理学科分支。学习好运营管理，可以为我们提供系统分析和解决运营系统问题的理论、手段和方法。

（2）运营管理是管理类专业学生必修的核心课程之一。管理类专业的知识结构主要包括战略管理、财务管理、运营管理、人力资源管理、营销管理、国际商务、管理沟通、技术经济学、管理信息系统等。长期以来，在我国的管理类专业教育中，过分强调培养高层次的管理人员，强调高层战略决策、商务、财务、人力资源等课程的重要性，而运营管理被认为是执行层的职能，学生学习兴趣不大、动力不足，导致他们的运营管理知识在管理类专业知识结构中较薄弱。由于长期存在认识上的误差，管理类专业人才培养与企业人才需求产生了很大的差异，企业需要的能胜任运营管理工作的人才严重缺乏。管理类专业学生知识结构的失衡要求加强运营管理课程的教学工作。

（3）学好运营管理可有效提升毕业生的就业竞争力。运营管理是实践性和理论性都很强的专业课程，根据近年来的人才需求调查，运营管理也是制造业和服务业人才需求缺口较大的一类管理岗位。而长期以来大学管理类专业人才培育目标定位的偏差——忽视运营管理人才的培养，是导致社会人才需求缺口的主要原因之一，因而掌握运营管理理论、方法和技能的人才往往更加受到各行各业的青睐。同时，在实践中，企业运营管理岗位也能获得较高的薪酬待遇。可见，学习运营管理理论和方法，掌握运营管理技能，对于改善管理类专业人才的知识结构，提升其就业竞争力和工作能力具有重要意义。

（4）运营管理是一门适用范围很广的管理课程。运营管理课程的内容十分丰富，融入了现代先进的理论、技术和方法。传统上认为运营管理的主要对象是制造业的管理，然而随着服务业在西方发达国家的高速发展、运营管理对象重点的转移，运营管理理论和方法体系得到了迅速充实和完善，现代运营管理的理论和方法体系既适用于制造业，也适用于服务业，同时还适用于政府职能部门和非营利性组织。学习和掌握运营管理理论、方法和技能，无疑对提高管理专业人才整体素质和水平大有裨益。

1.2　服务运营系统的特点

与生产实体产品的运营系统相比，服务运营系统具有如下特点：

（1）服务运营系统输出的主要是无形产品。服务产品也称为劳务型产品，是看不见、摸不着的无形产品，如医院的身体检查和手术治疗、家电维修、交通服务、酒店住宿、理发美容等，提供的就是典型的服务产品。服务产品是无形的，但消费者可以感受到其提供的价值。

（2）服务过程的顾客参与度。不少服务过程要求消费者必须直接参与，服务提供过程与服务产品消费过程在空间上不能分离、在时间上必须同步。如医疗服务、民航服务、地铁服务、理发美容等，被服务者都必须直接参与，否则服务过程将无法完成。

（3）服务产品的不可储存性。与实物产品不同，不少服务产品由于提供过程和消费过程在空间和时间上具有不可分离性，因此该类产品随着时间的推移而消逝，是不可储存的，如酒店住房的空置、医生的空闲、飞机上的空位等。不可储存性特点决定了该类服务运营系统受需求波动的影响大，服务运营系统的运行难以均衡。

（4）服务产品与实体产品的结合性。不少服务产品往往要以有形产品为载体，才能完成服务过程。例如，酒店借助各种美味菜肴为消费者提供服务；医院提供相应的药物以实现对病人的医疗服务。另外，实物产品质量也将直接影响服务运营系统的服务水平。

1.3 运营管理的发展历程

1.3.1 科学管理

科学管理的创始人是被称为科学管理之父的弗雷德里克·温斯洛·泰勒（Frederick Winslow Taylor）。他通过对工作方法的观察、分析、研究和改进来确定工作的最佳方法。泰勒认为，管理者应通过制订计划、认真挑选和培训工人、注重管理部门与工人的合作来提高生产效率。

泰勒强调优化工作方法，提高工作效率，实行定额制。泰勒认为，有效解决劳资双方之间矛盾的根本途径就是提高工人的工作效率。在泰勒的试验中，经过优化的工作方法可以使效率提升3~4倍。1911年，泰勒的《科学管理原理》一书出版，使科学管理得到进一步推广。虽然泰勒提出了提高工作效率的途径和方法，但仅仅解决了单个作业的效率问题，而没有从生产系统整体优化的角度解决生产过程整体效率提升的问题。

在泰勒时代，还有许多科学家对科学管理做出了重大贡献，如弗兰克·吉尔布雷思（Frank Gilbreth）夫妇、甘特（Henry Gantt）、福特（Henry Ford）、法约尔（Henri Fayol）、梅约（Mayo）等。

其中，弗兰克·吉尔布雷思被称为时间动作研究之父。他通过高速拍摄的方法把工人的工作过程拍成电影记录下来，然后通过电影重放对工作过程的动作做了细致入微的分析和研究，分析工人工作过程的合理性，据此探索工作优化的途径和方法。

甘特发明了被称为甘特图（条形图）的计划进度安排和控制的手段方法。

1.3.2 流水生产组织

1913年，福特在汽车装配线中首创了流水生产组织模式，把泰勒提升单个工序效率的工作优化发展到提升生产系统整体效率的层次。福特的流水生产模式也称为同期化作业管理。他在汽车生产上实行零部件标准化，把汽车的装配过程分解成一系列小的作业，然后按工序同期化的要求，重组生产过程各工序，安排工人的工作，使各工序的生产速度保持一致，工人的工作达到高度专业化，从而实现了高效率、低成本。在采用流水装配线之前，一名工人完成一辆汽车底盘的装配要用12.5h，而装配流水线建成后，底盘的平均装配时间缩短为93min。这项突破性技术同科学管理一起，至今仍然被广泛应用于各行各业。

1.3.3 霍桑试验与行为科学

从泰勒时代到20世纪40年代，数学和统计学的发展对生产运营管理的发展起了支配作用。20世纪30年代，社会学家梅约进行了一个著名的霍桑试验。该试验在美国伊利诺伊州西屋电气公司的霍桑工厂进行，设计试验的目的是研究一定环境因素的改变对工人劳动效率的影响。然而，研究发现，实际改变这些环境因素条件对产出的影响远不如告知工人将要改变照明条件所带来的影响大。进一步访谈发现，这是因为工人们感到有责任为保持自己工作小组的高产量而努力。试验结果激发了社会学家和"传统"的科学管理研究者的共同兴趣。霍桑试验的结果表明，工人的动机和行为对提高生产率至关重要。

20世纪40年代，亚伯拉罕·哈罗德·马斯洛（Abraham Harold Maslow）提出了需求层次论。20世纪50—60年代，道格拉斯·麦格雷戈（Douglas McGregor）提出了X理论和Y理论。X理论假定人们天生就不喜欢工作，只有通过奖惩手段才能使他们把工作做好；Y理论则假定工人是乐意工作的，认为工作能使其身心得到健康发展。到了20世纪70年代，威廉·大内（William Ouchi）在研究日本终身雇佣制的激励效果和西方短期雇佣、个人决策的激励作用的基础上，融合X理论和Y理论的观点，提出了Z理论。所有这些理论对运营管理的发展都产生了重要的影响。

1.3.4 运筹学与管理决策模型

1915年，哈里斯（F. W. Harris）提出了第一个库存管理的数学模型。20世纪30年代，贝尔电话实验室的几位科学家提出了抽样和质量控制的统计程序。在第二次世界大战期间，为了解决军队后勤组织和武器系统设计的复杂问题，运筹学向跨学科的数学化方向发展，包括数学、心理学和经济学领域在内的研究者都参与到对运筹学的研究中。他们用定量的方法构造和分析问题，寻求数学意义上的最优解。运筹学为运营管理提供了定量分析的工具。第二次世界大战结束后，相继有科学家提出了预测、库存管理、项目管理及运营管理中其他方面的决策模型。

1.3.5 精益生产体系及管理模式

20世纪70年代，以日本丰田汽车公司为代表的日本制造业，结合日本的国情，探索和实践运营管理新模式，形成了被西方国家称为"精益生产"的运营体系。该体系包括准时生产、全面质量管理、混流生产、零库存、零缺陷管理、看板管理、5S管理、目视化管理等。该体系大幅提高了效率、质量、柔性，降低了库存和成本，从而大大增强了企业的竞争力。精益生产强调以顾客满意为目标，重视充分激励员工，调动员工的积极性、主动性和创造性，强调通过降低库存、提升质量、消除浪费，实现高效率、高质量、高柔性、低成本，形成了全新的运营管理理论和方法体系。

1.3.6 计算机应用与MRP、MRP II、ERP

进入20世纪70年代，计算机技术和信息技术在运营管理中得到了广泛应用。在制造业中，一个重大突破是在运营计划和控制中运用了物料需求计划（Material Requirements Planning，MRP）。MRP通过计算机软件将企业各部门联系在一起，共同完成复杂产品的制造。这样，运营计划人员就可以根据需求的变化，快速调整运营计划和库存水平。上万个零部件的计划变更需要处理大量数据，如果不借助计算机管理，将是非常困难的。之后，MRP系统中集成了财务管理和营销管理等职能，形成了闭环MRP系统（MRP II）；把企业决策、人力资源管理、客户关系管理等一系列管理职能集成起来，形成了企业资源计划（Enterprise Resource Planning，ERP）系统。基于ERP的运营管理大大提升了效率和水平，但也派生出运营管理的新内容，包括业务流程再造、运营组织扁平化、企业员工文化知识等。

1.3.7 全面质量管理与质量认证

全面质量管理（Total Quality Management，TQM）无论在运营管理领域还是在管理实践方面，都是一项重大的发展。产品（服务）质量是决定企业生存和发展的最为关键的要素，而影响产品质量的因素包括全过程、全要素，因而实施全面质量管理就成为企业的必然选择。日本企业在学习美国质量管理技术的同时，结合日本的国情，实践全面质量管理，取得了令人瞩目的成绩，质量管理水平及产品竞争力全面提高。1986年，美国为了推进产品质量运动，专门设立了波多里奇（Baldrige）国家质量奖。在美国质量管理协会和国家标准与技术研究机构的指导下，波多里奇国家质量奖每年奖励5家在质量管理方面有突出表现的企业。这为有效提升美国企业的质量管理水平和产品质量起到了积极有效的作用。

随着经济全球化的深入发展，以我国为代表的新兴发展国家在全球经济中起了越来越重要的作用，全球化生产对质量管理和质量标准提出了新的要求。国际标准化组织颁布的 ISO 9000 系列标准在设立和推动全球制造业的质量标准方面发挥了重要的作用。不少企业都要求其合作伙伴必须通过 ISO 9000 质量认证，并将这一要求作为签订合同的一个条件。

1.3.8　业务流程再造

为了适应新的环境和条件，保持和提升企业的竞争力，许多企业开始寻求对运营过程的革新。例如，日本丰田汽车公司的管理模式就是从客户的角度分析业务流程，将是否为客户"增值"作为判断标准，分析现有业务流程各项活动的合理性和必要性，凡是对客户增值不起作用的流程活动都作为流程改善的对象。此外，企业实施管理信息化也对现有业务流程提出了再造的要求。管理信息化环境下的业务流程与传统管理模式下的业务流程存在较大区别，实施信息化管理必须按相应要求对传统业务流程实行再造。业务流程再造（Business Process Reengineering，BPR）强调革命性的变革，即重新审视企业现行的所有业务流程，取消不能带来价值增值的步骤，对剩余部分流程重新进行设计，最终获得满意的产出。

1.4　运营管理的新环境

1.4.1　互联网和全球化供应链管理

随着互联网技术的发展和普及应用，现代物流、电子商务、供应链管理得到快速发展，全球研发、全球生产、全球采购、全球销售成为提升供应链竞争力的重要模式，运营管理对象也从传统的单一企业扩展到由众多分布在不同地区的合作伙伴组成的供应链整体。因此，与传统的面向单一企业的运营管理相比，供应链在合作伙伴的选择、运营绩效的评价、合作伙伴的关系协调、运营计划和控制、运输和储存控制等方面表现出了很多不同的特点和要求。新的运营环境和对象的变化对传统的运营管理理论、方法和模式提出了新的要求。探索互联网、电子商务、全球化供应链模式下的运营管理新模式、新技术和新方法，是运营管理领域面临的新挑战。

1.4.2　全球环境与生态保护问题

近年来，世界各国都面临着一个严峻的问题——全球气候变暖。全球气温持续上升，带来的灾难将难以想象。为了减轻全球气候持续变暖与环境恶化带来的影响，包括我国在内的许多国家都承诺在未来一段时间内将大幅减少碳排量。2020年9月22日，中国国家主席习近平在第七十五届联合国大会一般性辩论上宣布："中国将提高国家自主贡献力度，采取更加有力的政策和措施，二氧化碳排放力争于2030年前达到峰值，努力争取2060年前实现碳中和。"中国碳达峰、碳中和目标的提出，在国内国际社会引发关注。党的二十大报告指出："积极稳妥推进碳达峰碳中和。实现碳达峰碳中和是一场广泛而深刻的经济社会系统性变革。立足我国能源资源禀赋，坚持先立后破，有计划分步骤实施碳达峰行动。完善能源消耗总量和强度调控，重点控制化石能源消费，逐步转向碳排放总量和强度'双控'制度。"在这种情形下，降低碳排量、减少资源消耗、实现清洁运营是企业适应全球环境保护的必然选择。如何在保护环境、生态不被破坏的前提下追求高效率、高效益，是运营管理的一项重要课题。

1.4.3 科技发展和消费者需求变化

随着科学技术的快速发展，新技术、新材料、新设计、新工艺的发明速度加快，为企业新产品的开发提供了有效支持，促使产品更新换代的速度加快，产品生命周期不断缩短。此外，随着市场竞争的日趋激烈，客户对产品的品种、质量、价格和服务的要求越来越高，个性化、多样化需求特征日趋明显，经营环境的不确定性增强。传统的大批量、标准化、预测式生产难以为继，多品种、小批量、订单式生产模式开始广泛兴起。而解决柔性、效率、质量、成本之间的矛盾成为运营管理迫切要解决的问题。尽管日本式精益生产体系取得了成功，但其适用性毕竟具有一定的局限，对于实施多品种、小批量、订单式生产的大量中小企业，还有待对运营管理做进一步的探索和研究。

1.4.4 本土化中小制造企业运营管理

改革开放以来，我国沿海城市众多中小制造企业迅速发展。这些企业规模小，工资水平低，员工技术和文化水平不高，员工流失率高。为了避免市场风险，中小制造企业常实行订单式生产，多品种、小批量、多批次生产是这些企业生产的主要模式，而利润空间小、需求不均衡、质量不稳定、交货急是这类企业普遍面临的问题。尽管这类企业的运营管理困难重重，但由于其规模小、投资少、成本低，适应市场需求变化的能力强，其产品具有较强的国际市场竞争力。从宏观角度考虑，这类企业是各地区经济发展的重要力量，同时也为解决社会就业问题做出了重要贡献。针对这类中小制造企业，结合我国各地方的特色，研究相应的运营管理理论和模式，将有利于建立具有我国本土化特色的运营管理理论体系。

1.5 运营管理的发展趋势

1.5.1 加快新产品的研发速度

新产品的研发速度是决定企业竞争力和发展的关键要素，因而受到企业界的高度重视。加快新产品的研发速度需要产品设计者、工艺工程师、生产管理者以及生产工人之间的紧密合作。为了解决传统的产品研发组织模式效率低、反复次数多、周期长的问题，近年来，不少企业的新产品研发组织按综合团队方式来组成，使产品研发过程的各环节工作集成到一个团队里来展开，以确保研发过程中的沟通和协作，避免或减少新产品研发过程的重复和返工，从而提高了产品研发的效率。同时，在研发过程的组织上实行"并行"工程方法，从而缩短了新产品的研发周期。

1.5.2 建立高柔性的运营系统

市场竞争的加剧、生活水平的提高，促使市场需求更加多样化、个性化，也更难以预测。大规模、客户化生产，多品种、小批量、多批次、订单式生产已成为不少企业主要的运营模式。为了在满足市场多样化、多变化需求的同时提高企业的效率和效益，以求得企业的生存和发展，就必须建立高柔性的运营系统，包括人员柔性、设备柔性、流程柔性、工艺方法柔性、组织模式柔性等。高柔性的运营系统就是能够实现高柔性、高效率和高效益统一的系统。

1.5.3 管理全球化运营网络

随着核心竞争力战略理念的实践、供应链运营管理的发展,全球研发、全球采购、全球生产、全球销售成为不少跨国公司的主要运营模式。建立和管理全球化运营网络就是在全球范围内寻求最好的合作伙伴,建立高效率的战略合作伙伴关系,实现全球范围内的优势资源组合。同时,借助先进的信息技术、互联网技术以及现代物流体系,建立起全球运营网络,从而提升企业的竞争力。

1.5.4 跨文化环境下的运营管理

随着经济全球化进程的加快和跨国公司国际化经营战略的实施,企业中多种语言和文化并存的现象日益普遍。例如,美国加利福尼亚州的丰田汽车厂在长湾地区的货车底盘装配车间中的420名工人就有26种不同的文化背景;我国广州的广汽丰田、广汽本田,东莞的美能达、三星集团等的管理人员队伍由合资各方不同国家和地区具有不同文化背景的人员组成。不同文化背景、不同价值观的员工队伍,要求运营管理模式能适应这种跨文化环境。

1.5.5 基于供应链的运营管理

传统的运营管理对象、理论和方法均局限于单一组织和企业。然而,随着劳动分工与协作的实践发展,绝大多数产品的生产和经营均需要通过众多相关企业的通力合作才能完成。从实现产品价值的角度看,产品的研发、零部件生产、装配、储存、配送、销售等过程是一个整体,而参与产品价值实现过程的各个企业则是"供应链"的节点企业。产品的市场竞争力取决于供应链整体运营过程的效率、质量和成本。要实现供应链整体过程的高效率、高效益,要求这些节点企业从提高系统整体效益出发,改变传统的仅仅追求企业本身利益的理念,围绕供应链整体运营目标和要求,在预测、计划、生产、库存、供应、质量控制、配送等方面紧密配合、通力合作。在供应链内部企业间的关系处理上,要遵循利益共享、风险共担、实现共赢的原则,建立高度互信、协同发展的高效运营机制。从以单一企业(组织)为对象的管理,到以供应链众多企业为对象的组织、协调和管理,既包括管理对象范畴的扩大,同时也涉及传统的企业运营管理理念和方法的变革。近年来,供应链管理实践发展迅速,取得了丰硕的成果,而供应链管理理论和方法也引起了众多学者的重视,已经成为运营管理的一个重要分支。

本章小结

本章介绍了运营管理的对象——运营系统的结构及其运行原理,阐述了运营管理的基本理论,包括运营管理的目标、内容、地位、职能,以及学习运营管理的意义,还介绍了服务运营系统的类型及其特点,分析了运营管理理论体系和模式的发展历程,介绍了运营管理所处的新环境,以及运营管理体系的发展趋势。

思考与练习题

1. 何谓运营系统?简述其结构和运行原理。
2. 何谓运营管理?简述其职能和目标。

3. 简述运营管理的主要内容。
4. 学习运营管理的意义何在？
5. 简述运营管理的发展历程。
6. 简述泰勒、福特、梅约对运营管理的贡献。
7. 运营管理的新环境有哪些？
8. 何谓基于供应链的运营管理？

案例分析

美国联邦快递公司

联邦快递（FedEx）是一家要经常应对危机，年收入达330亿美元的快递服务公司。它几乎每天都会遇到破坏性事件，比如社会动荡、飓风或者罢工。联邦快递公司已经设计了一个柔性供应链，可以对意料之外的灾难性事件做出响应。这一能力使联邦快递成为赈灾救援供应链的重要资源。当供应和需求严重失衡时，赈灾救援供应链需要在全球范围内尽快做出响应。采取观望态度是无济于事的，必须事先做好计划。卡特里娜飓风就属于这种情况，它是美国历史上造成损失最大的自然灾害。在卡特里娜飓风袭击路易斯安那海岸东南部的5天前，位于田纳西州孟菲斯市的联邦快递公司运营控制部的主管一天内召开了两次100多人的电话会议。在飓风到达前，联邦快递公司在路易斯安那州首府巴吞鲁日和佛罗里达州首府塔拉哈西外围准备了30000袋冰块、30000USgal○水以及85台家用发电机，以便快速调度来减轻员工的压力，并在战略位置放置了60t红十字会的设备，以备风暴来袭。虽然已经预计到强风的到来，但是汹涌的洪水还是令其措手不及。联邦快递将10000件包裹退回给发件人，并且不得不给100000件设备重新设定程序以避免向洪水围困的区域发件。由于新奥尔良机场关闭，联邦快递公司不得不将其枢纽迁往路易斯安那州的拉斐特。公司只用了几天时间，就进行了正常情况下需要6个月才能完成的搬迁。并且在灾害发生后的一周，联邦快递公司利用其庞大的物流网络，向路易斯安那州、密西西比州以及休斯敦太空人巨蛋体育馆运送了900多吨的救灾物资。

思考：
1. 说明企业如何提高能源利用效率。
2. 说明如何运营以支持灾害救援工作的响应和恢复活动。
3. 解释上述案例如何面对道德伦理问题。

○ 1USgal = 3.78541dm³。

第 2 章

运 营 战 略

> **学习目标**
> （1）掌握企业运营战略理论、运营战略的内容、运营战略匹配。
> （2）了解运营战略的产生背景和企业运营战略框架。

◆【引导案例】

　　埃隆·马斯克（Elon Musk）创立的特斯拉汽车公司（Tesla Motors）正在彻底改变我们对个人旅行的看法。全电动 Model S 拥有自动驾驶仪，可实现先进的巡航控制、自动通过以及自动停车功能，甚至可以实现汽车的自动取回，其具备的安全和方便的特性，必将大行其道。

　　但该公司仍需要克服大众接受电动汽车的主要障碍，这与电池有限的使用范围以及电池组充电的时间有关。

　　请评估和思考特斯拉汽车公司为解决这些问题实施的战略举措：

　　它在世界各地建立了数千个"超级充电站"，可以在 30min 内完成汽车充电。

　　为降低电池的成本，它在内华达州里诺建造了一个巨大的电池工厂。特斯拉汽车公司称这是它的"超级工厂"，围绕其可互换的电池组外形和功率形成了一个低成本的行业标准。马斯克将与这种新型电池相关的专利向公众公开，以便这些标准能够被其他公司所采用。

　　最后，特斯拉汽车公司引入了一种"电池交换"技术，这种技术很容易被世界各地的加油站所采用。经过自动化处理的基站能够迅速更换电池，并安装一块新充电的电池。这项技术使马斯克很可能在未来拥有电动汽车动力能源的专营权。

　　特斯拉汽车公司在其汽车中引入的创新涉及很多领域，包括汽车的设计和制造、安全运行的软件技术、新电池的采购和开发，以及汽车使用的基础设施。总体来说，特斯拉汽车很可能开创了公路运输的新纪元。

　　长期以来，运营管理的主要职能一直被认为仅仅是降低成本和提高生产率，很少有企业将运营战略作为获得竞争优势的战略。直到 20 世纪 70 年代，由于全球市场竞争激烈，以日本丰田生产方式为代表的精益生产体系取得了巨大的成功，运营战略的作用才被人们重新认识并高度重视。运营战略是企业为求得生存和发展，对运营系统的发展方向和关系企业全局、长远的运营问题所做的重大谋划。运营战略是企业总体战略的重要组成部分，是企业获得竞争优势的关键，对企业的生存和发展具有重要意义。

2.1 运营战略概述

第二次世界大战之后，由于战争期间消耗了大量的物资，战后的美国市场处于供不应求的状态，产品市场需求十分旺盛。在这样的环境下，只要把产品生产出来就能顺利地销售出去，企业并不需要过多地考虑运营战略问题。到了20世纪七八十年代，来自日本的竞争者以其优越的产品质量、低廉的产品价格、良好的服务等，开始占领汽车、摩托车、家电等国际市场，给欧美国家的企业带来了巨大的竞争压力，管理学者和业界开始研究这些企业成功的原因。研究发现，这些企业成功的奥秘主要是其独特的、高效率的运营系统及其管理模式。这些企业以其产品质量好、成本低、研发速度快、能适应复杂多变的用户需求等优势赢得市场。这充分说明了运营管理在企业生存和发展中所起的作用。

早在20世纪60年代，美国哈佛商学院被称为"运营战略之父"的管理大师威克汉姆·斯金纳（Wickham Skinner）就认识到美国制造业的隐患。他建议企业注重运营战略。随后，哈佛商学院的埃伯尼斯（Abernathy）、克拉克（Clark）、海斯（Hayes）和惠尔莱特（Wheelwright）等进行的研究，继续强调了将运营战略作为企业竞争力手段的重要性。他们认为，如果不重视运营战略，企业将会失去长期的竞争力。

2.1.1 现代企业的运营环境

现代企业处于一个瞬息万变、充满竞争的环境中。科学技术加速发展，市场需求的多样化和个性化，竞争的全球化和白热化，产品更新周期缩短，以及政治、经济、社会等因素的影响，给传统的运营管理提出了新的挑战，使运营管理既要处理效率、成本、质量、时间等传统问题，又要解决与企业整体战略相匹配的运营战略问题。

第一次石油危机前，世界范围的产品需求和供给迅速增长，市场需求旺盛，产品的开发、生产和销售主要由少数企业控制。产品品种少、需求规模大、生命周期长的特点，为制造业采用专用设备和流水线生产提供了客观条件。第一次石油危机后，世界市场对产品的需求趋于饱和，市场竞争日趋激烈，为了赢得市场，企业必须按用户的不同要求进行产品的研发和生产，从而使产品品种不断增加，形成了市场多变的特点。

产品生命周期大幅缩短。近几十年来，随着科学技术的加速发展，新技术、新设计、新材料、新设备、新工艺不断涌现，为产品的更新换代提供了条件。市场竞争日趋加剧，用户需求不断变化，为了满足市场需求、保持竞争地位和优势，企业必须掌握市场需求的发展变化趋势，据此不断地研发新产品。在上述多种环境要素的综合作用下，促成了产品生命周期越来越短的趋势。

全球化的市场竞争日趋激烈。随着经济全球化的发展，市场竞争的广度和深度都大幅增加，我国企业面对的竞争对手已不再局限于本国和本地区——来自全球的竞争者凭借其先进的技术和设备、先进的管理和经营理念、强大的市场竞争力，迅速打入我国各行业的市场。同时，为了求得生存和发展，我国不少企业也在积极开发国际市场，参与全球范围的市场竞争，企业面临的市场竞争日趋激烈。

多样化、个性化需求特征明显。随着社会经济的发展、人们生活水平的提高，同时由于众多市场竞争者为消费者提供了更多的选择，推动市场需求呈现出个性化、多样化、频变化的趋势，不少产品的潮流性、时尚性特征明显。过去的少品种、大批量生产和销售模式已不能适应需求，适应个性化、多样化需求的多品种、小批量运营模式迅速发展。

供应链运营及管理模式迅速发展。供应链运营及管理模式是迅速发展起来的一种新的生产运营管理模式。供应链运营及管理模式突破了以单一企业利益为目标的决策模式，从供应链整体利益角度来进行决策并实施相应的运营管理，从而使终端产品或服务获得传统运营模式难以达到的竞争优势。

按订单生产模式成为潮流。运营环境复杂多变，市场需求难以预测。为了更好地适应市场需求，同时能降低市场风险，减少资金占用成本，越来越多的企业采用订单式生产，甚至属于标准化、通用化的汽车制造业、家电产品制造业也不例外。实行订单式生产避免了大量的产品库存，从而减少了资金占用，降低了库存的市场风险。但订单式生产由于需求不均衡，生产管理难度加大，人员、设备等资源利用率降低。

2.1.2 运营战略重点的变化

运营战略的重点是随着运营环境和条件的变化而不断变化的。从表2-1可以看出不同时代运营战略重点的变化过程。其中，20世纪60年代和90年代不同运营系统的主要特点对比如表2-2所示。

表2-1 不同时代运营战略的重点

年代	20世纪60年代	20世纪70年代	20世纪80年代	20世纪90年代
竞争焦点	成本	市场	质量	时间
运营战略的特点	大批量生产，成本极小化，系统稳定，产品集中	内部职能协调、集成，整个商品化过程协调	强化工序控制，物资周转快，世界级运营系统	新产品投入快，应变能力强，新型组织形成

表2-2 不同运营系统主要特点对比

20世纪60年代运营系统的特点	20世纪90年代运营系统的特点
低成本、稳定的质量、标准产品	高质量、定制产品
统一的市场	多元化细分市场
稳定的需求	需求多变化
产品生命周期长	产品生命周期短
产品开发周期长	产品开发周期短
以操作效率为主	以整个过程效率为主
规模经济	规模经济与范围经济融合
大批量生产	批量或单件生产
刚性生产	柔性生产
管理费用高	管理费用低
库存大，按计划生产	库存小，按订单生产
多样化-高成本	多样化-低成本
缺乏工人技能培训投入	工人技能培训投入大
管理者和员工之间的关系差	管理者和员工之间是沟通与合作关系
创新与生产相分离	创新与生产相结合
与供应商之间的关系差	与供应商相互依存
对客户需求变化响应慢	对客户需求变化响应快

比较表 2-2 中不同年代的运营系统的特点可知，20 世纪 90 年代运营系统强调按订单生产，多品种、变批量制造产品和提供服务的能力。这需要通过改进设备、工作流程及管理方式来保证。日本丰田汽车公司精益生产体系的"零库存、高柔性（多品种）、无缺陷"就是这一时期运营系统的典型特征。

2.2　制造业运营战略框架

2.2.1　运营战略的含义

美国经济学家阿尔弗雷德·钱德勒（Alfred D. Chandler）在 1962 年出版的《战略结构——工业企业的考证》一书中将战略定义为决定企业基本目标与目的，选择企业达到这些目标所遵循的途径，并为实现此目标与途径而对企业重要资源进行的分配。日本学者伊敬丹之则将战略定义为决定企业活动的框架，并对协调活动提供指导，以使企业能应对并影响不断变化的环境。美国达特茅斯大学塔克商学院管理学教授奎因（J. B. Quinn）认为，战略是一种模式或计划，它是将一个组织的主要目的、政策与活动，按照一定的顺序结合成的一个紧密的整体。综上所述，战略是指企业在竞争环境中为求得生存和发展，对长期的、影响全局发展的重大问题的筹划和谋略。

运营战略是企业总体战略的重要组成部分。企业根据对外部环境、运营能力及资源条件的分析，对与运营系统和运营管理有关的问题进行分析与判断，确定运营系统总的运营原则和模式。其目的是为企业获得长期竞争优势提供有效支持。

2.2.2　运营战略与企业总体战略的关系

企业总体战略主要由运营战略、营销战略、财务战略组成。企业总体战略目标和框架是制定运营战略的依据，同时，运营战略必须与其他职能领域的战略相匹配。从系统角度来看，企业的总体战略是一个完整的体系，由多个层级、不同职能领域的战略构成，总体战略不同层次之间上下继承、各职能战略之间相互配合和制约，从而形成一个有机的整体系统，如图 2-1 所示。

运营战略是为企业提供竞争力支持、获得竞争优势的关键。由于所处环境和条件不同，不同企业的运营战略重点可能存在很大差异。例如，苹果手机的运营战略重点在于软硬件的不断创新、系统的先进性和安全性、功能的创新性等；三星手机的运营战略重点则在于技术上紧跟、外观上不断追求时尚性和多样性；华为手机则把国内消费者作为主要目标市场，采取技术紧跟与部分超越战略，瞄准中国消费者的需求特点，设计和生产满足国内消费者需求的产品。同一企业不同部门的运营战略重点也可以不同。如一家大型家电企业，其彩电和手机事业部的战略重心可能是技术创新和研发，以引导市场和消费潮流；而其冰箱和空调事业部的战略重点可能是获得价格优势，因而控制运营成本是其运营战略的关键。制定运营战略主要取决于对目标市场的需求特点和市场竞争态势的把握，在充分了解目标市场客户需求特征的基础上，才可能确定出具有针对性的、有效的运营战略。

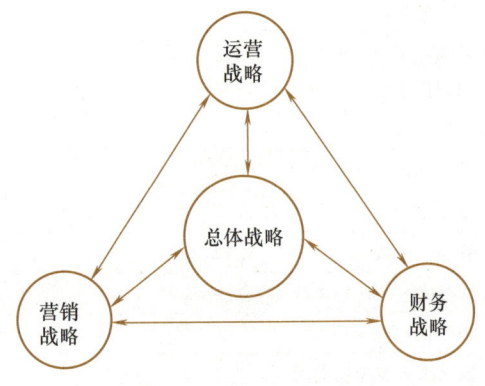

图 2-1　总体战略结构

2.2.3 企业运营竞争要素分析

竞争力决定了企业的生存和发展。在激烈的竞争环境下如何获得竞争优势,很大程度上依赖于企业对市场客户(消费者)需求和要求(关键竞争要素)的理解和把握。消费者购买产品时最重视的要素就是市场竞争的焦点,可能的关键竞争要素一般有如下几个方面。

(1) 成本和价格。一般情况下,价格是竞争的重点,成本是决定价格的关键,而运营系统及其管理直接决定了成本水平。产品成本结构主要包括材料费、人工费、经营费等。材料费一方面取决于产品研发和设计方案;另一方面则取决于制造过程的材料消耗水平,如节约用料、降低废品损失、减少材料库存占用和消耗等可有效降低材料成本。合理的流程组织、科学的劳动定额、有效的激励措施,有利于提高员工的工作效率,减少工作时间损失,因而有利于降低人工费。经营费包括厂房和设备的折旧费、动力费、业务费、管理费等。这些成本费用均取决于运营系统及其管理水平。

(2) 产品(服务)质量。这里所说的质量包括产品质量和工作质量,工作质量是产品质量的前提条件。在传统的市场竞争中,质量是最为重要的竞争因素,质量与价格是影响消费者购买决策的两个关键要素。在一定的生产技术组织条件下,质量水平与成本有紧密的联系,但非线性比例关系。消费者常常会把质量与价格联系起来追求"性价比",性价比高的通俗含义就是"物美价廉",这是决定消费者是否购买企业产品最为关键的要素之一。从产品质量形成的全过程来看,市场调查和研究,产品的研发和设计,产品的生产制造,产品的运输和储存、安装、使用等整个过程,都将决定或影响产品的质量特性。对全过程实施科学有效的管理是确保客户对产品质量满意的必要条件,而这些工作都是运营管理的重要任务。

(3) 交货期及其可靠性。在市场竞争日趋激烈的环境下,交货期的长短反映了运营系统对市场需求的响应速度。在同等条件下,交货期越短,客户满意度越高。实现短交货期,一方面要求企业的运营系统要有足够的产能,另一方面要求运营计划、组织和控制科学有效,以确保运营系统的各项资源都能得到最有效的利用。交货期的可靠性是影响企业竞争力的另一重要因素,能否按时交货决定了市场客户的满意度,会影响企业的信誉,同时也将给企业的成本和效益带来直接影响,如延期交货罚款、由于延期交货而改变运输方式带来的损失等。为了确保交货期,一方面要求确定合理的交货期,另一方面要求企业运营计划的制订、实施和控制方面应严格有效,运营信息的收集、反馈等应及时、准确,生产调度指令要得到有效执行。

(4) 运营系统应变能力。应变能力是指运营系统应对包括需求变化在内的环境变化的能力。需求变化包括客户订单批量变化、品种变化。这种变化导致了运营模式的改变,要求从传统的大批量、标准化、单一品种的生产模式向多品种、小批量、多批次的生产模式转变,而且要求在保持低成本的条件下实现这种转变。要具备这样的能力,一方面要求运营系统具备高度的柔性,包括人员、设备、组织模式、流程等方面的柔性,另一方面要求运营系统具有应对市场需求大幅波动的能力,包括应对需求高峰期出现超负荷和需求低谷期出现资源剩余时的能力,而这些应变能力主要靠企业运营系统来保证。

(5) 新产品研发和市场导入速度。随着市场竞争的进一步加剧,新产品研发和投入市场的速度,对企业获得竞争优势起着关键的作用,而新产品研发的组织和管理是运营管理的重要内容之一。要加快新产品的研发速度,第一要准确把握市场需求,确保开发真正符合市场需求的产品;第二要提升企业的技术研发能力,强化研发团队的力量;第三要改变传统的研发流程组织管理模式,如采用并行工程、价值工程、质量屋等新的技术和方法,确保高水平、快速地开发出符合市场需求的产品。能否满足这些要求,取决于运营管理系统对于研发过程的规划和管理。

2.2.4 运营战略分析方法

运营战略对企业竞争力起着关键作用。要想制定出能为企业竞争力提供有力支持的运营战略，决策层就必须综合考虑运营环境、运营能力和资源条件、优势和劣势，特别是要弄清目标市场客户的需求和要求，将此作为制定运营战略的依据。

以美国哈佛商学院安德鲁斯（Kenneth R. Andrews）教授为代表的战略规划学派提出的优势-劣势-机会-威胁分析法（SWOT分析法），是确定运营战略的有效方法（见表2-3）。优势和劣势是企业本身的内在核心条件，威胁和机会是企业外在的环境条件。SWOT分析法通常被视为连接企业战略和运营战略的纽带。

表2-3 SWOT分析矩阵

项目	优势（S）	劣势（W）
机会（O） 列出企业所有的机会	SO战略 列出发挥优势、利用机会的企业战略	WO战略 列出利用机会、克服劣势的企业战略
威胁（T） 列出企业所有的威胁	ST战略 列出利用优势、回避威胁的企业战略	WT战略 列出减少劣势、回避威胁的战略

英国伦敦商学院教授希尔（Terry Hill）在《制造战略》一书中提出了订单资格要素和订单赢得要素两个概念。订单资格要素是指客户认为某种产品或服务值得购买所必须具备的要素；订单赢得要素是指企业的产品或服务优于竞争对手而更具价值，从而可赢得客户订单所需具有的要素。值得注意的是，订单资格要素和订单赢得要素并非固定的，在一定条件下可以相互转化。一些因素如质量、价格、交货可靠性、交货速度，可能是订单资格要素或者订单赢得要素，但有些因素在一定情况和条件下可能是订单资格要素，而在其他一些条件下则可能是订单赢得要素，反之亦然。

企业确定运营战略时，首先要根据目标市场需求特点对产品或服务的订单资格要素和订单赢得要素进行详尽的分析，明确企业经营范围内的产品中哪些要素是订单资格要素，哪些要素是订单赢得要素。这对于企业制定正确的运营战略是至关重要的。

2.3 服务业运营战略框架

运营战略的内容包括运营系统产品或服务决策、运营系统选址与设施规划决策、运营系统长期产能规划决策、运营系统运行模式决策。

2.3.1 运营系统产品或服务决策

运营系统产品或服务决策包括企业经营的产品或服务的品种和规格、产量规模、质量水平决策。产品或服务决策决定了企业的服务对象——目标市场，决定了运营系统的工艺流程和方法，也决定了运营系统的基础结构，包括厂房、设备、人员等要素的配置。例如，确定生产通用产品还是生产专用产品：通用产品市场需求较大，可采用预测式、大批量生产；而专用产品面向特定用户，只能采用订单式生产。确定生产高技术含量的产品还是技术含量一般的传统产品：前者需要配置更多的工艺技术人员、高素质的员工、更精密的生产设备等。确定生产高质量、高档次、高价格的产品还是生产普通质量、中低档次、低价格的产品，等等。这些决策是决定运营系统结构和运营模式的关键。

2.3.2 运营系统选址与设施规划决策

运营系统选址和设施规划涉及系统全局与长期的效率及成本，选址方案一旦确定并付诸实施，紧接着就是大量的厂房和设施建设的投资，若选址错误，则由于其变动或搬迁的代价太大将很难做出更改。影响运营系统选址的因素有很多，同时由于选址是一个多目标决策问题，如包括物流成本、人员集聚、环保与安全等目标，因此运营系统选址要采用定性和定量相结合的分析方法，从多个可行方案中比较和选优。运营设施规划主要包括生产或服务部门的构建和设备布置。合理的设施规划和布置是运营系统运行顺畅的前提条件，可以实现时间损失小、运营效率高、物流成本低的目标；相反，厂房和设施布局不合理将降低运营系统的运行效率并增加运营成本。

2.3.3 运营系统长期产能规划决策

长期产能是指企业的运营系统在较长时期内能达到的产品或服务的产出数量。产能大小取决于厂房、设备、人员、资金等，同时与企业采取的运营组织模式紧密相关，如外协、外购所占比例等。理想的产能配置是与市场需求相适应的产能水平，产能大于需求将产生产能的浪费，从而增加运营成本；相反，产能小于市场需求，则将导致系统超负荷运行，必须通过加班加点、增加外协等途径来满足需求，甚至放弃部分订单。长期产能的改变一般通过增减运营系统的厂房、设备、人员等要素来实现。长期产能规划与市场长期需求相对应，市场长期需求是动态变化的，因而确定运营系统长期产能必须按需求变化趋势分时段进行规划，这就要求解决产能水平配置决策、产能水平调整频度决策等问题。

2.3.4 运营系统运行模式决策

运营系统运行模式决策包括：零部件是自制还是购买？是实行预测式生产还是订单式生产？是采用流水生产方式还是批量顺序流转生产方式？是采用不随需求变化的均衡式生产还是采用随需求变化的动态调节式生产？是采用高度自动化的工艺流程还是采用以劳动力为主的工艺流程？是采用"推动式"生产还是采用"拉动式"生产？如果决定自制零部件，则需要由本企业建造相应的厂房设施，采购所需的设备，配备相应的工人、技术人员和管理人员，需要较大的建设投资。一般属于核心技术的零部件，具有成本和效益优势的，应由本企业自制。若选择外购零部件，则需要寻找合适的供应商，建立稳定的合作关系。但外协、外购的相互协作一般较难控制，如质量、交货期等。如果只在产品装配阶段自制，则需要建立一个总装配厂，然后寻找零件供应商。由于社会化分工和专业化生产能大幅提高效率、降低成本，因而一般可把非核心业务、本企业生产不具有优势的零部件生产外包出去，让合作伙伴协作生产。

2.4 运营战略匹配

制定运营战略是指使运营系统各要素有机结合，并与市场需求相一致，形成竞争优势的过程。运营战略以用户需求和市场竞争为导向，以取得企业整体竞争优势为目标。按照美国哈佛商学院教授迈克尔·波特（Michael Porter）的竞争战略理论观点，企业要获得竞争优势，可以有三种可供选择的企业竞争战略：成本领先战略、差异化战略和专业化战略。迈克尔·波特认为，这些战略类型的最终目标是使企业在市场竞争中取得优势。

2.4.1 成本领先战略匹配

成本领先战略是指企业在某一产业领域内使成本低于竞争对手而取得领先地位的战略，其着眼点是取得价格竞争优势。该战略要求企业的运营系统及运行过程可以提升生产效率，降低生产成本，包括节约研发、采购、生产、储存、服务、促销、广告等方面的费用支出。为此，在运营过程中会更多地注重成本控制，尽管质量、服务以及其他方面也不容忽视，但贯穿整个战略的主题是使成本低于竞争对手。显然，具有成本优势的企业可以获得高于行业平均水平的收益。"总成本低于竞争对手"意味着当其他企业在竞争中失去利润时，本企业依然可以获利。福特汽车公司在零件标准化、产品系列化的基础上采用流水线生产 T 型车；服务业中的麦当劳和沃尔玛，都是运用成本领先战略并取得成功的例子。

2.4.2 差异化战略匹配

差异化战略要求企业的运营系统及其产品具有一种与竞争对手不同的特色和优势。实现差异化战略可以有多种方式，如独特的名牌形象、独特的生产技术、独特的产品性能和外观、提供特别的服务等。这种战略将在一定程度上增加企业在产品设计、研发等方面的投入。这里所说的差异化实际上就是形成特色的前提条件，而且这种差异和特色是细分市场所欢迎的，竞争对手短期内难以复制，在竞争过程中可形成优势。例如，世界工程机械巨头卡特彼勒（Caterpillar）不仅以其业务网络和优良的零配件供应服务著称于世，而且以优质耐用的产品质量享有盛誉；美国西南航空公司以其提供的低价、快捷、方便的航空服务而被人们所熟知。

2.4.3 专业化战略匹配

采用专业化战略的前提是企业能够以更高的效率、更好的效果聚焦于某一细分市场中的特殊顾客群，采用集聚战略把资源集中于某一市场，使目标市场需求得到更好的满足，使企业获得局部竞争优势。专业化战略针对某个特定的顾客群提供服务，产品研发、工艺技术、客户服务等都可以更具针对性，因而可以做得更好，使客户满意度更高，从而获得竞争者所不具备的优势。例如，劳斯莱斯是专门定位于"贵族"阶层的轿车品牌，该公司以超豪华的设计、精湛的工艺、独特的享受，为一个极其狭窄的"缝隙市场"提供产品和服务，是采用专业化战略的一个典型。

2.5 制造企业运营战略框架

随着科学技术的不断发展和信息化的不断完善，加工制造业的核心竞争力不在于资源，也不在于廉价劳动力，而在于科学的管理和合理的战略。

制造企业运营战略纵向涉及产品研发和设计、采购与储存、加工制造，直到销往市场；横向与企业运营、销售、财务、人力资源、信息化等部门紧密相关。图 2-2 显示了客户需求、竞争要素、运营资源和能力之间的关系。制定运营战略，首先要分析和把握市场客户的需求，根据客户需求分清楚订单资格要素和订单赢得要素，并确定它们的优先级别；然后要明确运营战略的重点，运营战略的重点要与客户需求所决定的赢得要素相一致；最后通过运营管理部门组织企业的各项资源和能力（包括技术的、系统的和人力的能力），努力满足客户的这些需求，以赢得订单。图 2-2 中的 CIM（计算机集成制造）、JIT（准时生产）、TQM（全面质量管理）仅表示它们是在技术、运营系统、人力资源三方面各自需要用到的手段和工具；图 2-2 中圆柱的内圈表示运营能力，也包括供应商能力。

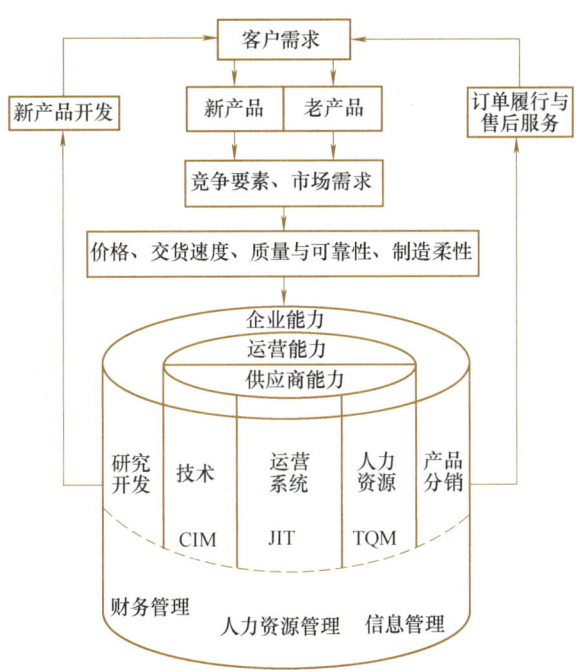

图 2-2 企业运营战略框架

本章小结

本章阐述了运营战略产生的历史背景、现代企业的运营环境，分析了企业战略重点的变化，以及运营战略与企业总体战略的关系；详细分析了企业竞争要素及其与运营系统及管理的关系；介绍了运营战略分析方法和运营战略的内容，以及三种运营战略匹配；最后介绍了企业运营战略的框架结构。

思考与练习题

1. 何谓运营战略？
2. 简述运营战略的变迁。
3. 试分析运营战略与企业总体战略之间的关系。
4. 企业运营竞争要素有哪些？
5. 简述运营战略的分析方法。
6. 运营战略的内容包括哪些？
7. 运营战略模式有哪些？
8. 何谓差异化战略？请举例说明。

案例分析

2021年上半年，受全球新冠疫情的影响，全球的汽车制造商都面临着芯片供应中断的问题，许多公司被迫减产乃至停产。然而，日本丰田汽车公司（简称"丰田"）似乎并未受到太大影响，并在2021年登上了美国汽车销量第一的宝座。这主要得益于丰田在十年前建立的"业务连续性计划"（Business Continuity Planning，BCP）。

2011年，日本"3·11"福岛核事故重挫了日本制造业，为应对供应链中断风险，丰田开始反思极限的低库存管理对于重大风险事件应对的负面作用，由此建立并开始执行BCP。当时的运营危机让丰田意识到，不同的零部件由于其制造特征不同，具有迥异的生产周期。例如，相较于汽车外壳，汽车内半导体零部件的生产周期过长，且无法应对自然灾害等毁灭性冲击的影响。

为此，丰田决定对不同的零部件采取不同的库存管理策略，灵活化精益生产模式，定期囤积汽车的关键零部件。按照丰田的新库存计划，供应商需要根据订货准备期长短，储存2~6个月预期消耗的芯片量。地震发生后，丰田估计1200多种零部件和材料的采购可能会受到影响，为此起草了一份500种未来需要确保供应的优先项目清单。丰田认识到精益生产的核心不完全是低库存，而是精准把控与改善生产过程中低效、高风险和最具潜在破坏性的瓶颈环节。

丰田根据自身情况和宏观环境对精益生产战略进行了更新、补充和升级，丰田的BCP就是新的精益解决方案。除此以外，丰田抛弃了太过依赖供应链的"供应商黑匣子"模式，要求供应商提供生产技术细节，避免企业为了提高开发效率反而失去对关键技术和供应的控制。并且丰田每年都会向芯片供应商返还部分成本削减额，以支付与芯片供应商签署的库存安排协议。

但是，丰田的BCP无法完全消除疫情带来的供应链中断风险。曾在2021年上半年芯片供应不足问题上"独善其身"的丰田，也在2021年8月19日被迫宣布同年9月全球产量将大幅削减40%。2022年4月18日，受部分地区半导体等零部件采购陷入停滞的影响，丰田汽车宣布当年5月日本本土工厂生产将再度停工，包括高冈工厂和田原工厂等在内的日本国内9座工厂的10条生产线将最长停工6天。丰田运营战略的改变似乎依然跟不上经营环境的改变速度，丰田还在为延续生产和应对供应链中断风险做最大的努力。

思考：

1. 请简述从传统精益生产到业务连续性计划，丰田的运营战略、策略和方案改变的原因和动机。

2. 请简述在全球新冠疫情的大环境下，丰田新的运营战略是如何支持其使命、价值观、愿景和目标的。

3. 步入新能源汽车时代，丰田该如何调整战略？

第 3 章

信息技术变革和运营管理

> **学习目标**
> （1）掌握信息文明演变的阶段、新旧动能转换的内涵、运营管理数据化/智能化/可视化的特征、信息技术解决管理悖论的路径以及互联网思维的核心要点。
> （2）了解信息技术变革对运营管理模式创新的重要性及推动产业升级的意义。

【引导案例】

信息技术的魅力

下面请你回顾去超市购物的过程：你走进了超市，在货架上选择需要的商品，然后把它放进购物车。重复这个过程，直到购物车装满了你选择的所有商品，然后到收款台结账。收银员一一扫描购物车中商品的条码，屏幕上自动显示每一种商品的品名、单价、折扣、数量等信息，全部扫描完成后，收银员按"确认"键，你应该支付的总金额、节省的金额等信息已经计算完毕，你可以用现金支付，也可以用银行卡支付。

当你结算完成，还没有走出超市，超市的采购人员、补货人员、库存管理人员的计算机屏幕上已经显示出你刚刚购买的商品的数量变动信息，其中某些商品需要往货架上补充货物，有些商品需要供应商补货，这时，一张采购订单已经生成，并通过网络传送到供应商那里。

如果超市采用了供应商管理补货（Vendor Managed Replenishment，VMR）技术，你的购买行为还会被供应商实时监测，供应商自动完成商品的补货业务。

在这个过程中，信息的采集、加工、传输和使用都可以瞬间完成，几乎不需要人工干预，这就是信息技术的魅力。

3.1 信息文明与新旧动能转换

3.1.1 人类文明的演变及新旧动能转换

1. 人类文明的演变

文明是指人类社会脱离野蛮的进步状态。以"人与自然的关系"为基本判据或标准，可以把迄今为止的人类文明史分为三个大的历史阶段：原始文明时代、农业文明时代和工业文明时代。

原始文明时代的生产生活方式以个人打猎、捉鱼和采摘植物的果实为主。在自然界中，生存是唯一的追求与目标，弓箭、刀具等工具的发明和应用使狩猎效率大幅提高，增加了人类生存和繁衍的机会。

大约在公元前8000年，农业文明开始形成。农作物种植技术和家禽、家畜蓄养技术及其相关工具的发明与普及，使人类赖以生存的食物可以大规模生产及长时间储存，并且可以建立一个相对稳定的生存环境，这使得人类可以有更多的时间来繁衍后代，同时传承对人类发展来说最为重要的工具知识。随着人类开始开展物品交换活动，财富观开始形成，保障人类生存空间的城市也逐渐出现。

自第一次工业革命开始，蒸汽机改变了人类生产所依赖的动力，很大程度上解放了人力和畜力。机械化大规模的生产推动人类社会进入工业文明时代，大规模生产替代了作坊式手工生产。各种机器的发明和大规模应用，大幅度地解放了人类的体力，提高了生产效率，使生产力得到长足的发展，人类社会物质财富得以快速增长。大规模生产催生了以提高效率为目标的科学管理理论等，运营管理的理论、方法在制造业和服务业中得到快速的发展和广泛的应用。

1946年，第一代现代电子计算机的出现，标志着人类开始从工业文明向信息文明转变。1947年，赫伯特·西蒙（Herbert Simon）预测："在后工业时代，也就是信息时代，人类社会面临的中心问题将从如何提高生产率转变为如何更好地利用信息来辅助决策。"1963年，日本学者梅棹忠夫在《论信息产业》中提出"信息化"的概念。1980年，法国学者让-雅克·塞尔旺-施赖贝尔（J. J. Servan-Schreiber）在《世界面临挑战》中明确提出了"信息社会"的概念，指出："信息和物质、能量一样，是构成自然界和人类活动的基本要素之一，微电子技术的兴起将使世界经历信息化而步入信息社会。"信息技术的兴起和广泛应用改变了农耕文明和工业文明时代的企业运营模式。

技术的变革改变了企业运营的模式。以制造业为例，第一次工业革命与第二次工业革命分别以蒸汽机和电力的发明与应用为动力，极大地提高了制造业生产力，人类社会进入了现代工业社会。第三次工业革命以计算机、通信、控制等信息技术的创新与应用为标志，持续推动制造业发展。第四次工业革命以数字化、网络化、智能化制造的创新与应用为标志。新一代人工智能的突破与应用进一步提升了制造业数字化、网络化、智能化的水平，提高了工业知识产生和利用的效率，极大地解放了人的体能和脑力，使创新的速度大大加快，应用的范围不断扩展，推动制造业发展步入"新一代智能制造"的新阶段；新一代智能制造的突破与广泛应用推动了第四次工业革命的发展，重塑制造业的技术体系、生产模式、产业形态，并将引领真正意义上的"工业4.0"。

2. 新旧动能转换

动能的概念起源于物理学，原意是物体由于机械运动而产生的能量。而在经济学中，它主要是指推动经济发展的能量，也就是推动经济增长的动力源泉。动能转换是先进生产力对落后生产力或淘汰，或改造升级，或替代的多重接续的发展过程。马克思阐述了生产力和生产关系的关系："人们在自己生活的社会生产中发生一定的、必然的、不以他们的意志为转移的关系，即同他们的物质生产力的一定发展阶段相适合的生产关系。这些生产关系的总和构成社会的经济结构，即有法律的和政治的上层建筑竖立其上并有一定的社会意识形式与之相适应的现实基础。""各个人借以进行生产的社会关系，即社会生产关系，是随着物质生产资料、生产力的变化和发展而变化和改变的。"生产关系需要配合生产力的发展，适当地调整技术变革，要求企业运用创新管理思维和管理模式，抓住新旧动能转换带来的机会，增强其竞争力。

"新旧动能转换"强调：通过新模式代替旧模式，新业态代替旧业态，新技术代替旧技术，新材料、新能源代替旧材料、旧能源，实现产业升级，实现数量增长型向质量增长型、外延增长型向内涵增长型、劳动密集型向知识密集型经济增长方式转变。2016年，李克强总理指出，一些国家已经在利用颠覆性技术进行新一轮技术革命，我们也要紧紧跟上这一潮流，推动中国制造智能化和网络化，增强实体经济新动能。他指出，我们必须进一步增强培育新动能的紧迫感，攻坚克难，加快新旧动能转换步伐[○]。

原始文明时代重要的动能是石器与火。人类依凭着粗陋简单的打制石器进行狩猎和采集活动。在最后一次冰期中，人类已经较普遍地掌握了使用和保存火的技术，用火来御寒、烤熟猎物、照明、驱赶野兽。

农业文明时代重要的动能是土地、人力、畜力。靠近河流的土地适宜常年种植庄稼。灌溉土壤、耕种谷物、运输货物都需要大量的人力，而畜力能帮助人类开展繁重的农业活动，因此畜力在农耕中的使用一定程度上解放了人力。

工业文明时代重要的动能是机器、能源、资本。18世纪60年代，蒸汽机作为动力机被广泛使用。第二次工业革命以电力、内燃机、飞机、汽车为代表，标志着人类进入电气时代。此时，能源多为煤炭、石油、天然气等不可再生能源，科学和技术在生产力中的作用日益凸显。资本能够配置资源、推动技术的发展，资本的支持让大批工业企业有机会生存和发展。

信息文明时代重要的动能是数据、技术与思维。互联网，智能终端、智能芯片等的广泛应用，为下一阶段的"互联网+"奠定了坚实的基础。新一轮科技革命与产业变革的影响将持续深入，跨界融合渗透成为常态，新产业、新业态、新技术和新模式持续涌现。新一代信息技术催生了消费互联网平台、工业互联网平台、物流互联网平台、金融互联网平台等新业态，新业态推动和加快了新消费、新零售、新制造、新物流、新金融等新模式的发展，也推动了跨组织界面各行为主体的协同、价值共享，企业运营所依赖的核心要素从机器、能源、资本转变为数据、技术与思维。

企业运营的终极目标是供给与需求的精准匹配，实现这一目标的前提是要解决供给侧与需求侧存在的信息不对称问题。信息不对称问题的有效解决途径在于：预测与信息共享。数据、技术与思维为实现供给与需求的精准匹配提供了更为有效的路径，同时为解决工业文明时代企业运营面临的二元悖论，如库存成本与服务水平的矛盾等提供了可行的方案。大数据的核心在于洞察与预测，例如：通过深入分析消费互联网平台的消费者数据，企业能洞察与预测消费者的偏好和潜在需求；通过深入分析工业互联网平台的供给侧数据，企业能在价值网络里寻找与配置资源和能力。不管是消费互联网平台、工业互联网平台，还是物流互联网平台与金融互联网平台，都为供给侧与需求侧双方打破原有的时间、空间、成本的限制，实现供给与需求信息的匹配提供了基础，比如，物流互联网平台基于地理位置的信息共享，能即时帮助承运方和托运方实现供给与需求的匹配，同时平台上众多参与成员的服务点评机制等使价格、服务等信息更为透明，在一定程度上解决了信息不对称的问题。大数据采集、处理与应用需要技术的支持，基于小数据的处理技术、方法不能适应多源异构、复杂类型、海量数据的大数据，因此，需要有新的技术、方法来处理大数据。信息时代具有新的特征，企业运营需要新的思维：如同工业文明时代的大批量生产替代农业文明时代的小作坊手工生产模式，工业变革催生了新的管理思维，大批量生产模式催生了科学管理一样，信息文明时代出现的智能制造、在线消费、共享设计、协同物流等新制造、新零售、新设计、新物流等模式正在替代工业文明时代的运营模式，信息文明时代的新模式也需要新的管理思维，智能制造、在线消费、共享设计、协同物流等催生了互联网思维。

为实现新旧动能转换，一方面，要加快培育新动能，推动供给侧结构性改革，结合实施

○ 资料来源：http://politics.people.com.cn/n1/2016/0810/c1001-28627091.html.

"中国制造2025""互联网+国家行动计划",推动技术创新、生产模式创新和管理创新,创造新的有效供给,更好地适应需求结构升级;另一方面,要改造、提升传统动能,抓住化解过剩产能、消化不合理库存、促进企业降本增效等方面的难点问题的机遇,带动扩大有效需求,增强持续增长动力。互联网是信息时代新旧动能转换的有效路径之一,"互联网+"就是"互联网+各个传统行业",是指利用信息通信技术及互联网平台,让互联网与传统行业进行深度融合,创造新的发展生态,优化生产要素,更新业务体系,重构商业模式。

2023年《财富》世界500强榜单中,美的集团连续八年居中国家电企业之首。从2016年首度上榜以来,美的集团已从最初的第481位跃升至第277位,上升了204位。美的从2016年开始打造M.IoT工业互联网开放平台,建立的工业互联网平台为其增长提供了新动能。2017年,美的成为一家横跨消费电器、暖通空调、机器人及自动化系统的全球化科技集团。2018年,美的业务板块中增加了智能供应链(物流)板块。2020年年初,"数字化业务"替代智能供应链(物流)成为美的集团第四大业务板块。目前,家电、暖通等仍是龙头业务,机器人与自动化年产值达250亿元,包括芯片等产业在内的机电事业群年产值达300亿元。M.IoT已实现软件、硬件和工业知识体系三位一体,形成了美的特色的工业互联网体系。M.IoT以美的先进智能制造为基础,形成了跨行业、跨领域的工业互联网生态系统。M.IoT通过紧密融合智慧医疗、智慧物流、产业金融、精密模具、自动化工厂和供应链协同,以国家工业互联网标识解析和M.IoT应用平台为基础,形成了工业云生态,并对企业赋能,推动生态内各领域的企业向数字化、智慧化转型,推动工业全面数字化升级,使工业经济各要素实现高效共享。2020年11月,美的发布了M.IoT工业互联网2.0架构和美的工业互联网品牌"美擎",M.IoT全价值链如图3-1所示。以信息技术及大数据等为重要代表的新型动能正在逐渐成为企业甚至经济发展的主要动能,为传统制造企业向数据化、智能化、可视化转型奠定了基础。

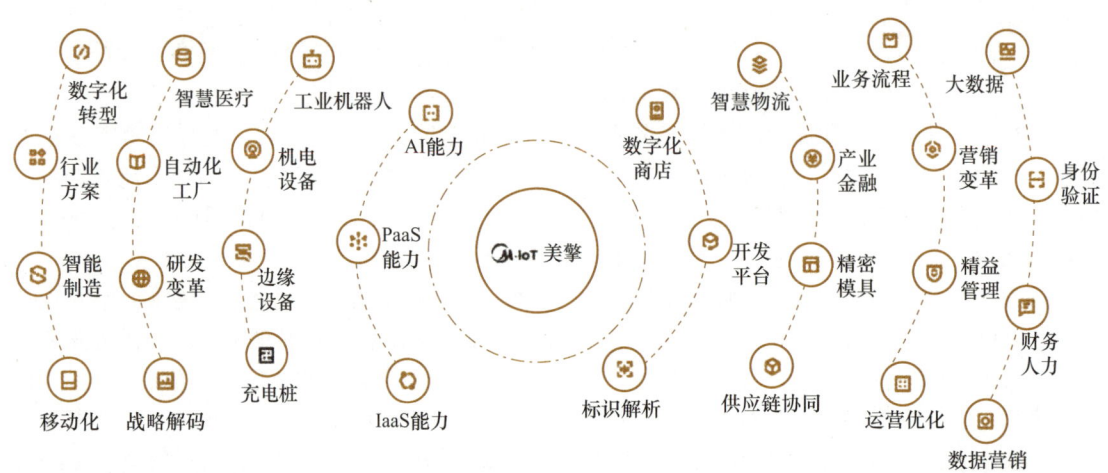

图3-1 M.IOT全价值链

(资料来源:http://miot.midea.com/.)

3.1.2 运营管理的新特征和新趋势

以物联网、"互联网+"、大数据技术为代表的新一代信息技术催生了新的业态与模式,企业呈现出以数字化、智能"互联网+"、大数据为代表的趋势。物联网、新一代信息技术不断取得突破和应用创新,催生了新兴产业快速发展,同时通过与传统产业的融合渗透,助推产业转型升级，给人类的生产生活方式带来了深刻变革。智能制造、在线消费、共享设计、协同物流等新模式正在构建新的竞争优势，新制造、新零售、新设计、新物流等加速了价值链重构。

物联网、"互联网+"、大数据技术等通过减少企业间的信息交流成本，大幅度降低了交易成本，价值链上活动主体的交流更接近于无缝化，组织结构更趋于扁平化，运营管理呈现出新的特征和新的趋势。

1. 数据化

2013年，维克托·迈尔-舍恩伯格在《大数据时代》一书中提出了数据化的概念，认为通过构建数据表的方式实现部分信息从计算机不可分析到可分析的"量化过程"就是数据化。各行业产生的海量数据只有通过技术手段进行存储、分析、挖掘，才能创造出价值。企业可以采集产品研发、投放、销售、购买、评论等全流程数据，在融合内外部数据的基础上建立用户画像，让用户需求成为产品设计导向，使新产品更符合用户习惯和期望，实现基于数据驱动的大规模定制的产销模式。

2. 智能化

智能化是指使对象具备灵敏准确的感知能力、精准的判断决策能力及行之有效的执行能力，能够根据感知信息进行智能分析、决策与执行，并具备自学习与自优化的功能。在大数据的支持下，运营管理中的诸多要素具备一定的自主性，能够动态调整自己的状态，以更好地服务于外部系统。在制造业企业中，设备运行与维护也实现了智能化，即管理系统通过分析传感器收集的数据监测设备的运行状态，一旦发现异常数据即可在问题发生之前及时采取措施，从而实现了成本的降低。数字化工厂、智能制造、工业互联网也要求运营管理实现智能化。

3. 可视化

可视化是指利用人眼的感知能力对数据进行交互的可视表达，以增强认知的技术。运营管理可视化的基础是使各环节各要素的数据、支持数据实时传输到信息系统中的互联网技术和处理数据的智能算法。海尔的智慧工厂通过集成 PDM（Product Data Management）、ERP（Enterprise Resource Planning）、MES（Manufacturing Execution System）、AGV（Automated Guided Vehicle）、WMS（Warehouse Management System），能将数据通过虚拟现实软件展现出来，不仅直观、清晰地展示出海尔工厂的运作模式，还创造了身临其境的交互式用户体验。

3.1.3 信息技术与管理悖论

管理的本质是权衡，重点在于权衡存在利益与目标冲突的多个行为主体与业务活动，在满足客户服务水平的条件下实现成本的最小化。二元悖论的现象在运营管理中经常出现，如个性化需求与高成本、物流成本与库存成本、服务水平与库存成本之间的悖论。信息技术能为解决管理悖论提供可能。

1. 个性化需求与高成本之间的悖论

在市场需求能力大于市场供给能力的条件下，企业运营管理的重点是：以低成本提供的标准化产品或服务来满足市场需求，即通过大规模生产的方式，借助规模经济降低企业的生产成本。在市场需求能力小于市场供给能力的条件下，消费者的期望越来越高、企业面临的竞争越来越大，原有的价格、质量等订单赢得要素变成了订单资格要素，消费者希望在获得低价的同时还能满足其个性化需求，企业运营管理的重点是：如何以低成本满足消费者的个性化需求。大规模生产的方式满足了消费者对于低价的要求，但所提供的产品是标准化的产品；定制生产的模式满足了消费者的个性化需求，但其成本高昂，个性化需求与低成本两者难以兼得。

以丰田为代表的精益生产借助信息化手段创新配置资源和能力的方式，实现了大规模定制和延迟制造，构建了推拉混合式供应链系统，对满足消费者共性需求的标准化零部件等采用大规模生产的模式降低生产成本，对差别化的消费者需求采用定制化生产模式以满足其个性化偏好。海尔在丰田的基础上，进一步发展大规模定制模式，提炼出实现供给与需求精准匹配的人单合一模式，其实质是充分借助新一代信息技术，搭建工业互联网平台，建立基于数据驱动的大规模定制模式，在一定程度上实现了低成本满足个性化需求的目标；借助物联网、"互联网+"和大数据技术为创造用户体验提供平台和条件，以精准把握需求；通过创新赋能平台，将零碎独立的需求集并为场景需求；在平台上集成供给侧的能力、知识、资源，为场景需求提供敏捷、低成本的系统服务解决方案，实现需求从零碎化到规模化，再到平台化，最后到生态系统的演变，使企业能够敏捷、低成本、精准地响应用户个性化需求，获得竞争优势，如图3-2所示。

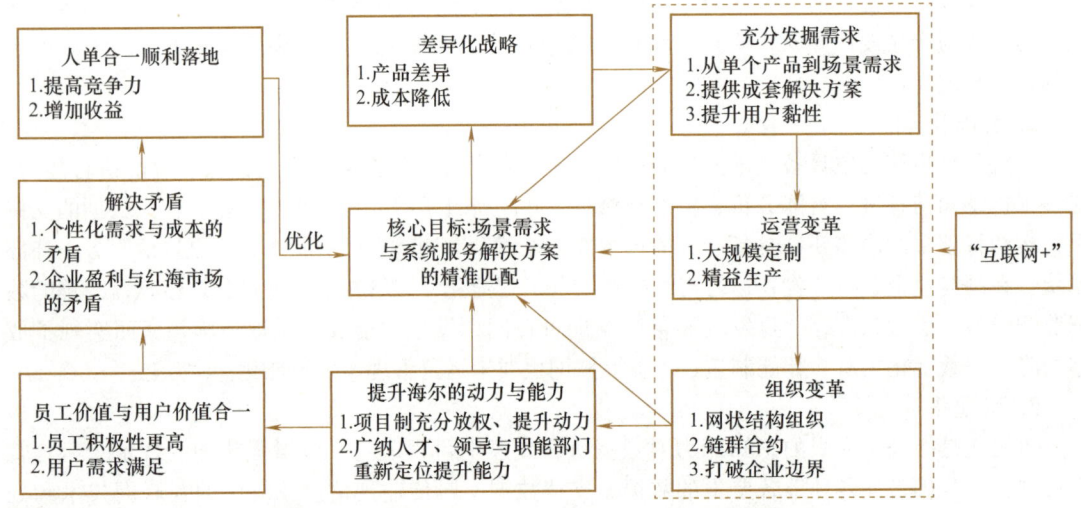

图3-2　海尔人单合一模式：数据驱动的大规模定制

2. 物流成本与库存成本之间的悖论

降低物流成本的方式是通过规模化运输，实现运输环节的规模经济，但规模化运输导致企业持有的库存水平上升，进而导致运输成本上升。信息技术的应用为解决物流成本与库存成本之间的冲突提供了新的可能，借助信息技术搭建的消费互联网平台和物流互联网平台等，物流、库存两者涉及的活动主体在更大的物理空间、更多的行为主体和应用场景里实现了物流和库存的集并与汇总，通过越库作业和协同物流等方式，在实现物流规模化运输的同时降低了各行为主体持有的库存水平。一般配送与越库作业流程对比如图3-3所示。

越库作业是指物品在物流环节中，不经过中间仓库或站点存储，直接从一个运输工具换载到另一个运输工具的物流衔接方式，也称直接转运。越库作业最先在沃尔玛得到应用，沃尔玛利用信息技术实现了物流、库存等活动在其价值网络中各业务流程上的融合，同时降低了物流成本和库存成本，实现了其天天低价和一站式采购的战略目标。在沃尔玛的越库作业系统中，供应商按照混装整担的形式将产品运到配送中心后，配送中心根据销售门店的需求，将从不同的供应商处运来的产品进行分拣配装，再以整车的形式送到目的地。在这种模式下，产品在配送中心停留的时间一般不会超过24h。

协同物流是指各企业通过信息技术手段提供服务并协调与物流相关的所有商务活动，以提高整体绩效的方式创造协同环境，使各企业共享信息和资源。协同物流将与物流相关的行为主体进行集并，实现了从零碎的包裹运输到批量的规模运输的转变。在协同物流中，客户之间的订

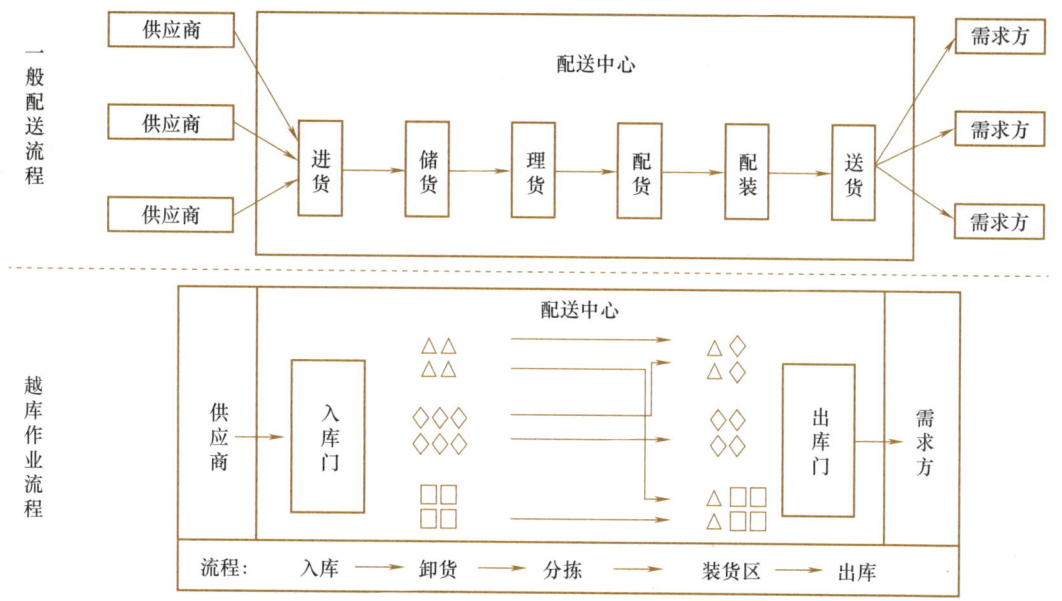

图 3-3 一般配送与越库作业流程对比

（资料来源：高晶. 越库作业模式下的配送中心车辆调度优化研究［D］. 天津：天津大学，2012.）

单可以互相交换运输以实现更多的互补，减少空车运输现象，缩短了货物在仓库中的等待时间，使库存成本相应降低，从而增强了竞争力。菜鸟网络是典型的协同物流，以菜鸟网络为代表的第四方物流服务商在并不实际承担具体的物流运作活动的情况下，专门为制造商、零售商或客户，以及独立的物流承运商（如中通和圆通）提供社会化仓储、物流网络规划、数据共享与应用平台、零售订单管理、市场预测等优质的供应链集中管理服务，减少了货物在仓库的周转时间，大幅度提高了物流效率，降低了社会物流成本。

3. 服务水平与库存成本之间的悖论

在供给大于需求的市场上，消费者对服务水平的要求越来越高。在传统的管理思维与运营模式下，企业通过提高其库存水平来应对消费者越来越高的服务要求，比如：消费者对交货期的要求越来越严格，导致更多企业选择在邻近消费者的市场上保持更高的库存水平，以满足严格的交货期要求；个性化的需求导致企业选择产品品种、花色、款式等的多样化，产品的多样化同样导致库存的增加。库存水平的提高在增加其持有库存相应占有的资金成本的同时，也使企业面临着市场不确定性带来的市场风险，其持有库存可能会因为不能精准满足消费者的需求而实现不了市场价值，也有可能因为产品存在时间窗，如生鲜产品有其保鲜期而存在过期的风险。

信息技术使供应商管理库存、联合库存、集中库存等模式得以广泛应用。借助信息技术，供应商可以对价值链各环节的库存、需求等信息进行全过程的可视化管理，将原有的存在于分布式库存设施里的库存进行汇总，通过风险共担和汇总、提高预测的准确性降低库存水平，同时借助信息系统实现对消费者需求的敏捷和精准响应。

集中库存是指把多个分散仓库的库存集中存放到一个或几个集中点，由集中点对其负责仓库进行需求信息汇总和库存管理等工作。集中库存通过对各仓库需求信息的集中处理，使来自某一位消费者的低需求可能被另一位消费者的高需求弥补，从而降低了需求波动的影响。此外，还可以通过集中库存降低整体的库存水平，提高库存周转率，从而降低总成本，增加企业的盈利，如图3-4所示。

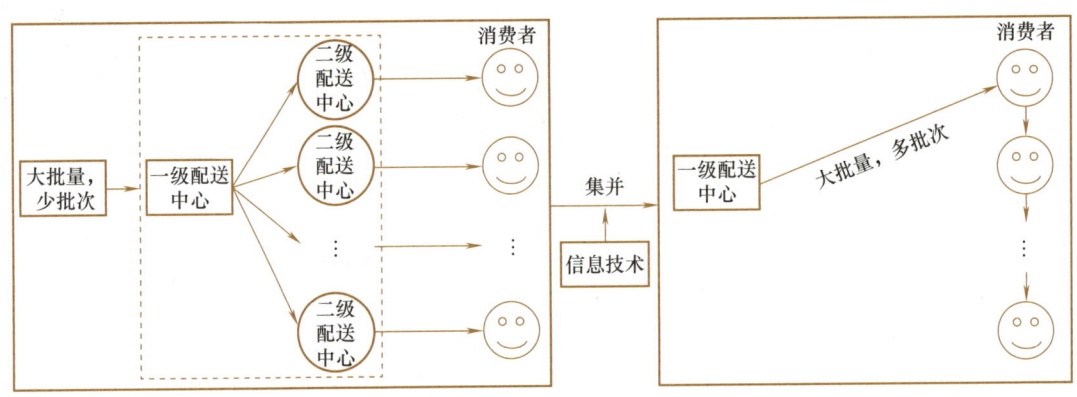

图 3-4 利用信息技术解决服务水平与库存成本之间的悖论

对于消费者需求呈现高度不确定性的产品，即产品的变异系数较高的产品，集中库存这种模式更有价值。以原产地为阳澄湖的高端大闸蟹为例，单个产品的较高价值导致其面临的消费者需求具有较高的不确定性，作为生鲜产品，保鲜期有限，从而其面临的库存风险比较大。如果将高端大闸蟹采用分布式库存的方式存放于接近消费者的各个门店，在增加其库存量的同时，也会由于其是高端产品而面临市场不确定性带来的卖不出去的风险，同时因为它是生鲜产品，存在时间窗要求，一旦在保鲜期内卖不出去，则会面临因大闸蟹死亡而导致产品价值折损的风险。信息技术的应用为供应商解决服务水平与库存成本之间的矛盾提供了可能性。采用集中库存的模式将大闸蟹集并在原产地，降低了库存水平，同时在一定程度上打破了生鲜产品的时间窗限制。基于新一代信息技术搭建的消费互联网平台将消费者对高端大闸蟹的需求在全网范围内实现汇总与集并，降低了将库存放在各个门店所面临的不确定性。消费者下单后，供应商从原产地将大闸蟹直接送到其手中，尽可能缩短从原产地到达消费者的时间。相较于分布式库存模式，基于信息技术的集中库存管理模式在同样的安全库存水平条件下，在更大的物理范围内汇总和集并了需求，降低了供应商面临的市场不确定性，在降低库存水平的同时，提高了对消费者的服务水平。

3.2 物联网、"互联网+"与大数据

3.2.1 物联网与"互联网+"

物联网（Internet of Things, IoT）狭义上是指连接物品与物品的网络，可以实现物品的智能化识别和管理；广义上可以看作信息空间与物理空间的融合，将一切事物数字化、网络化，在物品之间、物品与人之间、人与现实环境之间实现高效信息交互，并通过新的服务模式使各种信息技术融入社会行为，是信息化在人类社会综合应用所达到的更高境界。

互联网（Internet）是全球性的网络，是一种公用信息的载体，是大众传媒中的一种，具有快捷性、普及性，是现今最流行、最受欢迎的传媒之一。"互联网+"是指把互联网的创新成果与经济社会各领域深度融合，推动技术进步、效率提升和组织变革，提升实体经济的创新力和生产力，形成更广泛的以互联网为基础设施和创新要素的经济社会发展新形态。虽然"互联网+"是指"互联网+各个传统行业"，但并不是指简单的两者相加，而是指利用信息技术以及互联网平台，使互联网与传统行业进行深度融合，创造新的发展生态，即充分发挥互联网在生产要素配

置中的优化和集成作用,将互联网的创新成果深度融合于经济社会各领域之中。"互联网+"的本质是传统产业的在线化、数据化。这种业务模式改变了以往仅仅将资源封闭在某个部门或企业内部的传统模式,使资源可以随时在产业上下游、协作主体之间以最低的成本进行流动和交换。

从1989年蒂姆·伯纳斯-李(Tim Berners-Lee)提出万维网的概念到现在,互联网已经经历了萌芽期、Web 1.0、Web 2.0、Web 3.0。在萌芽期,人们慢慢发现,互联网的应用局限在少数人,但它的潜力却不仅仅如此,因此,互联网开始出现在普通人的视线中,互联网进入了Web 1.0时代。Web 1.0是互联网发展的第一阶段,时间大约是从1991年到2004年。在Web1.0阶段,内容的创作者很少,绝大多数用户只是内容的消费者。Web2.0由达西·迪努奇(Darcy DiNucci)在1999年首次提出。Web2.0网站允许用户在虚拟社区中创新内容,并通过社交媒体的对话进行交互和协作,包括社交媒体、视频分享网站、电子商务网站等。以太坊联合创始人加文·伍德(Gavin Wood)在2014年提出与区块链有关的Web 3.0概念。Web 3.0描述了互联网发展潜在的下一阶段:一个运行在"区块链"技术之上的"去中心化"的互联网。互联网的发展阶段如图3-5所示。

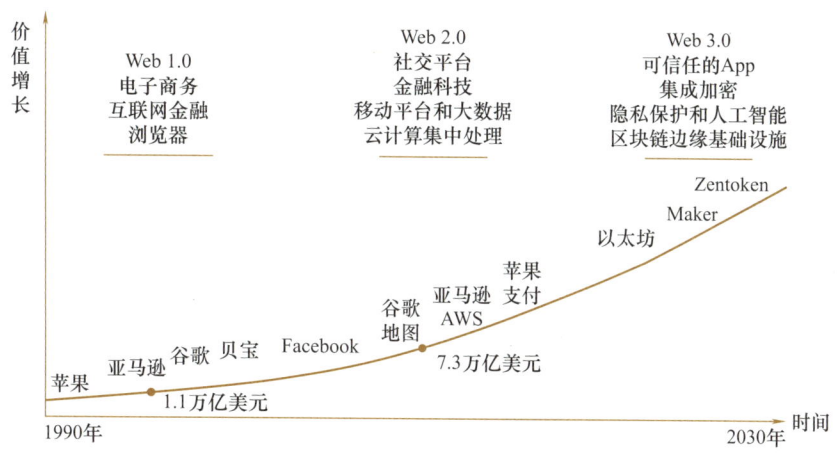

图3-5 互联网的发展阶段

罗纳德·科斯(Ronald Coase)认为交易成本是签订契约和完成契约规定的前中后期必需的经济支出。物联网与"互联网+"技术在降低交易成本的同时,提升了交易效率:①降低搜寻信息的成本。互联网在一定程度上打破了传统的信息不对称的困局,使消费者能便捷地接收市场的多种产品信息,从而选择最心仪的产品。②降低协商与决策的成本。互联网经济带来的充分市场竞争让企业在定价时紧跟市场,这也是消费者愿意接受的价格,双方达成交易所经历的议价、协商、谈判环节也会相应减少。③降低契约成本。在平台经济中,平台担保打消了供需双方对对方的疑虑,成熟的交易机制代替了买卖双方之间的契约签订,因此大大降低了契约成本。④降低监督成本。平台经济中的评价机制让整个交易过程形成闭环,消费者的监督作用被直接放大,再加上平台的监督作用,大大降低了传统市场中的监督成本。平台经济打破了时间和空间的限制,拓宽了供需市场的范围。供需两端的距离被缩短,厂商能直面更多的消费者,消费者也有更多的选择。物联网与"互联网+"技术减少了交易的流程,提高了交易的效率。

各国高度重视新一代信息技术带来的机遇和挑战,发达国家纷纷鼓励信息技术变革和应用模式创新,美国的"先进制造伙伴关系计划"及《网络空间国际战略》、英国的《信息经济战略2013》等一系列行动计划和战略的提出与实施,旨在充分发挥信息技术领域的领先优势,加强在新兴科技领域的前瞻布局,以谋求抢占制高点、强化新优势。

面对移动互联网、云计算、大数据等新一代信息技术蓬勃发展的新时代，以互联网为代表的信息技术加速了各行各业渗透、融合、发展的新形势，我国经济社会发展进入新常态，面临新机遇和新挑战。2015年3月5日，在第十二届全国人大第三次会议上，李克强总理在政府工作报告中首次提出"互联网+"行动计划①。"互联网+"行动计划将重点促进以互联网、云计算、大数据、物联网为代表的新一代信息技术与现代制造业、生产性服务业等的融合创新，发展壮大新兴业态，打造新的产业增长点，为大众创业、万众创新提供环境，为产业智能化提供支撑，增强新的经济发展动力，促进国民经济体制的增效升级。2015年，国务院发布《国务院关于积极推进"互联网+"行动的指导意见》（国发〔2015〕40号），提出了创业创新、协同制造、现代农业、智慧能源、普惠金融、益民服务、高效物流、电子商务、便捷交通、绿色生态和人工智能11个重点领域。2023年2月，中共中央、国务院印发了《数字中国建设整体布局规划》，强调全面提升数字中国建设的整体性、系统性、协同性，促进数字经济和实体经济深度融合，以数字化驱动生产生活和治理方式变革，为"互联网+"的发展保驾护航，为以中国式现代化全面推进中华民族伟大复兴注入强大动力。

3.2.2 大数据

物联网与"互联网+"提高了信息交流的效率，推动了存储设备的发展，为大数据的产生创造了条件。2024年，全球互联网用户已达到53.5亿，这一数字超过了全球人口的66%。截至2024年6月，中国网民规模已接近11亿人，较2023年12月增长742万人，互联网普及率达78.0%。2020年的每分钟，脸书（Facebook）用户上传147000张照片，网飞（Netflix）用户流媒体播放404444h的视频，瞩目（Zoom）主持208333人参加的会议，优兔（YouTube）上传500h的视频，1388889人进行视频/语音通话，TikTok被安装2704次。存储设备的同步发展让大数据产生成为可能，如今人类社会数据量的增速超过摩尔定律。预计到2030年，物联网将遍布世界各地，有超过7万亿个传感器为用户提供服务。随着智能传感器和网络技术的不断发展，物联网与移动互联网正成为大数据的重要信息源。

大数据（Big Data）或称巨量资料，指的是所涉及的资料量规模巨大到无法通过工业文明时代的主流软件工具，在合理时间内达到获取、管理、处理并整理成为帮助企业经营决策的更积极目的的资讯。移动互联、社交网络、电子商务等极大地拓展了互联网的边界和应用范围，催生了海量且类型复杂的数据，即大数据。大数据正在改变人们的生活，如传统媒体的影响力正在逐步被新媒体取代。《中国传媒产业发展报告（2021）》指出，我国报刊市场仍然在持续萎缩，2020年，报纸、期刊广告刊例花费分别下降28.2%、30.0%，报刊经营收入继续大幅收缩。2021年1月，微信日活跃用户达到10.9亿；有7.8亿人每天翻看朋友圈，其中的1.2亿人还会发朋友圈；3.6亿人每天通过浏览公众号来获取对外界的认知。

大数据具有五个方面的特征：①大量化，即采集、存储和计算的量都非常大；②多样化，即种类和来源多样化，包括结构化、半结构化和非结构化数据，具体表现为网络日志、音频、视频、图片、地理位置信息等；③快速化，数据增长速度快，数据的采集、存储和计算速度也快；④价值密度低，一方面，很多数据集本身就有可能存在一定的不准确性，另一方面，在大数据应用中，数据集蕴含的规律难以评估；⑤真实性，互联网上留下的是人类行为的真实电子踪迹，能真实地反映或折射人们的行为乃至思想和心态。

洞察和预测是大数据的核心，通过把数学算法运用到海量的数据上可以预测事情发生的可

---

① 资料来源：http://www.gov.cn/guowuyuan/2015-03/16/content_2835101.htm。

能性。过去，人们需要先有想法，之后才能收集数据来测试这个想法的可行性。如今，海量的数据和高效的工具便于更快、更容易地找到相关关系。相关关系有助于捕捉现在并预测未来。如果两种现象经常同时发生，只需要注意到其中一种现象，就可以预测到另一种现象的发生。因此，如果想要预测某种现象的发生，不需要直接测量或观察到此现象，只需捕捉与其相关的现象即可。

大数据预测的第一阶段以数据为中心，包括数据采集、数据整合、数据集成。第二阶段是将数据变成有用的信息，包括对数据进行统计分析，实现数据的可视化，做出直观的报表，为用户提供数据服务，以及将数据分析结果与相关结论做成报告。第三阶段是利用机器学习和数据挖掘更快、更准确地处理大数据，将大数据变成知识。第四阶段是预测分析，帮助人类实现更具智慧的决策，如图3-6所示。

大数据预测如今已在各个领域中得到广泛应用，并在推动商业变革、推进绿色环保、降低运营成本等方面发挥重要作用。谷歌（Google）搜索可以根据人们的搜索关键词预测流感的发生；穿戴设备能收集人

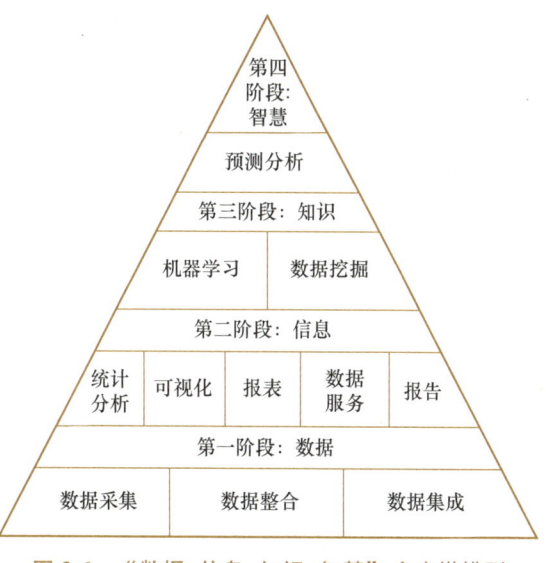

图3-6 "数据-信息-知识-智慧"金字塔模型

体的心率、体重、血脂、血糖、运动量、睡眠量等数据，通过可视化手段，报告身体的健康情况，还能利用机器学习技术预测身体健康状况，为人们及时调整身体状态提供参考；物联网收集实时天气信息并结合历史数据预测自然灾害的发生，人们可以提前采取应对措施以减少损失；智能交通系统通过整合包括公共交通系统、出租车系统、高速监控系统、道路信息管理系统、车内导航系统等在内的数据预测未来路况，减少拥堵时间。

3.3 信息技术变革对运营管理的影响

3.3.1 新一代信息技术为运营管理创新提供了可能性

新一代信息技术对企业的影响是全面而深刻的，对企业所依赖的动能和竞争要素提出了新的要求，同时也为企业解决其面临的新问题、实现管理创新提供了新的路径。企业运营管理的终极目标是实现供给与需求的精准匹配，在精准满足消费者需求的服务水平条件下实现供给侧成本的最小化。新一代信息技术为更精准、更便捷地满足消费者需求提供了新途径和新方法：数据化让需求预测更精确，智能化让供需匹配更准确，可视化让运营过程更绿色。

1. 数据化让需求预测更精确

在大数据时代，包括文字、位置、沟通在内的一切事物均可数据化，运营管理的数据化为企业预测提供了更多维度的数据，这是提高预测精准度的重要方式。"双11"购物节中，订单激增会导致支付界面卡顿、商家缺货、物流时效性降低等问题。为了解决这些问题，购物平台通过分析海量数据对总需求进行预测，并依据预测结果提前布局网络服务器数量以应对增加的网络服务需求；卖家利用数据化积累的历史数据对产品销售进行预测，根据结果调整产能，确保供应充足的货物；电商平台的第三方物流企业根据预测的需求提前制定策略，布置运力，以应对急速增

长的物流需求。

基于大数据的需求预测能更精确地满足消费者的个性化需求。在工业文明时代，提升用户体验的方式之一是保证产品数量充足并且能将产品快速送达消费者，因此企业需要提前准备充足的货物，这会导致库存成本过高。个性化需求呈现出长尾效应，表现出零散多变的特点，难以预测，如采用订单驱动的拉式生产模式会延迟产品送达消费者的时间，影响用户体验。在信息文明时代，基于大数据的需求预测与消费者交互数据，可以更精准地将消费者对最终产品的需求细分为共性需求和个性化需求，为实现大规模定制与延迟制造提供决策支持。

2. 智能化让供需匹配更准确

当市场需求能力小于供给能力时，企业面临的更强的竞争智能化的互联网平台极大地拉近了消费者与生产厂商的距离。消费者能敏捷、低成本地与企业互动，参与产品的设计；企业能更便捷地收集消费者的需求信息，以及洞察消费者的需求偏好，让供需匹配更准确。如腾讯公司推出了 MIND 3.0 系统，通过对消费者行为数据的洞察、分析和挖掘，利用不同算法描绘出消费者图谱，全面深入地了解消费者需求。亚马逊拥有海量数据，包括每位消费者购买的产品、规格、数量，也包括消费者在页面停留时间、是否查看评论、搜索关键词、浏览商品等所有行为，通过对这些海量历史数据的分析来预测消费者未来的需求；亚马逊约30%的销售额来自其个性化的推荐系统。

基于物联网、"互联网+"和大数据技术的智能化信息技术，一方面能精准把握需求，将零碎独立的需求集并为场景需求；另一方面能在平台上集成供给侧的能力、知识资源，为场景需求提供敏捷、低成本的系统化服务解决方案。智能化信息技术能实现需求从零碎化到规模化，再到平台化，最后到生态系统的转变，解决企业运营中的多种悖论，使企业在降低库存、物流等成本的同时提高服务水平，实现供需的准确匹配。

3. 可视化让运营过程更绿色

企业运营的可视化可以将繁杂的数据及文字以清晰易懂的图表甚至3D图像形式直观地展示出来，为企业高管做出决策提供更直观、具体、准确的参考，便于他们发现企业存在的潜在问题，通过事前控制降低损失，助力企业实现节能减排的绿色目标。企业在环保信息化系统建设中，通过可视化让运营过程更绿色。大屏看板可使企业各类环保管理数据可视化，灵活展现企业各项日常环保管理数据，如连续达标排放时间，环保设备运行统计，环境监测超标情况，环保问题统计，产品的产能、原辅料、污染物排放量和监测进度等同排污许可要求的对比情况，并可对环保问题整改进度进行快速查询。通过绘制在线监测的浓度变化趋势图可以及时展示超标信息。地理信息系统（Geographic Information System, GIS）"环保地图"可实现对企业风险源、环保设备、"三废"排口和雨污水管网等基于地理信息分布的信息分类监控；视频监控可远程监管企业重点区域和重要环保作业环节，实时查询企业环保作业情况，便于企业对突发的环境事件做出快速反应，并有效解决问题。

3.3.2　数据、技术与思维

互联网颠覆了以往的商业模式，这些变化主要体现在：①社群平台替代技术研发成为企业的主要隔绝机制；②社群成为企业的异质性资源，并对产品设计起到决定性影响；③跨界协作成为商业新常态。行业转型速度加快，口碑、消费者忠诚度也在不断变化。

数据驱动的价值链有三大构成要素：数据、技术与思维。首先，数据：企业要成为数据的掌握者。掌握数据不代表自己拥有一手数据，但企业要拥有那些能接触到数据、有权使用数据或有权转让数据的人，海量的数据就是财富。其次，技术：企业要拥有数据处理技术。这不要求企业自身拥有数据，但需要企业掌握从海量数据中分析出有用信息的技术或者工具，企业也可以选择将大数据移交给拥有技术和专业工具的企业来处理。最后,思维:企业要拥有利用大数据实现创新的管理思维。这要求企业管理者具备大数据敏感性,同时对如何挖掘数据新价值有独特的想法。拥有大数据思维的企业或个人具有优先发现机遇的优势。大数据对企业运营提出了新的要求。

(1) 要成为数据的掌控者。首先要收集数据,通过大数据采集可以获取海量的种类不同的数据,这是大数据处理技术的基础。其次要处理数据,包括数据存储、联机分析、可视化处理等。最后要应用数据,这是为用户提供决策辅助,发掘潜在价值的过程。

(2) 要实现运营思维变革。大数据条件下,运营思维和决策需要考虑更多的因素:不是随机样本,而是全体数据;不是精确性,而是混杂性;不是因果关系,而是相关关系。首先,要提升对大数据的敏感性。数据敏感性是指在大脑中建立数据与现实业务之间的联系。较高的数据敏感性代表企业能迅速从数据背后看到真相或快速分析数据出现问题的原因等。其次,要挖掘大数据的价值。数据挖掘可以挖掘出数据之间的潜在关系,为数据应用创造更多价值。最后,要掌握挖掘方法。在实际数据挖掘过程中,需要根据数据特点来确定挖掘方法,主要有神经网络法、聚类分析法、决策树法等。

(3) 要实现数据驱动的运营决策模式。一方面,要提升将万物量化为数据的能力。现有的大数据处理技术已经可以对文本进行分析,并为运营管理决策提供支持。例如地理位置已经数据化,通过全球定位系统,人类的位置已经成为一组坐标。人类的沟通和社交情况也能变成数据,社交软件让人们轻松记录想法,而文字能让他们的情绪数据化。社交软件能通过分析用户的历史数据,推荐不同类型的网友或者推送个性化的广告。另一方面,要掌握分析数据的技术或工具。人工智能技术主要研究用机器来模仿和实现人类的智能行为,经过几十年的发展,人工智能在不少领域得到应用:智能感知能实现模式识别和自然语言理解;智能推理包括问题求解、逻辑推理与定理证明、专家系统、自动程序设计。云计算具有便捷性、灵活性等特征,能以低成本方便快捷地获取数据,不仅能为用户处理数据节省时间,还能提升数据处理的效率;云计算可以提供灵活的服务与方式,用户可以根据需求选择合适的计算方法,获得有针对性的服务,从而实现用户满意度的提升。

大数据对企业的思维层面、组织层面、运作层面、经营层面和技术层面都产生了重大影响,从而导致了企业经营管理和商业模式的巨大变革,如表3-1所示。

表3-1 企业变革内容

企业管理的各个方面	变革内容
组织结构	大数据和互联网等信息技术使组织层级减少,各层级管理的范围扩大,决策速度加快
人力	大数据人才需求剧增,人力资源管理方式的改变表明了这个时代的需求
流程	依靠大数据的流程再造使生产运作发生彻底的、根本的改变,能真正实现科学管理
制造	用数据可视化实现对全过程的控制,使生产运作过程做到实时在线控制,从而提高生产效率,减少资源浪费
市场	基于大数据分析的市场决策、产品决策及产品设计等把消费者、供应商与生产者紧密联系起来,实现三者的无缝对接。大数据使市场的概念和范围扩大,B2C、M2C、C2M 将从区域范围转变为全球化、国际化
客服	以消费者为中心的企业经营依托大数据将更加真实可行,个性化需求的实现,消费者参与产品的设计制造,从更深的层次实现了这一理念

大数据的应用推动了制造方式从批量生产向敏捷制造、智能制造模式的转型。具体表现为:大数据为企业全过程设计、创新、生产、经营、管理、决策服务,为企业发展战略和目标的实现服务;大数据有利于供应链的优化、产业链的完善、生态链的形成和优化;大数据能预测行业和宏观调控的实际需求,提高行业和宏观经济管理决策的质量;大数据为企业及行业的装备、工

艺、生产线、供应链的转型升级服务。

3.3.3 互联网思维

随着互联网技术作为工具逐步发展,越来越多的商业形态受到互联网的冲击。当这种冲击和变革不断加深的时候,互联网就不再仅仅是一种技术,而逐渐演变成一种思维范式。

互联网思维是指在"互联网+"、大数据、云计算等科技不断发展的背景下,对市场、用户、产品、企业价值链乃至整个商业生态进行重新审视的思考方式。具备互联网思维是传统企业转型的关键。在互联网时代,为了更快、更好地满足用户需求,传统的价值链模型会被互联网技术和思维进行重构,经过互联网化改造的"价值链"(即互联网思维模型1,见图3-7),最终变成互联网化的"价值环"(即互联网思维模型2,见图3-8)。"价值环"的圆心是用户,战略制定和商业模式设计、业务开展、组织设计和企业文化建设都要以用户为中心。战略层、业务层和组织层都围绕着终端用户需求和用户体验进行设计。这就是互联网时代的"价值环"模式。

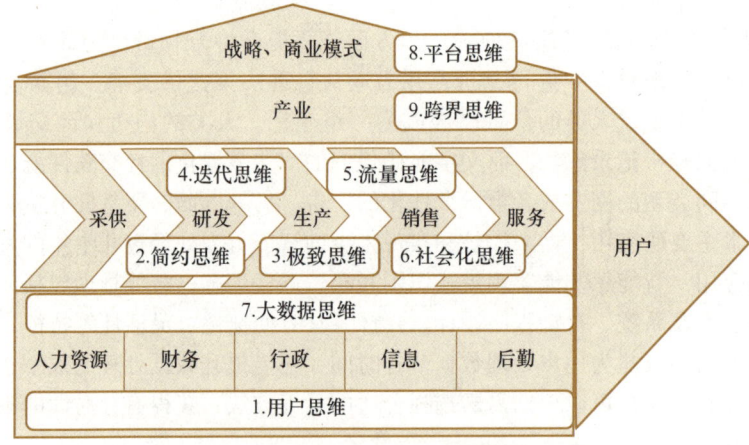

图 3-7 互联网思维模型 1

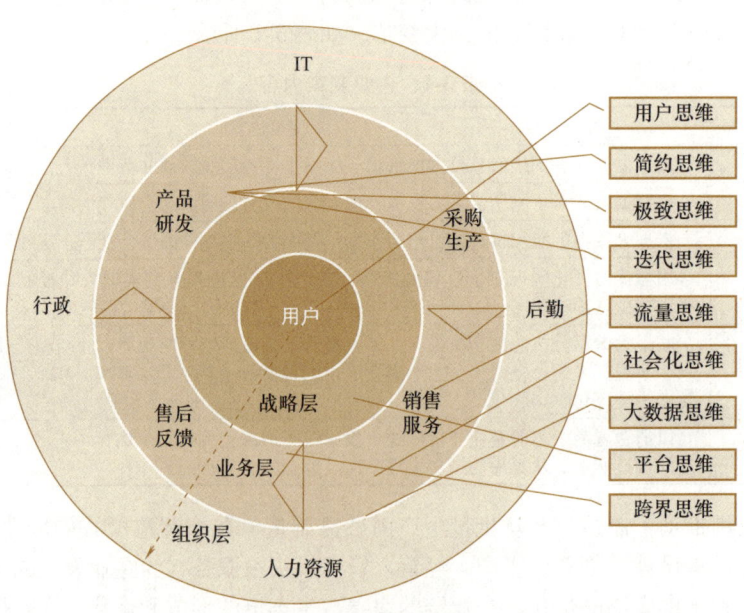

图 3-8 互联网思维模型 2

1. 用户思维

用户思维是指对经营理念和消费者的理解,表明在价值链各个环节中都要"以用户为中心"去考虑问题。

首先,用户思维强调长尾效应。在工业文明时代,更多强调的是帕累托法则(Pareto Principle)。维尔弗雷多·帕累托提出了关于意大利社会财富分配的研究结论:20%的人口掌握了80%的社会财富,故该法则又被称为"80/20"法则。该法则提出后应用在市场营销、质量管理等多个领域,在工业文明时代,运营环节更多强调的是对畅销主导产品的大批量生产、实现规模经济,营销环节更多强调的是对大客户的营销、服务与管理。"互联网+"催生的新零售与新消费模式,降低了供应链上各行为主体参与的门槛,互联网使长尾效应越发明显,克里斯·安德森(Chris Anderson,2004)在他的文章中第一次提出长尾理论,认为:商业和文化的未来不在热门产品,不在传统需求曲线的头部,而在需求曲线中那条无穷长的"尾巴"。长尾效应更多强调的是"个性化""客户力量"和"小利润大市场",即借助消费互联网平台和工业互联网平台等新业态,打破时间和物理空间的约束,在更大范围内汇总个性化的需求,从而形成规模化的需求与生产,赢得与头部市场抗衡的需求与供给。以图书为例,巴诺书店(Barnes&Noble)的平均上架书目为13万种,亚马逊(Amazon)有超过一半的销售量来自在它的排行榜上位于13万名开外的图书。如果以亚马逊的统计数据为依据,就意味着那些不在一般书店里出售的图书形成的市场要比那些摆在书店书架上的图书的市场更大。

其次,强调用户体验与用户参与。随着物联网、移动互联,以及智能终端的普及,信息交互和虚拟现实的成本大幅度降低,使用户与供应链上的制造商、供应商、销售商等实现有效的界面连接,使低成本参与产品与服务的设计以及产品与服务的完成、交付使用与回收处理的全过程成为可能;个性化、体验等用户偏好的兴起,使供应链有必要快速、精准地按需设计、按需制造,以实现供应与需求的匹配;同时信息的交互能加强用户的黏性,以及用户体验感的分享,用户的体验与点评则使用户成为供应链的营销者,让具有相同偏好的用户成为供应链潜在的消费者群体。如海尔通过其工业互联网平台,让用户深度参与产品的设计,对用户提出的偏好经过多次迭代,提炼共性需求及个性化需求,利用大规模定制提供定制化产品。

2. 简约思维

简约思维是指对品牌和产品规划的理解。在信息文明时代,产品和服务的可选择范围越来越大,实现供给与需求的精准匹配需要从工业文明时代的推式生产范式向满足顾客需要的拉式生产范式转变,在信息爆炸、可选择的产品和服务众多的市场环境中,如何快速精准地吸引用户关注是品牌规划和产品设计需要解决的问题。

首先,简约思维强调品牌、产品和服务的专业化。专业化更多强调的是在一个行业和细分市场领域里,品牌、产品和服务要专注于某一特定的顾客群体、特定的市场,而不是像工业文明时代那样以多样化的方式来满足顾客个性化需求,即"有所为有所不为""不为是为了更好地有所为"。例如,比亚迪汽车从开始发展至今,一直基于对顾客群体偏好的细分与定义,为市场提供有限的产品系列,聚焦于特定顾客群体并将产品与服务做到极致,这是比亚迪汽车成功的关键因素之一。

其次,简约思维强调产品和服务的友好性。信息文明时代的一个重要特征是:人的物化、物的人化。人工智能等技术的应用使产品和服务越来越智能化,移动互联网使消费者的时间碎片化、内容碎片化,顾客在购买产品和服务时越来越注重其友好性,尤其是注重其学习成本和学习时间的节约,因此产品和服务的设计要尽量简约,以便顾客能以很短的学习时间和很低的学习成本来消费产品和服务。

3. 极致思维

极致思维是指对产品和服务体验的理解。极致思维就是把产品、服务和顾客体验做到极致，超越顾客预期。抓住顾客的痛点和痒点、给顾客带来的体验足够好，所提供的产品和服务才可能真正赢得人心，这就是一种极致思维的体现。

首先，极致思维强调期望型需求和兴奋型需求。在准确识别基本型需求、期望型需求和兴奋型需求这三种需求的基础上，企业首先应确保满足基本型需求，即确定订单资格要素；再把关注点集中在期望型需求和兴奋型需求上，以此来识别并培植订单赢得要素；最终形成现实竞争力。

其次，极致思维强调使顾客满意。20世纪80年代末，A. 帕拉休拉曼（A. Parasuraman）等人依据全面质量管理理论在服务行业提出了一种新的服务质量评价体系，其理论核心是"服务质量差距模型"，即服务质量取决于顾客所感知的服务水平与顾客所期望的服务水平之间的差别程度（又称为"期望-感知"模型）。所谓服务质量差距，是指顾客感知的服务水平（Perception Service，PS）与顾客期望的服务水平（Exception Service，ES）之间的差距。当顾客感知的服务水平接近顾客期望的服务水平时，顾客才会满意；越接近，顾客就越满意。当然，如果顾客感知的服务水平超过顾客期望的服务水平，将会出现令人惊喜的结果。顾客的期望是开展优质服务的先决条件，提供优质服务的关键就是要超过顾客的期望值。信息文明时代的新消费和新零售模式为顾客点评产品和服务提供了便利，顾客满意更容易实现在顾客群体之间及其利益相关者主体之间的传播。极致思维强调当供应链为顾客提供超出顾客期望水平的产品或服务时，其点评等机制和途径会对供应链的产品或服务营销提供有效支持。反之，如果供应链为顾客提供的产品或服务没有达到顾客期望的水平，那么其点评等机制和途径也会对供应链的产品或服务营销产生相应的影响，只不过这种影响是负面的、不利的，与提供超出顾客期望水平的产品或服务时所获得的有效支持相反。具体来说，当供应链提供的产品或服务质量不佳、未达到顾客期望的水平时，顾客可能会通过点评等机制和途径给出差评、提出不满，这会降低潜在顾客对该供应链产品或服务的信任度和购买意愿，进而阻碍产品或服务的营销，影响供应链的市场表现和商业效益等。

4. 迭代思维

迭代思维是指对创新流程的理解。新一代信息技术催生了共享设计、供应商及顾客参与等新的合作研发模式，加快了创新的速度，缩短了创新的周期。敏捷开发是互联网产品开发的典型方法论，是一种以人为核心、迭代、循序渐进的开发方式，允许有所不足，不断试错，在持续迭代中完善产品。

首先，迭代思维强调微创新。"微"，就要从顾客的细微需求入手，贴近顾客心理，在顾客参与和反馈中逐步改进。企业觉得不起眼的因素，顾客可能觉得很重要。迭代思维强调的是微创新，而不是颠覆式创新，更多的是指：从顾客的需求出发，持续发现顾客的新需求，在已有产品和服务的基础上进行创新。微创新的优势在于：可以减少顾客学习使用产品和服务的成本，增强顾客黏性和忠诚度。例如，微软的视窗操作系统虽然持续微创新，但其一直保持对消费者使用和操作的友好性，顾客使用其新一代产品和服务的学习成本很低，这也是微软视窗操作系统占有市场的重要因素之一。

其次，迭代思维强调快速持续迭代。在信息文明时代，顾客可以选择的产品和服务范围越来越大，同时供给侧借助工业互联网平台、消费互联网平台快速整合，进入与响应市场的速度越来越快。只有快速地对消费者需求做出反应，产品才更容易贴近消费者。微软的视窗操作系统以及腾讯的微信等产品都采用了快速持续迭代的策略，一方面是为了满足消费者不断提出的新需求，如软件产品和服务的安全升级；另一方面是为了维持竞争力的需要，如在阿里巴巴推出支付宝之后，微信推出了微信支付服务。对传统企业而言，它们更侧重迭代的意识，这意味着要及时乃至实时关注消费者需求，把握消费者需求的变化。

5. 流量思维

流量思维是指对业务运营的理解。在市场供给能力大于市场需求的条件下，吸引消费者购买其产品和服务是企业和其所在供应链得以生存与发展的前提。乔治·吉尔德（George Gilder，1993）最先提出了关于网络价值和网络技术发展的定律，即梅特卡夫定律（Metcalfe's Law），这一定律用计算机网络先驱、3Com公司的创始人罗伯特·梅特卡夫（Robert Metcalfe）的姓氏命名，以表彰他在以太网领域的贡献。其内容是：一个网络的价值等于该网络内的节点数的平方，而且该网络的价值与联网的用户数的平方成正比。该定律指出，一个网络的用户数目越多，那么整个网络和该网络内的每台计算机的价值就越大。流量思维强调的是短期与长期、局部与整体利益的平衡。对于某一类产品和服务，在其导入期，企业更多关注培养消费者的消费习惯，进而形成稳定的消费者群体，当某一类产品和服务的消费者群体达到一定规模后，才考虑其利润回报。如互联网行业的很多平台型企业在其产品和服务的导入期，免费甚至付费提供给平台上的供给侧和需求侧的行为主体。大多数出行平台企业都经历过这一阶段，导入期的免费或付费是为了后期平台的流量足够大时更好地收费。对于制造业企业而言，也需要有同样的思维，即在产品的导入期，进入新的目标市场时，可以对某一类产品线的利润率控制得比较低，而对另外一类产品线的利润率则定得相对较高。前者的目标是吸引消费者接受新的产品或服务，后者的目标则是保证企业的利润空间。

6. 社会化思维

社会化思维是指对传播链、关系链的理解。社会化商业的核心是网，企业面对的顾客以网的形式存在，这将改变企业生产、销售、营销等整个形态。新一代信息技术的兴起与应用为产品和服务的体验、设计、制造和服务提供了新的手段和渠道：自媒体与社交媒体的应用改变了工业文明时代营销过程中的信息传播的渠道以及传播的效率，自媒体与社交媒体更强调信息交互的黏性、实时性和快速性，实现了信息沟通与交流的即时性和互动性。社会化思维来自消费者的"小众的社会认同效应"：独立的消费者群体往往会因为相同观点聚集在一起，通过消息转发、评论机制，迅速扩散，在短时间内形成类似"飓风"的传播效应，从而形成广泛的影响力。这颠覆了传统的信息传播路径，信息由单向传播向多中心、网状裂变的方式转变。对企业而言，不管是主动拥抱还是被动接受，都无法阻止一个时代的大幕在开启：消费者站在了舞台的中间。想利用好社会化媒体，就要注重搭建人脉网络，建设链式传播，构建信任营销体系，同时在设计、制造等环节强调众包协作。众包是以"蜂群思维"和层级架构为核心的互联网协作模式，如海尔的卡奥斯平台（COSMOPlat），其实质是基于工业互联网平台，在更大范围内整合价值网络各环节上的各行为主体的资源和能力，为精准、快速、高质量、低成本满足顾客需求提供系统解决方案。

7. 大数据思维

大数据思维是指对企业资产、核心竞争力的理解。消费者行为数字化促使企业收集、分析、跟踪消费者在互联网上的"足迹"。这是大数据时代的一个核心命题。大数据成为企业的核心资产，数据挖掘与分析成了企业的关键竞争力乃至核心竞争力。消费者在网络上一般会产生信息、行为、关系三个层面的数据，对这些数据的收集、分析、挖掘与利用，能帮助企业对消费者偏好、市场竞争状态等形成预判和做出有效决策。一切皆可被数据化，企业需要构建自己的大数据平台，小企业也要有大数据。在互联网和大数据时代，企业的营销策略应该是针对个性化消费者做精准营销。消费者在线的每一次点击、每一次评论、每一次视频点播，都是大数据的典型来源。互联网企业之所以能取得令人瞩目的成绩，其核心就是对消费者网络操作的大数据进行记录和分析，形成消费者"行为指纹"，从而洞悉消费者潜在的、真实的需求，并形成预判。

8. 平台思维

平台思维是指对商业模式、组织形态的理解。互联网的平台思维就是开放、共享、共赢的思维。平台商业模式最有可能成就产业巨头。在全球最大的100家企业里，有60家企业的主要收入来自平台商业模式，包括苹果、谷歌等。平台思维的核心在于打造多方共赢的生态圈。

首先，平台思维强调打造一个多主体共赢互利的生态圈，将来的平台之争，一定是生态圈之间的竞争。百度、阿里巴巴、腾讯三大互联网巨头围绕搜索、电商、社交各自构筑了强大的产业生态，海尔借助供应链上各行为主体的价值共创共享机制，打造了基于海尔品牌的生态圈。

其次，平台思维强调善用现有平台。当小微企业或者跟随型企业进入市场时，其规模不足以打造独立的生态圈，即当不具备构建生态型平台的实力时，就需要利用现有平台。共享自行车在其初创阶段，大多数采用自己创造流量构建平台的模式，且大多数平台都没有坚持到其流量达到一定规模进而实现赢利的阶段。目前的共享自行车服务大多利用腾讯或阿里巴巴两大流量平台，进入了良性循环的阶段。

最后，平台思维强调让企业成为员工的平台。新一代信息技术使组织扁平化、平台化。新一代信息技术使内部平台化，是指要变成自组织而不是他组织，他组织的驱动力来自别人，自组织则由自己来创新。例如，海尔将8万多名员工分为2000个自主经营体，让员工成为真正的"创业者"，让每个人成为自己的CEO。

9. 跨界思维

跨界思维是指对产业边界、创新的理解。随着互联网和新科技的发展，纯物理经济与纯虚拟经济开始融合，很多产业的边界变得模糊。跨界思维的实质是信息文化与农耕文明、工业文明成果的融合。跨界思维的具体实现路径即"互联网+"。"互联网+"具体包括两条途径：第一，"互联网+"即互联网企业向其他行业的主动融合，如互联网金融是指互联网企业实现互联网业务与金融业务的整合；第二，"+互联网"即其他行业的互联网化，如手机银行是银行业的互联网化，以其他行业的既有业务为基础，利用互联网技术和思维实现已有业务的互联网化，能提高为用户服务的效率和质量，从而实现供给与需求的精准匹配。

本章小结

数据、技术、思维作为信息文明时代的动能，为解决运营管理悖论提供了可能，也为运营管理带来了深刻而全面的影响：运营管理的数据化让需求预测更准确、运营管理的智能化让供需匹配更准确、运营管理的可视化让运营过程更绿色。物联网、移动互联每时每刻都在产生大数据，企业需要变革其运营管理的思维。互联网思维能帮助企业从价值链、产业层、战略、商业模式和组织形态、产品研发、生产和服务、销售等业务活动层面对运营管理实现思维变革与创新。

思考与练习题

1. 请简述信息文明给运营管理带来的改变。
2. 结合课本理论与生活实践，简述大数据具体有哪些特征。
3. 结合企业案例，分析如何利用互联网思维帮助企业发展。

案例分析

互联网平台集并需求与供给：阿里巴巴

阿里巴巴集团（简称阿里巴巴）创立于1999年，经过不断发展，已经成长为涵盖消费者、品牌商家、零售商、第三方服务提供商、战略合作伙伴及其他企业的数字经济体。围绕商品、服务、娱乐等消费需求，阿里巴巴搭建了中国第一个电商平台（淘宝+天猫）、本地生活平台（饿了么+口碑网）和长视频网站（优酷）。围绕交易中的营销、物流、金融、技术，阿里巴巴搭建了阿里妈妈、菜鸟、阿里云等基础设施。阿里巴巴于2019年在港交所二次上市，融资规模达到1000亿港元。2021财年阿里巴巴生态商品交易额达到了8.119万亿元。

1. "互联网+"和大数据集并了零散的商品供给与需求：淘宝

消费互联网平台解决了企业运营中的信息不对称导致的供给与需求难以精准匹配的问题。淘宝以"互联网+"和大数据技术作为支撑，打破了交易的物理限制，拓宽了交易的边界，这让供需双方的交易不再受限于位置与时间，实现了零散商品供给与需求的集并，在提升消费体验的同时，充分挖掘了市场需求，由此带动了上游供给产业链的发展。在传统市场中，人们只能在有限时间、有限空间交易有限类的商品，这只能满足基本需求，对于个性化需求，尤其是小众的个性化需求，很难予以满足。而淘宝利用互联网的优势，创造了"支付宝"，解决了买卖双方难以互信的问题，即买方在网上下单付款之后，卖方发货但此时货款暂存在支付宝平台上，等买方收到货后，支付宝再将货款打到卖方账户，与此同时买卖双方还可以对对方做出评价，并最终以分数的形式向对方展示。在支付宝的担保以及信用机制下，买卖双方都打消了对交易的顾虑，因此便会有大批量的商家在淘宝上开店铺卖商品，这使淘宝上的商品品类远超线下，消费者便倾向于在淘宝上选取更加合适的商品，这带动了淘宝上需求量的增加，吸引了更多商家入驻淘宝。积极的正向反馈循环让淘宝自创立之后就得到了迅速发展。

淘宝在集并供需的同时，精准预测了消费者的需求，实现了供需的精准、快速匹配，挖掘了市场潜在需求，将"长尾效应"转化为"长尾经济"。淘宝靠集并市场需求，吸引了大量消费者，由此产生了海量消费者行为数据。淘宝对未来的预测是建立在对消费者行为分析的基础上的。通常而言，买方在采购商品前，会比较多家供应商的商品，反映到阿里巴巴网站统计数据中，就是查询点击的数量和购买点击的数量会保持一个相对的数值，综合各个维度的数据可建立消费者行为模型的巨大数据样本，能够保证消费者行为模型的准确性。此外，淘宝会根据用户的习惯和偏好实施个性化推荐，这种精准营销在一定程度上降低了市场的不确定性。淘宝根据需求预测结果，将商品提前布局到离客户最近的配送中心，减少了配送时间，提升了用户体验。另外，长尾效应中的"小众需求"线下很难满足，互联网将"小众需求"集并之后，让"小众需求"也有大市场，这使潜在需求得到释放，最终扩大了市场需求。

2. "互联网+"和大数据集并了零散的物流承运与托运：菜鸟物流

物流互联网平台扩大了商品交易的经济半径。经济半径是指商品交易最大的物流距离，当商品的运输成本等于商品自身价值时，其经济半径达到最大值。物流互联网平台通过集并承运方和托运方的物流量，实现运输的规模经济，从而扩大了商品交易的经济半径。

2013年5月23日，菜鸟网络科技有限公司成立，推动了物流体系的发展。2021年6月，菜鸟裹裹用户数已突破3亿，菜鸟裹裹日均单量约为500万件。菜鸟物流通过整合商品资源和物流资源，实现了承运与托运的集并，提升了物流的时效性，减少了资源的浪费，让物流环节与购物环节有效衔接，提升了消费者体验。菜鸟物流利用大数据建立物流平台，作为第四方物流，专注于打造中国智能物流骨干网,通过与各个快递公司合作,在国内各处建立配送中心和仓库,根据数据对各地进行指挥分配,从而缩短了配送时间。菜鸟物流为了实现上述目标,建立了以"天网、地网、人网"为三大组成部分的物流系统。"天网"是指消费者的大数据,利用大数据对商品进行预测,菜鸟平台通过与多个物流公司合作,已经有充足的中转站、网点,从而实现了商品提前就近布局。同时根据大数据预测交通情况,协调调度各个物流公司,选择合适的路线和发货方式。"地网"是指仓储,菜鸟物流通过在全国各地拿地建仓,使合作的商家将货物送到附近的菜鸟仓库,由菜鸟统一发货。菜鸟仓储系统会根据数据将货物数量和储存位置等进行调控,实现合理的分配。"人网"是指"最后一公里"的配送,即常见的"菜鸟驿站"。菜鸟驿站通过与个体户、连锁超市、物业和学校合作,利用代收代发的方式使三方同时获益。这种形式减少了快递员等待客户或者因客户不在家而浪费的时间,同时便于客户就近取件,进而提升了物流体验。菜鸟物流的运营模式如图3-9所示。

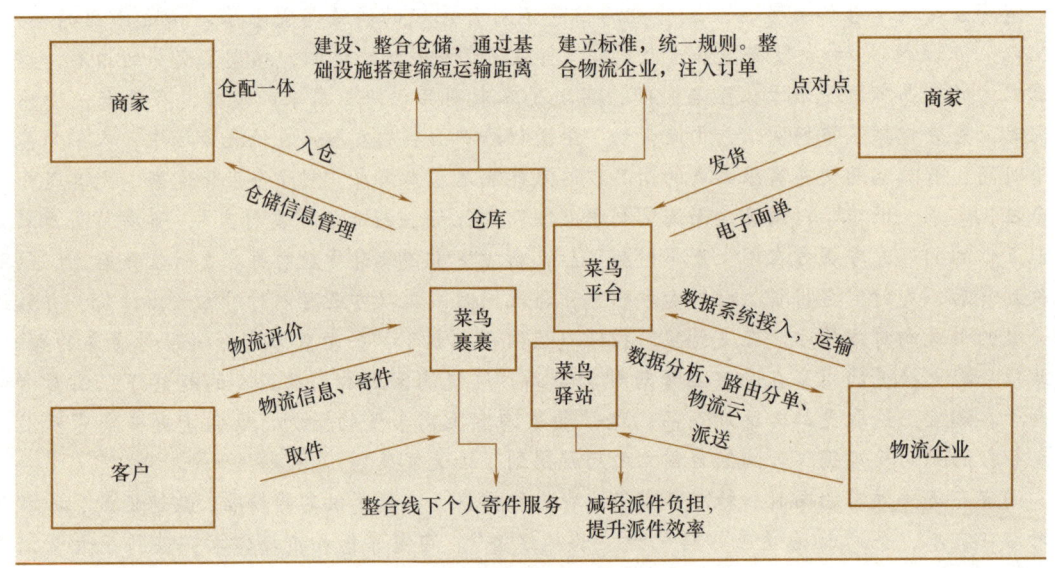

图3-9 菜鸟物流的运营模式

(资料来源:https://www.logclub.com/articleInfo/MzUyMjc=.)

3. "互联网+"和大数据集并了零散的资金供给与需求:支付宝

2013年6月,阿里巴巴集团推出了"余额宝"。余额宝是由第三方支付平台支付宝为个人用户打造的一项余额增值服务。余额宝的出现推动了利率市场化进程,促进了金融业的创新与发展。其参与人数的广泛性、增长速度的爆发性,以及对社会经济的巨大影响力引起了整个金融业甚至全社会的高度关注。余额宝让互联网金融走进人们的视野。

在余额宝出现之前,用户放在支付宝账户中的钱是没有收益的;由于资金量小,且没有理财的必要,因此用户只能将其当作零钱花。当时理财产品最低起售点一般为5万元,而余额宝上线同期推出"1元起购,定期也能理财"业务,把集并后的大量资金用于购买理财产品,从而间接提高了用户的收益,相当于帮助用户理财。余额宝因门槛低、收益高,在短期内吸引了大量用户,上线仅1天,用户就超过了100万,推出1个月,用户超过了400万,半年后用户突破8100万。截至2024年,支付宝用户已经超10亿。

同时,阿里巴巴拥有了淘宝和支付宝的交易数据,能对用户的信用进行有效评级,洞察用户资金需求。对于小微企业,阿里金融不仅推出了支付宝的支付功能和余额宝的理财功能,还基于大数据的信用评级与思维创新，推出了小微贷服务，满足了零碎资金集并的供方理财需求，也解决了小微企业贷款难的问题。阿里金融的店铺只需满足以下两个条件即可享受低利率贷款：店铺注册人年满18周岁且具有完全民事行为能力；淘宝店铺最近2个月持续有效经营，每个月都有有效交易数量，且信用良好。由于贷款门槛低，流程简单，因此很多商家在短期内会选择在支付宝上贷款，如商家在支付宝的"小微贷"上最低可享受日利率万分之五的贷款。支付宝可以根据商家数据准确判断其是否具备贷款资质，同时集并了它们对资金的需求，这便于支付宝对贷款资金进行更加高效的管理，降低了出现不良贷款的风险。

思考：
1. 相较于传统的线下交易市场，淘宝有什么优势？
2. 第三方物流加入菜鸟物流的动力是什么？
3. 请分析阿里金融的优势与面临的风险。

第 4 章 产品与服务设计

> **学习目标**
> （1）掌握产品生命周期及其特点、新产品的概念及分类、新产品研发程序和内容、新产品研发方案评价。
> （2）了解新产品研发的重要性及意义。

【引导案例】

绿山咖啡的产品设计

绿山咖啡的产品设计涉及从世界各地寻找独特的咖啡豆，通过烘焙试验研制各种独特口味的咖啡。此外，产品设计还涉及推出一些配套产品，让消费者更好地享用咖啡。KEURIG 咖啡机和可分解的咖啡杯就是此类产品。

使用 KEURIG 咖啡机和创新的 K 杯咖啡，咖啡爱好者可以在 1min 内冲好一杯咖啡。市场上有 130 多种不同的 K 杯咖啡和茶包可供选择，办公室工作人员在一天内的任意时刻都可以喝到新冲好的咖啡。使用传统的咖啡机，一次要煮一壶咖啡，"我们每次只喝一杯咖啡，为什么每次要煮一壶呢？"单杯咖啡的设计解决了这一问题。

可分解的咖啡杯是绿山咖啡和国际纸业公司经过多年的研究和对近 500 万个杯子在市场上试用之后的结果。生产这种杯子的纤维来自可持续发展的森林，杯子的内层是由一种"生物塑料"制成的，这种塑料以谷物作为原材料，在一定的条件下可以完全分解成有机物。由于绿山咖啡的日销售量超过 250 万杯，这种新型杯子可以大量减少垃圾的产生。在本章，我们将讨论如何设计产品来满足消费者需求，以及在设计产品时应考虑哪些因素。

随着科学技术的快速发展，经济全球化进程加速，市场竞争日益激烈，消费者需求多样化和个性化特征日趋明显，产品生命周期越来越短。任何一家企业要想在激烈的市场竞争中占据有利地位，就要根据市场需要和竞争要求不断地研发新产品，源源不断地向市场推出新产品。新产品研发及管理是一项关系企业生存和发展的重要职能，同时又是一项周期长、耗费大、风险大的业务，有远见的企业都应高度重视新产品研发，不惜投入大量的资源来加强新产品研发业务。

4.1 新产品研发背景

在科学技术不断进步、市场竞争日趋激烈的环境下，新产品研发能力已成为决定企业生存和发展的重要条件。科技的快速发展为企业的新产品研发提供了产品创新的源泉，新材料、新工艺、新设计等被源源不断地引入产品设计中，在提升产品性能、降低生产成本、提高生产效率、优化产品质量等方面发挥了重要的作用。同时，科技的发展加速了产品的更新换代，促使企业在产品研发方面投入更多的资源，以确保不断地开发出满足消费者需求的产品，从而赢得竞争。

越来越多的企业认识到新产品研发对提升企业市场竞争力、创造经济效益的重要性，不惜投入大量的资源用于新产品研发。但由于新产品研发往往投入多、周期长、风险大，特别是对于大型、复杂、技术含量高的产品，研发过程需要高水平的研发队伍，掌握先进的设计技术，且在研发过程中需要科学的组织和管理等，因此企业新产品研发的成功率往往不高。如何组织和管理新产品研发是摆在企业面前的头等大事。

与传统的大规模化生产相比，个性化定制生产的优点在于大大削减了库存，降低了市场风险，但个性化定制生产要求企业有更强的新产品研发能力。企业必须采用新的生产运营管理模式，才能做到在高质量、低成本、快速响应消费者需求的同时实现盈利。企业的运营环境发生了巨大的变化，要想在这种严峻的竞争环境下生存和发展，必须具有更强的环境适应能力，而快速的产品研发能力就是企业适应市场环境、取得竞争优势的法宝。

4.1.1 新产品研发的意义

持续的新产品研发是企业保证和提高市场地位、实现利润目标的重要前提。企业新产品研发的理想状态是：当一代产品处在成熟期时，下一代新产品已开始推向市场；当一代产品开始衰退时，另一代产品则进入快速成长期。这样，企业就能保证源源不断地向市场推出新产品，取得和保持企业市场竞争力的优势。消费需求的发展与变化要求企业不断地研发并推出新产品，否则，就有可能失去现有的市场，更难以去开发新的市场。另外，新产品研发还可以使企业的资源得到充分利用。企业在生产主体产品的同时，往往会有许多剩余资源得不到充分利用，若能从利用这些资源的角度去开发一些新产品，就能在很大程度上降低企业的生产成本。

4.1.2 产品生命周期及其特点

产品从投放市场到最后被市场淘汰，从市场产销量与时间的关系变化来看，一般遵循生命周期发展规律。这里所谓的生命周期，实际上是指产品的市场寿命周期。产品生命周期包括投入期、成长期、成熟期和衰退期四个阶段，如图4-1所示。

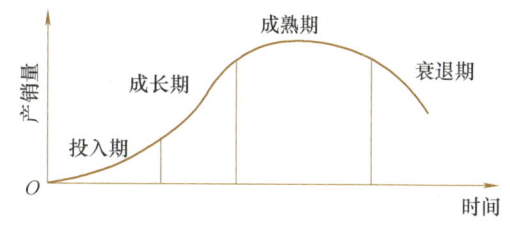

图4-1 产品生命周期

（1）投入期。产品完成研发后开始投入市场。在此阶段，消费者对产品还不了解，购买者主要是追求新奇的消费者，产品设计和生产工艺尚未完善，产品质量还不稳定，工人熟练程度较低，产销量规模小，制造成本高，广告费用大，企业通常不能获利，有时甚至亏本。

（2）成长期。经过投入期，产品设计、生产工艺逐步完善，组织和管理逐步规范，生产效率和质量稳定性提高，生产成本大幅度下降，加上广告宣传推广，产品逐渐被市场所认识和接受，便进入了成长期。成长期的特点是产品产销量迅速上升（增长率一般达到10%以上），利润迅速增长。

（3）成熟期。经过成长期，产品产销量达到一定水平后，市场需求趋于饱和，产品销售量增速放缓甚至开始下降，说明产品进入了成熟期阶段。成熟期的产品市场竞争激烈，企业为稳定市场销售量而投入的广告费用较高，产品价格下调，利润下降。

(4) 衰退期。随着时间的推移，新技术、新产品和替代品的出现，以及消费时尚、习惯的改变等，产品的销售量和利润迅速下降，说明产品进入了衰退期。此时成本较高的企业会由于无利可图而陆续停止生产，产品的生命周期将陆续结束，直至最后完全撤出市场。

根据产品生命周期原理，企业要保持已有的市场竞争地位，必须采取相应的经营策略，以缩短投入期、加速成长期、延长成熟期；更重要的是，坚持一代接一代的新产品研发，确保有源源不断的新产品投放市场。

4.1.3 新产品的概念及分类

新产品是指在原理、性能、结构、外形、材料、用途、技术指标等方面比老产品有显著改进、提高或独创的产品。一般来说，新产品应具备下列一个以上的特点：①具有新的原理、构思或设计；②采用了新材料，使产品性能有较大幅度的提高；③产品结构或外形有明显的改进；④扩大了产品的适用范围。

1. 按新产品的新颖程度分类

（1）完全新产品。采用新原理、新材料及新技术制成的具有全新功能的产品，是创新程度最高的一类新产品。完全新产品往往代表了科学技术发展史上的一个新突破。例如，电话、飞机、尼龙、复印机、电视机、计算机等是19世纪60年代到20世纪60年代世界公认的最重要的新产品。全新产品的诞生往往是科学技术的创新和新发明的结果。

（2）换代新产品。它是指基本原理不变，部分采用新技术、新材料而使产品性能有重大突破的产品。例如，计算机问世以来，从最初的电子管（第一代）、晶体管（第二代）、集成电路（第三代）到大规模集成电路（第四代），电视机从显像管电视机到液晶电视机，尽管在基本原理和基本功能上基本相同，但是其所采用的技术和所形成的功能却有很大的不同。由于各个时期的换代新产品在原理、技术和材料上有一定的延续性，因此企业研发换代新产品比研发完全新产品要容易，研发成本较低，风险较小。

（3）改良新产品。在产品的材料、结构、性能、造型甚至颜色、包装等方面对原有产品进行局部改进与完善的产品，是创新程度较小的一类新产品，一般对产品的基本功能并无本质上的改进。例如，汽车外形的更新、变频空调产品都属于改良新产品。由于改良新产品对科技研发的要求并不是很高，因此企业依靠自身力量比较容易研发。在新产品研发中，属于此类型的新产品占绝大多数。

2. 按新产品的研发方式分类

（1）独立研发。独立研发是指企业依靠自身的科研和技术力量研发新产品。独立研发要求企业具有高水平的研发队伍，要投入较多的研发资金，承担较大的研发风险，但独立研发企业具有更大的市场主动权，一旦研发成功，企业可获得更大的效益。

（2）联合研发。联合研发是指企业与其他单位，包括大专院校、科研机构以及其他企业共同研制新产品。对于一些复杂的高科技产品，靠单某个企业进行研发往往难以胜任，而采取联合研发方式可以集成社会研发资源优势，在较短的时间内研发出高水平的产品。联合研发方式的关键是组织和协调各方自愿进行高效率的研发。

（3）技术引进。技术引进是指从国内外引进先进技术来研发新产品，包括购买专利技术和设备。技术引进需要投入大量的资金，从国外引进技术往往受到相关国家法律的约束，使引进技术的先进性大打折扣。引进技术的时效性较强，随着时间的推移，引进的技术和产品难免会过时失效。技术引进方式会使企业的发展受制于人，难有大的突破和发展。

（4）独立研发与技术引进结合。独立研发与技术引进结合是指企业把独立研发与技术引进相结合,在引进技术的基础上,根据本国国情和企业的技术特点,将引进技术加以消化、吸收、再创新,研制出适合本国、具有特色的新产品,以满足消费者的需求。这种方式既可以加速产品研发的进程,提高产品研发的水平档次,也有利于锻炼和提高研发队伍的水平。

(5) 仿制式研发。按照外来样机仿制的研发方式,是投入最小、见效最快的一种新产品研发方式。服装、玩具、家具、小家电等产品可以采用仿制式研发方式。虽然仿制式研发周期短、成本低、见效快,但大多数产品的技术设计和外形等都受到知识产权保护,使得仿制式研发的路子越走越窄。一些仿制型产品在各种展销会上难以立足就是例子。

此外,新产品还可以按地域来划分,可以分为国际新产品、国家新产品、地区新产品和企业新产品。

4.1.4 新产品的特征

(1) 创新性。新产品往往具有新的原理、新的构思和设计,由新材料和新元器件构成,具有新的性能、用途等创新或改进内容。

(2) 先进性。新产品必须在技术上先进,性能、质量、能耗等技术经济指标要比老产品有明显的提高。

(3) 继承性。大多数新产品都是在以往知识积累的基础上孕育产生的。

(4) 相对性。新产品的"新"是一个相对概念,即在地域性、时间性、结构性、功能性等方面相对较新的概念。

4.1.5 新产品研发的程序和内容

新产品研发投入大、周期长、不确定因素多、风险大,为了减少风险,新产品研发必须按照科学的程序来进行。应对新产品研发过程进行科学的组织和管理,对新产品研发过程进行层层评价、筛选把关,以尽量减小失败的风险。新产品研发一般可分成产品创意、创意筛选、产品概念形成与检验、市场分析、样品试制、市场试销和批量上市七个阶段(见图4-2)。其中,产品创意、产品概念形成与检验、样品试制和批量上市四个阶段构成了设想-设计-实体-商品几个主要节点。由一个节点发展到另一个节点必须通过评价、筛选、市场分析和市场试销等主要环节,以最大限度地避免风险。

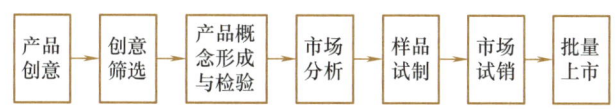

图 4-2 新产品研发的程序

(1) 产品创意。新产品的诞生始于创意,而创意取决于创造性的思维能力。在新产品研发过程中,除了研发人员本身的创造性思维外,还应广泛地征集消费者、科技人员、高层管理人员、营销人员、产品代理商、市场研究机构及广告代理商、企业内部员工等的创意。

(2) 创意筛选。在征集到足够的创意之后,需要对各种创意的可行性进行评价和筛选。创意评价和筛选一般要考虑市场容量和前景、企业技术和设备条件、所需投资和利润、所需人员条件等方面的因素。对各创意方案进行评价,从中选出综合条件最好的创意。

(3) 产品概念形成与检验。产品概念形成与检验是指把创意变成一个具体的产品方案,进行生产可行性分析和接受市场检验。一种产品创意可以引出许多不同的产品概念。例如,一家公司计划研发一种多功能电子演示板。在将其发展成为产品概念的过程中,必须考虑目标市场

（各类学校、政府部门、高档酒店会议厅）、产品功能价值（高效率、使用方便、无污染）、使用环境（课堂演示、政府会议、酒店会议）等。根据这些因素，可以根据目标市场的不同使用要求形成不同的产品概念，如学校课堂上使用的电子白板、政府部门使用的电子白板、酒店会议厅使用的电子白板等，分析适用于各种对象的电子演示板的特点和要求。

（4）市场分析。市场分析贯穿新产品研发的全过程。产品研发和试制前，必须对产品市场前景进行分析，包括新产品市场容量分析、竞争对手产品及替代产品的影响（如电子演示板产品的研发应考虑投影仪产品的影响）、市场购买能力和可能接受的价位、可能的销售渠道及控制能力、与中间商的利益分配方式、产品配送物流条件及其成本等。

（5）样品试制。对于市场分析认为有前途的产品，要将其转化为实体样品，即进行样品试制。通过样品试制，检验产品的技术指标和实际性能，进而对产品创意加以修改，包括对产品功能、外观、结构、材料等的修改，使其更好地满足消费者的需求。

（6）市场试销。对新产品进行小批量生产和市场试销，小批量生产主要用于检验与确定工艺设计和设备是否满足量产条件。市场试销是指验证产品正式投放市场时的市场反应，为产品全面上市提供营销策略的决策依据，其成败对日后新产品的命运有决定性的影响。

（7）批量上市。批量上市是指新产品正式投产并投放市场。新产品正式投放市场必须选择最佳的时间、地点、渠道、推广方式，良好的营销策略能使新产品的市场投入期大大缩短。因此，企业在组织新产品上市时，要对相关环境条件进行详尽分析，精心设计营销策略方案，确保新产品顺利进入市场。

4.1.6 新产品研发策略

合理的研发策略是新产品研发取得成功的前提条件之一。在制定新产品研发策略时，应借鉴以往新产品面世的历史经验，分析、预测技术的发展趋势和市场需求的变化，掌握本企业的技术力量、生产能力、销售能力、资金能力以及本企业的经营目标和战略，还需要了解竞争对手的相应情况。

可供企业选择的新产品研发策略有如下几种。

（1）技术领先策略。这种策略的主要目的是赶在其他竞争者之前，率先采用新技术并使新产品最早进入市场。采用这种策略有利于企业保持市场竞争优势地位，获取较大的市场占有率和利润，但也要求企业具有雄厚的研发实力，以保证技术处于领先地位。实施这种策略要求企业投入的相应资源很多，风险也较大。

（2）紧随领先者策略。这种策略通过迅速地仿用领先者的产品技术，在产品成长期的初期将新产品投入市场。这种策略要求企业有较强的工程技术力量与应用研发能力，同时要善于总结领先者所犯的错误和经验，从而研发出性能更好、更可靠和更先进的产品投放市场，以取得后发优势。

（3）技术仿制策略。这种策略是指通过仿制，使产品以较低的成本开拓市场。这种策略要求企业的设计与工艺部门在降低成本与费用方面有较强的能力。产品进入市场的时机一般应选择在成长期或稍后一些的时间，这时市场对新产品已有普遍认识，产品投放市场后销售量可迅速增加，较大的产销量规模有利于降低成本。

（4）部分市场策略。这种策略是指集中企业的技术资源，专门为部分特定需求实施定制化服务的策略。这种策略要求企业具有较强的设计与工艺能力，并要求制造能力有较强的适应性。产品投入市场可以选在成长初期或者成长后期，即市场竞争开始激烈化、市场细分有效期到来之时。

（5）挖掘产品新功能策略。这种策略是指通过挖掘现有产品的新功能、新用途，从而使老产品焕发出新面貌。这种策略的实施一般选择在产品成熟期进行。当同类产品竞争激烈、产品销售量开始下降时，实施这种策略可以在一定程度上扭转局面，延长产品的成熟期，使产品为企业带来更多的利润。

4.1.7 新产品研发方案评价

新产品研发的可行方案可能有多个，必须采用有效的方法对各方案进行分析和评价，以便选出最优方案。评价新产品研发方案的方法有定性分析和定量分析两大类。定性分析方法较多地应用于产品构思的筛选阶段，它从产品的功能、研发的可能性、市场销售前景等方面，对各种产品构思做出判断，通常列出构思方案的优缺点，或对每个方面做出好、较好、中等或差的等级评价，通过比较，决定对构思方案的取舍。定量分析方法则是指通过对指标数据的计算和比较，将其作为方案决策的依据，其中综合评分法和经济评价法为两类常用的方法。

1. 综合评分法

（1）直接评分法。对产品方案从各个方面进行综合评价，每个方面可列为一个评价项目，实例如表 4-1 所示。

表 4-1 产品研发方案评价表

评分项目	评价等级	评分标准/分	方案 A/分	方案 B/分	方案 C/分
产品功能	1. 能完全满足消费者需求 2. 基本上满足消费者需求 3. 能部分满足消费者需求	20 15 5	20	15	20
产品销路	1. 销路大 2. 销路中等 3. 销路小	20 15 5	20	15	15
利润率	1. 30%以上 2. 20%~30% 3. 15%~20%	30 20 15	20	20	15
研发能力	1. 现有条件就能成批生产 2. 需少量投资就能成批生产 3. 需较大投资和较长时间才能投产	20 15 5	15	20	15
环境污染	1. 无污染或污染容易消除 2. 污染只能控制在规定范围内	10 5	10	5	5
总计		35~100	85	75	70

由表 4-1 中的结果可见，方案 A 得分值最高，即方案 A 为最优方案。

（2）加权平均法。由于各个评价指标的重要性不同，可对各评价指标规定一个权重系数，每项评分乘以权重系数得到加权分，把各指标的加权分相加，得出加权总分，加权总分值最大的方案为最优方案。

2. 经济评价法

（1）投资回收期法。投资回收期法是指计算某新产品研发的投资回收期，据此进行决策的方法，也是考察新产品对投资的偿付能力的方法。

（2）平均收益率法。平均收益率也称投资回收率、资金利润率等。平均收益率是用税后年平均利润与产品研发总投资之比来计算的。其计算公式为

$$平均收益率 = \frac{税后年平均利润}{产品研发总投资} \times 100\% \tag{4-1}$$

（3）资金现值法。资金现值是指把未来若干年可得到的收益折算成现在的价值。现值大小

受未来收益大小、时间长短、贴现率高低的影响。在未来收益一定的条件下,时间越长,贴现率越高,则现值越小;反之,时间越短,贴现率越低,则现值就越大。其计算公式为

$$PV = \sum_{t=1}^{n} \frac{E_t}{(1+i)^t} \tag{4-2}$$

式中　PV——现值;
　　　i——贴现率(收益率);
　　　t——收款期限;
　　　E_t——年收益金额数。

(4)盈亏平衡分析法。盈亏平衡分析法是评价新产品研发方案的一种分析方法。其计算公式为

$$\text{新产品年总成本}: C = F + QV \tag{4-3}$$
$$\text{新产品年销售收入}: S = QP \tag{4-4}$$
$$\text{新产品年利润}: E = S - C = Q(P-V) - F \tag{4-5}$$

令 $E = S - C = 0$,得到盈亏平衡点销售量公式,即

$$Q^* = \frac{F}{P-V} \tag{4-6}$$

式中　Q^*——新产品达到盈亏平衡点时的销售量;
　　　F——年平均固定成本;
　　　P——新产品售价;
　　　V——单位产品变动成本。

盈亏平衡分析法可以判断产品研发方案在经济上是否可行。把盈亏平衡点销售量与市场预测销售量进行比较,预测销售量大于盈亏平衡点销售量越多,则盈利越多;反之,预测销售量小于盈亏平衡点销售量越多,则亏损越多。由于新产品投放市场初期销售量较小,出现亏损是正常的。但随着产品进入成长期和成熟期,销售量迅速增加,销售量应远大于盈亏平衡点。为便于分析计算,一般预测销售量可用年平均销售量来计算。

盈亏平衡分析法可用于新产品研发中多个方案的比较分析。

例 4-1　某产品研发方案有 A、B、C 三个,方案 A 年固定成本为 300 万元,产品变动成本为 100 元/件;方案 B 年固定成本为 500 万元,产品变动成本为 80 元/件;方案 C 年固定成本为 800 万元,产品变动成本为 60 元/件。设该产品市场售价为 140 元/件,试确定最优方案。

解: 三个方案的年总成本计算公式为

$$C_A = F_A + Q_A V_A$$
$$C_B = F_B + Q_B V_B$$
$$C_C = F_C + Q_C V_C$$

计算各方案的盈亏平衡点销售量,分别为

$$Q_A^* = \frac{F_A}{P_A - V_A} = \frac{300 \text{ 万元}}{(140-100) \text{ 元/件}} = 7.5 \text{ 万件}$$

$$Q_B^* = \frac{F_B}{P_B - V_B} = \frac{500 \text{ 万元}}{(140-80) \text{ 元/件}} = 8.33 \text{ 万件}$$

$$Q_C^* = \frac{F_C}{P_C - V_C} = \frac{800 \text{ 万元}}{(140-60) \text{ 元/件}} = 10 \text{ 万件}$$

画出各方案年度总成本线,如图 4-3 所示。

由图 4-3 可见,方案 A 和方案 B 相交于一点,在该点上 $C_A = C_B$,即 $F_A + Q_A V_A = F_B + Q_B V_B$。因而可得到该点对应的销售量计算公式

$$Q_{AB} = \frac{F_B - F_A}{V_A - V_B}$$

同理,有

$$Q_{BC} = \frac{F_C - F_B}{V_B - V_C}$$

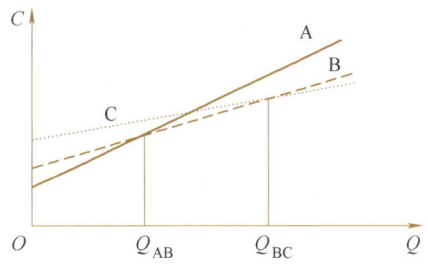

图 4-3　盈亏平衡分析法用于多方案比较

代入数据,得

$$Q_{AB} = \frac{(500-300)\text{万元}}{(100-80)\text{元/件}} = 10 \text{ 万件}$$

$$Q_{BC} = \frac{(800-500)\text{万元}}{(80-60)\text{元/件}} = 15 \text{ 万件}$$

由结果可见,年销售量在 7.5 万~10 万件时,选择方案 A;年销售量在 10 万~15 万件时,选择方案 B;年销售量大于 15 万件时,选择方案 C。

4.2　新产品设计管理

4.2.1　新产品设计的重要性

新产品设计的重要性体现在以下三个方面:①设计阶段决定了产品满足市场用户需求的程度。产品的性能、质量和可靠性主要取决于设计,能否通过高水平的产品设计满足市场用户的需求,决定了新产品研发的成败。②设计阶段决定了产品的生产成本和使用成本。如果在产品性能、结构、材料等方面设计不合理,则可能导致生产效率低、制造成本高、使用成本高等一系列问题。③产品质量取决于设计、制造和使用三个阶段,其中设计是最为重要的一环。设计阶段决定了产品的先天质量,设计质量有问题,将会给后续过程带来一系列难以解决的困难和问题,甚至带来重大损失。例如,大规模的汽车召回往往就是由设计问题所引起的。

在传统的新产品设计中,往往更注重产品的技术方面,设计部门及其设计人员与生产、市场部门隔离,对市场和消费者的意见和要求关注不够,容易导致设计的产品与生产脱节、与市场消费者的需求脱节。因而,产品设计往往需要反复修改,设计周期长,降低了设计工作的质量和效率。

新产品设计是一项重要而艰巨的工作。为了确保新产品设计的质量和效率,企业必须加强新产品研发和设计的组织和管理,向市场源源不断地提供适销对路的新产品,这样才能立于不败之地。

4.2.2　面向可制造和可装配的产品设计

传统的设计部门及其人员在设计过程中很少与生产部门、销售部门以及用户沟通,由于在设计上考虑不周,往往会产生一系列的制造、使用和维护问题。这种情况要么会造成设计方案的反复修改而延长产品的研发周期,要么由于新产品性能缺陷而失去市场。便于制造和装配的产品设计是指在产品设计阶段就充分考虑产品制造工艺技术的可行性和效率问题,以及产品装配过程和使用维护的效率问题。面向可制造和可装配的产品设计(Design for Manufacturing and Assembly，DFMA）方法是解决上述问题的比较有效的方法。DFMA方法要求组成设计、制造、销售及采购等跨部门的综合设计团队，使各部门之间更有效地协同工作，从可制造和可装配的角度考虑产品设计，确保设计出的产品结构和性能良好，能高效地进行制造、装配和维护。

为了尽量减少无效的设计返工，在产品设计的早期阶段就应考虑与产品制造、装配有关的约束和要求，拟订多个可行的设计与工艺方案，从成本、效率和可行性的角度对各设计和工艺方案进行评估，进而全面评价与比较各种设计与工艺方案，从而确定一种最优的设计和工艺方案。

实现DFMA的关键在于坚持以下设计原则。

（1）坚持系列化、通用化、标准化设计。减少种类，扩大批量，降低成本。

（2）结构对称。可减少装夹、定位的种类，降低生产难度，简化生产过程。

（3）多功能零件。一个机件多项功能设计，以降低零件数量，减少装配工序。

（4）零部件的合理归并。简化零部件的种类和制造工艺，减少材料采购的费用。

（5）有利于高效率制造、装配及易于维护和维修。即要有利于简化工艺流程，易损零件能够独立更换、容易更换；有利于采用通用制造工具，将产品设计成带有自检和远程诊断的能力等。

4.2.3 面向顾客的产品设计

面向顾客的产品设计是指研究和分析顾客的需求，并将其转换成产品的功能特性。实现面向顾客的产品设计，有以下三种方式。

（1）卡诺模型。卡诺模型可以按照顾客的满意度将产品设计特性概念化，如图4-4所示。它将产品特性实现度和顾客满意度之间的关系归纳为三种类型：基本型、期望型和兴奋型。

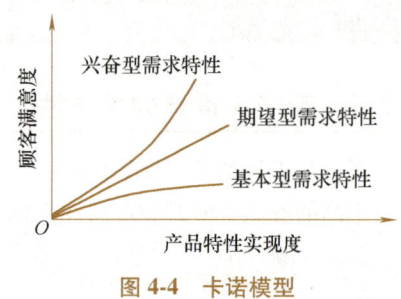

图4-4 卡诺模型

基本型需求特性是指顾客认为产品应该有的基本特性。例如，手表应能显示时间，电视机应能正常选台、显示图像和发出声音。若电视机不能正常选台或图像不清、声音不佳，顾客就会对该产品非常不满意。

期望型需求特性是指顾客预期的产品特性。这类功能在产品中实现得越多，顾客就越满意；当没有满足这些需求时，顾客就不满意。例如，汽车外形美观、操控性好、驾驶舒适、噪声小、耗油低等，电视机外形美观、图像清晰、操控方便、音色优美等，就属于期望型需求。

兴奋型需求特性是指出乎顾客意料之外的产品性能。若产品没有这些功能，顾客不会不满意，因为他们没有相应的预期；相反，若产品提供了这类功能，则能令顾客产生惊喜感，对产品非常满意。例如，某款手机产品除了通话和发信息等常见功能外，还提供卫星定位功能、英语学习功能、电子钱包功能等，这些功能为不少顾客带来了惊喜感和兴奋感。

根据卡诺模型原理进行产品设计时，首先应明确顾客对产品的各种需求特性，以确保设计的产品特性符合顾客的需要并为其带来惊喜。一般来说，产品的性能水平与产品成本是紧密相关的，设计过程应尽量以最小的代价实现顾客所需的功能，以取得满意的结果。值得注意的是，随着时间的推移，兴奋型需求会向期望型需求和基本型需求转变，因而产品设计决策也应及时调整。

（2）质量功能展开法。质量功能展开（Quality Function Deployment，QFD）法是一种将顾客的要求引入产品设计规范的方法。该方法在明确顾客意见和要求的前提下，采用矩阵图将顾客的要求具体落实到产品设计中的各项技术性能和指标中，也就是把顾客的要求转化为与产品相关的技术性能指标和措施，作为设计或改进产品性能的规范。

构造质量屋的第一步是明确顾客的要求，并确定其重要性权重；接着按顾客要求将本企业产品与竞争者产品逐项进行比较,以明确本企业产品所处的竞争位置;然后分析并列出与顾客要求直接相关的产品技术性能参数,按满足顾客要求度对本企业和竞争对手的产品技术特性进行评价比较,进而明确本企业新产品的优势和不足,据此确定新产品设计或改进的重点。

图4-5是某品牌平板计算机产品的关系矩阵分析图。通过该关系矩阵图,一方面可明确为满足顾客要求,在产品技术设计方面的重点;另一方面明确了企业产品存在的不足、所处的竞争地位,从而指明了企业改进设计的方向。

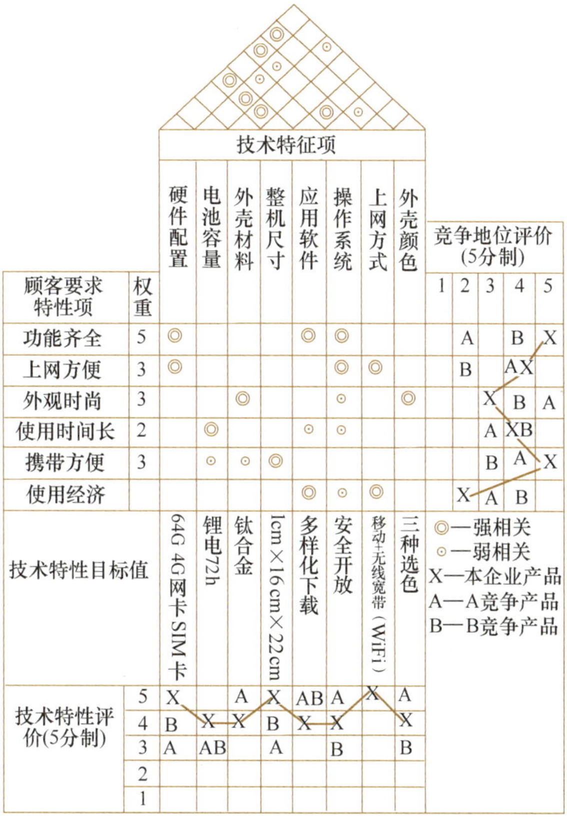

图 4-5 顾客要求与产品技术特性关系矩阵

4.2.4 价值工程法

价值工程(Value Engineering,VE)法是指以某事物为研究对象,通过功能与成本分析、方案创造与实施,以最低的生命周期成本可靠地实现顾客要求的功能、提高对象价值的一种技术和管理方法。VE法中的价值 $V=F/C$(F 表示对象的功能;C 表示实现功能的成本),VE法追求的高价值意味着"物美价廉""高性价比"。把VE法应用于新产品研发过程,目的在于确保顾客所需的产品功能得到有效的满足,同时使产品的生命周期成本最小化。

提高对象的价值一般有如下途径和形式。

(1) $V\uparrow = F\uparrow/\overrightarrow{C}$:在不增加成本的条件下,提供或增加对象的功能。

(2) $V\uparrow = \overrightarrow{F}/C\downarrow$:在不降低功能水平的条件下,降低对象的成本。

(3) $V\uparrow = F\uparrow/C\downarrow$:在提升对象功能水平的同时,降低对象的成本。

(4) $V\uparrow = F\uparrow\uparrow/C\uparrow$:在小幅增加成本的同时,大幅提升对象的功能水平。

(5) $V\uparrow = F\downarrow/C\downarrow\downarrow$：在小幅降低功能水平的同时，大幅降低对象的成本。

价值工程从系统的角度，按层次性结构展开和分析对象功能，从目标与手段功能的关系、必要功能和剩余功能、使用功能和美学功能等角度，分析对象功能的实质，进而分析实现各项功能的成本，根据各项功能的重要性确定并分配其所需成本，或对现有产品功能和成本配置的合理性做出评价，进而发现问题，确定改进方案。总体来说，实施过程分为两个阶段，即分析发现问题阶段和解决问题阶段，这两个阶段又可分为若干具体步骤，如表4-2所示。

表 4-2 价值工程实施过程

阶段	实施步骤		VE 提问
	基本步骤	详细步骤	
分析发现问题	一、功能与成本分析	1. 选择对象	1. 这是什么？
		2. 搜集资料	2. 功能是什么？
		3. 功能定义	3. 功能成本是多少？
		4. 功能整理	4. 它的价值是多少？
		5. 功能评价	5. 有无更好的方案？
解决问题	二、方案创造	6. 制订方案	6. 新方案的成本是多少？
	三、方案评价与实施	7. 方案初步评价	7. 新方案能满足功能要求吗？
		8. 方案具体化、调整与验证	
		9. 详细评价	
		10. 制订实施方案	

（1）选择 VE 对象。选择 VE 对象的方法有很多，常用的方法有 ABC 分析法、产品生命周期法、成本比重法等。选择 VE 对象的原则是：选择功能重要、成本大、功能与成本比例不合理的对象。确定合理的 VE 对象可以起到事半功倍的效果。

（2）搜集资料。实施 VE 所需的资料涉及顾客意见、研发与设计、生产制造、物资供应、成本、服务、政策法律等各个方面。

（3）功能分析与评价。功能分析与评价是 VE 活动的关键，目的是系统、科学地确定对象的必要功能，明确各项功能之间的关系，确定产品合理的功能结构。功能评价是指对产品的各项功能进行的重要性评价。功能一般是定性的概念，因而功能评价方法往往要把定性的功能转化成定量的功能，且功能评价的结果为相对值，常用的方法有强制打分法、01 比较法等。

（4）成本分析。这里的成本是指对象的生命周期成本。成本分析是指分析实现各项功能的合理成本。与传统的成本分析方法不同的是，VE 的成本分析对象是指实现各项功能相应的成本，以及各项功能成本占总成本的比重，而非 VE 对象的物理结构（如零部件）所消耗的成本。

（5）对象价值评价。VE 的价值是指功能与成本的比值，即 $V=F/C$。由于功能用相对值表示，因而功能成本也需用相对值——成本比例来表示。这样，按上式计算的结果则为价值系数。价值系数小于 1，则实现该项功能的成本偏高；价值系数大于 1，则实现该项功能的成本偏低，可能会影响该功能的实现度；合理的价值系数应接近 1。

（6）方案创造和评价。根据顾客的功能要求和 VE 分析的结果，明确各项功能的重要性，以及实现各项功能的合理成本，则可进行创新方案设计。创新方案可由头脑风暴法、小组讨论法、专家咨询法等多形式、多渠道得到，可供选择的方案很多，因此还需对方案进行评价、比较和选优。

4.2.5 并行工程法

并行工程（Concurrent Engineering，CE）也称同步工程，是指通过相对传统的"串行工程"

而提出的产品研发组织模式。它能够集成设计、制造、市场、服务等资源，对产品及其相关过程（包括制造过程和支持过程）进行并行、一体化的系统设计。

为加速从设计到正式投产的新产品研发过程，缩短新产品研发周期，许多企业引入并行工程法来组织新产品研发。为了实施并行工程，需将研发设计、制造工程等跨部门人员组成综合研发团队，确保研发过程各环节的有效沟通、协调和配合，为同步进行产品和生产流程的研发和设计提供组织支持。现在，这个概念已扩展为包括松散联合的制造群体、市场营销和采购人员这样的跨职能团队，甚至供应商和顾客代表也成为参与者，目的是确保产品设计既能反映顾客需求，又能与制造能力和条件相匹配。

并行工程要求产品研发人员在设计一开始就考虑从概念形成到产品报废处理整个生命周期的所有因素，包括生产工艺、产品质量、成本、顾客要求，如表4-3所示。

表4-3 设计产品时要考虑的因素

过程	需求阶段	设计阶段	制造阶段	营销阶段	使用阶段	终止阶段
考虑因素	顾客需求的功能	降低成本、提高效率	易制造、易装配	竞争力（高性能、低成本、新颖性）	可靠性、易维护、易操作、经济性	环境保护

实施并行工程的目的在于将产品的设计和可制造性、可维护性和质量控制等问题同时加以考虑，以减少产品早期设计阶段的盲目性，尽可能早地避免产品设计问题对产品生命周期后续阶段的影响，缩短研发周期，如图4-6所示。

并行工程作为一种组织模式，其组织结构从传统的金字塔式转变成为平面式。研发团队由设计、质量保证、制造、采购、销售、售后服务等方面的专家组成，团队成员有较大的权责，能够集成地、并行地进行产品及其有关过程的设计，特别注意产品早期概念设计阶段的并行协调，并能尽早地、持续地交换、协调和完善有关制造、装配、使用、维护等各种过程的约定和定义。

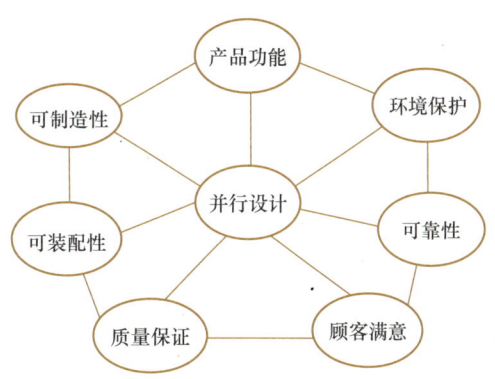

图4-6 并行设计时要考虑的因素

4.3 工艺流程决策

4.3.1 影响工艺流程设计的因素

影响工艺流程设计的因素有很多，其中最主要的是产品（服务）的构成特征，因为生产运营系统就是为生产产品或提供服务而存在的，离开了顾客对产品的需求，生产运营系统也就失去了存在的意义。

（1）产品的需求性质。生产运营系统要想有足够的能力满足顾客需求，就要先了解产品（服务）需求的特点，从需求的数量、品种、季节波动性等方面考虑对生产运营系统能力的影响，从而决定选择哪种类型的生产流程。有的生产流程具有生产批量大、成本低的特点，而有的生产流程具有适应品种变化快的特点。因此，生产流程设计首先要考虑产品（服务）的特征。

（2）自制或外购决策。从产品成本、质量、生产周期、生产能力和生产技术等几个方面综合考虑，企业通常要考虑产品零部件的自制或外购问题。企业自制的零部件种类越多、批量越大，对生产运营系统的能力和规模要求就越高。为了提高生产运营系统的响应能力，不少企业只自制关键零部件和进行整机产品的装配，而将其他零部件的生产外包给更具优势的企业。这样既可降低本企业的生产成本、缩短产品的研发周期，也更有利于保证产品质量。

（3）生产柔性水平。生产柔性是指生产运营系统对市场需求变化的响应速度，通常从品种柔性和产量柔性两个方面来衡量。所谓品种柔性，是指生产运营系统从生产一种产品快速地转换为生产另一种产品的能力。为了提高生产运营系统的品种柔性，生产设备应该具有较强的适应产品品种变化的能力。产量柔性是指生产运营系统增加或减少产量的能力。在产品需求数量波动大，或不能依靠库存来调节供需矛盾时，产量柔性就具有重要的意义。生产运营系统必须具有快速且经济地增减产量的能力。

（4）产品质量水平。产品质量是市场竞争的主要因素。生产流程与产品质量水平有着密切的关系。生产流程中每个加工环节的设计都受到质量水平的约束，不同的质量水平决定采用什么样的生产设备和工艺方法。

4.3.2　新产品工艺流程的选择

工艺流程的选择是指企业选择生产产品的方法。它涉及工艺技术、设备及组织模式的选择，并对企业的生产能力计划、设施选址与设备布置、工作系统设计都有重要影响。工艺流程选择的一个核心概念就是要使生产运营系统的组织与市场需求相匹配，两者不匹配会降低生产运营系统的效率和效益，使企业失去竞争优势。产品需求特征与工艺流程选择有着紧密的对应关系。图4-7反映了产品-工艺矩阵的匹配关系。

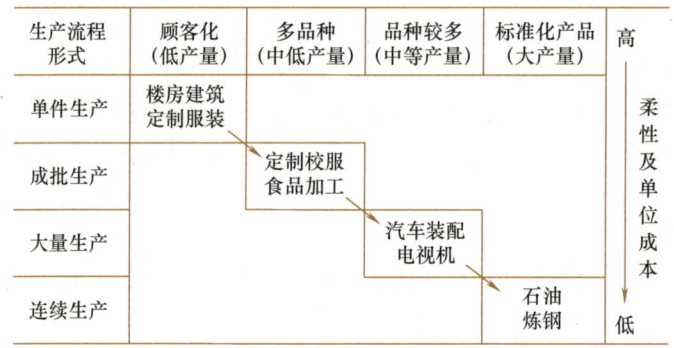

图4-7　产品-工艺矩阵

产品-工艺矩阵根据产品的结构性质，沿对角线选择和配置生产工艺，以达到最佳的技术经济性。传统的仅仅根据市场需求变化调整产品结构的战略，忽视了同步调整生产工艺的重要性。产品-工艺矩阵说明企业在调整产品结构战略的同时，还必须进行工艺流程调整。

4.3.3　新产品工艺方案决策

工艺方案决策是指决定产品制造过程的工艺方法和流程模式。工艺方案决策对产品生产过程的效率、质量、成本具有重要影响，而工艺方法和流程模式取决于市场需求特征、产品技术要求等要素。这里所说的决策是指从经济性角度对产品制造工艺方案进行分析和取舍。

例4-2　企业生产的产品需要某种零件，有三种工艺可供选择：方案一，以每件200元的价格购买；方案二，用数控半自动机床加工，每件75元；方案三，在加工中心加工，每件15元。采用购买方案，则固定成本可忽略不计。数控半自动机床价值8万元，加工中心的成本为20万元。试进行方案决策。

解：设可变成本与产量之间呈线性关系，如图 4-8 所示。

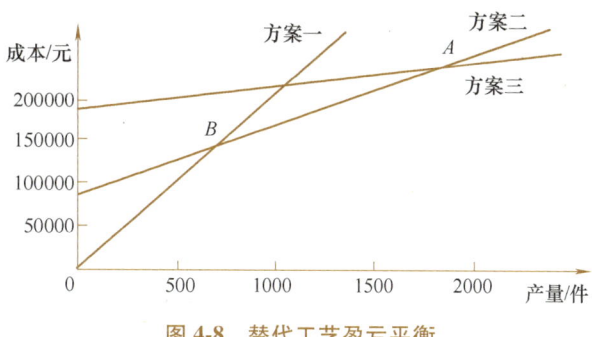

图 4-8　替代工艺盈亏平衡

计算各方案的总成本。

方案一：$C_1 = 200Q$

方案二：$C_2 = 80000 + 75Q$

方案三：$C_3 = 200000 + 15Q$

计算盈亏平衡点 A 的销售量：

$$80000 + 75Q_A = 200000 + 15Q_A$$

求得 $Q_A = 2000$ 件。

计算盈亏平衡点 B 的销售量：

$$200Q_B = 80000 + 75Q_B$$

求得 $Q_B = 640$ 件。

结果表明：

预测年需求量超过 2000 件时，采用加工中心方案最优。

预测年需求量在 640~2000 件时，用数控半自动机床加工最优。

预测年需求量小于 640 件时，选择外购最优。

本章小结

本章介绍了新产品研发的背景及企业新产品研发的意义，介绍了产品生命周期理论及生命周期各阶段的特征、新产品的类型和特征、新产品研发的程序和内容、新产品研发的策略、新产品研发方案的评价方法，还介绍了新产品研发的先进组织模式与管理方法，包括价值工程法和并行工程法，最后分析了影响新产品工艺流程决策的因素，以及工艺流程决策的方法。

思考与练习题

1. 何谓产品生命周期？
2. 简述新产品研发的程序与内容。
3. 新产品研发策略包括哪些？
4. 新产品研发方案评价方法包括哪些？
5. 何谓面向可制造和可装配的产品设计（DFMA）？实现 DFMA 应坚持的原则有哪些？

6. 简述面向顾客的产品设计的实现方式。
7. 简述价值工程法的实施过程。
8. 简述并行工程的概念、特点与设计时要考虑的因素。
9. 简述影响工艺流程设计的因素。
10. 何谓产品-工艺矩阵?

案例分析

小米公司智能家电新产品开发

一、案例背景

小米公司以智能手机业务起家,近年来在智能家电领域迅速拓展,通过高性价比、智能化和丰富的产品线,在智能家电市场占据了重要地位。以小米智能音箱为例,分析其新产品的开发流程。

二、新产品开发流程各阶段分析

1. 构思产品创意

小米基于对智能家居市场趋势的判断,发现随着物联网技术的发展,用户对于能够控制多种智能家电、提供便捷语音交互服务的智能音箱需求强烈。同时,考虑到自身在智能手机操作系统、人工智能技术方面的积累,以及庞大的米粉用户群体对于智能生态产品的期待,产生了开发智能音箱的创意。此外,通过对竞争对手产品的分析,发现市场上智能音箱存在价格较高、功能不够丰富、与其他智能设备兼容性差等问题,小米决定打造一款价格亲民、功能全面且能与小米生态链产品深度融合的智能音箱。

2. 详细定义

在概念开发阶段,小米将智能音箱定位为智能家居控制中心,强调其语音交互功能、丰富的内容资源(如音乐播放、有声读物等)以及与小米生态链产品的互联互通能力。针对目标市场,主要面向追求性价比、对智能科技感兴趣的年轻消费群体和普通家庭用户。进行竞争分析时,对比市场上其他主流智能音箱品牌,如亚马逊 Echo、百度小度等,确定自身产品在价格、功能丰富度、生态兼容性方面的差异化优势。

在业务分析方面,小米凭借其高效的供应链管理和成本控制能力,精确估算产品开发成本,包括硬件采购、软件开发、生产制造、市场营销等费用。同时,基于对自身品牌影响力、用户增长趋势以及市场潜力的评估,预测智能音箱的潜在市场份额和收入潜力。例如,通过对米粉用户群体规模和消费能力的分析,结合智能音箱市场的增长率,制定合理的销售目标和盈利预期。

3. 设计和开发

在技术验证环节,小米对智能音箱的语音识别技术、蓝牙连接稳定性、音频播放效果等关键技术进行严格测试。与国内知名的语音技术提供商合作,不断优化语音识别准确率和响应速度。在设计标准上,注重产品外观设计的简洁美观,以适应不同家居装修风格,同时确保内部结构合理,便于生产制造和后期维护。

采用敏捷开发模式,软件团队和硬件团队紧密协作。通过内部测试和部分米粉用户的试用反馈,及时优化软件功能,如增加更多语音指令、优化内容推荐算法等。在原型设计和用户测试阶段,邀请不同类型的用户对智能音箱原型进行测试,收集关于音质、操作便捷性、功能实用性等方面的反馈。根据反馈,对产品进行多次改进,如调整音箱的麦克风位置以提升语音采集效果。

4. 推向市场

产品上市前,小米利用其强大的线上营销渠道,如小米官方网站、社交媒体平台等,进行预热宣传,发布产品功能介绍、使用场景演示等内容,吸引用户关注。举办线上发布会,邀请知名科技媒体和网红进行产品体验分享,扩大产品影响力。在用户功能开发方面,不断丰富智能音箱的应用场景,如与小米智能家居产品联动,实现语音控制灯光、空调、窗帘等设备,提高用户使用价值。

制定合理的启动计划,根据不同地区的市场需求和销售渠道特点,分批次进行产品铺货。优先在国内一线城市和线上电商平台推出产品,积累用户口碑后,逐步向二三线城市和线下实体店拓展。在产品推出后,通过软件更新不断优化产品功能,根据用户反馈增加新的功能和服务,如智能菜谱查询、儿童教育内容等,持续提高用户满意度和产品竞争力。

思考:

1. 小米在构思智能音箱产品创意时,如何利用自身已有资源和用户基础实现跨界创新?从智能手机领域拓展到智能家电领域,如何确保新产品创意符合新领域的市场需求和技术特点?

2. 在详细定义阶段,小米如何根据目标市场和竞争分析结果,精准定位产品功能和价格?对于追求性价比的目标用户群体,如何在保证产品质量和功能的前提下,实现成本控制和利润平衡?

3. 小米在智能音箱设计和开发过程中,如何与外部技术合作伙伴协同创新?在利用外部技术的同时,如何保证产品的整体质量和用户体验的一致性?

4. 小米在智能音箱推向市场的过程中,如何利用线上线下渠道进行有效推广?如何根据不同地区市场特点和用户需求,灵活调整产品推广和铺货策略?

第5章 运营系统及其工艺流程组织

> **学习目标**
> (1) 掌握运营系统的分类方式、作业流程分析方法以及生产运营过程物料流转的方式。
> (2) 了解服务运营系统及其分类、生产运营过程的构成以及人工作业线的组织方式。

【引导案例】

巴克剪刀公司的故事

巴克剪刀公司（Buck Knives）最近完成了一项为期3年的商业计划，该计划的目标是挽救公司，将公司生产总部保留在美国本土。这项计划的两个主要内容包括将公司的生产工厂和总部从加利福尼亚州移到爱达荷州，以及将原有的生产系统从工艺布置模式转变为制造单元模式。将工厂移到爱达荷州可以节约能源成本、工资和工人的保险费。将工厂的布置转变为制造单元可以将产品的生产时间从6周缩短为20min。更快地制造剪刀的能力可以减少库存，并且可以使公司更好地匹配供给和需求之间的关系。

运营系统的结构模式、工艺（作业）流程与方法、物料流转方式等直接影响其运行效率、成本和质量。不同的行业和企业、不同的环境条件、不同的运营战略对运营系统的构建和流程组织有不同的要求。构建科学有效的运营系统，确定合理有效的流程组织模式和物料流转方式，涉及工程技术理论和方法，更要发挥运营管理的重要职能作用。因此，分析和了解各种运营系统结构和类型的特点及其管理重点，不同工艺（作业）组织模式及其要求，业务流程对象的流转方式及其对运营绩效指标的影响等，有利于为设计和改进运营系统结构、合理组织系统业务流程提供必要的理论和方法支持。

5.1 运营系统及其过程分类

运营系统（过程）是指通过预定的运营流程和工艺方法，将相应资源转换为预期成品的系统。例如，制造企业的转换系统（过程）是指通过一系列制造工艺过程，将输入的各种原材料、辅助材料、零部件等转化为预期产品的系统（过程）；医院的转换过程是指投入医生、护士、医疗设施和药品等资源，对病人进行治疗（包括检验、手术、理疗或药物治疗等），使其康复的系统（过程）。

5.1.1 按运营过程的连续性分类

1. 流程式运营过程

流程式运营过程是指对象按预定的业务流程和方法连续地通过各个转换环节，改变其形态和性能，最后转换成预期产成品的过程。流程式运营过程在技术上要求连续不断地完成整个流程而不允许中断，若发生意外中断则将导致设施/设备损坏或对象报废的重大损失。因此，流程式运营过程的管理关键，第一是确保系统的设计与建设；第二是确保连续不断地供应所需资源；第三是加强对运营系统及其运行过程的监控和维护，确保设施/设备的良好运行状态，包括运营过程中对各项参数的监控、合理确定岗位及操作规程、确保运营系统在受控状态下正常运行。例如，化工（塑料、药品、肥料等）、炼油、冶金、食品等产品的转换过程都是流程式的运营过程。

2. 离散式运营过程

离散式运营过程是指运营过程在空间上可分布、在时间上可中断而不影响运营系统技术性能和产品质量的过程形式，即转换过程不同环节可以在不同地点完成，在时间上可等待和中断。例如，汽车、电视机、空调等产品的转换过程，可以在不同的地点完成不同零部件的生产，然后再集中到装配厂进行产成品装配。根据运营计划和组织的需要，产品在转换过程中的各环节在时间上可中断、等待。离散式运营过程为劳动分工和提高专业化水平提供了可能条件。但由于离散式运营过程参与企业众多、空间分布广泛、时间衔接性差，因而运营系统的组织、协调、计划和控制较复杂，难度更大。以汽车产品为例，上万种零部件分布在不同企业、不同地区甚至不同国家生产，要把时间和空间高度离散和分布的运营系统有效地组织和协调起来，达到高效率、高质量、低成本运行，其管理无疑是极具难度的。

5.1.2 按运营系统响应需求变化的形式分类

1. 预测式运营

预测式运营（Make-to-Stock，MTS）是指根据需求预测来组织运营。其流程如下：需求预测→运营计划→制造（转换）→成品入库→配送销售。

适合预测式运营的产品一般为可储存较长时间的标准产品或通用产品，如汽车、电视机、空调、服装、食品等。该运营模式要求做好市场需求预测，平衡企业的运营能力，确定合理的库存水平，力求在满足市场需求的前提下使产品库存最小。预测式运营的优点是企业可以预先做好计划安排，预先采购各种零配件、原材料和辅助材料，对人员、设备、资金等资源做好预先安排，因而运营过程具有较好的均衡性和质量稳定性，各项资源可以得到较好的利用；不足之处是物料和成品的库存量大、储存时间长，且预测不准将会带来相应的市场风险。对于可储存时间较短的产品，如食品、时尚性商品等，为了降低预测不准带来的市场风险，一般可采取缩短预测期，运营过程采取小批量、多批次的策略。

2. 订单式运营

订单式运营（Make-to-Order，MTO）是指按客户的订单来组织和安排生产。其流程如下：接受客户订货（确定订单前，可能需要前期的产品设计、样品试制、客户确认）→运营计划（人员、设备、原材料等生产技术准备）→投入运营→成品检验和交货。

由于不同客户有不同需求（多样化），相同客户在不同时期的需求也会发生变化（多变性），为了避免市场需求的快速变化带来的风险，客户往往采取小批量、多批次的订货模式，因而订单式运营系统多属于多品种、小批量、多批次运营。订单式运营中企业与客户经过协商和谈判，确定产品品种、数量、价格及交货期等。实行订单式运营的产品一般是客户有特殊要求的产品、满足个性化需求的产品,如船舶、专用设备、大型设施、特殊服装等。还有不少企业虽然运营的是通用产品,但为了适应市场需求的变化,也采用订单式运营。与预测式生产相比,订单式运营除了对产品品种、质量、价格等有严格要求,对订单交货期的要求也非常严格。订单式运营系统直接受到市场需求随机变化的影响,需求不均衡,多品种、小批量、交货期短、临时插单和改单等给企业的运营管理带来了极大的挑战,物料、人员、设备等资源难以得到有效利用。实行订单式运营的优势是可以更好地满足市场的多样化和个性化需求,有效地降低库存量和时间,避免成品库存的市场风险;不足之处是订单交货期较长、品种频繁转换,对效率和成本有影响。为适应订单式运营,要求运营系统的设备、人员、组织及管理模式具备更好的柔性。

预测式运营与订单式运营的主要区别如表5-1所示。

表 5-1 预测式运营与订单式运营的主要区别

项目	预测式运营(MTS)	订单式运营(MTO)
产品特点	标准化产品	个性化产品
驱动运营方式	库存驱动	订单驱动
风险类别	成品积压风险	延期交货风险
运营均衡性	均衡	不均衡
需求可预测性	可以预测	难以预测
价格确定方式	运营方确定	双方谈判确定
交货期	库存随时供货	订货时确定

3. 订单-装配式运营

订单-装配式运营(Assemble-to-Order,ATO)是指把不同产品中的通用零部件按计划预先生产出来储存在仓库里,当接到客户订单后,再从库存里提取相应零部件,装配成客户需要的产品。这种模式可以以较少品种和数量的零部件装配出多样的产成品,以满足客户的不同需求。其具体流程如下:总量需求预测→通用件生产计划→零部件库存→客户订货→装配计划→产成品组装→成品交货。订单-装配式运营综合了订单式运营可以有效满足客户个性化需求、减少产品库存量的优点,以及预测式运营有利于运营计划和组织准备的优点,使各项资源得到有效利用,使运营系统的绩效指标得到有效提升。由于订单-装配式运营模式具有的优势,它在制造业和服务业中都得到了广泛的应用。例如,计算机供应商按计划生产或储存一定数量的不同技术结构、尺寸和性能的显示屏、主板、处理器、硬盘、内存、显卡等主要零部件,客户(消费者)可以通过网络订购自己需要的产品结构规格。接到客户订单后,供应商从其现有库存中提取所需零部件,完成装配,经检验合格后即可交货。又如,某饭店为了平衡满足客户多样化选择的需要和提高效率、降低成本的运营要求,预先把多种食品和菜肴制作成半成品,并储存在保鲜设施中。当客户确定菜单后,配菜师或厨师即可从中提取相应的半成品,完成最终菜肴的制作。这既可以满足客户个性化消费的需要,也可以大大缩短客户等待的时间,同时还可以有效提高饭店的运营效率,降低运营成本。

5.1.3 按运营专业化程度分类

从运营管理的角度考虑,不同专业化程度的运营系统具有不同结构、特点和运行规律,为了对其进行有效的组织、计划和控制,必须对其进行合理的类型划分。按运营系统的专业化程度,可以将运营系统划分为大量运营、批量运营和单件运营三种类型。

1. 大量运营

大量运营的特征是品种少、产量大、业务重复程度高,专业化程度高。它适用于市场需求量大的标准产品(如小汽车、电视机、冰箱、空调)。快餐业中的麦当劳、肯德基等都属于此类型。由于产量大、专业化程度高,多采用高效率的自动化或半自动化专用设备,过程分工细、工艺标准化,一般采用流水作业组织。大量运营(转换)的管理重点是:①确保运能(产能)合理、作业流程平衡,运营系统高效率运行;②确保零部件供应在品种、质量、时间、地点上的严格要求;③严格制定工艺(作业)标准和规程,控制过程质量,确保效率和质量达到设计要求。

2. 批量运营

批量运营的特征是产品品种较多,每种产品均有一定的产量,且按一定批量成批轮番进行生产,因而作业具有一定的重复性,作业专业化程度较高。例如,某客车制造厂承接不同客户批量公共汽车的订单,某饭店承接单位快餐的订单、宴会餐饮订单等,均属于批量运营类型。

在不同品种有较多通用件和标准件的条件下,运营系统可以部分采用专用设备、部分采用通用设备,品种转换时需要对相应设施、设备、物料等进行相应调整。在总产量一定的条件下,一次投入运营的批量大小对运营效率和成本具有较大影响。批量运营类型既适合于预测式运营,也适合于订单式运营。批量运营的管理重点是:①确定合理的运营批量;②压缩品种轮换的时间;③合理安排品种搭配;④减少在制品和成品库存;⑤提升运营系统柔性(包括应对品种和数量变化的柔性)。

3. 单件运营

单件运营一般属于订单式(项目式)运营,品种繁多,每个品种仅有一件或少数几件,作业专业化程度较低。例如,船舶制造、重型机械、专用设备、定制服装等厂商的运营模式,服务业有车辆修理、定制服装、点菜服务等。单件运营的品种、规格、技术要求、交货期、价格等一般需要与客户谈判协商后确定。单件运营中的专用零部件所占比例大、品种多、产量小、作业重复性小,运营系统主要采用通用设备,不同品种的作业差异大,岗位操作专业化程度低,对员工的技术水平要求高。单件运营的管理重点是:①确定合理的交货期;②提高员工队伍的作业技术操作水平;③提高现场管理人员水平;④采用有效的组织模式和激励手段。

5.2 服务运营系统及其分类

服务业是指为客户(消费者)提供服务的行业。服务是一种无形产品,不论是制造业还是服务业,都离不开服务。按现代营销理论整体产品的概念,实体产品除了产品实体,还包含如产品免费安装、使用培训、售后维修等服务;而服务产品常常以实体产品为载体,如医院医疗过程所需的药品和医疗器械,麦当劳的汉堡和薯条,酒店的客房等设施,饭店提供的饭菜等。随着社会经济的快速发展、人们生活水平的不断提高,服务业在整个国民经济发展中所占的比例越来越大,因而服务运营管理显得越来越重要。

服务行业产品种类繁多,其运营特点和要求与制造业存在较大差异,因而不能用制造业运营系统的分类方法进行分类。目前,服务业还没有公认的分类方法。本书采用两种服务系统的分类方法:按服务过程的连续程度分类和按服务过程顾客的参与度分类。

5.2.1 按服务过程的连续程度分类

1. 流程式(标准化)服务系统

这是美国的麦克唐纳(McDonald)首创的一种服务业流水作业运营模式。为满足面向大众化、快捷、经济的餐饮需求,麦克唐纳受制造业流水生产的启发,将流水作业模式引入其快餐业服务运营体系,按高效率、高质量、标准化、规范化标准构建运营体系。具体内容包括:采用部分先进的专用设备代替人的工作,以标准化的硬件设施和服务环境、规范化的食品制作和服务流程，把快餐店服务过程构建成高效率的流水作业线，使消费者体验到清洁、舒适的消费环境、高质量的经济快餐。麦克唐纳首创的高质量、高效率、低成本的运营系统和运作模式，使其很快成为全球快餐服务业的标杆。

2. 传统式（个性化）服务系统

这是一种人们常见的服务系统。例如，在酒店餐饮业中，由于不同顾客对餐饮品种和口味的要求不同，传统的酒店餐饮服务一般先由顾客确定菜单，然后由厨师按菜单完成菜肴烹饪，最后由服务员把菜肴传至包房给顾客消费。这实际是服务业的订单式服务模式。又如医院的医疗服务，尽管医院根据不同疾病按科室进行了归类，但由于不同病人的情况不同，因而必须为每位病人提供个性化诊断，并根据不同病人确定治疗方案。这属于个性化服务。部分传统式服务的对象或服务内容也可能采取批量式、标准化服务，如医院承接的企业员工体检项目就属于批量式服务项目。与此类似的还有酒店承接的宴会项目，由顾客预订宴会菜单，该菜单是根据宴会规模大小按批量运作模式来实施的。

5.2.2　按服务过程顾客的参与度分类

1. 自助式服务系统

自助式服务系统是指把顾客作为服务系统的组成部分，发挥顾客在服务过程中的作用来完成服务过程。根据服务系统的不同，顾客的参与度也有所不同：一种是依赖技术装备的服务系统，如银行自动存取款机、自动售货机、自助加油机、交费机、网上银行等，是一种由企业提供设施、顾客完成操作的模式；另一种是不依赖或基本不依赖技术设施的服务系统，如量贩式超市、图书店、自助式餐饮店等，这种参与模式基本不需要经营者提供昂贵的技术装备，只需要安排好顾客可能需要的物品并为顾客提供方便、舒适的环境即可，整个服务或消费的过程完全由顾客自己完成。

2. 接触式服务系统

服务人员与顾客直接接触是目前服务业常见的服务运作模式，如培训服务、餐饮服务、医疗服务、美容美发服务等。这种服务模式的特点是在服务过程中顾客与服务人员始终接触。这种服务模式一方面要求员工掌握熟练的服务技能，另一方面要求员工具有良好的服务态度。服务质量既取决于合理有效的服务流程、服务标准、服务技能，也取决于顾客在服务过程中的配合程度，及其对服务的期望和对服务过程的主观感受。因而，提供这类服务的企业必须高度重视员工管理，包括员工的技能水平、职业道德以及对员工的激励等方面。员工既要有过硬的服务技能，又要有良好的综合素质，树立顾客至上的职业理念，以确保每位顾客都能得到满意的服务感受。

3. 非接触式服务系统

这是指顾客不直接参与服务过程的模式，如车辆维修、家电维修、房屋装修设计及装修过程，又如银行的后台作业、餐饮业中的厨师烹饪作业等。这种服务类型在明确顾客要求的服务内容后，具体服务实施过程由服务提供方实施，具体服务过程顾客可以不在现场或不参与，但服务项目完成后需要经过顾客的体验（检验）并认可。尽管这类服务顾客不直接参与，然而服务质量取决于服务方对顾客要求的理解程度。只有站在顾客的角度处理服务过程的每个细节，以高度负责的态度为其提供高质量的服务，才能确保顾客满意。

5.3　运营过程组织

运营过程组织是指要合理组织好各种运营要素，处理好运营过程中人与人、人与物、物与物之间的关系，对运营过程的各个环节、作业在时间和空间上进行合理安排，使其成为一个协调的系统，从而实现高效率、低成本的目标。

5.3.1　运营过程组织的结构

运营过程是指从资源的投入（包括原材料、辅助材料、人员、设备等）开始，经过一系列的处理/转换环节，直至产成品完工或完成服务的业务过程。运营过程一般包括劳动过程和自然过程。劳动过程是指由人员利用劳动工具或设备作用于对象，完成产品（或服务）过程的活动；自然过程是指借助自然力的作用，完成对象转换环节的活动，如产品制造中的自然冷却、楼宇建筑过程的水泥自然干燥、酿酒过程的自然发酵等。从运营系统运行过程要素的角度，运营过程可分为物流过程、资金流过程和信息流过程。

（1）物流过程。这里的物流过程是指运营过程涉及的各种物料的采购、储存、处理、装配、运输等过程。物料经过运营系统一系列预定的处理流程后，转换成预定的产成品。这一过程既是物料的消耗过程，也是物料的增值过程。对物流过程的有效管理直接关系到整个运营系统的运行绩效，如交货期、库存、效率、质量、成本等指标。

（2）资金流过程。资金流是以原材料、在制品、辅助材料、生产设备等实物形式出现的，分为固定资产和流动资金。提高资金周转率是提高运营效益的重要途径；而准时化技术、零库存、全面质量管理（TQM）等是加速资金周转、降低库存资金占用的有效途径。运营管理的一个主要任务就是加速资金的周转，提高资金的使用效益。

（3）信息流过程。信息流包括输入运营系统的各项计划指令、规程、标准等信息，以及运营系统输出的反映系统运行状况和运行效果的信息。具体包括部门和员工的工作效率、设备运行状况、生产进度和质量状况、成本消耗状况、工艺规程、技术标准、劳动定额、运营计划、交货期等。信息流要保证及时、准确，信息处理和反馈要有效。信息流的作用在于对运营系统进行控制和不断改进，使系统有效地运行。

5.3.2　运营过程组织的基本要求

1. 运营过程的适应性

运营过程的适应性（柔性）是指适应对象品种（服务内容）变化的能力。这主要体现在两个方面：一是满足不同对象处理（转换）要求的能力，能处理（转换）的对象种类越多，其适应性越好；二是对象转换时间的长短，转换时间越短，其适应性越好。运营过程的柔性取决于设备柔性、组织柔性、人员柔性等。例如，采用柔性更好的设备（柔性制造系统），采用成组技术，培养多技能员工，建立能适应任务多变的组织模式，实行能适应变化的管理模式——车间或班组自主管理模式等。这样能更好地适应客户化、多品种、小批量、多批次的需要。

2. 运营过程的准时性

运营过程的准时性，即准时生产（Just-in-Time，JIT），是指在必要的时间和地点，生产和提供必要的对象品种和数量，不多不少、不迟不早。JIT最早由日本丰田公司提出，并经过实践证明效果显著。为了最大限度地降低成本，丰田公司提出零库存的目标，通过看板管理技术不断提升准时化水平，取得了非常明显的成效。实行准时化有利于降低库存，加速资金周转，提升运营系统效率；反之，运营过程不能保证准时，为了避免运行过程中断，必须增加大量的库存。实现运营准时化有赖于物料供应的准时性、运营计划的周密性、运营系统各环节的准时性，这就要求把整个运营系统的各环节按准时化要求进行组织和协调。

3. 运营过程的连续性

运营过程的连续性是指对象在转换过程各阶段在时间和空间上紧密衔接，要么正在被处理，要么正在被检验或运输,很少发生中断或等待现象。提高运营过程的连续性可以有效地缩短生产周期,减少在制品占用量,加速流动资金的周转。

运营过程的连续性,一方面有赖于合理的运营系统结构,包括合理的部门设置和现场设施布局,以使对象的转换过程在空间位置上相互衔接;另一方面也有赖于合理的运营系统组织和计划安排,如合理安排人员和设备的日常任务,做好各转换环节的产能和任务的平衡,确保业务过程的相互衔接,合理组织和安排物料的库存和供应等。

4. 运营过程的平行性

运营过程的平行性是指在系统运行过程中,对多项不同对象或任务实行同步处理。具体包括:①不同对象各自在相应业务线上同步处理。例如,某酒店在餐饮运营过程中,后台设置8个烹饪组,这8个烹饪组分别按相应的菜单制作8个包房的菜肴。②相同对象在多条业务线上并行处理。当需要处理的相同业务数较多,而单条业务线的速度有限时,可设置多条相同业务线并行处理,如机场的值机业务、安检岗位、高速路收费站等。③一批相同对象需经多个环节处理的情况。每个对象按顺序在上一环节完成处理后立即流转至下一环节进行处理。每个对象都是按预定流程顺序通过各环节完成相应的处理过程,处理过程很少出现中断和等待等情况。而对于完成处理过程的各环节来说,每个环节都能连续地完成对整批对象的处理,很少出现中断和等待等情况。

提升运营过程的平行性可以大幅缩短处理时间,从而有效缩短业务对象的生产(服务)周期,但提升运营过程的平行性将占用更多的设施设备、人员和现场空间。

5. 运营过程的均衡性

运营过程的均衡性是指在运营过程中,各运营部门和环节在相等的时间内完成相等的业务量,不出现时多时少的现象。均衡性要求有利于建立良好的运营秩序和工作环境,有利于各项资源的有效利用,有利于稳定产品(服务)质量,提高效率,降低成本。

运营过程的均衡性取决于企业外部和内部两方面的影响要素:内部要求提高运营组织与计划水平,合理安排设备和人员的工作负荷;外部则要求建立稳定的合作关系和供应渠道,保证原材料等按质、按量、按时供应。同时还可以采取一定的措施,加强客户沟通或采取适当的价格优惠措施来平滑市场需求波动,如适当提高销售旺季时的产品(服务)价格,降低销售淡季的产品(服务)价格,以起到平滑市场需求波动的效果。

6. 运营过程的协调性

运营过程的协调性是指运营过程涉及的各环节和部门在运营能力与效率上保持一定的比例关系。提升运营过程的协调性有利于减少运营过程中的中断和等待,因而有利于避免和减少设备和人员的浪费。运营过程的协调性包括纵向协调性和横向协调性两方面。纵向协调性是指完成对象转换过程的多个串联环节的速度保持协调;横向协调性是指完成多个并行项目或业务的部门或岗位的速度保持协调。

运营过程的协调性,一方面有赖于运营系统构建初期对于部门、设备和人员的合理设计和配置,确保各部门和环节的能力协调;另一方面有赖于运营计划、组织与控制,根据市场需求的变化以及运营系统条件的变化,企业应合理组织运营过程各环节的设备和人员等资源,确保各环节业务处理能力上的比例关系。

5.3.3 作业(业务)流程分析方法

作业流程是指由一系列相互关联的工作单元(Work Station,WS)的作业活动所组成的过程。分析作业流程的合理性和有效性,可用相应的流程图元素来表示各项作业活动。例如,表示作业，⇨ 表示运输，▽ 表示储存，◇ 表示选择，⊐ 表示暂存/等待，▭ 表示检验。

某产品的作业流程如图 5-1 所示。

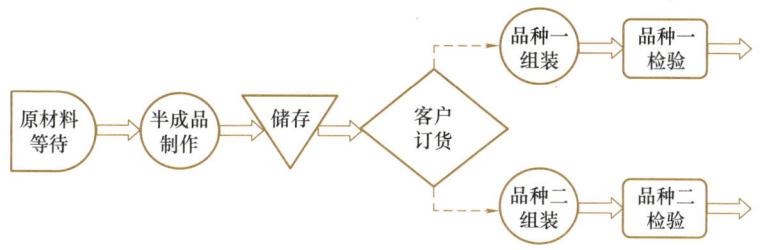

图 5-1 某产品的作业流程

为便于应用流程图方法进行作业流程的记录和分析，实际应用中可以把流程图元素预先画在分析表上，运用时按流程内容把相关元素用直线连起来即可，如表 5-2 所示。

表 5-2 作业流程记录表

流程名称		相关信息			总时间	×××	记录人	×××
序号	距离/m	时间消耗/h	发生地点	部门/人员	流程作业内容		作业说明	
1		1.0			○ ⇨ ⊐ ▭ ▽ ◇		部门填写设备采购申请	
2		2.0			○ ⇨ ⊐ ▭ ▽ ◇		等候部门经理审核	
3		0.1			○ ⇨ ⊐ ▭ ▽ ◇		部门经理审核签名	
4		1.0			○ ⇨ ⊐ ▭ ▽ ◇		文件传送至经营部	
5		2.0			○ ⇨ ⊐ ▭ ▽ ◇		等候经营部经理审批	
6		0.5			○ ⇨ ⊐ ▭ ▽ ◇		经营部经理审核签名	
7		2.0			○ ⇨ ⊐ ▭ ▽ ◇		文件等候传送	
8		0.1			○ ⇨ ⊐ ▭ ▽ ◇		传送至财务经理	
9		1.5			○ ⇨ ⊐ ▭ ▽ ◇		等候财务经理审核	
10		0.1			○ ⇨ ⊐ ▭ ▽ ◇		财务经理审核签名	
11		1.0			○ ⇨ ⊐ ▭ ▽ ◇		文件等候传送	
12		0.1			○ ⇨ ⊐ ▭ ▽ ◇		传送至总经理办公室	
13		3.0			○ ⇨ ⊐ ▭ ▽ ◇		等候总经理审批	
14		1.0			○ ⇨ ⊐ ▭ ▽ ◇		总经理审批签名	
15		0.5			○ ⇨ ⊐ ▭ ▽ ◇		文件等候打印下发	
16					○ ⇨ ⊐ ▭ ▽ ◇		文件下发至相关部门	
17		5.0			○ ⇨ ⊐ ▭ ▽ ◇		采购部制订采购计划	
18		7.0			○ ⇨ ⊐ ▭ ▽ ◇		采购部执行采购业务	
19		7.0			○ ⇨ ⊐ ▭ ▽ ◇		设备运输	
20		3.0			○ ⇨ ⊐ ▭ ▽ ◇		设备验收	
21		2.0			○ ⇨ ⊐ ▭ ▽ ◇		设备入库	
22					○ ⇨ ⊐ ▭ ▽ ◇			

作业流程分析的目的是判断流程结构的合理性和有效性，包括各项作业的必要性和合理性，作业顺序的合理性，若发现问题，则需进行相应的改进和优化。为此，需要对作业流程进行调查分析，并用上述符号进行记录，进而根据作业流程图首先对流程的合理性进行分析，对每项作业进行 5W 分析和提问，即 Who（谁），What（是什么），Where（在哪儿），When（什么时候），

Why（为什么）。这种系统的分析提问，有助于发现流程中不合理的流程结构和顺序。

5.3.4 作业（业务）流程的组织形式

1. 工作单元（WS）之间直接连接

工作单元（WS）之间直接连接如图 5-2 所示。

图 5-2 工作单元之间直接连接

前后工作单元直接连接的组织形式下，当前一单元的速度比后一单元快时，前后工作单元之间将出现业务对象等待，称为"阻塞"，随着时间的延长，阻塞的作业对象会越来越多；当前一单元的速度比后一单元慢时，后一单元将出现等待，称为"饥饿"，"饥饿"现象导致设备和人员能力的浪费；整个作业流程的效率将受制于速度最慢的工作单元，速度最慢的单元称为"瓶颈"。为了减少或避免"阻塞"和"饥饿"现象，要求严格设计和平衡流程中各工作单元的能力（速度），以确保各工作单元的速度一致。例如，采用流水作业的业务流程结构，工作单元之间必须进行严格同期化，以确保流水作业的连续性。

2. 工作单元之间加入缓冲单元

工作单元之间加入缓冲单元如图 5-3 所示。

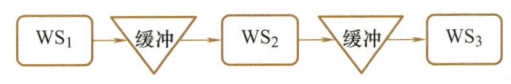

图 5-3 工作单元之间加入缓冲单元

前后工作单元速度不相等的情况下，为了避免流程中"饥饿"现象导致的设备和人员使用率下降，以及"阻塞"现象导致的作业对象积压，前后工作单元之间可设置缓冲单元，以减小工作单元之间速度差导致的不良影响。

作业流程中的速度差一般表现为两种形式：一是前后工作单元承担的工作内容不同，因而可能存在时间差异；二是各单元的运行过程受随机因素影响而导致其速度产生波动。例如，手工操作的流水作业，尽管各单元的平均速度相等，但由于各单元的速度存在随机波动，这种情况下如果采取工作单元之间直接连接，则难免会出现"阻塞"和"饥饿"现象；而且运行过程中出现"阻塞"和"饥饿"的工作单元不是固定的，而是漂浮不定的。工作单元之间加入缓冲单元，可以使流程整体的速度保持稳定。这种流程组织形式有以下缺点：增加了作业对象和空间的占用，同时作业对象经过整个流程的时间将大幅增加。

3. 多个工作单元并行连接

多个工作单元并行连接如图 5-4 所示。

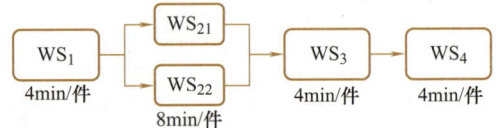

图 5-4 多个工作单元并行连接

在作业流程同期化组织过程中，某工作单元比整体流程速度慢时，可在该工作单元所在环节配置多个相同工作单元，以使该环节达到流程整体的速度要求。图 5-4 中设流程统一速度为 4min/件，单元 1、3、4 均为 4min/件，而单元 2 为 8min/件，因此在单元 2 所在环节上设置两个相同单元同时工作，保证该环节综合速度达到 4min/件，从而整个流程速度达到 4min/件。

4. 流程中段分解出多条分支并行作业

流程中段分解出多条分支并行作业如图 5-5 所示。

这种作业流程结构是指工作对象在整体流程中有多项工作可以并行实施的情况。并行实施可以大幅缩短流程周期。在建筑工程项目、装修工程、造船、汽车、飞机以及酒店、医院等领域的服务流程中，常采取多流程分支并行的流程组织模式。

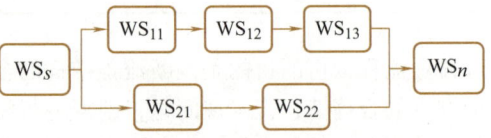

图 5-5 流程中段分解出多条分支并行作业

5. 流程分解成多条流程分支并行产出不同对象

流程分解成多条流程分支并行产出不同对象如图 5-6 所示。

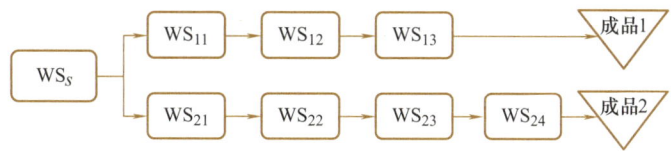

图 5-6　流程分解成多条流程分支并行产出不同对象

这种作业流程结构是指当总流程中某项工作完成后，按不同对象的要求分解成多条并行的工作流程分支，分别输出不同的成品。这种流程结构主要用于应对市场客户的多样化需要。

5.4　客户订单与业务流程的关系

制造业和服务业均可采用订单式运营或预测式运营，订单式运营和预测式运营的客户订单分别处于业务流程的两端；而订单-装配式是指客户订单在作业流程中的某个环节，既考虑了满足客户的不同需求，也兼顾到了企业的效率和效益。

1. 客户订单在业务流程末端介入

客户订单在业务流程末端介入如图 5-7 所示。

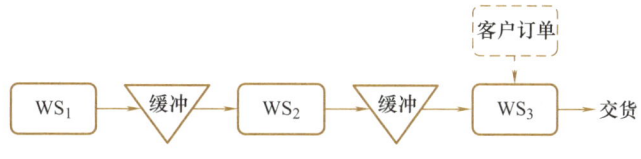

图 5-7　客户订单在业务流程末端介入

客户订单在业务流程末端介入属于预测式转换流程，客户对产品（服务）的可选择性较小，但有利于企业资源的计划安排，优化企业运作的均衡性，提升资源的利用率。

2. 客户订单在业务流程始端介入

客户订单在业务流程始端介入如图 5-8 所示。

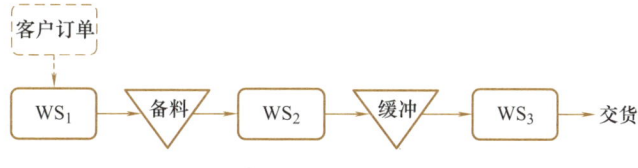

图 5-8　客户订单在业务流程始端介入

客户订单在业务流程始端介入属于订单式转换流程，可按客户要求的规格和数量组织运营，从而可以较好地满足不同客户的个性化要求。由于接受订单后才开始运营准备，因而具有运营周期相对较长、订单负荷不均衡等特征，不利于企业效率和成本等指标的优化。

3. 客户订单在业务流程中间某环节介入

客户订单在业务流程中间某环节介入如图 5-9 所示。

客户订单在业务流程中间某环节介入属于储存-装配式流程，是指转换流程完成到某一环节后以半成品的形式储存起来，待接到客户订单后，再按订单要求进一步完成后续的工作。这种方式是前面两种方式的折中，兼顾了客户满意度和企业效率的要求。

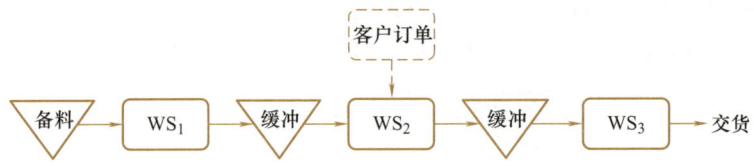

图 5-9 客户订单在业务流程中间某环节介入

5.5 转换过程的物料流转方式

在转换过程中,物料在工作单元之间如何流转将直接影响效率、时间和成本等绩效指标。以制造业为例,分析物料流转常见的三种方式:顺序流转、平行流转和平行-顺序流转方式。

例 5-1 某任务共有 5 件,需要经过 4 个工作单元处理,各单元的单位处理时间分别为 $t_1 = 10\text{min}$,$t_2 = 8\text{min}$,$t_3 = 12\text{min}$,$t_4 = 10\text{min}$。下文分别从顺序流转方式、平行流转方式、平行-顺序流转方式角度介绍不同流转方式的特点和处理周期。

5.5.1 顺序流转方式

顺序流转方式是指对象在前一单元全部处理后,统一转移至紧后单元接着处理,如图 5-10 和图 5-11 所示。

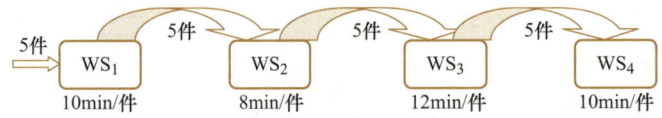

图 5-10 对象在工作单元之间整批顺序流转

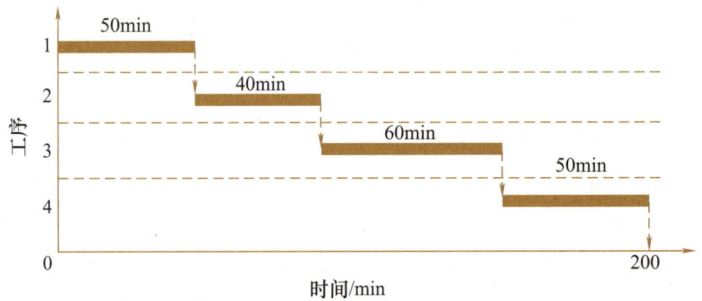

图 5-11 对象在工作单元之间整批流转的处理周期

由图 5-11 可知,整批顺序流转方式下,处理周期等于各工作单元时间之和,计算公式为

$$T = n \sum_{i=1}^{m} t_i \tag{5-1}$$

式中 n——对象批量;

m——流程中的工作单元数;

t_i——第 i 个单元的单件处理时间。

代入例 5-1 数据,得

$$T = [5 \times (10+8+12+10)]\text{min} = 200\text{min}$$

顺序流转方式的优点是流转次数少，单元处理过程连续。缺点是处理周期长，对象占用量多；每个对象在各工作单元均有较长等待时间 T_w。T_w 的计算公式为

$$T_w = (n-1) \sum_{i=1}^{m} t_i \tag{5-2}$$

顺序流转方式的适用条件是对象数量少、单位对象单元处理时间短、工作单元之间距离较长的情况。

5.5.2 平行流转方式

平行流转方式是指对象在前后工作单元之间逐件流转，即单位对象在前一单元处理完后则立即转移至紧后单元接着处理，如图 5-12 和图 5-13 所示。

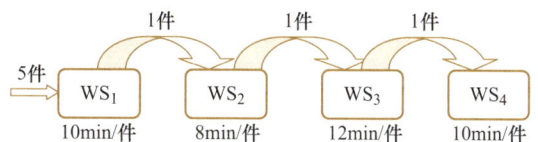

图 5-12 对象在工作单元之间平行流转

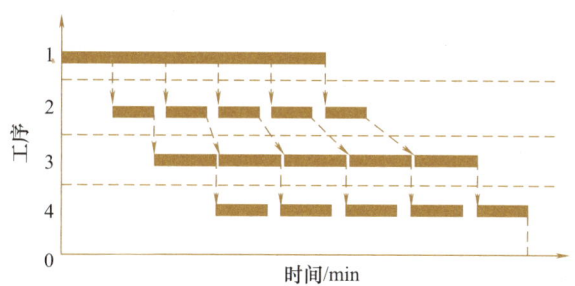

图 5-13 对象在工作单元之间平行流转的处理周期

在平行流转方式下，由图 5-13 可得对象处理周期的计算公式为

$$T = \sum_{i=1}^{m} t_i + (n-1) t_{\max} \tag{5-3}$$

式中 $t_{\max} = \max\{t_i\}$，$i=1,2,\cdots,m$。

代入例 5-1 数据，得

$$T = [(10+8+12+10)+(5-1)\times 12] \text{min} = 88 \text{min}$$

平行流转方式的优点是处理周期短，制品占用量少。缺点是转移次数多，当前一单元的速度比后一单元慢时，后一单元将出现中断等待的情况，导致设备和人员利用率降低；反之，当前一单元的速度比后一单元快时，将出现对象等待的情况。

平行流转方式的适用条件是流程中各工作单元的处理速度基本相等，且工作单元之间的距离较短的情况。

5.5.3 平行-顺序流转方式

平行-顺序流转方式是指当前一单元比后一单元的速度快时，对象在工作单元之间逐件流转；当前一单元比后一单元的速度慢时，后一单元按相应时间推迟开始，开始时间以后一单元能连续工作为标准，如图 5-14 所示。

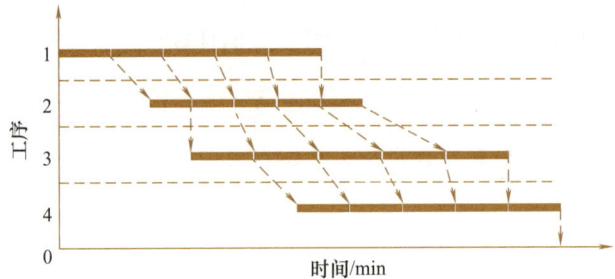

图 5-14　对象在工作单元之间平行-顺序流转的处理周期

由图 5-14 可得平行-顺序流转方式下处理周期的计算公式为

$$T = nt_1 + t_2 + nt_3 - (n-1)t_2 + t_4$$
$$= nt_1 + nt_2 - (n-1)t_2 + nt_3 - (n-1)t_2 + nt_4 - (n-1)t_4 \tag{5-4}$$
$$= n\sum_{i=1}^{m} t_i - (n-1)\sum_{i=1}^{m} t_{Si}$$

式中　t_{Si}——前后单元相比，取较小的单件时间；

　　　m——工序数。

代入例 5-1 数据，得

$$T = [5 \times (10+8+12+10) - (5-1) \times (8+8+10)]\,\text{min} = 96\,\text{min}$$

平行-顺序流转方式既有平行流转周期短的优点，也有单元作业过程连续的优点。在前后单元速度不一致的情况下，可以考虑采用平行-顺序流转方式。

5.5.4　考虑流转时间的最优流转批量

在工作单元之间距离较长的情况下，工作单元之间的流转时间不可忽略。设作业对象的总批量一定，流转批量越小，则流转次数越多，流转消耗的时间及资源也越多；反之，流转批量越大，则流转次数越少，流转消耗的时间和资源也就越少。据此分析工作单元之间的最优流转批量的确定问题。

例 5-2　一批对象共 200 件，需经过 4 个工作单元处理，各工作单元的单位处理时间分别为 $t_1 = 10\,\text{min}$，$t_2 = 8\,\text{min}$，$t_3 = 12\,\text{min}$，$t_4 = 10\,\text{min}$；工作单元之间的流转时间为 $t_y = 2\,\text{min/次}$，前一单元每完成一个流转批后则立即送往后一单元继续处理。试确定最优流转批量。

解：设 N 为任务总批量，n 为流转批量，$t_{\max}$ 为所有工作单元中最大单件处理时间，t_y 为一次流转时间，T 为流程周期，m 为流程所经单元数，采用平行流转方式，各工作单元之间一次流转时间相等。

分析：设前后工作单元之间由前一单元的人员负责往后一单元输送，则每个流转批在各工作单元上的消耗时间等于各流转批的处理时间加上其流转时间，即 $nt_i + t_y$，总流转批数为 N/n。流程周期及最优流转批量计算公式为

$$T = \sum_{i=1}^{m}(nt_i + t_y) + \left(\frac{N}{n} - 1\right)(nt_{\max} + t_y) \tag{5-5}$$

由 T 对 n 求导，得

$$T'_n = \sum_{i=1}^{m} t_i - t_{\max} - \frac{Nt_y}{n^2}$$

令 $T'_n = 0$，得到最优流转批量为

$$n^* = \sqrt{\frac{Nt_y}{\sum_{i=1}^{m} t_i - t_{\max}}} \tag{5-6}$$

代入例 5-2 数据，得

$$n^* = \sqrt{\frac{200 \times 2}{(10+8+12+10)-12}} \text{件} = 4 \text{件}$$

代入例 5-2 数据，得到最短流程周期为

$$T = \sum_{i=1}^{m}(nt_i+t_y) + \left(\frac{N}{n}-1\right)(nt_{\max}+t_y)$$

$$= \left[4\times(10+8+12+10)+(2\times 4)+\left(\frac{200}{4}-1\right)\times(4\times 12+2)\right]\text{min}$$

$$= 2618\text{min}$$

比较平行流转的流程周期为

$$T = \sum_{i=1}^{m}(t_i+t_y) + (N-1)(t_{\max}+t_y)$$

$$= \left[(10+8+12+10)+(2\times 4)+(200-1)\times(12+2)\right]\text{min} = 2834\text{min}$$

由结果可见，按 4 件流转的流程周期减少了 $\Delta T =$ （2834-2618） min=216min。

例 5-2 中假设了前后工作单元之间的流转工作由作业者自己完成，而在流转工作由专职的运输人员完成或由传送带等设施完成的情况下，则最优流转批量公式应以设施、人员和费用最小化为目标函数加以分析。

5.5.5 人工作业线的组织方式

人工作业线是指由人工作业单元组成的作业线。人工作业单元具有更大的灵活性，由于不同人员的工作速度不同，同一人员的工作速度也会变化，因而单元作业时间具有波动性特征。为此，可先通过人员的合理配置达到流程的初步同期化，进而在各工作单元中设置缓冲单元来平滑时间波动。在对象体积较大、场地面积受限而不适于设置缓冲，或作业对象价值较高，需尽量减少流程占用的情况下，还可以配备若干机动人员，对随机出现的瓶颈环节实行支援，从而避免任务或单元等待而带来时间损失。

例 5-3 某作业线共有 20 人，某任务共有 500 件，依次经过 4 个工作单元处理，各单元时间分别为 $t_1 = 10\text{min}/$（件·人），$t_2 = 8\text{min}/$（件·人），$t_3 = 12\text{min}/$（件·人），$t_4 = 10\text{min}/$（件·人）。试分析不同组织模式下的流程周期。

1. 流水作业方式

设置 1 条作业线，4 个工作单元，每个工作单元配置 5 人，共配置 20 人（见图 5-15）；或每个工作单元配置 1 人，共 5 条作业线（见图 5-16）。

图 5-15　1 条作业线每个工作单元配置 5 人

设员工操作时间固定，同一工作单元中的员工速度相等，则以上两种组织模式的流程周期计算公式相同，按平行流转方式计算流程周期为

$$T = \sum_{i=1}^{m}\frac{t_i}{p_i} + (N-1)\frac{t_{\max}}{p_i} = \sum_{i=1}^{m}\frac{t_i}{5} + (N-1)\frac{t_{\max}}{5}$$

$$= \left(\frac{10+8+12+10}{5}+(500-1)\times\frac{12}{5}\right)\text{min} = 1205.6\text{min}$$

式中　　p_i——参与第 i 个工作单元的作业人数；
　　　　N——任务批量；
　　　　m——流程总工作单元数；
　　　　$t_{\max} = \max\{t_i\}$，$i = 1, 2, \cdots, m$；
　　　　t_i——第 i 个工作单元的单件处理时间。

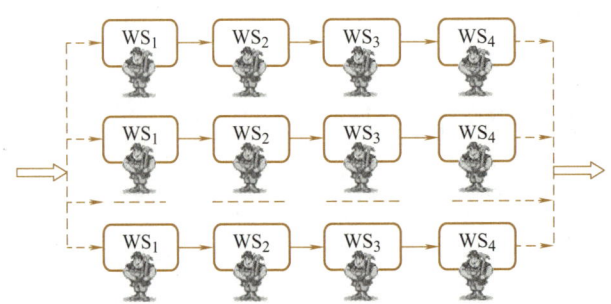

图 5-16　5 条作业线每个工作单元配置 1 人

例 5-3 中，若设各人员的作业时间具有随机波动特征，图 5-16 所示组织模式中的各作业线之间相互独立，则这两种组织模式的效果是不同的。图 5-15 所示组织模式中，同一工作单元的多个员工对作业时间随机波动具有一定的缓冲作用，这在一定程度上可减少相应的时间损失，而图 5-16 所示的组织模式则没有这种缓冲作用。

2. 集中作业方式

小组 20 人按作业顺序集中完成第一单元作业，再集中完成第二单元作业，以此类推，直至完成所有单元的作业，如图 5-17 所示。

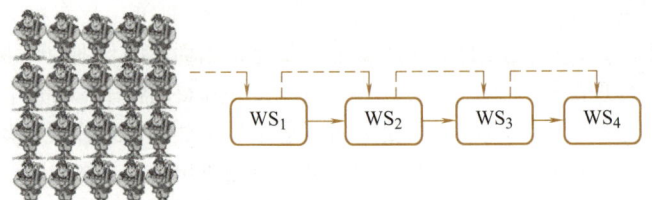

图 5-17　集中作业方式

流程周期为

$$T = \sum_{i=1}^{m} N \frac{t_i}{p} = \left(500 \times \frac{10+8+12+10}{20}\right) \min = 1000 \min$$

可见，在人员总数确定的条件下，小组作业方式比平行流转方式的加工周期更短，其原因是小组作业方式避免了由前后工作单元之间速度差导致的任务和人员等待。

3. 同期化流水作业方式

同期化流水作业方式是指按工作单元同期化要求，合理调整作业线各工作单元的人数，或通过人员动态平衡，达到流程同期化要求。例 5-3 中，从第二工作单元抽调 1 人到第三工作单元，调整后的各单元速度均为 2min/件，满足流程同期化要求（见图 5-18）。

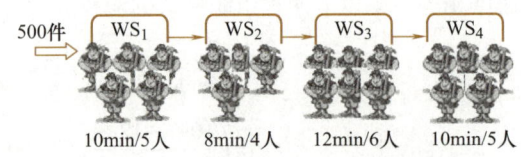

图 5-18　人员配备同期化的作业线

按平行流转方式，总流程周期为

$$T = \sum_{i=1}^{m} \frac{t_i}{p_i} + (N-1)\frac{t_{max}}{p_{max}}$$

$$= \left[\left(\frac{10}{5} + \frac{8}{4} + \frac{12}{6} + \frac{10}{5}\right) + (500-1) \times \frac{12}{6}\right] \min = 1006\min$$

可见，当各工作单元速度保持一致时，工作单元和任务的等待时间损失最小，流程周期接近最短。

4. 作业时间波动下的作业线平衡

设各工作单元平均单件时间相等，而实际作业时间随机波动，对以下两种情况，分别采用不同的组织方式：一种情况是作业对象的体积和价值相对较小，可在工作单元之间设置缓冲（见图5-19），以消除前后工作单元之间速度波动产生的影响，但这种组织方式将大幅增加流程中作业对象的占用，同时也将大幅增加产品流程时间。另一种情况是作业对象的体积较大或价值较高，设置缓冲将大幅增加现场面积和资金占用量（如轿车装配线），因而不适宜设置缓冲。对于这种情况，可以考虑整条流水线按一定比例配备机动作业人员（见图5-20），要求机动作业人员具备多岗位的操作技能，当运行过程随机出现某工作单元进度滞后时，机动作业人员将立即前往该工作单元协助其加快进度，达到目的后再复原待命状态，据此确保作业线的整体平衡。

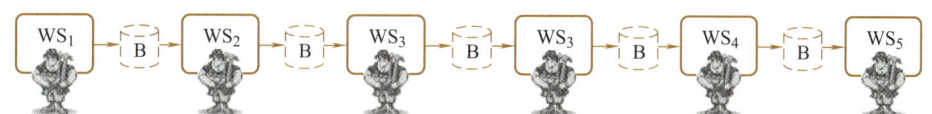

图5-19 工作单元之间设置缓冲达到作业线平衡

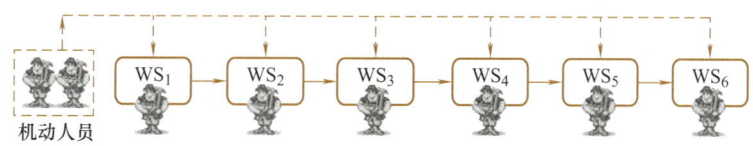

图5-20 配备若干机动作业人员达到作业线平衡

5.5.6 考虑人员学习率的流程周期分析

在人工作业组织中，随着操作重复次数的增加，人员的熟练程度逐步提高，工作效率将提升。在考虑人员学习率的条件下，通过以下例子分析不同流转方式与流程周期的情况。

例5-4 对象批量为1000件，需要经过5个工作单元处理，员工共5人，基本资料如表5-3所示。

表5-3 基本资料

工作单元	T_1	T_2	T_3	T_4	T_5
处理时间 t_i/[min/(人·件)]	3	5	4	5	3
对象批量 n/件	1000				

1. 学习率与作业时间的关系

根据学习率原理，作业重复次数越多，则人员的熟练程度越高，单件作业时间就越短。作业时间与作业重复次数的关系可用式(5-7)表示为

$$t_x = t_1 x^{\lg b / \lg a} \tag{5-7}$$

式中　t_x——第x件对象的处理时间；

t_1——首件对象的处理时间；

b——学习率；

a——常数；

x——作业重复次数。

设 $b=0.95$，$a=3$，$t_1=5\text{min}$，单件作业时间与作业重复次数的关系如图 5-21 所示。

2. 小组作业方式组织的流程周期

每人在每个工作单元上的操作重复次数均为 n/p，设不同员工的学习率相等，建立的流程周期计算公式为

$$T_x = \sum_{j=1}^{m} \sum_{x=1}^{n/p} t_{1,j} x^{\lg b/\lg a} \quad (5\text{-}8)$$

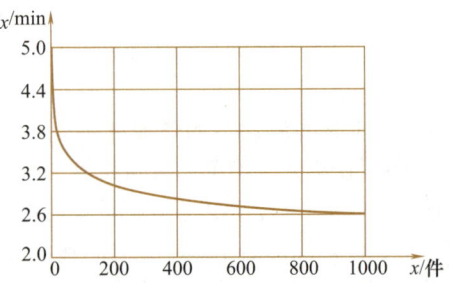

图 5-21 单件作业时间与作业重复次数的关系

式中 T_x——考虑学习率下的流程周期；

$t_{1,j}$——第 j 个工作单元上第一件对象的处理时间。

代入例 5-4 数据，计算小组作业方式下，顺序流转方式的流程周期为

$$T_x = \sum_{j=1}^{5} \sum_{x=1}^{1000/5} t_{1,j} x^{\lg 0.95/\lg 3} \text{min} = 3273\text{min}$$

不考虑学习率，小组作业方式下的顺序流转方式流程周期 T 为

$$T = \sum_{j=1}^{m} n \frac{t_j}{p} = \left(1000 \times \frac{3+5+4+5+3}{5}\right)\text{min} = 4000\text{min}$$

式中 p——员工人数；

t_j——第 j 个工作单元单件处理时间；

m——工作单元数；

n——任务量。

3. 作业线组织的流程周期

设例 5-4 中各工作单元分别配备 1 名人员，组成流水作业线。此时，各工作单元的作业重复次数为 n 次。

（1）平行流转方式的流程周期。

$$T_x = \sum_{j=1}^{k} t_j + \sum_{x=2}^{n} t_{\max} x^{\lg b/\lg a} + \sum_{j=k+1}^{m} t_i n^{\lg b/\lg a} \quad (5\text{-}9)$$

式（5-9）中，第一项为单件时间最大单元之前的各工作单元首件对象的处理时间之和；第二项为单件时间最大单元的批处理时间（除第一件）；第三项为单件时间最大单元的后续各工作单元最后一件的处理时间之和。

设 k 为单位处理时间最大的工作单元序号，当该工作单元在流程末端时，则式（5-9）中第三项为零；$t_{\max} = \max\{t_i\}$，$i = 1, 2, \cdots, m$。

代入例 5-4 数据，$m=5$，$k=4$，$t_{\max}=5$，$n=1000$，$a=3$，$b=0.95$，得

$$T_x = \left(\sum_{j=1}^{4} t_j + \sum_{x=2}^{1000} 5x^{\lg 0.95/\lg 3} + 3 \times 1000^{\lg 0.95/\lg 3}\right)\text{min} = 3812\text{min}$$

不考虑学习率的流程周期为

$$T = \sum_{j=1}^{m} t_j + (n-1)t_{\max} \quad (5\text{-}10)$$

代入例 5-4 数据，得

$$T=[(3+5+4+5+3)+(1000-1)\times5]\,\text{min}=5015\,\text{min}$$

（2）平行-顺序流转方式的流程周期。流程中各工作单元分别配备 1 人，任务按平行-顺序流转，此时岗位作业重复次数仍为 n 次，计算任务流程周期的公式为

$$T_x=\sum_{j=1}^{m}\sum_{x=1}^{n}t_j x^{\lg b/\lg a}-\Big(\sum_{j=1}^{m}\sum_{x=2}^{n}t_{Sj}x^{\lg b/\lg a}+\sum_{j=1}^{m}\sum_{x=1}^{n-1}t_{Lj}x^{\lg b/\lg a}\Big) \tag{5-11}$$

式中 t_{Sj}——前一单元的处理时间比后一单元短时，取前一单元的单位处理时间；

t_{Lj}——前一单元的处理时间比后一单元长时，取后一单元的单位处理时间。

式（5-11）中，第一项为按整批顺序流转的流程周期；第二项为前后单元两两相比，前一单元的时间较短时的前一单元重叠时间；第三项为后一单元的时间较短时的后一单元重叠时间。

代入例 5-4 数据，$a=3$，$b=0.95$，$n=1000$，$m=5$，$t_{Sj}=(3,4)$，$t_{Lj}=(4,3)$，计算流程周期为

$$T=\Big[\sum_{j=1}^{5}\sum_{x=1}^{1000}t_j x^{\lg 0.95/\lg 3}-\Big(\sum_{j=1}^{5}\sum_{x=2}^{1000}t_{Sj}x^{\lg 0.95/\lg 3}+\sum_{j=1}^{5}\sum_{x=1}^{999}t_{Lj}x^{\lg 0.95/\lg 3}\Big)\Big]\,\text{min}=4570\,\text{min}$$

不考虑学习率的流程周期为

$$T=\sum_{j=1}^{m}nt_j-(n-1)\sum_{j=1}^{m}t_{Sj} \tag{5-12}$$

式中 t_{Sj}——从第一工作单元开始，前后单元两两相比，取较短的单位处理时间。

代入例 5-4 数据，得

$$T=\Big[\sum_{j=1}^{5}1000t_j-(1000-1)\times(3+4+4+3)\Big]\,\text{min}=6014\,\text{min}$$

4. 三种组织方式的学习率分析

考虑员工学习率的流程周期比较：三种组织方式的流程周期分别为 3273min、3812min 和 4570min。由结果可见，后两种组织方式下工人具有小组作业方式 5 倍的作业重复次数，但由于单元等待时间损失大于由学习节省的时间，因而其流程周期较长。

设学习效果为

$$k=\frac{T-T_x}{T}\times100\% \tag{5-13}$$

式中 T——不考虑学习率的流程周期；

T_x——考虑学习率的流程周期。

小组作业方式、作业线平行流转方式和作业线平行-顺序流转方式三种方式下的学习效果分别计算如下：

$$k_1=\frac{4000-3273}{4000}\times100\%=18.2\%$$

$$k_2=\frac{5015-3812}{5015}\times100\%=24\%$$

$$k_3=\frac{6014-4570}{6014}\times100\%=24\%$$

由此可见，小组作业方式由于作业重复性较小，因而学习效果较差；而作业线平行流转和平行-顺序流转方式由于作业重复性较大，因而学习效果较好。

5. 流转方式决策影响因素及敏感性分析

从上述分析和计算结果可见，影响流转周期的因素主要有员工学习率、流转方式、工作单元的单位处理时间差异、任务批量等，其中流转方式是决策变量。在工作单元单位处理时间一定的条件下，主要的影响因素是学习率。以下对决策变量进行敏感性分析。

（1）流转方式对学习率的敏感性分析。应用例 5-4 数据，$a=3$，$m=5$，$n=1000$，改变学习率 b 值，其余参数不变，用 MathCAD 计算并画出三种组织方式的流程周期曲线，如图 5-22 所示。

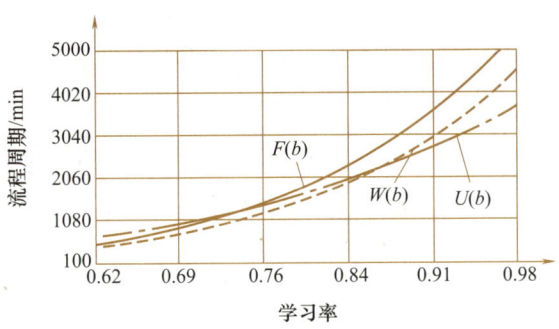

图 5-22 中，$F(b)$ 为作业线平行-顺序流转方式的流程周期曲线；$U(b)$ 为小组作业方式的流程周期曲线；$W(b)$ 为作业线平行流转方式的流程周期曲线。

图 5-22 流程周期与学习率的关系曲线

由图 5-22 和计算结果可知，曲线 $W(b)$ 和 $U(b)$ 相交于一点，对应的学习率为 0.8535。当学习率值小于 0.8535 时，作业线模式平行流转较优；当学习率值大于 0.8535 时，小组作业方式较优。曲线 $F(b)$ 和 $U(b)$ 也相交于一点，但 $F(b)$ 曲线上各点的流程周期均不如 $W(b)$，因而不可能较优。

（2）产品流转方式决策对工作单元处理时间差的敏感性分析。设最大工作单元处理时间为 $t_{max}=6\text{min}$（时间差扩大）和 $t_{max}=4.5\text{min}$（时间差缩小），其他参数不变，用 Math CAD 计算并画出三种作业组织方式的流程周期曲线，如图 5-23 和图 5-24 所示。

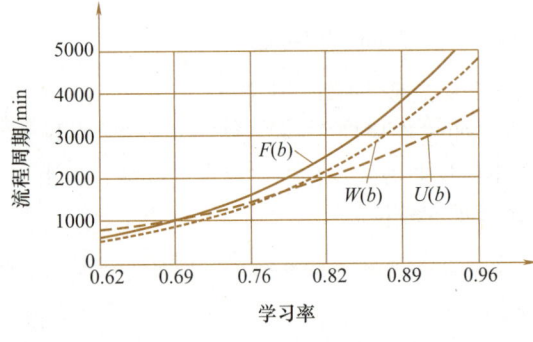

图 5-23 $t_{max}=6\text{min}$ 时的流程周期曲线

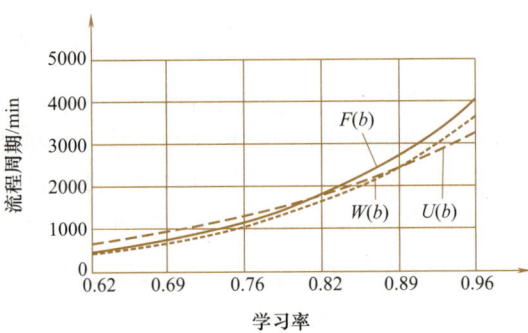

图 5-24 $t_{max}=4.5\text{min}$ 时的流程周期曲线

由结果可知，当最大工作单元处理时间 $t_{max}=6\text{min}$ 时，曲线 $U(b)$ 和 $W(b)$ 在 $b=0.7767$ 处相交，$U(b)=W(b)=1599\text{min}$；而当最大单元处理时间 $t_{max}=4.5\text{min}$ 时，曲线 $U(b)$ 和 $W(b)$ 在 $b=0.8865$ 处相交，$U(b)=W(b)=2381\text{min}$。这表明：当工作单元处理时间差较大时，小组作业方式更优；而当工作单元处理时间差较小时，作业线平行流转方式更优。

本章小结

本章阐述了运营系统及其过程组织。按业务（或作业）流程的连续程度对运营系统进行分类，分析了连续式运营系统与离散式运营系统的特点及其管理要求；按运营系统对市场需求的响应模式，把运营系统分成 MTO、MTS 和 ATO 三种类型，详细分析了这三种系统的特点；介绍了不同类型服务系统的特点；从运营系统功能属性和要素结构的角度，分析了运营系统的组织特点，以及合理组织运营过程的基本要求；分析了运营系统的工艺（作业）组织形式，批量作业条件下的对象流转方式，流转批量优化，员工学习率对不同流转方式流程周期的影响，最后对影响工作单元流转方式决策的因素进行了敏感性分析，并得到了相应的结果。

思考与练习题

1. MTO、MTS、ATO 三种运营模式各有什么特点?
2. 简述服务运营系统的分类及其含义。
3. 运营过程组织的基本要求包括哪些方面?
4. 工艺(作业)组织形式有哪几种?
5. 三种流转方式的基本特点是什么?各有什么优缺点?
6. 最优流转批量影响因素有哪些?如何分析计算?
7. 人工作业条件下,小组作业方式有什么优缺点?
8. 任务为 2000 件,需要经过 5 个工作单元处理,各工作单元单件处理时间如表 5-4 所示。

表 5-4 各工作单元单件处理时间

工作单元	T_1	T_2	T_3	T_4	T_5
单件处理时间 t_i/[min/(人·件)]	6	5	8	5	10

(1) 分别求该批对象按顺序流转、平行流转、平行-顺序流转方式下的流程周期。
(2) 设转移批量为 5 件,试求平行-顺序流转方式下的流程周期。
(3) 设工作单元之间的运输时间为 1min/次,求平行流转方式下的最优流转批量。
(4) 学习率公式为 $t_x = t_1 x^{\lg b/\lg a}$;设表 5-4 中的时间为各工作单元的首件处理时间,t_x 为第 x 件产品的处理时间;t_1 为第一件产品的处理时间;b 为学习率,设 $b=0.9$,$a=3$。试求任务在平行流转方式下的流程周期。
(5) 某客户订购批量为 3000 件的商品,该商品需经过 6 个工作单元的人工作业处理,各工作单元单件处理时间如表 5-5 所示。现由某作业小组负责处理,小组共有 12 人,试分析和选择流程周期最短的组织方式,并计算相应的流程周期。

表 5-5 各工作单元单件处理时间

工作单元	T_1	T_2	T_3	T_4	T_5	T_6
单件处理时间 t_i/[min/(人·件)]	11	5.6	6.3	6.5	5.8	6.0

案例分析

乐购的 JIT 实践

1996 年,乐购供应链主管格雷厄姆·布斯邀请丹尼尔·琼斯设计精益生产用于优化乐购的配送业务的方案。琼斯主导组建了由乐购相关部门的领导及乐购的饮料供应商博瑞特维可的运营与供应链主管参加的调查团队。1997 年 1 月,这个调查团队选择乐购的罐装可乐,开始逆向追踪其配送历程。当时,罐装可乐的配送流程如图 5-25 所示。

调查揭示了可乐配送的真实情况,具体表现在以下四个方面。

(1) 可乐从金属冶炼(用于铝罐的制作)到摆上乐购的货架需要的时间长达 319 天。仅从灌装厂到乐购的货架也需要 20 天的时间。

(2) 从灌装厂到乐购商店共有 4 个存货点,即商店的临时仓库、乐购地区配送中心、饮料公司配送中心、可乐灌装厂仓库。

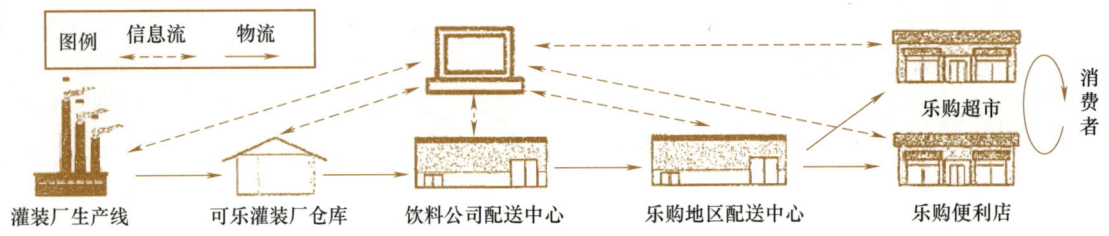

图 5-25　改进前罐装可乐的配送流程

（3）需求波动从乐购商店传递到灌装厂放大了 4 倍。

（4）可乐的服务水平只有 98.5%。如果典型的 40 个品种的购物篮中的每个商品都是 98.3% 的服务水平，那么货篮满足率只有 55%。

认识到原有的流程存在诸多不创造价值之处，特别地，未能快捷地满足消费者的需求，调查团队决定对可乐的配送流程进行重新设计。具体在以下五个方面进行了优化。

（1）就可乐这种商品，不再采取由乐购地区配送中心向饮料公司配送中心订货，再由可乐灌装厂仓库向饮料配送中心发货的做法。改为按照乐购商店的需要，直接由灌装厂生产线通过传送带传递到送货卡车，然后运往乐购地区配送中心。

（2）对可乐的外包装进行改造，将原来的纸箱改为简易货架。这些货架可以直接推到乐购的商店。

（3）乐购地区配送中心向乐购商店送货由一店一车的直供模式改为循环取货模式。此外，在运货卡车返回途中收集空出的货架。

（4）优化可乐配送到各个商店的顺序与路线。

（5）除商业机密外，与供应商，甚至供应商的供应商分享商品的销售信息。

改进后的罐装可乐的配送流程如图 5-26 所示。

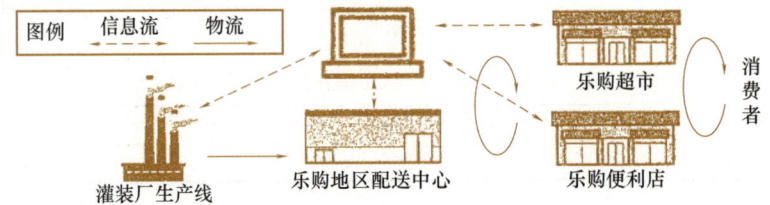

图 5-26　改进后罐装可乐的配送流程

经过测评，改进后的效果体现以下四个方面。

（1）从灌装厂到乐购的货架的时间由 20 天缩短为 5 天。

（2）配送过程的存货点减少为 1 个，即乐购地区配送中心。

（3）需求波动从乐购商店传递到灌装厂只放大了 2 倍。

（4）可乐的服务水平提升到 99.5%。如果典型的 40 个品种的购物篮中的每个商品都是 99.5% 的服务水平，货篮满足率达到了 82%。

正是在所取得的这些成果的鼓舞下，乐购尝试对各种商品的配送流程进行了优化设计，均取得了显著的成效。

思考：

1. JIT 产生于汽车制造行业，为什么乐购能够很好地应用 JIT 方法来改善其经营业绩？

2. 在交通、教育、餐饮三个行业中选择一个，说明应用 JIT 方法改善其业务流程的基本思路。

第 6 章

运营系统选址与设施布置

> **学习目标**
> （1）掌握运营系统选址的加权评分法、重心法以及设施布置的四大原则。
> （2）了解选址影响因素、设施布置优化方法以及计算机辅助布置技术。

◆【引导案例】

位于弗吉尼亚州的阿灵顿县有五个消防站，现在希望能够在一个或多个消防站那里配备装备齐全的医疗急救车。该县的目标是通过选择一个或多个地点来尽量缩短医疗急救的响应时间。虽然常规情况下消防队员和消防车也能处理较小的医疗问题，但该县希望能够为居民在病情严重的情况下提供更高水平和更高质量的医疗服务。图 6-1 标示了当前各消防站的位置、各自管辖的区域，以及它们之间沿着全县主要公路的最短行程时间。这里所面临的问题是医疗急救车应该停放在哪里？

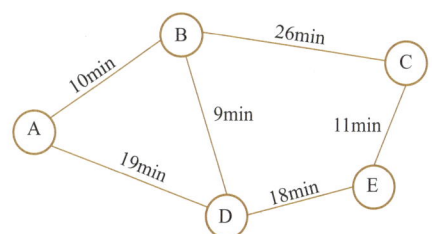

图 6-1　各消防站之间沿着全县主要公路的最短行程时间

运营系统选址是企业战略的一个重要组成部分，它将长期影响企业的运行效率和成本，最终影响企业的竞争力。选址决策不恰当会给企业带来长期而负面的影响，因此必须综合考虑多方面的影响因素，采用科学的分析和决策方法，使运营系统选址合理化。运营系统的设施布置是指对运营系统各部门及其各种设施进行合理布局。合理布置部门及其设施有利于提高运营系统的运行效率，降低运营系统的运行成本。

6.1 运营系统选址决策

6.1.1 运营系统选址决策的重要性

所谓运营系统选址，是指企业（组织）按照一定的战略目标、运营系统的特点和要求，确定运营系统建设的地点（方位）。

运营系统选址关系到系统建设的投资和运行成本，一旦建成将很难改变，因此，运营系统选址对企业的影响是长期的、重大的。选址决策很大程度上决定了运营系统的运行效率和成本，并最终影响企业的竞争力。例如，对于制造业企业来说，设施选址会直接影响运营系统的建设成本、员工集聚力、劳动力成本、运输和储存成本等；对于服务业企业来说，设施选址会直接影响产品（服务）的供需关系，从而影响产品（服务）的价格以及企业的利润等。选址决策不当会给企业的生存和发展带来长期而负面的影响。

6.1.2 运营系统选址决策的影响因素

影响运营系统选址决策的因素有很多，而且多因素之间往往是相互牵制、相互矛盾的，如土地价格与员工集聚、物流成本之间就存在顾此失彼的关系，不能同时满足。在进行选址决策时，必须分析运营系统的特点和要求，分清影响因素的主次，全面衡量，综合考虑，确定相对较优的选址方案。

1. 自然资源条件

自然资源条件主要包括土地资源、物料供应、能源与水资源供应、气候等条件。

（1）土地资源条件。土地资源条件主要考虑土地面积形状和大小、单位面积价格、水文与地质条件等。其中，地质条件是指备选地址的地质结构、地震历史、是否处在地震带等。土地资源条件直接决定了运营系统的建设和运行成本。一般情况下，土地资源条件较好的地方（如离城市较近，交通、通信、商业设施、生活条件等较好），则土地价格较高，但建成之后的日常运营成本较低；土地资源条件较差的地方，则土地价格较低，但建成之后的日常运营成本较高。这就要求决策者根据系统选址的实际要求和条件，确定影响因素的排序，进行综合权衡。

（2）物料供应条件。运营系统在运行过程中要用到大量的、各种各样的原材料。当原材料易损坏或运输成本占原材料成本比例较大时，运营系统的位置应与原材料供应地接近。一种情况是对于原材料保鲜期较短的农副产品加工企业，为了避免长途运输导致的原材料腐烂变质损失，选址必须靠近原材料供应地，如乳制品厂、蔬菜罐头厂、肉类加工厂等；另一种情况是原材料体积和重量大、单位产品价值低、经过制造（转换）过程的提纯和处理淘汰的废料比例大，而加工成产品后的体积和重量将明显减小，运输费用的绝对值和相对值也将大大减小，这类企业的选址也应考虑靠近原材料产地，如糖厂、造纸厂、铝厂等。

（3）能源与水资源供应条件。对于耗能大的企业，能源可获性与费用是影响生产运营系统正常运营和效益的关键要素。例如，钢铁、炼铝、火力发电等企业，由于其生产过程需要消耗大量的能源，若不能保证能源的正常供应，势必制约系统的长期运行，因此选址首先应选择靠近燃料、动力，且燃料、动力供应丰富，价格相对低廉的供应地。对于运营过程需要用到大量水资源的企业，则要考虑水资源的数量、质量以及水资源供应的稳定性，如饮料厂、酒厂等。

（4）气候条件。气候条件包括温度、湿度、雨量、风向等因素。气候条件对运营过程的工艺条件、运营效率等有重要影响，同时直接影响员工的健康和工作效率。根据美国制造业协会的资料，气温在15~22℃时，人们的工作效率最高。气温过高或过低都会影响工作效率。气温的高低关系着厂房和办公室的建筑设计，如在温度较高的南方地区，产生热源的工作环境常常要求安装空调，而空调的作用范围有限，且耗费能源、增加成本；在寒冷的北方地区，冬天设备的预热时间更长，工作场所需要提供暖气。另外，对于一些要求自然干燥的产品工序，环境的湿度对运营过程会有较大影响。选址决策时必须根据运营系统的特点和要求，进行综合考虑和权衡。

2. 社会环境条件

（1）人力资源条件。人力资源因素主要包括管理人员、技术人员、劳动力。其中，劳动力成本对企业运营成本的影响较大，选址时必须考虑劳动力数量、劳动力价格、劳动力素质等。对于劳动密集型企业，劳动力成本占产品成本的比例大，当地的劳动力资源丰富，一方面可以节约员工住房等生活设施建设成本，降低人力资源成本；另一方面也有利于稳定员工队伍。随着现代科学技术的发展以及产业的转型和升级，高科技企业发展迅速，需要大量高素质的员工，包括技术人员、管理人员和技术工人，这时就应考虑选址方案对高素质员工队伍的保障条件。

（2）社会文化和治安条件。不同地区、不同民族的文化、习惯、观念不尽相同，因而选址时考虑的因素应包括当地的宗教信仰、风俗习惯、价值观念、环保意识、消费习惯等。如果企业的性质与当地的宗教信仰相矛盾，则不仅原材料来源和产品销路有问题，而且会遭到无端的干涉和破坏。此外，治安条件也是企业正常运行的必要条件，只有治安条件良好，人们才能安居乐业，企业才能无后顾之忧，因而选址时必须考虑这一条件。

（3）产成品销售市场条件。对于产成品具有易腐性、单位产品价值较低的企业以及零售业和服务业企业，企业选址应考虑靠近销售市场。例如，饮料厂、面包店等，由于这类企业的产品具有易腐性、储存时间短等特征，因而选址应尽量靠近产品终端市场。对于零售业和服务业，由于服务过程要与顾客直接接触，便利性是吸引顾客的基本条件，因而选址应位于服务对象市场地区的中心位置附近，如医院、商店、酒店、理发店等。

3. 政治环境因素

随着经济全球化的发展，不少跨国公司在国外寻找在更有优势的地方投资建厂。而一个国家或地区的政局是否稳定，法律法规是否健全，税收是否公平，发展经济和管制经济的政策是否有利等，都将直接影响企业的经济效益。政治环境是企业在全球范围内选址时要考虑的重要因素。例如，一个动荡不安、内战不断的国家不适于投资建厂；有较优惠的经济发展和税收政策的国家或地区，则有利于投资建厂。

一般来说，不同类型的企业运营系统，选址决策的影响因素也会有所不同。例如，在制造业中，设施选址的主要影响因素是原材料、劳动力和能源；而在服务业中，设施选址的主要影响因素是市场、社会环境等。

6.2 运营系统选址方法

6.2.1 加权评分法

加权评分法是一种使用较为广泛的设施选址评价方法。选址涉及多方面因素，加权评分法按照每种影响因素对选址决策的影响程度，将其综合起来评价各个备选地点，通过比较综合得分来选出较优的备选地点。

在加权评分法的实施过程中，首先要确定系统选址的目标和要求，然后收集尽量详尽的相关资料和数据，进而选择和组成评价专家组，委托专家对选址问题进行深入分析和研究，并根据各因素对于选址的重要程度确定相应的权重值，对各选址方案的影响因素满足条件进行评分，最后根据专家的评分结果得出各方案的加权评分，加权分数最高者即较优选址点。选址策划和组织过程的具体步骤如下。

（1）收集和整理运营系统选址的相关资料和数据，包括各备选方案的数据资料和反映运营系统本身特点和要求的数据资料。

（2）选择和组织若干选址方案评价专家，并确定采用专家会议法或德尔菲法组织专家进行方案评价。

（3）根据运营系统的技术、工艺、运营规模等实际特点和要求，确定选址决策的影响因素。

（4）组织专家根据各因素对运营系统选址的影响程度赋予相应的权重。

（5）根据各备选方案相关因素的实际情况对各因素进行相应的评价打分。
（6）将各专家对各选址方案因素的评分进行加权处理，得到各备选方案的总评分。
（7）选择总评分最高的方案作为运营系统的建设选址方案。
下面通过举例来说明加权评分法的应用。

例 6-1 某公司为扩大生产规模，拟建设一个新厂，现有 3 个候选位置方案，即 A、B 和 C 三地，试用加权评分法来确定最优厂址。

（1）通过实地调研和分析，3 个候选地的购买或租赁费用相当，选址主要影响因素包括原材料可获性、劳动力条件、燃料可获性、运输设施、税收政策和环境法规。

（2）通过对各影响因素对设施选址影响程度的分析，上述因素的权重分别为：0.2，0.2，0.2，0.2，0.1，0.1。

（3）请专家分别给 3 个备选地点的 6 个主要因素评分（见表 6-1）。

表 6-1　各备选地点的评分情况

选址因素	权重	备选地点 A 评分	备选地点 A 加权评分	备选地点 B 评分	备选地点 B 加权评分	备选地点 C 评分	备选地点 C 加权评分
原材料可获性	0.2	80	16	90	18	85	17
劳动力条件	0.2	90	18	90	18	80	16
燃料可获性	0.2	75	15	80	16	70	14
运输设施	0.2	70	14	70	14	80	16
税收政策	0.1	80	8	70	7	70	7
环境法规	0.1	75	7.5	70	7	80	8
合计	1		78.5		80		78

（4）根据计算结果，候选地址 B 的综合得分最高，所以 B 地是较优方案。

由于加权评分法涉及许多定性因素，因而需要组织相关的专家来完成方案评价。加权评分法的有效性取决于以下两个方面：一是评价专家的选择和组织，要求专家对本行业的技术、生产和管理有较丰富的经验，具有较强的分析判断能力，不带偏见，不涉及个人利益；二是对专家评价过程进行合理有效地组织，一般可采用专家会议法或德尔菲法。当专家中有若干位强势专家时，采用德尔菲法较适宜；如果要求在较短时间内完成评价，并且专家之间资历和声望差距不大时，则可考虑采用专家会议法。

6.2.2　重心法

重心法的基本原理是确定系统的最佳位置，使系统运行过程中的物流运输工作量达到最小。一般情况下，系统运行的运输工作量等于运输量乘以运输距离，一定时期内系统运行过程的运输量是确定的，而运输距离将随着选址的不同而变化，通过重心法可以找到使运输工作总量最小的运营系统最优位置。

设已知多个现有的物料需求点的坐标位置，现要设置一个物流中心向这些需求点供应所需物料，利用重心法来确定物流中心的最佳位置。

重心法的步骤如下。
（1）按比例缩小建立笛卡儿坐标系。
（2）标出各需求点相应的坐标值。
（3）求出相应的 X_0 值和 Y_0 值，计算公式为

$$X_0 = \frac{\sum_{i=1}^{m} w_i x_i}{\sum_{i=1}^{m} w_i} \tag{6-1}$$

$$Y_0 = \frac{\sum_{i=1}^{m} w_i y_i}{\sum_{i=1}^{m} w_i} \tag{6-2}$$

式中 X_0——物流中心的横坐标值；
Y_0——物流中心的纵坐标值；
x_i——第 i 个需求点的横坐标值；
y_i——第 i 个需求点的纵坐标值；
w_i——第 i 个需求点到物流中心的物流量；
m——需求点数量。

（4）X_0、Y_0 就是物流中心布置的地点。

例 6-2 某公司在我国的 A、B、C、D 和 E 五地均设有分店，各分店的坐标位置分别为 (5, 16)、(12, 18)、(10, 10)、(14, 8) 和 (10, 4)，各分店的月平均销售量如表 6-2 所示。该公司拟在我国建一个配送中心为上述分店送货，配送中心选在何处物流成本最低？

首先根据 A、B、C、D、E 的实际位置按比例建立笛卡儿坐标系，并确定各分店的坐标位置，如图 6-2 所示。

表 6-2 各分店的月平均销售量

分店位置	月平均销售量/t
A	220
B	150
C	80
D	70
E	120
合计	640

$$X_0 = \frac{\sum_{i=1}^{m} w_i x_i}{\sum_{i=1}^{m} w_i} = \frac{5 \times 220 + 12 \times 150 + 10 \times 80 + 14 \times 70 + 10 \times 120}{640} = 9.19$$

$$Y_0 = \frac{\sum_{i=1}^{m} w_i y_i}{\sum_{i=1}^{m} w_i} = \frac{16 \times 220 + 18 \times 150 + 10 \times 80 + 8 \times 70 + 4 \times 120}{640} = 12.59$$

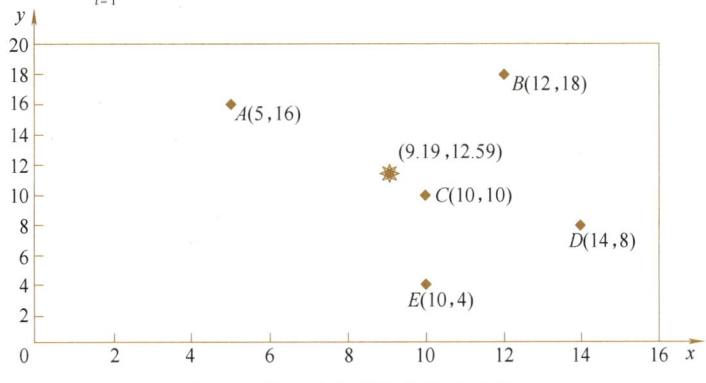

图 6-2 重心法求得的物流中心位置

用式(6-1)和式(6-2)可以求得重心的坐标为(9.19,12.59),该重心的坐标位置即是物流中心的最优地点。

6.3 运营系统设施布置原则

运营系统设施布置涉及技术和管理两个领域。随着运营环境和要求的变化,运营系统的设施布置理论、方法、技术和要求也在不断发展。不仅制造业运营系统,其他类型组织,如医院、银行、购物中心、航空港等的运营系统,也都需解决设施布置问题。运营系统设施布置一旦确定下来,对系统运行的效率和成本的影响是长期的、重大的。因此,在运营系统设计和建设初期,必须对设施布置方案进行细致的分析、设计和优化,以期系统运行达到高效率、低成本的目的。

6.3.1 对象专业化原则布置

对象专业化原则布置是指把某种或某类对象处理过程所需要的设备和人员组成一个业务单位,并按对象业务处理顺序来布置相应设备的原则。对象可以封闭在一个业务单位内完成其处理过程,如图6-3所示。这种布置适用于品种较少、产量较大、处理条件较稳定的情况。

图6-3 对象专业化原则布置——单行布置形式

以汽车装配线为例,通过工序同期化将汽车装配过程分解和重组,形成一系列标准化的装配工序,确定完成相应工序的设施或工作地,再按作业顺序确定这些设施(工作地)的位置。又如,如果某对象的作业过程可以被分解成切割、车削、钻孔、车螺纹、铣削、磨削几项作业,那么就可以按照锯床→车床→钻床→车床→铣床→磨床的顺序排列相应设备。

对象专业化原则布置有以下优点。

(1)工作地之间距离较短,有利于节省搬运费用。

(2)部门之间的联系较简单,便于计划管理。

(3)有利于提高作业平行性,缩短加工周期,减少在制品占用。

对象专业化原则布置有以下缺点。

(1)适应性较差。由于设备按某种(类)对象的作业及其顺序配置和布置,因而当对象和作业变化时,设施及其布置较难做出相应的改变和调整。

(2)同类设备和人员分布在不同部门,不利于工人之间相互学习和他们技术水平的提高,也不利于设备和人员的充分利用。

(3)各岗位工人的作业对象固定,工作内容单调,容易导致工人厌倦,进而影响工作效率。

在实行多设备看管的条件下,为了提高员工的工作效率,其设备布置可以采用U形布置形式(见图6-4)。U形布置形式呈块状形,有利于缩短工人的走动距离,还有利于工人之间的交流和协同工作。

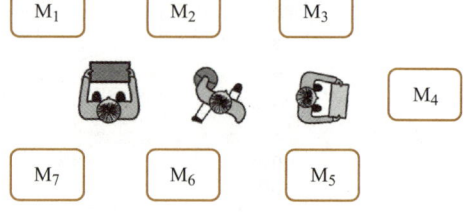

图6-4 U形布置形式

6.3.2 工艺专业化原则布置

工艺专业化原则布置是指将完成相同或相似作业的设备和人员布置在一起组成一个业务单

位，如图 6-5 所示。

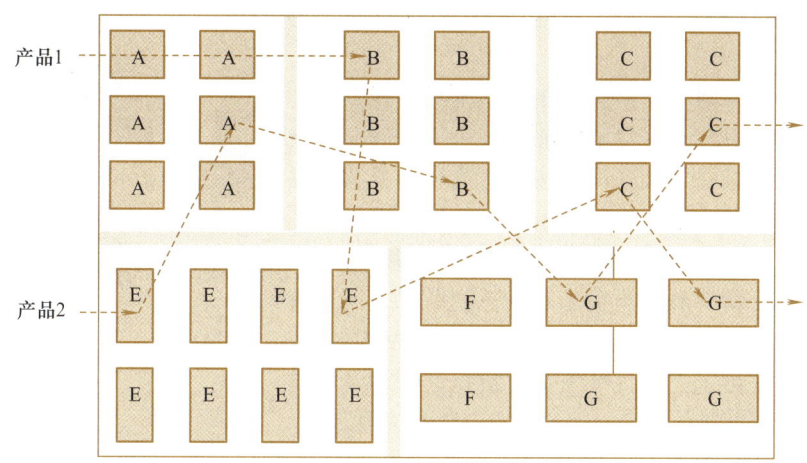

图 6-5　工艺专业化原则布置形式

例如，在制造工厂里，将多台车床集中在一起组成一个车削工段，将多台冲压机床集中在一起组成一个冲压工段，将焊接设备和工人集中在一起组成一个焊接工段。加工对象根据预定的作业流程，从一个工段流转到另一个工段，经过多个相应工段后完成其加工内容。

工艺专业化原则布置有以下优点。

（1）对品种变化的适应性较强。按工艺专业化原则组成的单位，工艺方法一定，但作业对象可变，因而可以适应品种的变化。

（2）有利于工人的技术交流和激励。将相同工种的工人集中在一起，有利于他们相互之间进行交流，提高技术水平，方便对他们进行比较，有利于考核，也便于对工人进行激励。

（3）有利于工作负荷的均匀分配。可以保证同工种工人的工作负荷基本一致，便于管理层管理。

（4）作业系统稳定性较高。工艺专业化原则布置等效于并联作业系统，同类设备中的个别设备故障或工人缺勤对整个作业系统的影响较小，上下作业之间的相互制约和依赖性远没有对象专业化原则布置那么强。

工艺专业化原则布置有以下缺点。

（1）在制品占用量大、加工周期长。工艺专业化原则布置下，对象在工序之间流转的距离较大，工序之间一般需按批流转，距离越大则流转批量越大、加工周期越长，因而在制品占用量较大。

（2）对象流转路线复杂、路线长。由于每一种对象都要经过多道工序、多个工段的作业，而工段之间存在较大距离，因而完成对象作业流程的物流路线较长，而多种对象的作业流程不相同，各种对象的作业流程相互交织，就形成了复杂的往返、交叉的物流路线。

（3）部门之间联系和制约多，导致管理工作复杂。由于对象作业流程需要经过多个部门，对象在部门之间的流转过程需要办理烦琐的手续，包括质量、数量的检查和验收，以区分部门的责任，增加了相应的人力和时间消耗。

6.3.3　产品固定位置原则布置

产品固定位置原则布置是指加工对象位置固定，工人和设备按作业流程顺序转移位置，完成产品加工内容，如造船、飞机制造、重型机械制造、房屋建设等，如图6-6所示。产品固定位置原则布置形式适用于大型产品生产和工程项目施工的布置。

产品固定位置原则布置一般是由产品本身的特点决定的，即重量大、体积大或本身不能移动等。这种情况下就形成了加工对象固定，工人和设备按工艺流程需要移动并完成加工内容的运营系统布置形式。

在产品固定位置原则布置条件下，场地空间往往有限，不同的工作时期，物料和人员需求是动态变化的，因而应把注意力放在对材料和设备运送时间和存放空间的控制上，以避免堵塞工地。由于完成大型项目要负担的活动及对技术的要求繁多，因此需要花费很大的精力去协调这些活动。

图 6-6 产品固定位置原则布置形式

6.3.4 成组原则布置

成组原则布置又称单元制造布置，是指将完成某类相似对象工艺流程所需的设备组成生产单位的布置方式。成组原则布置首先按照一定的相似性标准将加工对象进行分类归组，然后确定零件组的典型工艺流程，进而把完成相应典型工艺流程所需的设备组成一个生产单元，如图6-7所示。

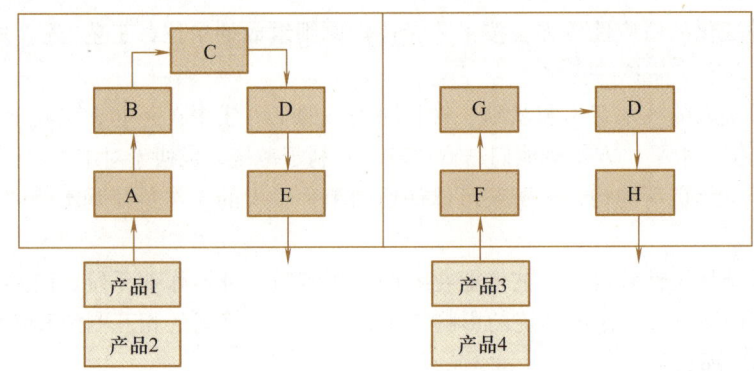

图 6-7 成组原则布置形式

成组原则布置具有较好的柔性，是一种适合多品种、中小批量生产的生产单位布置形式。

6.4 运营系统设施布置优化方法

6.4.1 多品种生产线设施单行布置优化

由于工段内各产品的工艺流程不同，因而工段内的物流路线交叉、往返多，这时设施的优化布置就要找到物流运输工作量最小的布置方案。

1. 忽略物料出入口距离的设施单行布置优化法

例 6-3 某个多品种生产工段由10个设备构成，各产品工艺流程顺序不相同。工段内设备单行布置如图6-8所示，工段所有产品的生产线综合工艺路线表如表6-3所示，一个月内工段各设备之间的物流量从至表如表6-4所示。

| 毛坯库 | 铣床 | 车床 | 钻床 | 镗床 | 磨床 | 压床 | 内圆磨床 | 锯床 | 检验台 |

图 6-8 设备单行布置

表 6-3 生产线综合工艺路线表

零件号	毛坯库	铣床	车床	钻床	镗床	磨床	压床	内圆磨床	锯床	检验台
101	①	②③④	⑤	⑧⑨ ⑩			⑥⑦			⑪
102	①		②③	④⑤ ⑥					⑦	⑧
103	①		②	③④ ⑤						⑥
104	①	⑧	⑤	③④ ⑥⑦		⑨			②	⑩
205	①	⑥ ⑦	⑤	③ ④ ⑨			② ⑧ ⑩			⑪
206	①		②③④	⑤⑥ ⑦						⑧
207	①			③ ⑤					② ④	⑥
208	①		②							③
309	①		②③							④
310	①	②	③④							⑤
311	①		②	③			④			⑤
312	①			②③						④
413	①	③	②							④
414	①		②							③
415	①					②				③
416	①					②③				④
517	①					②③				④

表 6-4 工段各设备之间的物流量从至表

从＼至	毛坯库	铣床	车床	钻床	镗床	磨床	压床	内圆磨床	锯床	检验台	运出量
毛坯库		2	8			1	4		2		17
铣床			1	2			1			1	5
车床		2		4			1		1	3	11
钻床		1			1		2	1		5	10
镗床				1							1
磨床				1						1	2
压床				2						6	8
内圆磨床										1	1
锯床			2			1					3
检验台											
运入量		5	11	10	1	2	8	1	3	17	58

注：表中有数字的单元格表示从行对应设备运往列对应设备的运输量；最后一行数字表示从其他设备运入列对应设备的物料流入量；最右边一列数字表示从对应行设备运出至其他设备的物料流出量。

在忽略工段出入口运输距离的条件下，物流运输工作总量 W 的计算公式为

$$W = \sum_{j=1}^{n} \sum_{i=1}^{n} d_{i,j} w_{i,j} \tag{6-3}$$

式中 $d_{i,j}$——工段中 i 位置至 j 位置的距离，$i \neq j$；
　　$w_{i,j}$——i 位置设备至 j 位置设备的物流量；
　　n——工段布置的设备数。

单行布置假设相邻位置设备之间的距离为 1 个单位，则生产线内设备的最远距离为 $n-1$。在从至表上，紧靠对角线单元格对应的两台设备距离为 1，离对角线的第二格对应的两台设备距离为 2，以此类推。对角线左下方的数字表示从右至左的反向物流，对角线右上方的数字表示从左至右的正向物流。

优化布置的目标函数为

$$W = \min \left\{ \sum_{j=1}^{n} \sum_{i=1}^{n} d_{i,j} w_{i,j} \right\}$$

例 6-3 中，若按自然顺序布置设备，则根据式(6-3)，总的物流运输工作量计算如下：

$$W_1 = 1 \times (2+1+4+1+2+1) + 2 \times (8+2+1+1+1) + 3 \times (2+6+2+1) + \\ 4 \times (1+1+1) + 5 \times (1+1) + 6 \times (4+1+5+2) + 7 \times 3 + 8 \times (2+1) \\ = 209$$

从至表优化法布置是指通过调整设备位置，使从至表中较大的数字尽量往对角线上靠近。例如，例 6-3 的单元格（1,2）和（1,3）中的数字对应毛坯库至铣床和车床的物流量分别为 2 和 8，其局部运输工作量为 2×1+8×2=18；若把其位置对调，则其运输工作量为 2×2+8×1=12，物流运输工作量减少了 6 个单位。根据上述原则，对表 6-4 中的设备位置进行调整，得到新的设备单行布置方案，如表 6-5 所示。

表 6-5 调整各设备相对位置后的物流量从至表

从\至	毛坯库	车床	钻床	压床	铣床	锯床	检验台	镗床	磨床	内圆磨床	运出量
毛坯库		8		4	2	2			1		17
车床			4	1	2		3				11
钻床				2	1		5	1		1	10
压床			2				6				8
铣床		1	2	1			1				5
锯床		2							1		3
检验台											
镗床			1								1
磨床			1				1				2
内圆磨床							1				1
运入量		11	10	8	5	3	17	1	2	1	58

优化后的物流运输工作量为

$$W_O = 1\times(8+4+2+2+1)+2\times(1+1+1+2+1)+3\times(4+2+6+1+1+1)+$$
$$4\times(2+1+5+2)+5\times(2+3+1+1)+6\times1+7\times1+8\times1$$
$$= 170$$

优化后物流运输工作减少量为

$$\Delta W = W_1 - W_O = 209 - 170 = 39$$

可见设备位置调整后,工段物流运输工作量得到了优化。

2. 考虑生产线出入口距离的设施单行布置优化法

在考虑工段物料出入口运输距离的情况下,从至表优化法设施布置的上述原则将有所不同。

例 6-4 某工段上加工的某产品,单位为 100 件,工艺流程为 A→C→D→E→G。试比较如下几种布置方案的物流运输工作量。

(1) 有物流关系的设备存在非相邻布置的方案如图 6-9 所示。

$$W = 100 \text{ 件} \times (2+1+1+2) = 600 \text{ 件}$$

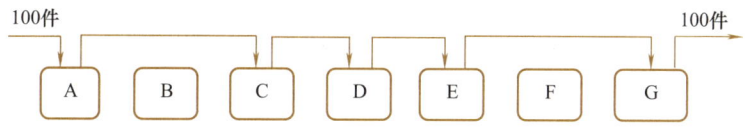

图 6-9 有物流关系的设备非相邻布置的方案

(2) 有物流关系的设备相邻布置的方案如图 6-10 所示。

$$W = 100 \text{ 件} \times (1+1+1+1+2) = 600 \text{ 件}$$

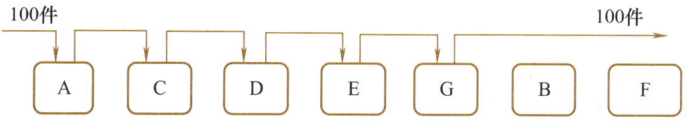

图 6-10 有物流关系的设备相邻布置的方案

(3) 设备布置存在反向物流的情况如图 6-11 所示。

$W = 100\text{件} \times (2+1+2+1+2) = 800\text{件}$

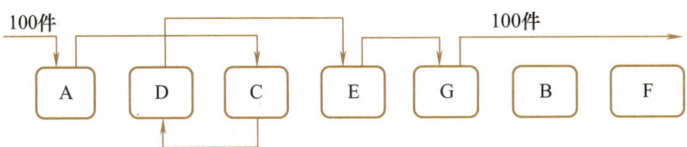

图 6-11　设备布置存在反向物流的情况

　　从图 6-9 和图 6-10 所示的布置方案物流运输工作量计算结果可知，存在物流关系的设备之间是否靠近布置并不影响总的物流运输工作量。而从图 6-11 所示的布置方案可知，设备布置导致反向物流才是使物流运输工作量明显增加的关键，增加的量是反向距离与物流量乘积的 2 倍。因此，减少物流运输工作量的目标是减少反向物流量及其距离。对从至表进行优化布置，就是要尽量减少对角线左下方的数字或使对角线左下方大的数字尽量靠近对角线。

6.4.2　等面积设施多行布置优化方法

　　例 6-5　某工段共有 12 台设备，布置成三行，如图 6-12 所示。设相邻设备（如 A-B、A-E、B-F 等）之间的距离为 1；对角位置（如 A-F、E-B、F-C 等）的距离为 2，以此类推。设备之间的物流量统计结果如表 6-6 所示。试对设备多行布置方案进行优化。

A	B	C	D
E	F	G	H
I	J	K	L

图 6-12　设备三行布置初始方案

表 6-6　设备之间的物流量从至表

从＼至	A	B	C	D	E	F	G	H	I	J	K	L
A				66			10			26		
B			16	22	70		51			31		
C	57	30		1		19			75		55	
D						21		49				
E			11	22		9	46		23	16		19
F	69	30			16					28		
G					50	40					52	
H	73	15	76							79		
I		20		15	27			68		28		9
J	53					28		52			49	58
K	66	38		32			39	43	79			
L			69			1	18		45			

　　由图 6-11 和设定的单位距离标准，得到工段内各设备之间的距离从至表，如表 6-7 所示。

表 6-7 设备之间距离从至表

从\至	A	B	C	D	E	F	G	H	I	J	K	L
A		1	2	3	1	2	3	4	2	3	4	5
B	1		1	2	2	1	2	3	3	2	3	4
C	2	1		1	3	2	1	2	4	3	2	3
D	3	2	1		4	3	2	1	5	4	3	2
E	1	2	3	4		1	2	3	1	2	3	4
F	2	1	2	3	1		1	2	2	1	2	3
G	3	2	1	2	2	1		1	3	2	1	2
H	4	3	2	1	3	2	1		4	3	2	1
I	2	3	4	5	1	2	3	4		1	2	3
J	3	2	3	4	2	1	2	3	1		1	2
K	4	3	2	3	3	2	1	2	2	1		1
L	5	4	3	2	4	3	2	1	3	2	1	

总的物流运输费用计算公式为

$$F = \sum_{j=1}^{m} \sum_{i=1}^{m} w_{i,j} c_{i,j} d_{i,j} \tag{6-4}$$

式中 $w_{i,j}$——i 位置上的设备运往 j 位置设备的物流量;

$d_{i,j}$——工段中 i 位置运往 j 位置的距离;

$c_{i,j}$——单位物流运输工作量的费用;

m——设备数。

设单位物流工作量运输费用 $c_{i,j}=1$ ($i=1,2,\cdots,n$),根据式(6-4),把表 6-6 和表 6-7 中的对应元素相乘后得到费用元素矩阵表,把费用元素矩阵表中各元素相加,得到初始布置方案的物流运输总费用。

设 $(f)_{nn}$ 为物流费用矩阵,$(w)_{nn}$ 为物流运输量矩阵,$(d)_{nn}$ 为物流距离矩阵,$(c)_{nn}$ 为单位物流运输费用矩阵,则定义

$$F = (f)_{n \times n} = (w)_{n \times n}(d)_{n \times n} = \begin{pmatrix} w_{11}d_{11} & w_{12}d_{12} & \cdots & w_{1n}d_{1n} \\ w_{21}d_{21} & w_{22}d_{22} & \cdots & w_{2n}d_{2n} \\ \vdots & \vdots & & \vdots \\ w_{n1}d_{n1} & w_{n2}d_{n2} & \cdots & w_{nn}d_{nn} \end{pmatrix}$$

物流总费用计算公式为

$$F = \sum_{j=1}^{m} \sum_{i=1}^{m} f_{i,j}$$

本例物流费用计算如下:

$$F = \begin{pmatrix} 0 & 0 & 0 & 66 & 0 & 0 & 10 & 0 & 0 & 26 & 0 & 0 \\ 0 & 0 & 16 & 22 & 70 & 0 & 51 & 0 & 0 & 31 & 0 & 0 \\ 57 & 30 & 0 & 1 & 0 & 19 & 0 & 0 & 75 & 0 & 55 & 0 \\ 0 & 0 & 0 & 0 & 21 & 0 & 0 & 49 & 0 & 0 & 0 & 0 \\ 0 & 0 & 11 & 22 & 0 & 9 & 46 & 0 & 23 & 16 & 0 & 19 \\ 69 & 30 & 0 & 0 & 16 & 0 & 0 & 0 & 0 & 0 & 28 & 0 \\ 0 & 0 & 0 & 50 & 0 & 40 & 0 & 0 & 0 & 0 & 52 & 0 \\ 73 & 15 & 76 & 0 & 0 & 0 & 0 & 0 & 0 & 79 & 0 & 0 \\ 0 & 20 & 0 & 15 & 27 & 0 & 0 & 68 & 0 & 28 & 0 & 9 \\ 53 & 0 & 0 & 0 & 0 & 28 & 0 & 52 & 0 & 0 & 49 & 58 \\ 66 & 38 & 0 & 0 & 32 & 0 & 0 & 39 & 43 & 79 & 0 & 0 \\ 0 & 0 & 69 & 0 & 0 & 0 & 1 & 18 & 0 & 45 & 0 & 0 \end{pmatrix} \cdot \begin{pmatrix} 0 & 1 & 2 & 3 & 1 & 2 & 3 & 4 & 2 & 3 & 4 & 5 \\ 1 & 0 & 1 & 2 & 2 & 1 & 2 & 3 & 3 & 2 & 3 & 4 \\ 2 & 1 & 0 & 1 & 3 & 2 & 1 & 2 & 4 & 3 & 2 & 3 \\ 3 & 2 & 1 & 0 & 4 & 3 & 2 & 1 & 5 & 4 & 3 & 2 \\ 1 & 2 & 3 & 4 & 0 & 1 & 2 & 3 & 1 & 2 & 3 & 4 \\ 2 & 1 & 2 & 3 & 1 & 0 & 1 & 2 & 2 & 1 & 2 & 3 \\ 3 & 2 & 1 & 2 & 2 & 1 & 0 & 1 & 3 & 2 & 1 & 2 \\ 4 & 3 & 2 & 1 & 3 & 2 & 1 & 0 & 4 & 3 & 2 & 1 \\ 2 & 3 & 4 & 5 & 1 & 2 & 3 & 4 & 0 & 1 & 2 & 3 \\ 3 & 2 & 3 & 4 & 2 & 1 & 2 & 3 & 1 & 0 & 1 & 2 \\ 4 & 3 & 2 & 3 & 3 & 2 & 1 & 2 & 2 & 1 & 0 & 1 \\ 5 & 4 & 3 & 2 & 4 & 3 & 2 & 1 & 3 & 2 & 1 & 0 \end{pmatrix}$$

$$=\begin{pmatrix} 0 & 0 & 0 & 198 & 0 & 0 & 30 & 0 & 0 & 78 & 0 & 0 \\ 0 & 0 & 16 & 44 & 140 & 0 & 102 & 0 & 0 & 62 & 0 & 0 \\ 114 & 30 & 0 & 1 & 0 & 38 & 0 & 0 & 300 & 0 & 110 & 0 \\ 0 & 0 & 0 & 0 & 84 & 0 & 0 & 49 & 0 & 0 & 0 & 0 \\ 0 & 0 & 33 & 88 & 0 & 9 & 92 & 0 & 23 & 32 & 0 & 76 \\ 138 & 30 & 0 & 0 & 16 & 0 & 0 & 0 & 0 & 0 & 56 & 0 \\ 0 & 0 & 0 & 100 & 0 & 40 & 0 & 0 & 0 & 0 & 52 & 0 \\ 292 & 45 & 152 & 0 & 0 & 0 & 0 & 0 & 0 & 237 & 0 & 0 \\ 0 & 60 & 0 & 75 & 27 & 0 & 0 & 272 & 0 & 28 & 0 & 27 \\ 159 & 0 & 0 & 0 & 0 & 56 & 0 & 52 & 0 & 49 & 116 \\ 264 & 114 & 0 & 0 & 96 & 0 & 0 & 78 & 86 & 79 & 0 & 0 \\ 0 & 0 & 207 & 0 & 0 & 0 & 2 & 18 & 0 & 90 & 0 & 0 \\ 0 & 0 & 0 & 0 & 0 & 0 & 0 & 0 & 0 & 0 & 0 & 0 \end{pmatrix}$$

把物流费用矩阵表中的元素累加得到

$$F = \sum_{j=1}^{m} \sum_{i=1}^{m} f_{i,j} = 4862 \; 元$$

调整工段中不同设备的位置,将得到不同的物流运输工作量,在单位物流费用一定的条件下,目标函数是使物流工作量达到最小。为了找到较优的布置方案,可借助计算机和智能优化方法进行方案寻找。随机调换图 6-12 中的任意两台设备的位置,然后计算相应方案的物流运输工作量,通过足够多次数的调换和计算结果比较,找到较优的布置方案。图 6-13 是通过智能优化算法寻优得到的结果。经过优化后设备之间的物流量从至表如表 6-8 所示。

D	H	C	I
F	A	L	J
G	B	E	K

图 6-13 优化后的设备布置方案

表 6-8 经过优化后的设备之间的物流量从至表

从\至	D	H	C	I	F	A	L	J	G	B	E	K
D		49								21		
H			76			73		79		15		
C	1			75		19	57			30		55
I	15	68					9	28	20	27		
F						69				30	16	28
A	66						26	10				
L		18	69					45	1			
J				52		53	58		28			49
G	50				40							52
B	22		16					31	51		70	
E	22		11	23	9		19	16	46			
K		39		43		66		79		38	32	

采用上述同样的计算方法,得到优化布置方案的物流总费用为

$$F = \sum_{j=1}^{m} \sum_{i=1}^{m} f_{i,j} c_{i,j} d_{i,j} = 4063 \; 元$$

总的物流运输费用减少额为

$$\Delta F = (4862 - 4063) 元 = 799 元$$

6.4.3 非等面积设施多行布置优化方法

非等面积是指各设施所需面积不相等的情况。设施面积不相等条件下的可能布置方案数（解空间）巨大，为此，可借助"空格填充线法"把该类问题的可行解空间缩减为有限的"旅行售货员"问题来求解。空格填充线法的基本步骤是：首先把布置区域划分成相应的单位面积块，然后用一根直线从边沿某单元块进入，按一定的规则连续地穿过所有单元块，最后从某单元块出来。

1. 基于简易空格填充线的部门优化布置

例 6-6 某公司有六个部门，各部门的面积如表 6-9 所示，部门物流量从至表如表 6-10 所示。

表 6-9 各部门的面积

部门	A_1	A_2	A_3	A_4	A_5	A_6
面积/m²	40	20	30	50	30	40

表 6-10 部门物流量从至表

从＼至	A_1	A_2	A_3	A_4	A_5	A_6
A_1		160	50		180	100
A_2	180			80	90	120
A_3	30	50			60	
A_4	120	60			80	90
A_5						80
A_6	30		160	50	30	

设布置区域设施按两行排列，已知布置区域总面积为 210m²，其中宽为 10m，长为 21m。现采用简易空格填充线法优化部门布置：首先把布置区域平面图分成 210 个单位面积块，填充线按预定从上至下分别穿过所有单元格，结果如图 6-14 所示。

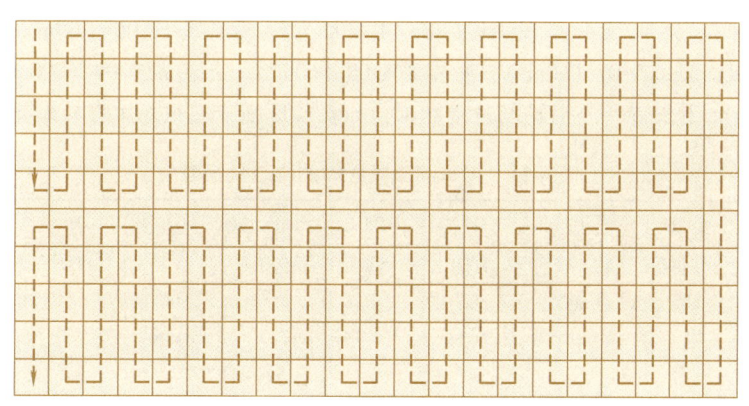

图 6-14 简易空格填充线图

优化过程如下。

第一步，先确定一个初始部门布置顺序（设为自然顺序 1,2,…,6），然后按该顺序沿空格填充线路线方向，分别给各部门分配单元面积块，一个部门分配完再分配下一个部门，直至所有部门均得到所需面积数，即得到一个初始布置方案（见图 6-15）。

图 6-15 借助简易填充线法得到的初始布置方案

按各部门之间的中心位置距离,计算各部门之间的物流运输工作量和初始方案总物流运输工作量。

第二步,随机对调原方案中任意两个部门的顺序,按上述方法沿空格填充线路线为每个部门分配面积单元,形成新的布置方案;计算新方案的总物流运输工作量。

第三步,比较新方案与原方案的物流运输工作量,若新方案比原方案的总物流运输工作量小,则保留新方案,去掉原方案。这个过程一直进行到经多次部门顺序对调,仍不能进一步减小总物流运输工作量为止,此时的布置方案则可作为较优布置方案。

优化过程可借助计算机程序并结合智能优化算法来进行。

2. 基于算法产生的空格填充线法部门优化布置

简易填充线法限定了设施布置的行数,大大缩减了可行方案数量,因而其优化效果和实际应用具有一定的局限性。为此,有国外学者设计了专用的生产空格填充线的算法。其特点是布置方案不受布置行数的限制,沿填充线分配面积单元所得方案为块状布置,因而更符合实际应用要求,但该方法可能产生较多的不可行面积形状,因而方案优化搜索过程需加上相应的过滤条件。

例 6-7 某电动工具厂生产手电钻、冲击钻、角磨机等20种不同品种和规格的产品。其生产车间由9个工段组成,各工段所需面积分别为零部件仓01($100m^2$)、绕线工段02($80m^2$)、油漆工段03($60m^2$)、电机装配工段04($80m^2$)、上壳体装配工段05($60m^2$)、总装工段06($100m^2$)、耐高压检验工段07($60m^2$)、包装工段08($60m^2$)、产成品库09($200m^2$),车间面积为$800m^2$(20m×40m)。统计了一个月的物流量数据,如表6-11所示。试对工段的布置方案进行优化。

表 6-11 某车间工段之间的物流从至表 (单位:m^2)

从\至	01	02	03	04	05	06	07	08	09	Σ
01		200		800	500	500		600		2600
02			600	500			500			1600
03	20			300			500			820
04	300					200		300		800
05			200				200			400
06					200					200
07			50	60				600		710
08									800	800
09						300				300
Σ	320	200	850	1660	700	1000	1200	1500	800	

首先把 800m² 的车间等分成 800 个面积为 1m² 的单元，用相应算法产生空格填充线，该曲线从某处入口开始，连续不断地穿过所有单元格，最终从某个单元格出来。该曲线的形成原则是尽量保证各工段面积形状为块状，如图 6-16 所示。

图 6-16　用相应算法产生的空格填充线

按初始工段排列顺序，连续不断地依次为各工段分配单元格，直至所有工段分配完，形成第一个布置方案。调换不同工段的布置顺序以形成不同的布置方案，布置方案各工段之间的距离可按工段中心距离进行计算，每形成一个方案则计算一次相应的物流运输工作量，直至找到较优的布置方案为止。优化过程可借助计算机和智能优化算法来完成。图 6-17 是用智能优化算法——模拟退火算法得到的较优布置方案。

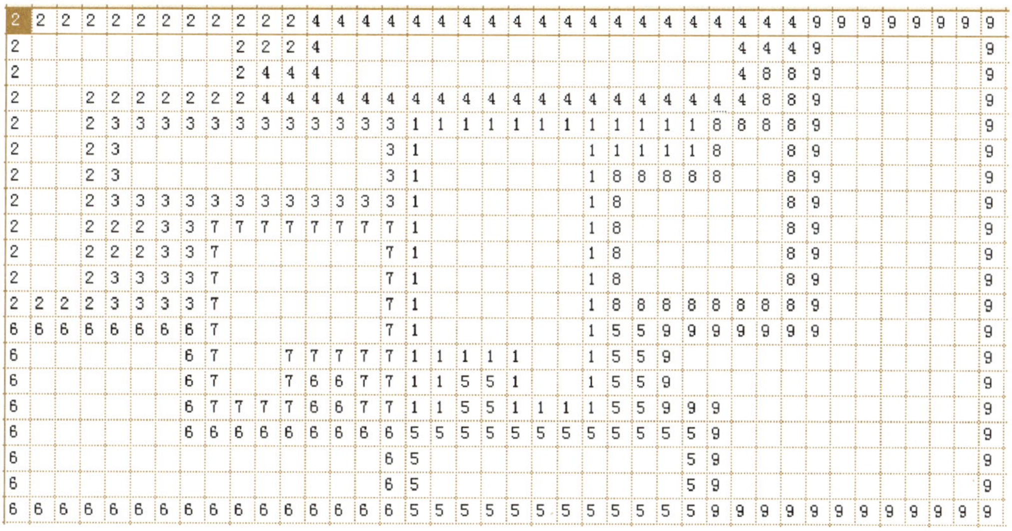

图 6-17　工段初始布置方案

借助计算机求得各工段的中心位置和各工段之间的距离，工段之间的物流量乘以相应的距离，则得到物流运输工作量。经计算，图 6-17 所示布置方案的物流运输工作量为 93099。

根据各部门对面积形状的具体要求，在不破坏优化结果的前提下，对原布置方案各工段面积进行调整，得到如图 6-18 所示的布置方案。

2	2	2	2	2	2	2	2	2	3	3	3	3	3	3	4	4	4	4	4	4	4	4	4	4	4	4	4	4	4	9	9	9	9	9	9	9	9	9	9
2								2	3					3	4														4	9									9
2								2	3					3	4														4	9									9
2								2	3					3	4														4	9									9
2								2	3				3	3	4	4	4	4	4	4	4	4	4	4	4	4	4	4	4	9									9
2								2	3				3	1	1	1	1	1	1	1	1	1	1	8	8	8	8	8	8	9									9
2								2	3				3	1									1	8					8	9									9
2							2	2	3				3	1									1	8					8	9									9
2	2	2	2	2	2	2	2	6	3				3	1									1	8					8	9									9
6	6	6	6	6	6	6	6	6	3				3	1									1	8					8	9									9
6								6	3				3	1									1	8					8	9									9
6								6	3	3	3	3	3	1									1	8					8	9									9
6								6	7	7	7	7	7	1									1	8					8	9									9
6								6	7				7	1									1	8					8	9									9
6								6	7				7	1	1	1	1	1	1	1	1	1	1	8	8	8	8	8	8	9									9
6								6	7				7	7	7	7	7	5	5	5	5	5	5	5	5	5	5	5	5	9									9
6								6	7								7	5											5	9									9
6								6	7								7	5											5	9									9
6								6	7								7	5											5	9									9
6	6	6	6	6	6	6	6	6	7	7	7	7	7	7	7	7	7	5	5	5	5	5	5	5	5	5	5	5	5	9	9	9	9	9	9	9	9	9	9

图 6-18　调整部门面积形状后的布置方案

6.4.4　相互关系布置法

在服务业、政府部门等企业和组织的设施（部门）布置中，影响设施布置的关键要素往往不是物流运输工作量，而是多种要素的综合反映——相互关系。相互关系布置法是指根据各设施（部门）之间的相互关系密切程度，把相互关系较密切的设施（部门）尽量安排靠近布置的方法。其具体步骤如下。

步骤一：绘制设施的相关图。

将设施（部门）之间的关系密切程度划分为 A、E、I、O、U、X 六个等级，分别表示绝对重要、特别重要、重要、一般、不重要和不予考虑。分析和确定影响设施（部门）相互关系密切程度的要素，如共享信息、共用员工、使用同样的仪器设备（工具）、人员联系密切、文件联系密切、流程衔接要求等（见表 6-12），并为各关系级别赋分，如表 6-13 所示。然后，绘制设施（部门）的相互关系图（或相互关系表），如图 6-19 所示。

表 6-12　关系密切程度的原因

关系密切程度的原因	代号	关系密切程度的原因	代号
共享信息	1	人员联系密切	4
共用员工	2	文件联系密切	5
使用同样的仪器设备	3	流程衔接要求	6

表 6-13　关系密切程度的分类、级别符号和赋分

关系密切程度分类	级别符号	赋分
绝对重要	A	6
特别重要	E	5
重要	I	4
一般	O	3
不重要	U	2
不予考虑	X	1

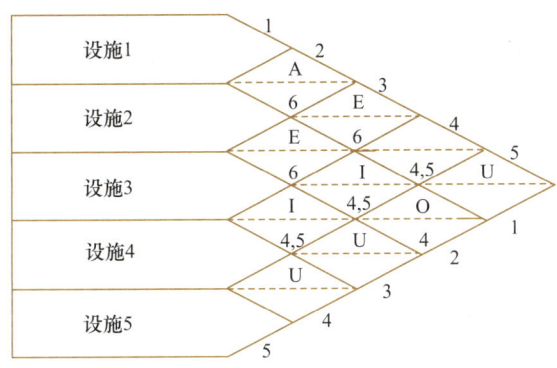

图 6-19 设施（部门）相互关系图

步骤二：计算各设施的关系积分。

根据设施相互关系图和每种关系的具体分数，确定每一设施与其他设施的关系积分。

步骤三：根据关系积分进行布置。

先布置关系积分最高的设施（部门），其余设施（部门）按与已布置设施（部门）的关系密切程度高低依次布置。下面以实例说明布置方法的程序。

例 6-8 某厂有五个部门，各部门的面积分别为 $A_1=1000\text{m}^2$，$A_2=2000\text{m}^2$，$A_3=2000\text{m}^2$，$A_4=1000\text{m}^2$，$A_5=1000\text{m}^2$。应用相互关系布置法确定各部门的位置。

（1）分析和确定部门之间的关系，计算各部门的关系积分，结果如表 6-14 所示。

表 6-14 部门之间的关系级别及关系积分

部门	A_1	A_2	A_3	A_4	A_5	积分
A_1		U/2	E/5	I/4	U/2	13
A_2	U/2		O/3	O/3	U/2	10
A_3	E/5	O/3		A/6	O/3	17
A_4	I/4	O/3	A/6		U/2	15
A_5	U/2	U/2	O/3	U/2		9

（2）找出关系积分最高的部门，把该部门布置在中央。以按面积比例缩小的方块代表 1000m^2，例 6-8 中关系积分最高的部门为 A_3，如图 6-20 所示。

（3）找出与已布置部门关系级别最高的部门，作为下一个布置部门。例 6-8 中为 A_4，当关系级别最高的部门有多个时，则选关系积分最高的部门，如图 6-21 所示。

（4）当某部门布置方案有多个时，则比较各方案的布置得分，选择布置得分最高的方案，如图 6-22 所示。

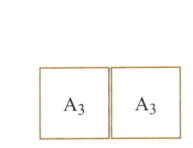

图 6-20 布置相互关系积分最高的 A_3

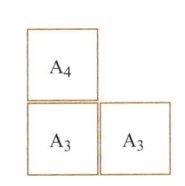

图 6-21 布置与 A_3 关系级别最高的 A_4

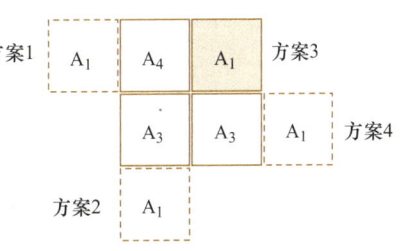

图 6-22 部门 A_1 的布置方案选取结果

计算各方案布置得分，部门相邻布置则计其关系分，不相邻布置则计 0 分：方案 1 为 4 分，方案 2 为 5 分，方案 4 为 5 分，方案 3 为（5+4）分=9 分。由此可见应选方案 3。

（5）重复上述（3）（4）步，直至所有部门都布置完。例 6-8 中下一个布置对象为 A_2。

可能的布置方案如图 6-23 所示，计算和比较各方案布置得分：方案 1 为（2+3）分 = 5 分，方案 2 为（3+3）分=6 分，方案 3 为（2+3）分 = 5 分，方案 4 为 3 分。所以取布置得分最高的方案 2。

（6）最后一个 A_5 的布置方案如图 6-24 所示。

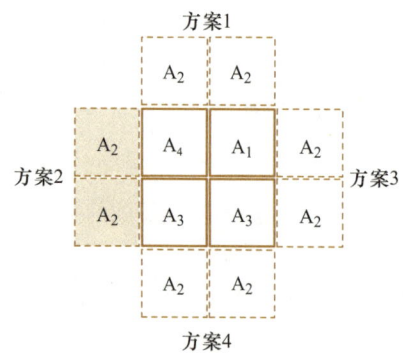

图 6-23　A_2 的布置方案选取结果

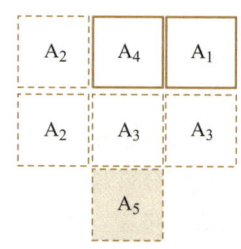

图 6-24　A_5 的布置方案

根据总体布置面积形状和各部门的面积大小和形状要求，同时考虑通道设置，调整各部门面积形状，最后形成如图 6-25 所示的布置方案。

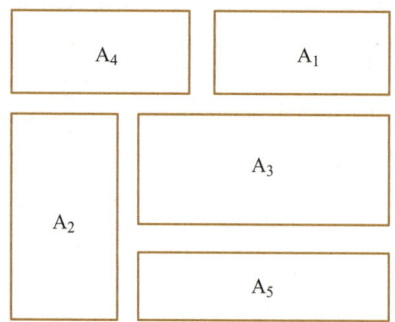

图 6-25　相互关系布置法确定的各部门最终布置方案

6.4.5　计算机辅助设施布置技术

在多品种生产条件下，处理设施单行或多行布置的优化问题时，假设设施数为 M，则其可能的布置方案数为 $M!$ 个。在设施数 M 较小的情况下，采用从至表法进行人工调整和优化布置方案是可行的。然而，当 M 较大时，可能的设施布置方案将变得非常庞大，仅凭人工分析和调整设施布置、进行布置方案的优化已不能有效地解决问题。

CRAFT（Computerized Relative Allocation of Facilities Technique）是伯法（Buffa）等人于 1964 年提出的。CRAFT 采用启发式算法，对一个初始的可行布置方案，调换其中任意两个设施的位置而得出一个新的布置方案，然后计算其目标值——物流运输总费用，若该费用变小了，说明新方案较优而被保留下来，反之则被淘汰。借助计算机，经过无数次这种调换位置→计算目标值→保留或淘汰方案的过程，最终找到较优的布置方案。

CORELAP（Computerized Relationship Layout Planning）是一种构建型算法。该算法首先按一定规则生成一个设施顺序矢量，依照这个矢量的顺序逐个将设施加入到区域中，并尽量使新加入的设施与已有的设施在相对位置上保证关系最密切。在布置方案完成后，对其布置效果指标进行评估。CORELAP算法无论是设施顺序矢量的确定，还是相对位置的选择以及质量指标的计算，都是针对设施之间的关系程度，即CORELAP算法的出发点是设施之间的关系图，布置的目标是实现设施之间最大的密切程度。

ALDEP（Automated Layout Design Program）与CORELAP十分类似，也是一种构建型布局算法。其布置基础也是关系图，算法思路也是每次选择一个设施加入布置图，按一定规则寻找其适当的位置，并对方案进行评估，只是设施的选择次序、位置的确定方法和方案评估的指标不相同。ALDEP的评估思想是寻求相邻设施关系总和最大的布置为最终布置方案。为强调相邻设施的相互关系，ALDEP算法在将关系转换成关系值时，拉大了不同等级之间数值的差距。为优化布置结果，扩大选择范围，在ALDEP中，第一个布置设施的选择方法是随机选取一个设施，随后的选择方法是根据与第一个设施的关系进行排队，直至排到设定的最小关系密切程度。

本章小结

本章主要介绍了运营系统选址和设施布置两方面内容。

在第一部分中，首先分析了运营系统选址对企业运营的重要性，分析了企业选址的主要影响因素。虽然不同类型的设施在选址时考虑的因素不尽相同，但主要的影响因素都是经济因素、政治因素、社会因素和自然因素。最后，介绍了设施选址的方法：加权评分法和重心法。

在第二部分中，主要介绍了四种布置类型：对象专业化原则布置、工艺专业化原则布置、产品固定位置原则布置和成组原则布置。对象专业化原则布置按对象业务处理顺序来布置相应的设备。工艺专业化原则布置是指将完成相同或相似作业的设备和人员布置在一起组成一个业务单位。当重量大、体积大或本身不能移动等因素使得在系统中搬移一件产品不适宜或不现实时，应采用产品固定位置原则布置。成组原则布置则是指将完成某类相似对象工艺流程所需的设备组成生产单位的布置方式。设施布置优化方法主要介绍了多品种生产线设施单行布置优化和等面积设施多行布置优化方法，这些方法仅适用于设施占用面积相等的情况；对于非等面积的设施布置优化，通过实例介绍了利用空格填充线法进行优化布置的方法；还介绍了相互关系布置法；最后，介绍了计算机辅助设施布置技术，如CRAFT、CORELAP、ALDEP。

思考与练习题

1. 影响设施选址的主要因素有哪些？
2. 设施布置的基本类型有哪些？
3. 简述产品专业化原则布置的步骤。
4. 简述相互关系布置法的基本步骤。
5. 某地区有四个垃圾回收站，坐标分别为A(40,120)、B(65,40)、C(110,90)、D(10,130)，日回收能力分别为200t、150t、215t、340t。现该地区拟建一个垃圾回收总站，对上述四个垃圾分站的垃圾进行处理。要求：

(1) 用重心法确定该垃圾回收总站的最优位置。

(2) 设该地区主管部门初步确定了两个备选地址，坐标分别是(25,25)、(70,150)，请比较和选择这两个地址中较优的一个。

6. 某公司拥有四个连锁店，销售的商品由总公司统一配送，总公司决定建立一个配送中心，负责四个店铺的原料供应，这四个店铺的地理位置和销售量如表6-15所示。

表6-15 店铺的地理位置和销售量

店铺	横坐标(x)	纵坐标(y)	销售量/kg
A	200	300	1200
B	150	500	3000
C	450	100	1350
D	350	150	2500

（1）用重心法求配送中心的最优位置。
（2）该公司初选了两个位置方案，资料如表6-16所示。

表6-16 备选位置与连锁店的距离　　　　　　　　　　（单位：km）

店铺	位置a	位置b
A	19.0	22.4
B	12.8	9.5
C	10.6	15.0
D	15.2	12.1

试比较两个方案的优劣。

7. 某信用卡公司最近准备在某省建立一个独立的运营分公司，初步确定了两个备选城市，列出了影响选址的各项因素并进行了评分，结果如表6-17所示。

表6-17 影响选址的因素及备选方案评分

影响因素	权重	城市A/分	城市B/分
电信基础设施条件	3.0	60	80
本地区受教育劳动力	2.0	45	20
生活成本指数	1.5	80	70
犯罪率	1.5	50	40
可能兼职人数	1.0	85	90
人文环境条件	5.0	65	70
距高等学校距离	5.0	95	90

试根据上述数据进行方案选择。

8. 某多品种生产车间由八个工作地组成，工作地之间的物流量统计结果如表6-18所示。以物流运输工作量最小为目标函数，求：
（1）工作地单行布置，不考虑出入口距离，工作地优化布置方案。
（2）工作地双行布置，不考虑出入口距离，工作地优化布置方案。
（3）考虑出入口距离，求工作地单行布置方案。
（4）设各工作地的占地面积不相等，分别为$M_1 = 20m^2$，$M_2 = 30m^2$，$M_3 = 25m^2$，$M_4 = 30m^2$，$M_5 = 30m^2$，$M_6 = 20m^2$，$M_7 = 25m^2$，$M_8 = 40m^2$；车间宽10m、长22m。试用填充线法进行工作地优化布置。

表 6-18 某车间工作地之间物料流动从至表

从 \ 至	M₁	M₂	M₃	M₄	M₅	M₆	M₇	M₈
M₁		10	10	8	6	20	16	
M₂	8			20	12		21	25
M₃						30		
M₄		6			20		25	
M₅			12					32
M₆				18				12
M₇		21			15			
M₈						22		

案例分析

沃尔玛的海外选址

沃尔玛在全球的扩张可谓如日中天,例如,其在中国的会员店已超过100家,员工超过3万人。但在德国和韩国却遭遇败绩,其中的原因何在?

1. 与德国和韩国的文化习俗格格不入

微笑并非必胜法宝:在德国,一些男子认为微笑有调情之嫌,因此沃尔玛在班前高颂公司歌曲令当地居民不悦。虽然沃尔玛已不再要求员工微笑服务,班前也停止了颂歌,但似乎为时已晚。

沃尔玛的小包装鲜肉带来的不是滚滚利润,而是库存积压。与沃尔玛市场部人员想象不同的是,德国人更多选择去肉食店购买鲜肉。

选址远离市中心给部分不开车的德国人带来了不便。

韩国人在购物时不习惯攀登高高的梯子或踮着脚尖拿取货物,与沃尔玛比起来,韩国本地超市低矮的货架使顾客购物更舒心。在德国和韩国,人们购物时更愿意去专业店,购买食品去食品专业店,购买药品去药房,沃尔玛"一周购物一次"的设想只是一厢情愿,顾客并不买账。

2. 没有充分利用当地的管理人员

"一切以顾客为出发点"。时至今日,任何一家企业都知道这一理念的利害关系。你可以塑造自己特有的品牌,但如果试图花大力气去改变顾客的消费习惯,只能事倍功半!

3. 没有形成规模经营

以韩国为例,有很多人对沃尔玛并不知晓,想象一下,在韩国首尔,竟然只有一家沃尔玛!这样的经营规模难以为沃尔玛赢得更多的利润。更何况没有一家当地的超市会"坐以待毙"。

思考:

1. 当一家企业在海外选址时,一般要考虑哪些因素?
2. 沃尔玛在德国和韩国的海外选址遭遇失败的根本原因是什么?
3. 沃尔玛在德国和韩国该如何进行选址决策?

第 7 章

流水生产组织

> **学习目标**
> （1）掌握流水生产的特点、组织流水生产的条件。
> （2）了解流水线的分类方式。

◆【引导案例】

福特的流水生产线

在现代化社会大生产中，以汽车、家电等产品为代表的大量生产方式是一种主要的生产类型。现代流水线生产方式起源于福特汽车公司。美国福特汽车公司创始人亨利·福特（Henry Ford）于 20 世纪 20 年代创立了汽车工业的流水生产线。

1913 年，福特在其汽车工厂内安装了第一条汽车组装流水线，揭开了现代化大生产的序幕。他所创立的"产品标准化原理""作业单纯化原理""移动装配法原理"在生产技术及生产管理史上均具有极为重要的意义。1913 年 8 月，也就是在该装配线引入之前，一名工人完成一辆汽车底盘的装配要用 12.5h。8 月之后，即装配线建成之后，由于应用了专业分工和底盘可以自动移动，每个底盘的平均装配时间缩短为 93min。福特汽车公司的汽车销售量从 1903—1904 年的 1700 辆到 1913—1914 年的 248307 辆，继而到 1920—1921 年的 933720 辆。

美国福特汽车公司于 1913 年首创了流水生产线。流水生产线最初应用于汽车装配，使福特汽车公司的生产效率大幅度提高，生产成本大幅度下降，福特汽车的价格从 2000 多美元逐步降到不到 800 美元，使汽车成为大众化的交通工具。福特汽车公司的流水生产组织模式也称为福特制。福特制的主要内容包括：①强调分工的重要性，将汽车装配过程分解成许多工序，分别在相应的工作地完成，工作地的作业高度专业化，从而大幅提升了效率；②实现作业同期化，通过技术和组织措施，各工序的速度一致，流水生产线各工序或制品的中断和等待时间损失最小；③实行标准化生产，包括产品标准化、作业标准化、设备专用化，为了追求高效率、低成本，福特汽车公司实行单一品种、大规模生产。

7.1 流水生产的基本原理

流水生产是指劳动对象按照预定的工艺流程和统一的生产速度（节拍），连续不断地通过各个工作地，完成产品加工的一种生产组织形式。流水生产组织将对象专业化的空间组织模式和产品平行流转的时间组织方式有机地结合在一起，使生产过程达到高度的合理化。流水生产组织能有效提高劳动生产率和设备利用率,缩短生产周期,加速流动资金周转,降低产品成本,从而使企业获得更好的经济效益。

7.1.1 流水生产的特征

(1) 生产过程连续程度高。流水线各工序同期化程度高,劳动对象在工序之间采用平行或平行-顺序流转方式,从而最大限度地减少了劳动对象的等待加工时间和设备加工的间断时间。

(2) 工作地专业化程度高。产品工艺流程经过分解,并按照节拍要求进行重组,每道工序完成的工作内容相对简单并且固定,工作地的专业化程度高,工人的技术熟练程度高。

(3) 工艺流程封闭。流水线上的工作地(岗位)按工艺顺序排列,劳动对象在流水线上按工艺流程顺序流转完成加工,各工艺阶段所有工序内容在流水线内完成。

(4) 各工序按统一节拍(r)生产。所谓节拍(r),是指相邻两件同种制品的出产间隔时间。

(5) 各工序的同期化程度高。各道工序单件时间 t_i 与该工序的工作地数 S_i 的比值基本相等,即 $t_1/S_1=t_2/S_2=\cdots=t_i/S_i=r$。此关系式表明,流水线内各道工序的生产能力是相等的。

7.1.2 流水线的分类及特点

流水线有多种形式,可以按不同的标志进行分类,见表 7-1。

表 7-1 流水线的分类

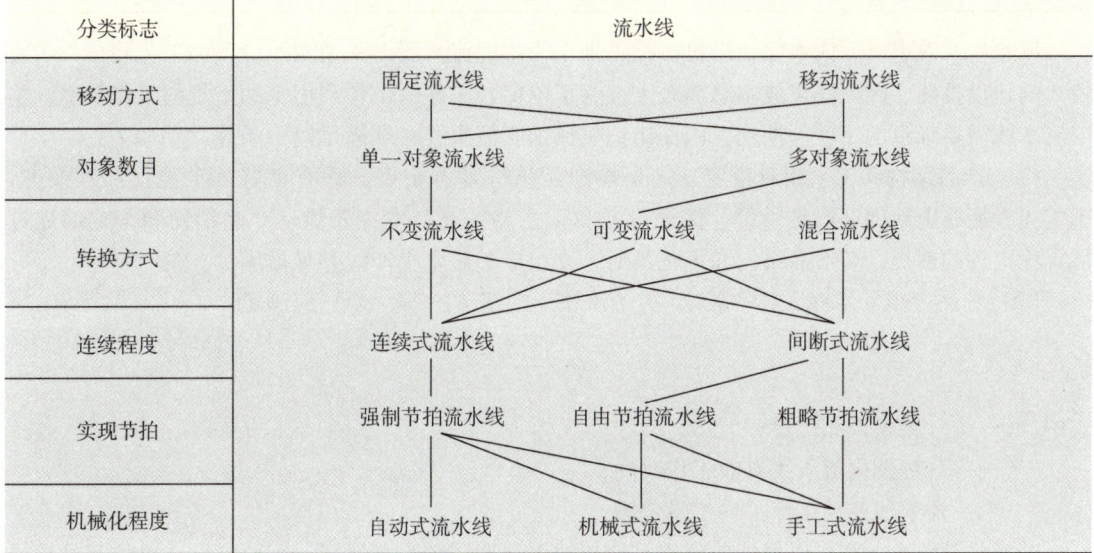

(1) 按生产对象是否移动,分为固定流水线和移动流水线。前者是指生产对象固定,工人携带工具顺序地对生产对象进行加工的流水线;后者是指工人和设备的位置固定,生产对象依顺序经过各道工序完成加工的流水线。

(2) 按产品品种的多少,分为单一对象流水线和多对象流水线。单一对象流水线是指固定生产一种制品的流水线;多对象流水线是指可生产两种或两种以上制品的流水线。

(3) 按对象转换方式的不同,分为不变流水线、可变流水线和混合流水线。不变流水线上固定生产一种产品;可变流水线上成批轮换地生产多种产品,当品种变换时,流水线的设施需要做相应的调整,消耗相应的时间和人力;混合流水线上混合生产多种产品,变换品种时设施基本无须调整或可以做快速调整。

(4) 按流水线运行连续程度,分为连续式流水线和间断式流水线。连续式流水线上各工序同期化程度高,制品生产过程连续,很少出现中断和等待的情况;间断式流水线上由于各工序同期化程度较低,各工序速度有一定差异,工序之间存在中断和等待的情况。

(5) 按实现节拍的方式,分为强制节拍流水线、自由节拍流水线和粗略节拍流水线。

1) 强制节拍流水线严格按节拍出产产品。各工序严格地按节拍时间完成制品的加工,工序之间通过机械运输装置转移产品。

2) 自由节拍流水线上,各工序的实际时间允许在节拍时间的基础上有一定的波动。在手工操作工序条件下,时间主要取决于工人的操作速度,而工人的操作时间一般均有波动,这时可在工序之间设置缓冲在制品,以消除工人操作时间波动的影响。

3) 粗略节拍流水线的特点是各工序时间与流水线节拍相差较大,流水线难以满足连续运行要求。为了有效控制因工序之间的速度差而导致在制品数量的无限增加,同时避免因工序速度差导致的"饥饿"现象,粗略节拍流水线规定统一的"看管期",在每一个"看管期"内,各工序生产出等量的制品,而不规定每道工序的实际生产节拍。

(6) 按流水线的机械化程度,分为手工式、机械式和自动式三种流水线。手工式流水线常用于产品装配过程;机械式流水线多用于零部件加工过程;自动式流水线是指装卸物料和加工过程以及输出产品全部活动均为自动化,工人只监控设备运行的流水线形式。

7.1.3 组织流水生产的条件

流水生产效率高、成本低,以机械设备加工为主的流水线多采用专用设备和工艺装备,需要较大的建设投资,因而固定成本总额较大。为了确保各工序的设备利用率和人员的工作效率,组织流水线需要细致的工序同期化,因而组织机械加工流水线必须满足以下条件。

(1) 产品结构和工艺相对稳定。这是指产品结构基本定型,具有良好的工艺性和互换性,工艺流程能稳定地保证产品质量,保证设备和工艺装备充分发挥效能。产品结构和工艺的先进性是稳定性的前提。若产品结构和工艺落后,则组成的流水生产线容易被淘汰。

(2) 产品产销量足够大。一般来说,组织流水生产的产量(Q)应满足:

$$Q \geq \frac{T_e}{t}$$

式中　Q——计划期产品产量;

　　　T_e——计划期内流水线有效工作时间;

　　　t——流水线产品工序平均工时定额。

若产量足够大,则可以保证单位产品分担的固定费用较小;反之,则可能导致单位产品的成本过高。

(3) 工艺流程能进行适当的分解与重组。通过工序分解和重组,实现同期化的要求,使各工序的单件时间与流水线节拍相等或成整数倍关系。

手工式流水线的组织条件与机械式流水线有所不同,手工式流水线广泛适用于轻工产品的加工过程、家电产品的装配过程等。手工式流水线所需硬件设施投资少、固定成本低、组成周期短,因而其灵活性大,对批量的要求相对不高。对于众多订单生产式中小制造企业,普遍采用手工式流水线生产组织模式。为了适应多品种、批量式订货生产的需要,手工式流水线的组成结构需要根据产品工艺的变化而动态调整,因此一般要求工人掌握多种作业技能。

7.2 单一对象流水线组织设计

流水线设计包括技术设计和组织设计，对应的设计内容为硬件设计和软件设计。硬件设计由相应的工程技术设计人员负责完成，软件设计则主要从管理的角度由管理人员来完成。流水线组织设计包括确定流水线的节拍、工序同期化、设备数、工序负荷率、流水线配备工人数、流水线平面布置等。组织设计的结果是技术设计的依据。

7.2.1 确定流水线节拍

流水线节拍是指流水线上连续出产相邻两件同种制品的时间间隔。进行组织设计时，流水线节拍 r 可用下列公式计算：

$$r=\frac{T_e}{N_E} \tag{7-1}$$

式中 T_e——计划期内流水线有效工作时间，$T_e = T_0\eta$，其中 T_0 为计划期内制度工作时间，η 为时间有效系数；

N_E——计划投产量，$N_E = N/(1-k)$，其中 N 为计划产量，k 为不合格品率。

例 7-1 某产品流水线，计划日产量为 1000 件，制度工作时间为每天 16h，时间损失率为 5%，废品率为 3%。试求该产品的生产节拍。

$$T_e = [16\times(1-5\%)\times 60]\text{min} = 912\text{min}$$

$$N_E = \frac{1000 \text{ 件}}{1-3\%} = 1030.93 \text{ 件}$$

$$r = \frac{T_e}{N_E} = \frac{912\text{min}}{1030.93 \text{ 件}} = 0.88\text{min}/\text{件}$$

当产品体积少、重量轻、单件工时少、工序之间距离较大时，流水线各工序之间可按批运送产品。这时，相邻两个运输批的时间间隔称为节奏，节奏 r_y 等于节拍与运输批量的乘积，即

$$r_y = rn \tag{7-2}$$

式中 n——运输批量。

设例 7-1 中运送批量为 5 件，则该流水线的节奏为

$$r_y = 0.88\text{min}/\text{件}\times 5 = 4.40\text{min}/\text{件}$$

7.2.2 工序同期化

工序同期化是指通过技术组织措施，调整流水线各工序的时间，使其与节拍相等或成整数倍。提高工序同期化程度，有利于提高流水线运行过程的连续程度，减少设备和人员的等待时间，有利于提高劳动生产率和降低生产成本。

对于以机器设备加工为主的流水线，由于工序内容与设备技术特性相对应，工序内容一般不能在不同设备之间分配，因而工序同期化措施主要有以下几个方面。

（1）改进设备、工装和工艺方法。

（2）加大切削用量，减少加工工时。

（3）改进工人操作方法，减少辅助时间。

对于以手工作业为主的流水线，工序作业内容可以在不同工人之间进行灵活分配，因而可以通过工艺流程分解和重组措施来实现工序同期化，即把工艺流程分解成一系列较小的作业

（工步），再按工序同期化要求，对这些作业（工步）进行重组。手工式流水线还可以通过对各工序人员数的合理配置，达到同期化的目的。随着工人操作熟练程度的提高或其他一些因素的变化，各工序的相对速度发生改变，因而要根据流水线的实际运行状况进行人员的现场调配，如把熟练工人调到瓶颈工序上去，或配备机动人员对瓶颈工序实行动态支援。

1. 工序分解和重组方法

（1）启发式法。启发式法是指先对产品工艺流程进行分解，把其分解成一项项小的作业单元，然后按节拍要求进行工序重组的方法。重组工序有以下原则。

1）组合到一个工序的作业总时间接近节拍或节拍的整数倍。
2）组合到一个工序的各项作业必须符合先后顺序要求。
3）组合工序数尽可能少。

例 7-2 某产品的装配工作原来有 7 道工序，工艺流程的工序分解和重组如表 7-2 所示。该产品装配流水线节拍为 5.20min/件，现按工序同期化的要求对产品装配过程进行分解和重组。试计算同期化后的工序时间、工作地数及设备负荷系数。

表 7-2 工艺流程的工序分解和重组

原工序号	1			2		3		4		5	6	7	
工序时间/min	7.00			3.40		5.80		7.20		2.00	3.70	5.90	
工步号	1	2	3	4	5	6	7	8	9	10	11	12	
工步时间/min	2.10	3.20	1.70	3.40	1.90	3.90	4.00	3.20	2.00	3.70	2.30	3.60	
工作地数/个	2			1		1		2		1	1	1	
工序负荷率	0.67			0.65		1.10		0.69		0.38	0.71	1.13	
流水线节拍	5.20min/件												
新工序号	1		2			3			4		5		
新工序时间/min	5.30		5.10			9.80			5.20		9.60		
新工作地数/个	1		1			2			1		2		
新工序负荷率	1.02		0.98			0.94			1.00		0.92		
新合并的工步	1、2		3、4			5、6、7			8、9		10、11、12		

注：工序负荷率 $k = T_i / r$，其中 T_i 为组合工序时间；r 为节拍。

例 7-3 电扇装配线每天有效工作时间为 420min，计划要求每天组装 100 台电扇。资料如表 7-3 所示，要求按工序同期化的要求，进行装配线的重组。

表 7-3 电扇装配中的作业时间及紧前作业

作业	时间/min	描述	紧前作业
A	2.00	装配框架	—
B	1.00	安装开关	A
C	3.25	装配电动机（P11）	—
D	1.20	安装电动机	A、C
E	0.50	装配风扇叶片	D
F	1.00	安装安全护罩	E
G	1.00	接上电线	B
H	1.40	测试	F、G

1）绘制产品工艺流程分解图，如图7-1所示（单位：min）。

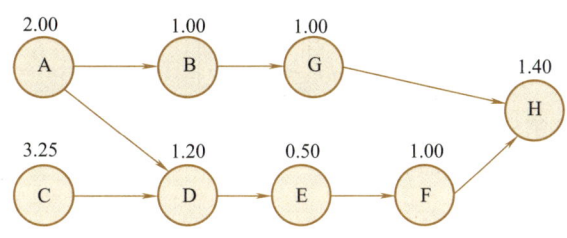

图7-1 工艺流程分解图

2）确定生产节拍。

$$r = \frac{420}{100} \text{min/台} = 4.20 \text{min/台}$$

3）确定理论最少工作地数。

$$S_{\min} = \frac{\sum t_i}{r} = \frac{2.00+1.00+3.25+1.20+0.50+1.00+1.00+1.40}{4.20} \text{个} \approx 3 \text{个}$$

4）进行工序组合。作业组合的先后顺序是先组合后续作业最多的作业，若后续作业数相同，则先组合时间最长的作业，如表7-4所示。

表7-4 各作业后续作业数及作业时间

作业内容	后续作业数/个	作业时间/min
A	6	2.00
C	4	3.25
D	3	1.20
B	2	1.00
E	2	0.50
F	1	1.00
G	1	1.00
H	0	1.40

根据上述原则和步骤，从第一道工序作业组合开始，得到如表7-5所示的组合方案。

表7-5 工序组合表　　　　　　　　　　　　　　　　　（单位：min）

组合工序1	组合工序2	组合工序3
A(4.20-2=2.20)	C(4.20-3.25=0.95)	D(4.20-1.20=3)
B(2.20-1=1.20)		E(3-0.50=2.50)
G(1.20-1=0.20)		F(2.50-1=1.50)
		H(1.50-1.40=0.10)
$\Delta t_1 = 0.20$	$\Delta t_2 = 0.95$	$\Delta t_3 = 0.10$

（2）分支定界法。运用分支定界法，可确保得到最优工序组合方案。

根据流水线的节拍要求和工步的装配顺序对工步进行重组。采用分支定界法进行工序组合的步骤如下。

1）列出所有可能作为第i道工序的作业组合方案。

2)求各组合工序方案可能的最少工作地数。其计算公式为

$$S_{i,j}=i+\left[\frac{T-\sum_{k=1}^{i}t_k}{r}\right] \tag{7-3}$$

式中　$S_{i,j}$——第i道工序第j个组合方案可能的最小工作地数；
　　　t_k——第k个已组合工序的时间；
　　　[　]——取整数。

选择可能最小组合工序数较小的方案进行分支。

例 7-4　某手工装配流水线的平均节拍为 10min/件，装配工序分解为 11 个工步，各工步的时间定额及工步顺序关系如图 7-2 所示。试用工序同期化方法进行工序组合及计算装配流水线工作地数（时间单位：min）。

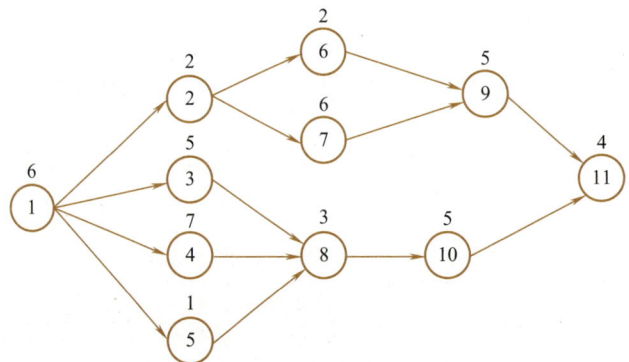

图 7-2　产品工步顺序

第一道工序的可能组合方案有两个，分别由作业 1、2、5 和作业 1、2、6 组成（见图 7-3）。下面计算两个方案可能的最小工序（工作地）数：

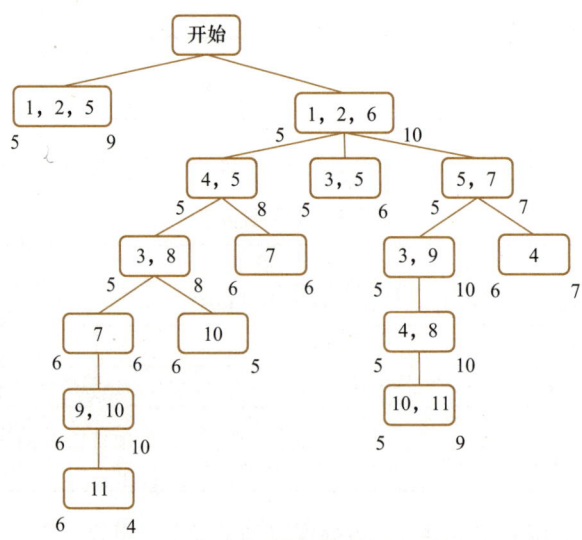

图 7-3　分支定界法的工序组合过程

注：图中方框左下角的数值为 S_{ik}，单位为个；右下角的数值为 T_{ik}，单位为 min，i 为工作地序号。

$$S_{1,1} = 1 \text{ 个} + \left[\frac{46-9}{10}\right] \text{个} = 5 \text{ 个}$$

$$S_{1,2} = 1 \text{ 个} + \left[\frac{46-10}{10}\right] \text{个} = 5 \text{ 个}$$

当多个节点的可能最小组合工序数相同时,选择组合工序时间较大的节点进行分支,本例中两个节点可能最小组合工序数相等,故选择(1,2,6)节点进行分支。

接着进行第二道工序的组合。按上述原则,第二道工序可能的组合方案有(4,5)、(3,5)和(5,7)。下面计算三个组合方案的可能最小组合工序数:

$$S_{2,1} = 2 \text{ 个} + \left[\frac{46-10-8}{10}\right] \text{个} = 5 \text{ 个}$$

$$S_{2,2} = 2 \text{ 个} + \left[\frac{46-10-6}{10}\right] \text{个} = 5 \text{ 个}$$

$$S_{2,3} = 2 \text{ 个} + \left[\frac{46-10-7}{10}\right] \text{个} = 5 \text{ 个}$$

三个节点的可能最小组合工序数相等,故选择组合时间较大的(4,5)节点进行分支。重复上述过程直至把所有作业组合完毕,得到组合工序数为 6 个。

沿原分支路线回溯,看是否存在可能组合工序数小于 6 的未分支的节点。若没有,则可判定现组合工序方案为最优;若有,则还需对相应的节点进一步分支,当有多个未分支节点的可能最小组合工序数小于 6 时,则选组合工序时间较大的节点进行分支。本例中,回溯到第二道组合工序时,发现满足条件的(3,5)节点和(5,7)节点,选组合工序时间较大的(5,7)节点进行分支。最后得到组合工序数为 5 的方案。该方案的组合工序数与可能最小组合工序数相同,可见该组合方案为最优方案。

2. 通过人员配置和动态协调的同期化方法

当工艺流程各工序主要由手工作业组成时,除了通过工序分解和重组的方法进行工序同期化外,还可以通过人员的合理配置和动态协调达到工序同期化的要求。

例 7-5 某产品工艺流程由六道工序组成,各工序时间如图 7-4 所示(图中时间为单件工时),设产品生产节拍为 2.50min/件。试按工序同期化要求确定各工序人员数。

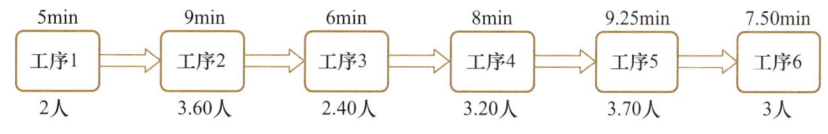

图 7-4 产品工序顺序

计算各工序需要的人数:

$$P_1 = \frac{t_1}{r} = \frac{5}{2.50} \text{人} = 2 \text{ 人}$$

$$P_2 = \frac{t_2}{r} = \frac{9}{2.50} \text{人} = 3.60 \text{ 人}$$

$$P_3 = \frac{t_3}{r} = \frac{6}{2.50} \text{人} = 2.40 \text{ 人}$$

$$P_4 = \frac{t_4}{r} = \frac{8}{2.50} \text{人} = 3.20 \text{ 人}$$

$$P_5 = \frac{t_5}{r} = \frac{9.25}{2.50} 人 = 3.70 人$$

$$P_6 = \frac{t_6}{r} = \frac{7.50}{2.50} 人 = 3 人$$

根据计算结果，工序1和工序6分别配置2人和3人，工序2固定配置3人，工序3固定配置2人，另配置1人60%的时间用于工序2的作业，40%的时间用于工序3的作业；同理，工序4固定配置3人，工序5固定配置3人，另配置1人20%的时间用于工序4，70%的时间用于工序5，尚有10%的空闲时间。从事两道工序作业的工人必须经过多岗位操作培训，以适应多岗位操作的需要。在多工序共用人员的情况下，还需合理确定"看管期"，在满足流水线连续性的同时使周转在制品最小化。

7.2.3 确定工作地（设备）数和工序负荷率

经过工序同期化后，接着计算和确定各工序的工作地（设备）数。其计算公式为

$$S_i = \frac{t_i}{r} \tag{7-4}$$

式中 S_i——工作地数；

t_i——第 i 道工序的单件时间。

当算出的工作地数不为整数时，一般应取大于或等于计算值的整数，即

$$S_{ei} = \left[\frac{t_i}{r}\right]$$

式中 S_{ei}——实取工作地数。

各工序工作地数确定后，接着计算各工序的工作地（设备）负荷率，第 i 道工序的工作地（设备）负荷率用 k_i 表示，计算公式为

$$k_i = \frac{S_i}{S_{ei}} \tag{7-5}$$

设流水线负荷率为 k_a，则

$$k_a = \frac{\sum_{i=1}^{m} S_i}{\sum_{i=1}^{m} S_{ei}} \tag{7-6}$$

式中 m——流水线的工序数。

流水线的负荷率越接近1，流水线的时间损失就越小。一般要求连续式流水线的负荷率达到0.85~1.05。当流水线的工作地（设备）负荷率达到0.75~0.85时，以组织间断式流水线为宜。

7.2.4 确定流水线配备工人数

以手工作业为主的流水线，工人数的计算公式为

$$P = \sum_{i=1}^{m} S_{ei} g W_i \tag{7-7}$$

式中 S_{ei}——第 i 道工序的工作地数；

g——每日工作班次；

W_i——第 i 道工序上同时工作的人数。

由于工人存在病事假缺勤的情况,因此流水线的实际人数还要加上一定比例的后备工人数。其计算公式为

$$P_e = P(1+b) \tag{7-8}$$

式中　P_e——流水线实际人数;

　　　b——后备工人百分比。

以设备加工为主的流水线,所需工人数的计算公式为

$$P = (1+b)\sum_{i=1}^{m}\frac{S_{ei}g}{f_i} \tag{7-9}$$

式中　b——后备工人百分比;

　　　f_i——第 i 道工序上的工人设备看管定额。

7.2.5　选择运输方式及运输装置

流水线可采用的运输方式和运输工具种类很多,主要取决于加工对象的重量、外形尺寸、流水线类型和实现节拍的方法等。在连续式流水线上,通常采用传送带运输,传送带的长度 L 的计算公式为

$$L = 2(L_1 + L_2) \tag{7-10}$$

式中　L_1——流水线上所有工作地长度之和;

　　　L_2——传送带的技术长度。

传送带的传送速度 V 的计算公式为

$$V = \frac{l}{r} \tag{7-11}$$

式中　l——分区单位长度,即相邻两件制品的间距,该间距取决于产品的尺寸和工人操作所需场地的大小。

在自由节拍和粗略节拍流水线上,可选择采用辊道式、滑道式、手推车、搬运小车、起重机等常规的运输装置。

7.2.6　确定流水线的平面布置

流水线的平面布置应有利于工人操作,使在制品的运输线路最短,流水线之间能合理衔接,以及可以有效地利用厂房面积等。

流水线的整体布置形状一般有直线形、直角形、开口形、山字形、环形、蛇形等,如图7-5所示。

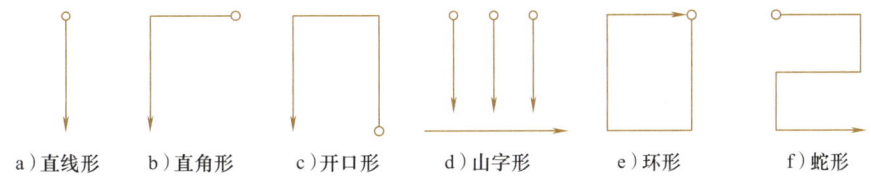

a) 直线形　　b) 直角形　　c) 开口形　　d) 山字形　　e) 环形　　f) 蛇形

图 7-5　流水线的整体布置形状

直线形适用于工序和工作地较少的流水线;工序或工作地较多时,可用直角形、开口形、蛇形;山字形适用于多条零部件生产线汇合成产品总装线的情况;环形适用于物料投入和产品出口需统一位置的情况。

流水线工作地可布置成单行或双行，如图7-6~图7-8所示。

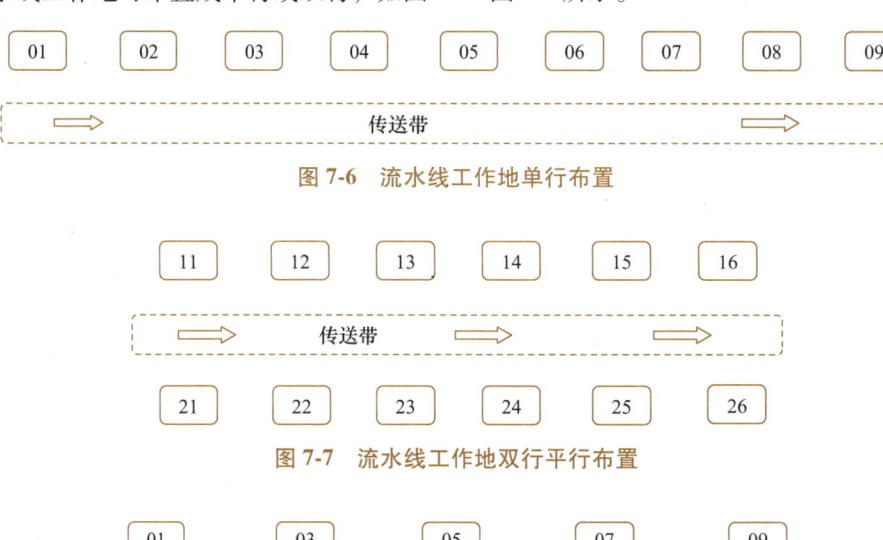

图 7-6　流水线工作地单行布置

图 7-7　流水线工作地双行平行布置

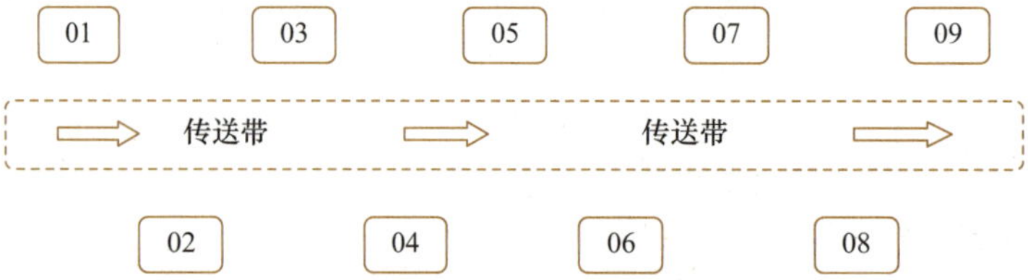

图 7-8　流水线工作地双行品字形布置

7.3　多对象流水线组织设计

多对象流水线根据品种转换方式不同，分为可变流水线和混合流水线两种。可变流水线上一段时间内只生产一种产品，当品种转换时，设备（工作地）需做相应的调整，消耗时间和人力等资源。由于一段时间内只生产一种产品，因而其对市场多品种的满足程度较低，产品库存量较大。混合流水线则是将多种产品按一定的比例和间隔混合生产，当品种转换时，设备和工作地无须调整或可快速调整。混合流水线可以同时向市场提供多种产品，满足市场多品种需求的程度较高，而且产品库存量较小。两种形式的多对象流水线组织设计内容有所不同。

7.3.1　可变流水线组织设计

1. 确定流水线节拍

（1）代表产品法。将各种产品的产量折合为代表产品的产量，据此计算代表产品的节拍，再通过代表产品的节拍折算出各种具体产品的节拍。代表产品一般是指产量大、劳动量大、结构具有代表性的产品。

假设某可变流水线上加工 A、B、C 三种产品，计划产量分别为 Q_A、Q_B、Q_C，各制品的工时定额分别为 t_A、t_B、t_C。假定代表产品为产品 A，则总量为

$$N = Q_A + Q_B \varepsilon_B + Q_C \varepsilon_C \tag{7-12}$$

式中　ε_B、ε_C——产品 B 和 C 的产量折算系数，$\varepsilon_B = t_B / t_A$，$\varepsilon_C = t_C / t_A$。

各产品的节拍 r_A、r_B、r_C 可分别按下列公式计算：

$$\begin{cases} r_A = \dfrac{T_e}{\sum\limits_{i=1}^{p} Q_i \varepsilon_i} \\ r_B = r_A \varepsilon_B \\ r_C = r_A \varepsilon_C \end{cases} \quad (7\text{-}13)$$

式中 T_e——计划期内流水线有效工作时间；

p——品种数；

Q_i——i 产品计划产量；

ε_i——i 产品折算系数。

例 7-6 可变流水线上生产 A、B、C 三种产品，计划期产量分别为 2000 件、1875 件、1857 件，每种产品的工时定额分别为 40min、32min、28min，计划期内流水线有效工作时间为 24000min，设 A 为代表产品。试计算各产品的生产节拍。

把各种产品产量折合成以代表产品 A 表示的计划总产量：

$$N = \left(2000 + 1875 \times \dfrac{32}{40} + 1857 \times \dfrac{28}{40}\right) 件 \approx 4800 \text{ 件}$$

计算各具体产品的生产节拍：

$$r_A = \dfrac{24000}{4800} \text{min/件} = 5\text{min/件}$$

$$r_B = \left(5 \times \dfrac{32}{40}\right) \text{min/件} = 4\text{min/件}$$

$$r_C = \left(5 \times \dfrac{28}{40}\right) \text{min/件} = 3.50\text{min/件}$$

（2）时间分配法。按产品的劳动量比重分配流水线有效工作时间，然后计算各产品的节拍。

设 A、B、C 三种产品的劳动量在总劳动量中所占的比重分别为 α_A、α_B、α_C，则

$$\alpha_i = \dfrac{Q_i t_i}{\sum\limits_{i=1}^{p} Q_i t_i} \quad (7\text{-}14)$$

式中 α_i——i 产品的劳动量比重；

t_i——单位 i 产品的加工时间。

产品 i 的节拍为

$$r_i = \dfrac{\alpha_i T_e}{Q_i}$$

例 7-6 中，总劳动量 = (2000×40+1875×32+1857×28) min = 191996min。

计算各产品的劳动量比重：

$$\alpha_A = \dfrac{2000 \times 40}{191996} \approx 0.42$$

$$\alpha_B = \dfrac{1875 \times 32}{191996} \approx 0.31$$

$$\alpha_C = \dfrac{1857 \times 28}{191996} \approx 0.27$$

计算各种产品的节拍：

$$r_A = \frac{\alpha_A T_e}{Q_A} = \frac{0.42 \times 24000}{2000} \text{min}/\text{件} \approx 5.04 \text{min}/\text{件}$$

$$r_B = \frac{\alpha_B T_e}{Q_B} = \frac{0.31 \times 24000}{1875} \text{min}/\text{件} \approx 3.97 \text{min}/\text{件}$$

$$r_C = \frac{\alpha_C T_e}{Q_C} = \frac{0.27 \times 24000}{1857} \text{min}/\text{件} \approx 3.49 \text{min}/\text{件}$$

2. 确定各工序工作地（设备）数量及设备负荷率

首先按不同的加工对象计算各工序的工作地（设备）需要量，计算公式为

$$S_{i,j} = \frac{t_{i,j}}{r_i} \tag{7-15}$$

式中 $S_{i,j}$——i 产品在第 j 道工序所需的工作地（设备）数；

$t_{i,j}$——i 产品在第 j 道工序的单件工时；

r_i——i 产品的生产节拍。

为使可变流水线上的设备及人员充分负荷，一般要求各种产品在同一道工序上所计算的工作地（设备）数相等或近似。当按各品种计算出来的工作地（设备）数不相等时，则有

$$S_{e,j} = \max\{[S_{i,j}]\} \quad (i=1,2,\cdots,n) \tag{7-16}$$

式中 n——产品品种数；

$S_{e,j}$——第 j 道工序实取工作地（设备）数。

多对象流水线同样要进行工序同期化，以保证流水线的设备负荷率。第 j 道工序的设备负荷率 k_j 的公式计算为

$$k_j = \frac{\sum_{i=1}^{n} Q_i t_{i,j}}{S_{e,j} T_e} \tag{7-17}$$

式中 Q_i——i 产品的计划产量；

n——产品品种数；

$t_{i,j}$——i 产品在第 j 道工序的工时定额；

$S_{e,j}$——第 j 道工序实取设备数；

T_e——计划期内流水线有效工作时间。

流水线总的设备负荷率 k_a 为

$$k_a = \frac{\sum_{i=1}^{n} \sum_{j=1}^{m} Q_i t_{i,j}}{S_e T_e} \tag{7-18}$$

式中 S_e——流水线的设备（工作地）总数；

T_e——计划期内流水线有效工作时间；

n——流水线的产品品种数；

m——流水线的工序数。

当工序的设备数量确定后，就可以配备工人，确定流水线节拍的性质，从而选择运输工具，进行流水线的平面布置。

7.3.2 混合流水线组织设计

混合流水线是指在同一条流水线上混合生产多种产品，这些产品在结构和工艺上相似程度

较高，品种转换时无须对设备和工艺装备做调整。混合流水线上各种产品按一定的比例和间隔混合生产。这种方式可以较好地适应市场多品种、小批量的需求，有利于减少库存占用，也可以避免建设多条流水线而各条流水线负荷不饱满的情况。

1. 混合流水线的平均节拍

混合流水线的节拍有固定与可变之分。固定节拍 R 的公式计算为

$$R = \frac{T_e}{\sum_{i=1}^{n} Q_i} \tag{7-19}$$

式中　Q_i——i 产品的计划产量；

　　　n——产品品种数；

　　　T_e——计划期内流水线有效工作时间。

2. 混合流水线最小可能工序数

混合流水线的最小可能工序数公式计算为

$$S_{\min} = \left[\frac{L}{T_e}\right] = \left[\frac{\sum_{i=1}^{n} Q_i t_i}{R \sum_{i=1}^{n} Q_i}\right] \tag{7-20}$$

式中　L——流水线在计划期内承担的各产品总劳动量；

　　　t_i——第 i 种制品的加工工时。

3. 混合流水线工序同期化

例 7-7　某混合流水线上生产 A、B 两种产品，各产品的工艺流程分别如图 7-9 和图 7-10 所示（图 7-9 和图 7-10 中，不同产品的相同编号表示同种作业；时间单位：min）。试进行工序同期化。

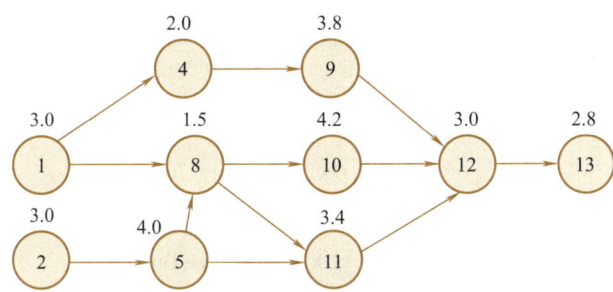

图 7-9　产品 A 的工艺流程

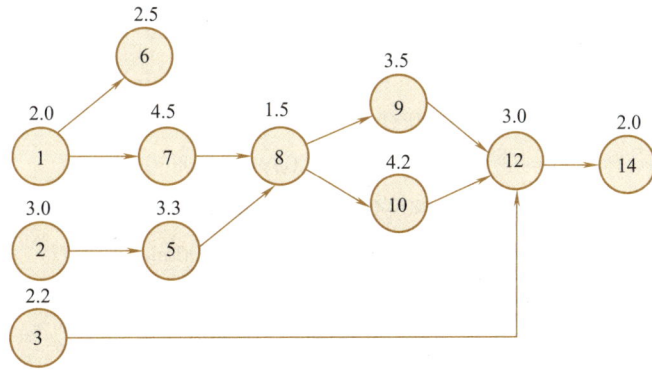

图 7-10　产品 B 的工艺流程

(1) 绘制产品工艺流程图。

(2) 绘制综合工艺流程图。将上述产品的工艺流程图叠加，相同部分重合，不同部分保留，形成一个包含所有产品工艺路线的综合工艺流程图，如图 7-11 所示。

在此基础上，假设计划期产量 $Q_A = 1000$ 台，$Q_B = 2000$ 台，计算各节点（作业）在计划期内的总劳动量。

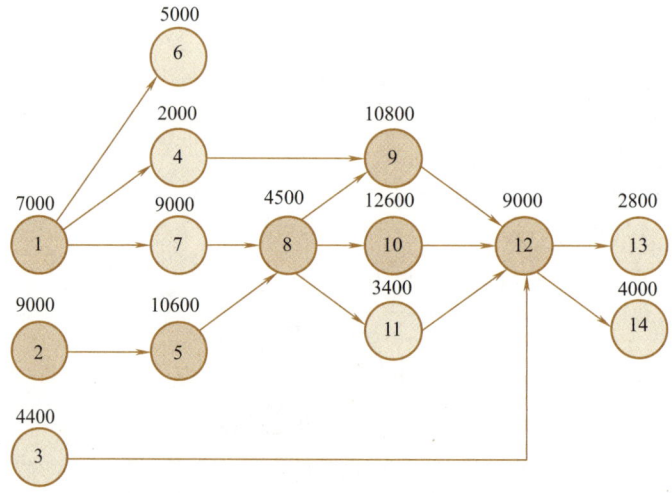

图 7-11 混合流水线产品综合工艺路线

j 节点计划期内的劳动量为

$$L_j = \sum_{i=1}^{n} Q_i t_{i,j} \tag{7-21}$$

式中　Q_i——i 产品的计划产量；

　　　$t_{i,j}$——i 产品在第 j 道工序的工时定额；

　　　n——产品品种数。

$L_1 = (3.0 \times 1000 + 2.0 \times 2000)\text{min} = 7000\text{min}$

$L_2 = (3.0 \times 1000 + 3.0 \times 2000)\text{min} = 9000\text{min}$

$L_3 = (0 \times 1000 + 2.2 \times 2000)\text{min} = 4400\text{min}$

$L_4 = (2.0 \times 1000 + 0 \times 2000)\text{min} = 2000\text{min}$

$L_5 = (4.0 \times 1000 + 3.3 \times 2000)\text{min} = 10600\text{min}$

$L_6 = (0 \times 1000 + 2.5 \times 2000)\text{min} = 5000\text{min}$

$L_7 = (0 \times 1000 + 4.5 \times 2000)\text{min} = 9000\text{min}$

$L_8 = (1.5 \times 1000 + 1.5 \times 2000)\text{min} = 4500\text{min}$

$L_9 = (3.8 \times 1000 + 3.5 \times 2000)\text{min} = 10800\text{min}$

$L_{10} = (4.2 \times 1000 + 4.2 \times 2000)\text{min} = 12600\text{min}$

$L_{11} = (3.4 \times 1000 + 0 \times 2000)\text{min} = 3400\text{min}$

$L_{12} = (3.0 \times 1000 + 3.0 \times 2000)\text{min} = 9000\text{min}$

$L_{13} = (2.8 \times 1000 + 0 \times 2000)\text{min} = 2800\text{min}$

$L_{14} = (0 \times 1000 + 2.0 \times 2000)\text{min} = 4000\text{min}$

（3）实现工序平衡（同期化）。根据综合工艺路线图各节点计划期承担的劳动量，以及组合工序计划期内流水线有效工作时间进行工序组合，组合原则如下。

1）分配到同一个组合工序的各项作业必须符合先后工艺顺序要求，即能连续完成作业。

2）分配到同一个组合工序的各项作业计划期劳动量之和小于或等于计划期内流水线有效工作时间。

假设计划期内流水线有效工作时间为16000min，按工序同期化要求进行工序组合，如表7-6所示。

表7-6 混合流水线工序组合方案

工步号	后续工序数	计划期劳动量/min	组合工序方案	组合工序劳动量/min	组合工序负荷率
1	10	7000	1, 2	16000	100.00%
2	8	9000			
5	7	10600	5, 8	15100	94.38%
7	7	9000	7, 4, 6	16000	100.00%
8	6	4500			
4	4	2000			
10	3	12600	10, 11	16000	100.00%
9	3	10800			
3	3	4400	3, 9	15200	95.00%
11	3	3400			
12	2	9000	12, 13, 14	15800	98.75%
6	0	5000			
14	0	4000			
13	0	2800			

（4）确定产品投产顺序。由于混合流水线工序组合方案是以计划期内的任务量和有效工作时间为标准进行组合的结果，因此，从短时间来看，若同种产品连续投产，将导致各工序负荷不均衡。为了避免工序作业不均衡现象，必须按生产平准化的要求来确定产品的投产顺序。生产平准化是指在多品种生产条件下，各种品种的产品尽量按合理的顺序搭配生产，从而保证产品品种供应的均衡，同时确保各工序的工作均衡。

确定混合流水线上不同产品的投产顺序有多种方法，下面介绍生产比倒数法。

混合流水线上产品的投产顺序称为连锁。当连锁呈周期性反复时，一个周期内的产品产量就称为循环流程产量。确定出一个循环流程内产品的投产顺序后，则混合流水线的计划期投产顺序将按该顺序反复投产，直至完成所有计划任务。

例7-8 某一混合流水线上生产A、B、C三种产品，其产量分别为4000单位、3000单位、2000单位，用生产比倒数法确定产品投产顺序。

1）计算产品生产比。

$$N_A : N_B : N_C = 4000 : 3000 : 2000 = 4 : 3 : 2$$

一个循环流程的产量为 $N=4+3+2=9$。

2）计算生产比倒数。

$$m_A = \frac{1}{N_A} = \frac{1}{4}$$

$$m_B = \frac{1}{N_B} = \frac{1}{3}$$

$$m_C = \frac{1}{N_C} = \frac{1}{2}$$

3）按下述规则，确定循环流程的产品投产顺序。

①选生产比倒数值最小值对应的产品先投产，被选中的产品记上标识符号"＊"；当生产比倒数最小值品种有多个时，选取标识符号最近出现的产品投产。

②更新被选中产品的生产比倒数值，其余产品生产比倒数值不变，填入下一行。

按上述规则，直至循环流程内的产品全部投产。

4）把生产比倒数值填入表中，确定各种产品投产顺序的步骤如下。

第一步，A 产品的生产比倒数值最小，选 A。更新生产比倒数值：A 产品的生产比倒数现值加上其初始生产比倒数值，即 1/4+1/4=1/2，填入第二行；为 A 产品记上标识符号。其余产品的生产比倒数值不变，填入第二行。

第二步，选生产比倒数值最小值 1/3 对应的 B 产品投产。更新其生产比倒数值 1/3+1/3=2/3，为 B 产品记上标识符号，更新其生产比倒数值。其余产品生产比倒数值不变，填入第三行。

第三步，生产比倒数值最小值 1/2 有 A、C 两种产品。多个生产比倒数值相同时，选取标识符号最近出现的产品，按此规则，若出现同种产品连投时，选取标识符号次新出现的产品。此时应选取标识符号最近出现的 A 产品，为其记上标识符号，更新其生产比倒数值，即 1/2+1/4=3/4。其余产品生产比倒数值不变，填入第四行。

第四步，应选生产比倒数值最小的 B 产品投产。

以此类推，其余过程和结果如表 7-7 所示。

表 7-7　生产比倒数法确定产品投产顺序

步骤	A	B	C	投产顺序
1	1/4＊	1/3	1/2	A
2	1/2	1/3＊	1/2	A→B
3	1/2＊	2/3	1/2	A→B→A
4	3/4	2/3	1/2＊	A→B→A→C
5	3/4	2/3＊	1	A→B→A→C→B
6	3/4＊	1	1	A→B→A→C→B→A
7	1	1＊	1	A→B→A→C→B→A→B
8	1＊	1	1	A→B→A→C→B→A→B→A
9			1＊	A→B→A→C→B→A→B→A→C

循环流程内产品的投产顺序为 A→B→A→C→B→A→B→A→C。

本章小结

本章详细介绍了流水生产组织的基本原理和特征，流水线的种类及其特点，介绍了单一对象流水线节拍的确定；设备数和人员数的确定；工序和流水线设备负荷率的计算；流水线的工序同期化方法，包括机械式流水线同期化方法、人工作业流水线同期化方法；流水线设施布置等内容。本章还介绍了可变流水线和混合流水线的组织设计内容和方法，包括可变流水线的节拍确定、可变流水线工作地（设备）数量及设备负荷率的计算方法，混合流水线的平均节拍确定、最小可能工序数计算、工序同期化方法、产品投产顺序的确定方法等。

思考与练习题

1. 流水生产具有哪些特征？
2. 组织流水生产需要哪些条件？
3. 混合流水线为何要确定投产顺序？
4. 某流水线每天按两班制工作，每天有效工作时间为940min，计划产量为940件，产品工艺流程如图7-12所示（时间单位：s）。

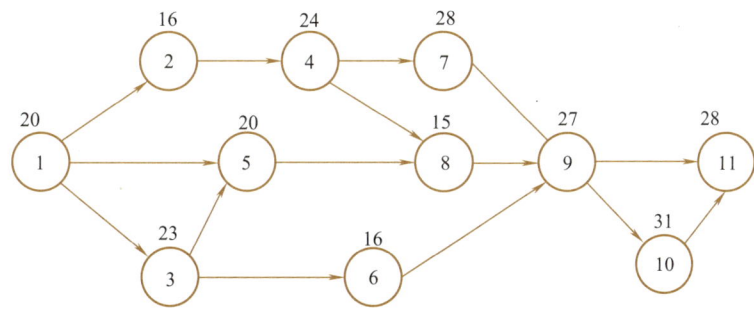

图7-12 某产品工艺流程

（1）计算流水线节拍。
（2）采用分支定界法进行工序同期化重组。
（3）计算工序重组后的流水线负荷率。

5. 假设某流水线生产A、B、C三种产品，其计划产量分别为1800件、1750件、1600件，每种产品在流水线上各工序单件作业时间之和分别为40min、35min和30min，流水线按两班制工作，每月有效工作时间为26000min，以B为代表产品，分别计算三种产品的节拍。

6. 在某可变流水线上生产A、B、C、D四种产品，年计划产量分别为N_A=3万件、N_B=4万件、N_C=3万件、N_D=2万件，各种产品的时间定额分别为t_A=30min/件、t_B=25min/件、t_C=30min/件、t_D=40min/件，流水线年制度工作日为280天，实行两班制，时间损失率为0.08。试分别用代表产品法（C为代表产品）和时间分配法求各产品的生产节拍。

7. 某流水线流程分解如图7-13所示（时间单位：min），节拍为15min/件，按工序同期化要求，进行工序重组。

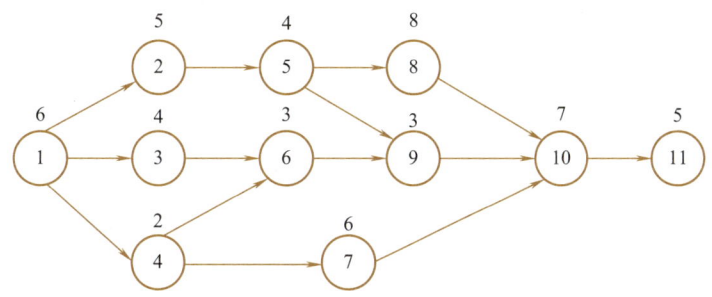

图7-13 流程分解

8. 在某混合流水线上生产A、B、C、D四种产品，计划产量分别为N_A=2000件、N_B=3000

件、N_C=4000件、N_D=1000件。试用生产比倒数法确定一个循环流程内的投产顺序。

案例分析

福特的汽车装配生产线

亨利·福特（1863—1974年）于1903年创建福特汽车公司。20世纪初，福特的工厂创造了工业革命以来最先进的生产技术，福特的T型汽车创造了每分钟出产6辆的历史最高纪录。福特创立的流水线生产方法成为大规模工业化生产的基本模式，推动了工业革命的进程。

20世纪初，美国汽车行业主要面向较为富有的阶层，汽车因为价格昂贵成了只供富人消费的奢侈品。当时福特汽车公司推出的新型汽车都是"奢华型"产品：车体笨重，多为定制，价格昂贵，非一般人财力可以企及。

在这种社会环境中，福特萌发了一个愿望。他希望让美国所有的普通家庭都能买得起他的汽车。福特意识到，为了实现他的理想，必须最大限度地降低产品的生产成本和价格。而要降低成本，就要大幅度提高汽车的产量。1906年7月，福特宣布公司的发展战略，他说："本公司致力于生产标准化、规格统一、价格低廉、质量优越、能为广大公众接受的产品。大家的眼睛不要光盯着富人的口袋，全美国的富人本来就少，况且有多少汽车商都在打富人的主意。我们要想生存，要想获得大的发展，只有另辟蹊径，在社会公众中寻找市场，在中等收入阶层找到我们的市场。"

福特强调标准化的意义，他说："生产一种设计标准化的汽车是我们今后的主要任务。"福特的发展战略赢得了公司董事们的一致赞同。福特汽车公司的这一举措立竿见影。1906年下半年到1907年年底，在美国经济开始滑入低谷的情况下，福特汽车公司却取得了惊人的业绩，盈利达125万美元，其产品在市场上供不应求。公司的销售业绩证明，产品价格越低，利润反而越高。因此，福特汽车公司当时生产统一规格、价格低廉、能为普通大众接受的汽车是明智之举。在这种背景下，1908年3月19日，福特汽车公司的新产品——T型汽车投产。该产品很快就受到了普通大众的广泛欢迎。当时T型车的市场销售价格为每辆3200美元，价格仍然处于很高的水平。但福特汽车公司不断对其汽车生产过程进行革新，连续化、专业化的生产方式渐渐从部件供应线的应用转向最后的组装。到1913年年初，福特汽车公司已经停止使用旧式的静态组装法，而改为将60个底盘及车体一字排开，每个底盘都安放在一对木马上。这种新布局的分工更加细致，工人们不必像过去那样要等全部装完一辆车后再装另一辆，而是要求他们不间断地从一个工作地移向另一个工作地，重复自己特定的工作。曾经的全能组装工成为"轴工组""发动机组"或"接线组"的一员，每一组后面都是一些助手和传递工，这些辅助技工的职责是保证组装工的工具和零部件的供应。

从静态组装法改为"运动中组装法"，生产规模扩大了，但场地、部件的冲突问题也随之而来。为了进一步提高生产效率，降低生产成本，1914年福特汽车公司在高原公园新厂建立了世界上第一条流水装配生产线。要装配的汽车底盘被固定在链式传送带上，装配线两边都安装了移动式的辅助传送带供给零部件。这种辅助传送带的功能是在生产中保持部件移动，将部件送给装配线上负责装配的工人。各种零部件定时定量、准确无误地送至总装线，一辆汽车从底盘被放到装配线上开始，以成品下线完成为止，形成了大规模生产的典型模式。这种汽车组装方式使工人操作时无须移动就可以从旁边和高架的供应线上获取各种零件、部件和工具。采用流水线生产方式以后，劳动生产率大幅度提高。

实行这种方式的前一年即1913年，福特汽车公司每12h20min出产一辆汽车，而到了1925

年，平均每10s就能出产一辆汽车。这时，从铁矿石投入高炉炼钢到汽车完成出厂的整个流程只需要4.3天。在流水作业和大量生产的基础上，汽车的生产成本和销售价格都逐渐降低，同时销售量提高了。福特汽车公司首创的流水线生产方式的意义在于：一种产品，只要它的结构和工艺比较稳定，产量足够大，零部件具有互换性，就可以组织流水线生产。因此，流水线生产方式不仅为以后汽车工业实行大规模生产奠定了基础，而且推动了世界工业革命的发展，在管理科学史上写下了光辉的一页。

1920年2月7日，福特汽车公司达到了每分钟出产1辆T型车的生产速度。1925年10月31日，福特汽车公司的一个工厂一天造出了9109辆T型车，平均每10s就有一辆汽车从工厂开出。1908—1926年，T型车的成本和价格以80%学习曲线⊖逐年下降。在1926年，T型车的市场销售价格已经下降到750美元/辆。正像福特希望的那样，T型车成了普通家庭都买得起的汽车。

由于市场需求发生了变化，T型车于1927年5月停产。从投产到停产的20年间，T型车销售总额达到了77亿美元，总共销售1500万辆，占同期美国汽车产销售量的一半以上。

思考：

1. 福特汽车公司连续20年只生产两种汽车的时代背景是怎样的？
2. 汽车生产周期在10年间从12h20min缩短到10s，福特为此做了哪些努力？
3. 分析福特汽车公司长期生产一种汽车的利弊。

⊖ 学习曲线是一种表示生产过程中，随着累计产量的增加，单位产品的生产成本或生产时间等指标逐渐下降的曲线。它反映了企业在生产过程中，通过不断学习和积累经验，生产效率逐步提高、成本逐渐降低的规律。

第8章

运营计划

> **学习目标**
> （1）理解运营计划的基本原理。
> （2）掌握运营计划的层次结构、运营计划指标及其确定方法。

◆【引导案例】

新西兰航空公司

像新西兰航空这样的航空公司，制订运营计划与生产调度计划要经过从综合计划到短期调度计划几个阶段，以使供给与需求相匹配。即使在完成了最终的航班和机组值勤人员调度计划之后，由于恶劣的天气条件或机械故障，也会有临时变更。长期的竞争优势取决于流程的执行情况。

生产调度计划对航空公司来说有多重要？无疑，在一个像航空运输这样高度竞争的行业，旅客对准时飞行的满意程度是至关重要的。此外，像飞机这类昂贵设备处于闲置状态时，航空公司将损失大量的金钱。但是，航班和机组人员的调度是一个复杂的过程。例如，新西兰航空是由5家航空公司组成的集团公司，它拥有由96架飞机组成的混合机队，另有22架飞机正在订购中。飞机的平均利用率是每天8h44min。公司花费8亿美元升级了长途运输服务，对波音747机队进行了改装，并为飞往北美的航班增加了8架新的波音777-200飞机。公司的航班直达50个空港，其中包括26个国内空港和15个国家的24个国际空港。公司每年运载1170万名乘客，其航线网络包含的飞行时间从15min到13h不等。综合水平上的运营计划与生产调度计划首先要从市场计划开始。市场计划要确定保持竞争地位所需的新航段和现有航段。这个总体计划可以进一步细化为一个3年计划，然后再落实到年度预算。在年度预算中，这些航班已有了具体的起飞时间和到达时间。

下一步，可供调用的机组人员必须与航班计划相匹配。机组人员分为两类——飞行员和乘务员，他们各自有一套约束条件。例如，在一个为期7天的工作周内，为飞行员安排的飞行时间不能超过35h，每28天不超过100h，而且每隔7天必须有36h的休息时间，在每84天里有30天休息时间。每名飞行员的当班飞行开始和结束地点都在空勤基地，并且由交替的当班时段和休息时段组成，其中的当班时间包括一个或多个航班。调度计划必须确保每个航班都有一个合格的乘务组，并且每个机组成员在执勤期间都有一个可行的排班计划。从机组人员的角度看，尽可能满足机组人员的要求和喜好也很重要。

随着科学技术和社会经济的快速发展，市场竞争日益加剧，市场需求个性化、多样化特征日趋明显，企业很难准确地预测市场需求。为了满足市场在品种、数量和时间上的要求，充分利用企业的各项资源，获得更大的效益，企业必须权衡市场需求、客户订单、企业技术和运能条件，制订合理有效的运营计划。运营计划合理与否，会直接影响企业的运营效率和效益，决定企业满足市场需求的程度。本章内容包括运营计划的基本原理、运营计划指标及其平衡、运营计划的编制、运营能力（简称运能）核定、长期运能和短期运能决策分析、运营计划进度确定等。

8.1 运营计划概述

8.1.1 运营计划的概念

制订运营计划是运营管理的首要职能。为了生产出符合市场需求和要求的产品，同时实现高效率、高效益，企业必须制订科学合理的运营计划，确定经营产品的品种、数量、时间安排、责任部门。运营计划不仅需要考虑市场在品种、数量、质量和时间等方面的需求，还要考虑企业运能方面的约束，以及运营成本和收益方面的要求，因而确定运营计划是一个综合平衡的过程。

现代企业规模大、员工多、技术复杂、过程分工精细、协作严密，任何部门的局部活动都不可能离开其他部门而独立进行。尤其是运营活动，它需要综合调配各种资源，按时、按量地提供所需的产品和服务，因此，必须有周密的计划体系。运营计划的作用就是充分利用企业的运营能力和各项资源，确保按质、按量、按时完成任务，在满足市场需求的同时，取得最佳企业效益。

企业运营计划所面对的核心问题是运营能力与满足需求之间的矛盾，即运营过程的均衡性与市场需求的变动性之间的矛盾。解决问题的关键在于协调"运营能力""市场需求""企业效益"三者之间的关系。

8.1.2 运营计划的任务

企业运营计划的任务主要包括预测市场需求，确定运能需求，确定计划指标，制订综合计划、主运营计划、库存计划、进度计划，以及计划实施与控制。

（1）确定计划产品（服务）品种。即确定提供何种产品或服务内容来满足市场的需求。为了确保适销对路，企业必须进行市场需求调查分析，考虑的因素有：市场对产品的需要和偏好；市场潜在容量和适当的价格；其他竞争性替代产品的供给情况，包括产品的性能、式样、品质及其市场地位等；市场发展趋势，如改变产品品种后，市场可能产生的反应及该项改变对其他产品销路的影响。

（2）确定计划产品（服务）产量。计划产量首先取决于产品的市场容量、企业产品市场占有率和企业运营能力。为此，要在详细的市场分析基础上进行市场预测，据此确定计划产量；在订单式生产条件下，计划产量取决于客户订单量，而订单需求往往不平衡，运营计划要考虑如何在满足不平衡需求的同时充分利用生产资源。为了改善订单式生产导致的生产不平衡现象，企业经常同时采用预测式和订单式两种模式。

（3）确定计划任务的时间进度。时间与产量是运营计划中两个紧密相关的指标。确定时间包括投产时间、出产时间等的确定。时间进度安排一方面取决于客户要求的交货期、市场需求预测结果，另一方面受到企业运营能力的约束。在需求不平衡的情况下，通过适当调整投产和出产时间，可以使运营系统负荷的均衡性得到改善。

（4）确定计划任务的责任部门。运营计划的首要任务是确定产品外购还是自制。当外购

（外协）比自制的质量好、价格低、供应更有保证时，选择外购是适当的，这时必须根据运营过程的要求，确定采购的品种、批量、供货时间和供应模式。确定自制的任务，则必须按业务流程要求，考虑各部门的运营能力水平，平衡运营能力和需求的矛盾，合理安排各部门生产的品种、产量、投产和出产时间。

8.2 运营计划体系

运营计划体系包括运营战略规划、综合运营计划、主运营计划、资源需求计划、作业计划与控制。市场需求的不确定性和变异性是运营计划工作的主要障碍，为此，要求运营计划具有较好的应变能力和柔性。

在运营计划体系中，运营战略规划、综合运营计划、主运营计划、资源需求计划和作业计划与控制构成了不同层次的计划，如图8-1所示。运营战略规划的任务包括产品决策、运能决策、竞争优势获得决策，需要与企业长远发展目标与规划相匹配，规划期一般为3~5年或更长。综合运营计划的主要任务是根据市场需求信息、企业运营目标和资源约束，规定计划期的总量运营任务量，一般用综合单位表示（如台、t、kW、产值等），计划期一般为6~18个月。综合运营计划在运营计划体系中起到承上启下的作用，是制订主运营计划、资源需求计划和作业计划的依据，也是确定计划期所需人员规模、资金、外协、库存等的依据。主运营计划的内容包括各种具体产品（服务）在计划期及其各时段的任务量，其主要依据是最近几期各种产品（服务）的实际销售量及其比例数据，并考虑计划期可能发生的变化。资源需求计划的内容包括确定计划所需的各种原材料、零部件的生产和采购任务，主要依据是主运营计划规定的各种产品（服务）的任务量、各种产品（服务）的单位物料需求，据此把各种产品（服务）的计划任务量分解为各种资源（物料）的需求量。作业计划是运营计划的执行计划，是指将企业的生产任务在空间上和时间上分解，并具体分配给各生产单位的安排。作业控制是对作业全过程的监督、检查、调节和控制。

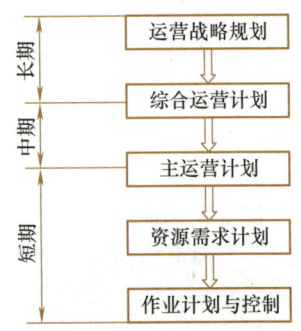

图 8-1 运营计划的层次性结构

运营计划体系可分为战略层计划、战术层计划和作业层计划三个层次，如表8-1所示。

表 8-1 不同层次计划的特点

项目	战略层计划（长期）	战术层计划（中期）	作业层计划（短期）
计划期	长（≥5年）	中（1年）	短（月、旬、周）
计划的时间单位	粗（年）	中（月、季）	细（工作日、班次、小时、分钟）
执行单位	企业、公司	工厂	车间、工段、班组
详细程度	高度综合	综合	详细
不确定性	高	中	低
管理层次	企业高层领导	中层、部门领导	低层、车间领导
特点	涉及资源获取	资源利用	日常活动处理

由表8-1可以看出，三个层次的计划有不同的特点，从战略层到作业层，分别对应从高到低的管理层次，计划期由长到短，计划的时间单位越来越细，覆盖的空间范围越来越小，计划的内容越来越详细，计划的不确定性越来越小。

（1）长期运营计划。长期运营计划属于战略层计划范畴。其主要任务包括产品决策、运能决策、选址决策、部门与设施规划、运营模式决策等，涉及产品（服务）的发展方向、运营系统的发展规模、技术的发展水平、运营系统的结构决策等长期和全局的计划内容。

（2）中期运营计划。中期运营计划属于战术层计划，计划期一般为 2~3 年。它的主要任务是在预测市场中期需求的基础上，对企业在计划期内的任务和资源做出统筹安排。由于中期运营计划所依据的中期预测结果具有较大的不确定性，因而中期运营计划不规定具体品种和具体时段的任务量。其主要包括规定计划期的品种大类、总量规模、质量档次等。中期运营计划涉及外协外购、运能调整、员工规模及招聘计划、物料库存等。

（3）短期作业计划。短期作业计划期一般在 1 年以内。其作用是根据市场预测结果和客户订单确定计划期的生产任务。由于计划期短，预测可以较具体和准确，因而可以对计划期的具体品种、任务量、各时段的生产进度做出具体的安排。在计划对象上细分到自制和外购的零部件和物料；在执行部门上具体落实到部门、小组、岗位；在时间上从年度细化到月、旬、周、工作日。短期作业计划与市场客户需求结合得更为直接和紧密，它在强调计划任务的具体落实以满足市场客户需求的同时，力求实现运营系统的均衡运行，系统运能和各项资源得到有效运用，从而提高效率、降低成本。

8.3 运营计划指标及其确定

8.3.1 运营计划指标

运营计划是由一系列指标组成的，包括品种、产量、质量、产值等。

（1）品种指标。品种指标是企业在计划期内生产的产品种类、型号、规格数量。品种指标表示企业在品种和规格方面满足市场多样化需求的能力。在运能总规模一定的条件下，计划品种数越多，则每个品种的产量规模就越小，用于品种转换的时间消耗就越多，效率就越低。多品种运营下的不确定因素多，管理难度较大。计划期应该生产产品的品种及其规模，一般根据市场需求预测和企业的技术条件来确定。

（2）产量指标。产量指标是企业在计划期内生产的各种产品的数量。产量可以用实物单位表示，对于品种、规格较多的情况，也可以用复合单位表示，如电动机用"kW"表示、汽车用"辆"表示等。对于品种差距大，难以用实物单位表示的情况，还可以用"产值"来表示。产量指标是企业进行供产销平衡的重要依据，产量指标与销售计划相对应，与市场需求相一致。在预测生产式条件下，产量指标取决于预测结果；而在订单生产式条件下，产量指标主要取决于客户订单。而产量指标除了取决于客户需求外，还取决于企业运营能力的大小。

（3）质量指标。质量指标是企业在计划期内产品质量和工作质量应达到的水平，常采用统计指标来衡量，如一等品率、合格品率、不合格品率、废品率、返修率等。质量指标的确定取决于现有设备的技术状况、工艺技术水平、企业的管理水平。质量指标与企业的质量能力水平相对应。在质量指标高于运营系统正常水平的条件下，不合格品率将大幅度增加，成本将大幅度增加；相反，质量指标水平太低的话，尽管生产难度变小，但市场客户的满意度将下降。

（4）产值指标。产值指标是用货币量表示的产量指标，它能综合反映企业生产经营活动的成果，用于反映企业的经营规模水平，便于纵向发展水平的比较和不同行业之间的横向比较。根据具体内容与作用不同，产值指标包括总产值、商品产值、净产值等。产值指标适用于品种规格多、品种差异大、难以用实物单位表示的情况。产值指标主要为确定资金需求计划、运能需求计划、员工招聘计划等提供依据。

8.3.2 运营计划指标的平衡与确定

在确定各运营计划指标时,可发现各指标之间存在着相互制约的情况,因而确定运营计划指标的过程是一个综合平衡的过程。

1. 品种指标的确定

产品品种指标反映了企业适应市场多样化需求的能力,然而,多品种生产会分散企业的运营能力,失去规模优势。

从经济角度考虑,品种指标的确定可采取收入利润率法,即根据每种产品的销售收入与获得利润的比值高低,同时结合企业的目标利润率来确定生产的产品和产量。

将企业经营的多种产品按销售收入和利润大小排序,并将其绘制在收入-利润次序图上。例如,某企业生产 8 种产品的销售收入和利润大小次序如表 8-2 和图 8-2 所示。

表 8-2 销售收入和利润大小次序

产品代号	A	B	C	D	E	F	G	H
销售收入	1	2	3	4	5	6	7	8
利润	2	3	1	6	5	8	7	4

对于销售收入高、利润大的产品,即处于图 8-2 右上角区的产品,应考虑优先生产;相反,对于销售收入低、利润小的产品(甚至是亏损产品),即处于图 8-2 左下角区的产品,则需要做进一步分析以采取相应对策。如果是新产品,处于投入期,市场销路尚未打开,销售收入低,并且由于新产品的设计和工艺未成熟,所以生产效率低,成本高,利润少甚至亏损,但若经分析,该产品具有发展潜力,则应该继续生产;如果是已进入衰退期的老产品,则应该考虑退出生产。

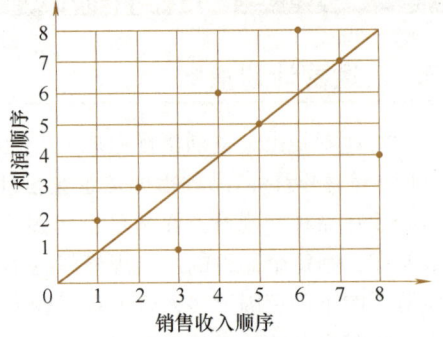

图 8-2 收入-利润次序图

2. 产量指标的确定

产量指标的确定受市场需求、企业运营能力、原材料、能源供应状况、企业运营组织方式等要素的影响。从经济角度考虑,可在对量本利分析的基础上,确定各种产品的合理产量。

用量本利分析法确定产品盈亏平衡点。设 P 为价格,Q 为年产销量,S 为销售收入,F 为年固定成本,V 为单位产品变动成本,则有

年总成本:$C = F + VQ$

年利润额:$E = S - C = PQ - F - VQ$

根据以上公式,绘制出盈亏平衡图,如图 8-3 所示。

令 $S - C = 0$,得到盈亏平衡点产销量,即

$$Q_0 = \frac{F}{P - V}$$

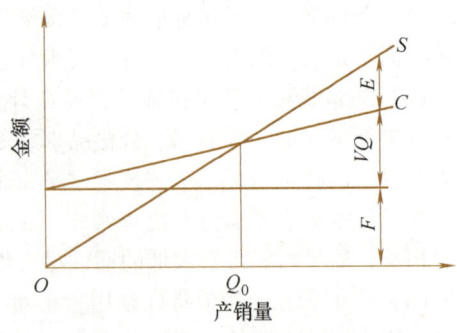

图 8-3 盈亏平衡图

由图 8-3 可见,在 $Q > Q_0$ 的情况下,产销量 Q 越大,则利润越大。然而,这是在假设价格不

变的条件下才成立的关系。实际上，根据产品价格弹性原理，销售收入和产销量之间的关系如图8-4中的S曲线，即在一定的产销量范围内，销售收入随产销量的增加而按一定比例增加，但产销量超过一定值时，继续扩大产销量则将要求降低产品价格、加大促销力度等措施来配合，因而导致总销售收入升速变慢，直至出现销售量增加而销售收入下降的情况。

同理，产品年总成本与产销量之间的关系则如图8-4中的C曲线：产销量在企业正常运营能力范围内，年总成本随产销量的增加而按正常比例增加；但当产销量超过企业正常运能水平时，继续增加产销量将使运营系统超负荷运行，超负荷幅度越大，则单位产品成本增幅也越大，导致年度总成本快速上升。

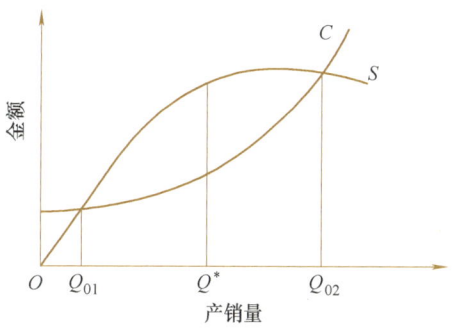

图8-4　价格随产销量变化时的量本利关系

图8-4中，销售收入曲线S和年度总成本曲线C相交于两点，形成两个盈亏平衡点，对应的产销量分别为Q_{01}和Q_{02}。实际产销量小于Q_{01}或大于Q_{02}都将产生亏损，两个盈亏平衡点之间存在一个销售收入与年总成本差值最大的产销量点，该点上的产销量即为最优计划产量Q^*。

3. 质量指标的确定

质量指标是指企业在计划期内产品质量和工作质量应该达到的水平和标准。产品质量是指产品的性能、外观、寿命、可靠性等的指标水平；工作质量指标包括不合格品率、返修率、优等品率等。质量指标是衡量企业产品或服务满足社会需求程度、反映企业生产技术水平和管理水平的重要标志。确定质量指标时，必须综合考虑市场用户的要求、企业的生产技术水平和能力、质量成本和企业效益等要素。

质量-效益分析法以效益最大化为目标，通过分析质量、价格、成本、销售收入之间的关系，确定产品和工作的最佳质量指标水平。从销售收入角度分析，产品质量水平和工作质量水平要求越高，则生产成本越高，导致价格水平也越高，在一定的范围内提高质量水平和价格水平将有利于提高销售收入；但质量水平超过一定水平后，随着质量水平的进一步提高，一方面将使价格有较大幅度提高而导致销售量出现下降，另一方面对于用户来说，将出现质量水平过剩，即用户感觉性价比下降，从而导致销售量下降，因而形成如图8-5所示的销售收入曲线S。从生产成本角度分析，在企业的正常生产技术能力和管理水平范围内，要求的质量水平越高，则生产成本也将越高，而当要求的质量水平超出企业的正常生产技术能力和管理能力条件时，若要求进一步提高质量水平，则运营成本将加速上升，从而形成图8-5中的生产成本曲线C。

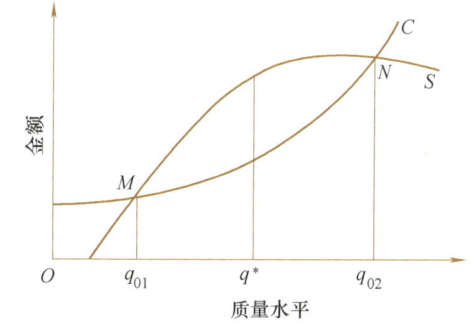

图8-5　质量水平与销售利润关系

曲线S和曲线C相交于M、N两点，这两点为质量水平盈亏平衡点，对应的质量水平分别为q_{01}和q_{02}，低于q_{01}或高于q_{02}的区域为亏损区。q^*为S与C差值最大对应的质量水平，若图8-5中的质量指标是指工作质量，则q^*为最优质量水平；而当质量指标是指产品质量指标时，则应考虑不同细分市场的需要，一般在$q^*\pm\Delta q$的范围内选择若干个质量水平档次作为质量水平指标。

8.4 运营能力计划决策

运营能力（以下简称"运能"）是指在一定时期内，一定的运营技术和组织条件下，运营系统所能处理的最大业务量。企业的运能取决于运营技术和组织条件，包括设备、人员、工艺方法、外部供应、运营组织模式等方面。对于服务性行业，例如医院，决定运能的主要因素是医生和护士数、病床数、医疗设备品种和数量、医药供应量等；而决定酒店运能的主要因素则为客房数、管理人员数、服务员数及相关配套服务设施等。

（1）长期运能计划决策。长期运能计划决策解决的是企业的战略决策问题。长期运能与企业对市场需求的长期预测结果相对应，时间一般为5~10年。长期运能主要考虑市场需求的趋势性变化，而忽略短期的季节性变化和随机性变化，这种趋势性变化有增长、平稳、减少三种可能。改变企业长期运能，一般需通过改变厂房面积、设备、员工和运营运作模式等途径来实现，如扩大厂房面积、增加设备、增加员工、扩大合作伙伴规模等。调整运营系统长期运能需大量投资。

（2）中期运能计划决策。中期运能计划是指2~5年的运能需求。中期运能计划决策既要考虑市场需求的趋势性变化，也要考虑市场需求的周期性波动。中期运能需求主要通过厂房改造、设备增减、员工招聘、外协关系调整等措施来保证。中期运能与长期运能相衔接，随着时间的推移，运营系统的运能与市场需求的偏离程度将逐步扩大，当这种偏离超过一定程度时，就有必要对系统运能做相应的调整，使运能与市场需求的匹配度重新达到规定的水平。

（3）短期运能计划决策。短期运能计划一般是指1年以内的运能需求。它与年度运营计划相对应，在现有运能的基础上，考虑市场随机波动导致的需求变化幅度，通过调整运营系统内部运能、增减临时外协、短期招聘或解聘员工、加班加点等措施，使系统运能与市场需求相匹配。

运能计划是实现运营计划的重要保证，同时又是制订运营计划的重要依据和约束条件。在确定运营计划指标时，必须对计划指标、运能、物料供应、技术支持等进行综合平衡。

8.4.1 长期运能计划决策

长期运能水平对应长期需求水平，而长期需求水平受短期和长期因素变化的影响，包含需求的短期波动和长期趋势性变化。长期运能计划决策中考虑的主要是需求的长期趋势性变化对运能计划的影响。

运营能力对运营系统的绩效指标具有重要影响。若运能充足，则对市场的满足程度高，但市场需求波动导致运能负荷不足的损失就大；若运能偏紧，则运能利用率可提高，但运营系统处于超负荷运行状态以及出现延期交货的概率较大，因而导致运营成本增加。

企业长期运能计划决策包括初始运能水平、运能扩充次数和每次扩充增量。假设企业已完成长期市场需求预测，已知长期市场需求趋势呈线性增长，当前市场需求和期末需求水平预测结果已知。此时，企业运能配置一步到位或扩充过于频繁都是不经济的，而应根据市场需求状况和发展趋势分阶段逐步扩充运能。企业长期运能计划决策是指在考虑长期市场需求变化趋势的基础上，确定最优的运能扩充次数和扩充增量，如图8-6和图8-7所示。图中，M_0为开始时段的运能；M_i为第i时段的运能；D_0为开始时段的需求规模；D_N为第i时段的需求规模。

计划期运能扩充次数越多，则运营系统运能与市场需求的匹配度越好，运能与需求的失配损失越小，而用于运营系统运能扩充的投资就越多；计划期运能扩充次数越少，运能扩充费越少，则运能与需求的失配损失越大。

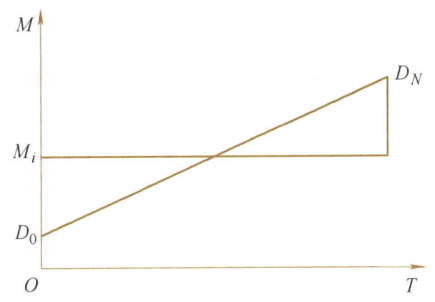

图 8-6 长期需求趋势与一次运能配置方案　　图 8-7 长期需求趋势与二次运能扩充方案

1. 长期运能计划决策模型

假设运能扩充间隔期相等，则有

$$R_i = T_i - T_{i-1} = \frac{T_N - T_0}{N}$$

式中　R_i——运能扩充间隔期（前后相邻两次运能扩充的时间间隔）；

　　　T_i——第 i 时段；

　　　T_N——预测期期末（第 N 期）时间；

　　　T_0——当前时间；

　　　N——预测期内运能扩充次数。

设 k_1 为运能扩充间隔期内运能大于需求的时段比例，则有

$$k_1 = \frac{M_i - D_i}{D_{i+1} - D_i}$$

式中　D_i——第 i 期市场需求量；

　　　M_i——第 i 时段的运能配置水平。

k_2 为运能扩充间隔期内运能小于需求的时段比例，则有

$$k_2 = \frac{D_{i+1} - M_i}{D_{i+1} - D_i}$$

$$k_1 + k_2 = 1$$

设 c_1 为运能空置损失率，即运能大于需求的单位运能、单位时间失配损失；c_2 为运能不足损失率，即运能小于需求的单位运能、单位时间失配损失。k_1 和 k_2 的取值取决于 c_1/c_2，c_1/c_2 越大，则 k_1 越小，而 k_2 越大；反之亦然。特别地，当 $c_1 = c_2$ 时，有 $k_1 = k_2$。

以预测期内运能-需求失配损失最小化为目标，构建的运营系统长期运能计划决策目标函数为

$$F(N)_{\min} = \min \sum_{i=1}^{N} \left[(D_i - D_{i-1}) k_1 (T_i - T_{i-1}) k_1 c_1 / 2 + (D_i - D_{i-1}) k_2 (T_i - T_{i-1}) k_2 c_2 / 2 + I_i \right] \quad (8-1)$$

式中　I_i——第 i 时段运能一次扩充投资额。

式（8-1）中，第一项为某时段内的运能空置损失，它等于运能大于需求的差额×运能空置期长×运能空置损失率；第二项为某时段内的运能不足损失，它等于需求大于运能的差额×运能不足期长×运能不足损失率；第三项 I_i 为第 i 次运能扩充费（设每次运能扩充费相同）。

为便于分析，设运能扩充间隔期相等，各扩充期初和期末的需求差相等，即

$$D_2 - D_1 = D_i - D_{i-1} = \cdots = D_N - D_{N-1} = \frac{D_N - D_0}{N}$$

$$T_2-T_1=T_i-T_{i-1}=\cdots=T_N-T_{N-1}=\frac{T_N-T_0}{N}$$

式中 D_N——预测期期末市场需求量;

D_0——当前市场需求量。

代入式(8-1),得到

$$F(N)_{\min}=\min\left\{\left[\frac{(D_N-D_0)k_1}{2N}\frac{(T_N-T_0)k_1}{N}c_1N\right]_{M_i\geq D_i}+\left[\frac{(D_N-D_0)k_2}{2N}\frac{(T_N-T_0)k_2}{N}c_2N\right]_{D_i\geq M_i}+NI\right\} \quad (8-2)$$

式中 I——运能一次扩充投资额。

式(8-2)经整理后得到

$$F(N)_{\min}=\min\left\{\frac{(D_N-D_0)(T_N-T_0)(k_1^2c_1+k_2^2c_2)}{2N}+NI\right\} \quad (8-3)$$

设定相关参数值,可得到如图 8-8 所示的运能扩充次数与失配损失关系曲线。

由图 8-8 可见,存在一个运能失配损失最小值对应的最优扩充次数 N^*。以运能失配总损失最小为目标函数,求最优运能扩充次数。由式(8-3)对 N 求导,并令其为 0,得到最优运能扩充次数计算公式

$$N^*=\sqrt{\frac{(D_N-D_0)(T_N-T_0)(k_1^2c_1+k_2^2c_2)}{2I}} \quad (8-4)$$

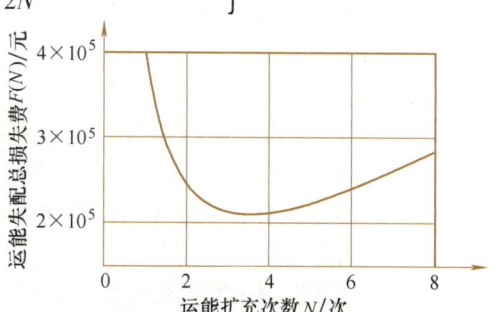

图 8-8 运能扩充次数与失配总损失费关系曲线

2. 应用实例

例 8-1 某乘用车制造企业根据销售量历史数据,预测 2013—2018 年企业的乘用车产销量将逐年增长,2018 年可达到 32 万辆。各年度产销量预测数据如图 8-9 所示。试分析该企业 2013—2018 年期间的运能最优扩充次数。

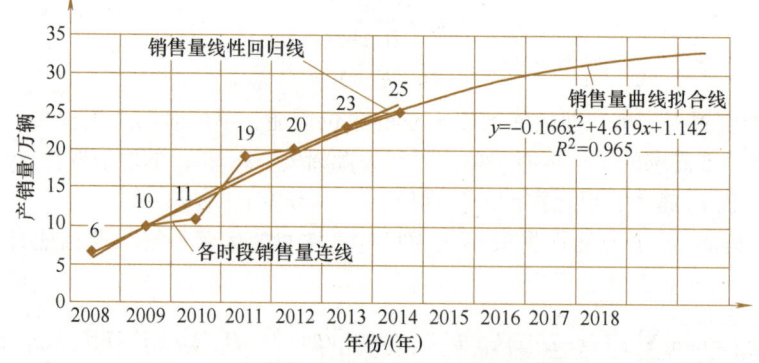

图 8-9 某品牌乘用车产销量预测
y—销售量曲线拟合预测值函数 R—相关系数

已知期末市场预测需求量 $D_N=32$ 万辆,运能一次扩充投资 $I=30000$ 万元,$c_1=5000$ 万元/(万辆·年),$c_2=8000$ 万元/(万辆·年),$k_1=3/5$,$k_2=2/5$。代入式(8-4)得

$$N^*=\sqrt{\frac{(32-6)\times(10-0)\times\left[\left(\frac{3}{5}\right)^2\times 5000+\left(\frac{2}{5}\right)^2\times 8000\right]}{2\times 30000}}\text{次}=3.65\text{次}$$

把 N^* 代入式(8-3)，计算最小运能失配损失：

$$F(N) = \frac{(D_N - D_0)(T_N - T_0)(k_1^2 c_1 + k_2^2 c_2)}{2N} + NI$$

$$= \frac{(32-6) \times (10-0) \times \left[\left(\frac{3}{5}\right)^2 \times 5000 + \left(\frac{2}{5}\right)^2 \times 8000\right]}{2 \times 3.65} \text{万元} + 3.65 \times 30000 \text{万元}$$

$$= 219198.63 \text{ 万元}$$

考虑到扩充次数应为整数，因此实际扩充次数应为4次，代入式(8-3)重新计算运能失配损失得 $F(N) = 212400$ 万元。

上述计算结果也可以通过表算法得到，假设运能扩充次数可行方案分别为 $2,3,\cdots,6$，则可得到各方案的运能失配总损失，如表8-3所示。

表8-3 运能失配总损失

系统扩产次数/次	2	3	4*	5	6
运能空置损失/万元	108000	72000	54000	43200	36000
运能不足损失/万元	76800	51200	38400	30720	25600
扩产投资费用/万元	60000	90000	120000	150000	180000
运能失配总费用/万元	244800	213200	212400*	223920	241600

运能失配总损失最小的方案为扩充次数4次，运能失配总费用为212400万元。

8.4.2 基于产品可储存的短期运能计划决策

1. 市场需求特性与运营能力计划模式的关系

（1）影响运能计划模式的市场需求变化特性。在激烈的市场竞争环境下，受多种不确定因素的影响，市场需求是变化的，这种变化包含趋势性变化、季节性变化和随机性变化。趋势性变化是指市场需求在较长时期（如3~5年或更长时期）内呈现出的趋向性变化。随机性变化是指受不确定因素的影响，如竞争对手的促销策略、天气变化、国际政治经济形势变化等因素影响导致的需求随机性波动。随机性需求波动往往难以预测，企业或通过预存一定的库存量来应对需求波动，或通过动态调整计划来满足需求波动。季节性需求变化是指市场需求在不同季节或时段出现的波动现象。不少产品的市场需求均具有这种特征，如与传统节假日和季节对应的产品需求，与季节气候变化相关的需求等。季节性变化一般与年度不同季节相对应，这种需求变化往往是有规律的，因而是可预测的。此外，还有以一定时段（旬、周、天、小时）为周期的需求波动，如不少生活服务类产品的需求波动就属于此类。

（2）影响计划模式的产品可储存性特征。这是指从技术性和时尚性角度考虑的产品可储存性特征。产品的可储存性特征包括三类：第一类是不可储存的产品，如纯服务性产品（如酒店客房、航空运输、巴士、的士等服务），若当期没有实现销售，产品随即消逝，相关资源出现空置损失。第二类是单周期储存产品，即不可跨期销售的产品，如月饼、挂历、保鲜期较短的食品等，这类产品若当期不能销售出去，则产品将面临报废或折价处理的结果。第三类是可跨期储存产品，如服装、家电、家具等，这类产品若当期未销售完，可储存到下一期继续销售，产品的质量、性能等指标不受时间推移的影响。尽管这类产品在技术上可跨期储存和销售，但由于新技术、新产品的快速发展以及消费时尚变化的影响，可跨期储存的产品也往往面临滞销、降价处理或报废的风险。

运营计划模式既影响产品的市场满足度，也影响企业的运营成本和效益，乃至影响企业的竞争力。根据市场需求的发展和变化，在提高运营计划与市场需求匹配度的同时，实现企业运营成本最小化是企业运营管理人员进行运营计划模式决策的重要任务之一。以下研究市场需求季节性变化、产品可跨期储存条件下的运营计划模式。

2. 需求季节性变化、产品可储存的运能计划决策

企业运营计划模式与产品的可储存性以及市场需求的变动性紧密相关。在市场需求季节性波动、产品可储存条件下，企业运能计划决策有以下几种。

（1）固定运能计划决策。该计划原则是整个计划期内的产量与市场需求平衡。在需求淡季，运能产量大于市场需求，过量产出的产品通过仓库储存起来；在需求旺季，运能产量小于市场需求，由库存补充运能产量的不足。这种计划模式的损失主要源自产品的储存保管费与资金占用费以及产品库存的市场风险成本。

（2）分段调整运能计划决策。把计划期分成需求旺季和需求淡季。在需求旺季，按较高的运能计划水平运行；在需求淡季，按相对较低的运能计划水平运行。计划期分别按旺季和淡季实现产需平衡，分段运能计划模式产生的库存量和库存时间相对较短，因而库存费用相对较小，但旺季与淡季变换时，运能计划调整需消耗相应的资源成本，如增减员工、加班加点、增加外协、增减设备等将带来增量费用。

（3）动态调整运能计划决策。按最小计划时段单位划分计划期（如月、旬或周），按各时段的预测需求和实际订单，动态调整运能计划水平。由于短时段内需求量已基本明确，因而需求预测准确度高，库存量较小、占用时间较短（可以忽略不计）。但运能计划的频繁调整将产生较大的调整费。

3. 需求波动下三种运能计划决策的费用模型分析

以下通过一个例子分析三种运能计划决策的运用效果。

例 8-2 设某企业年度计划期内上半年为产品销售旺季，最大销售量达到 1000t；下半年为产品销售淡季，最小销售量 600t。根据历史销售资料统计，月销售量数据经曲线拟合，需求函数见式（8-5），需求函数曲线如图 8-10 所示。

$$D(t) = 600 + 200 \times \left(\sin \frac{t}{1.91} + 1 \right) \tag{8-5}$$

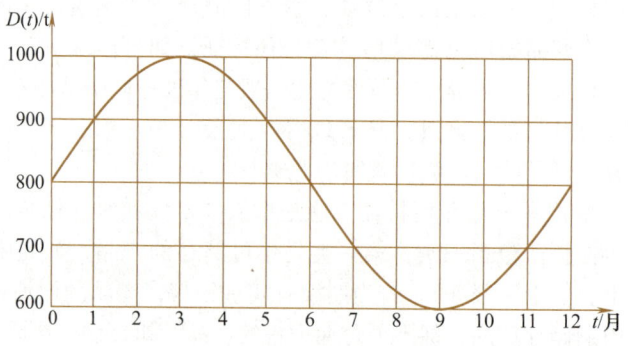

图 8-10　需求函数曲线

以计划-需求失配损失费用最小为目标，分别对固定运能、分段调整运能和动态调整运能三种计划决策进行分析与比较。设增减运能水平（如增减员工、加班加点或增加外协等）将产生调整费，计划期内的运能计划调整费取决于调整次数和调整幅度；市场需求淡季运能水平和计划产量大于需求，剩余的产能转化成产品储存起来，这将产生库存资金占用费、产品保管费以及库存的市场风险成本。

运能调整/变动费可分为两部分：一是固定费用，运能计划每调整一次均将产生一次固定费用；二是运能变动费，与运能水平调整幅度相关，调整幅度越大，则总运能变动费越大。

设 F_M 为一次运能调整固定费率；v 为运能调整变动费率；n 为运能调整次数；M_i 为第 i 个时段的运能计划，M_{i-1} 为第 $i-1$ 时段的运能计划，则运能调整费计算公式为

$$C_T = \sum_{i=2}^{n} \left[F_M + v(M_i - M_{i-1}) \right] \tag{8-6}$$

计划期库存产品资金占用费、保管费及市场风险费计算公式为

$$C_I = \frac{hc}{T} Z(M, D, t) \tag{8-7}$$

式中　　C_I——库存产品资金占用费、保管费与市场风险费；

　　　　T——计划期时段数；

　　　　h——产品库存费率（单位资金单位时间库存费率）；

　　　　c——单位产品价值；

　　$Z(M, D, t)$——库存面积函数（数量×时间），产生于运能计划大于需求量的时段，与运能水平 M、需求函数 D 和储存时间 t 有关。

（1）固定运能计划决策费用分析。这是指随客户需求变化运能计划水平保持不变的模式。设计划期运能与计划产量相等，计划总产量等于客户总需求。在计划产量大于市场需求的时段，库存增加，产生库存成本；在需求大于计划产量的时段，则由库存补充产量的不足，如图 8-11 所示。

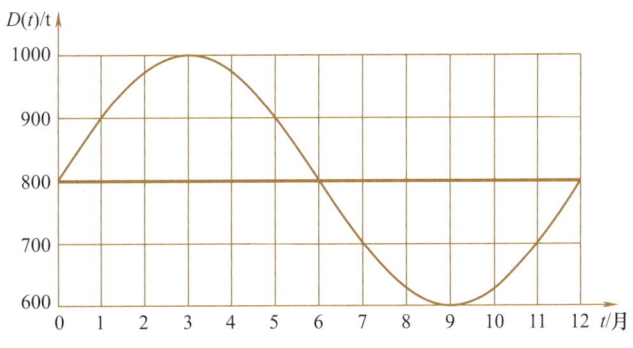

图 8-11　运能计划水平固定模式

注：图中横线为计划产量水平线，曲线为市场需求变化曲线。

固定运能计划模式的主要费用产生于库存产品保管费、库存产品资金占用费。由图 8-11 可见，库存主要产生于计划产量大于需求的时段，相关费用模型为

$$C_{TA} = \frac{hc}{T} \int_{t_a}^{t_b} (M_F - D(t)) \, dt \tag{8-8}$$

式中　C_{TA}——固定运能计划模式的费用；

　　　M_F——固定运能计划水平；

　　　t_a——运能计划大于需求的 i 时段起点；

　　　t_b——运能计划大于需求的 i 时段终点。

本例设 $T=12$；运能大于需求的时段为 6~12 月；设 $h=0.2$，$c=1000$ 元/t，计划期总产量等于总需求，计划期运能水平等于平均需求水平，即 $M_F=800t$，代入式 (8-8) 得

$$C_{TA}=\frac{hc}{T}\int_6^{12}(M_F-D(t))dt$$

$$=\left[\frac{0.2\times1000}{12}\int_6^{12}(800-D(t))dt\right]元=12730\ 元$$

（2）分段调整运能水平策略费用分析。仍采用例 8-2 数据，分段 a 调整运能水平计划策略模式如图 8-12 所示。前 6 个月计划运能大于需求的时段有两个，即 $0\sim a$ 和 $(6-a)\sim 6$ 时段，根据产需平衡原则，要求计划运能与市场需求相等，则

$$2\int_0^a(M_H-D(t))dt=\int_a^{6-a}(D(t)-M_H)dt \tag{8-9}$$

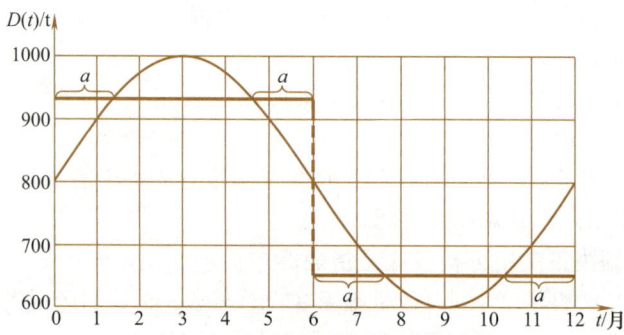

图 8-12 运能计划分时段调整模式

借助数值算法，求得 $a=1.32$ 时，旺季计划运能为 $M_H=927.32t$。

后 6 个月为淡季，计划运能大于需求的时段为 $(6+a)\sim(12-a)$，同理可求得产需平衡的计划运能水平为 $M_L=672.68t$。

前 6 个月有两个时段产生库存，分别为 $0\sim a$ 和 $(6-a)\sim 6$ 时段。这两个时段产生的库存量相等，库存费用模型为

$$C_{1\sim6}=\frac{2hc}{T}\int_0^a(M_H-D(t))dt \tag{8-10}$$

代入例 8-2 的数据，求得前 6 个月产生的库存产品资金占用费与保管费为

$$C_{1\sim6}=\frac{2hc}{T}\int_0^a(M_H-D(t))dt$$

$$=\left[\frac{2\times0.2\times1000}{12}\int_0^a(927.32-D(t))dt\right]元=2682\ 元$$

后 6 个月的库存产品资金占用费与保管费为

$$C_{6\sim12}=\frac{hc}{T}\int_{6+a}^{12-a}(M_L-D(t))dt$$

$$=\left[\frac{0.2\times1000}{12}\int_{6+a}^{12-a}(672.68-D(t))dt\right]元=2682\ 元$$

设运能调整固定费率 $F_M=300$ 元/次，运能调整变动费率 $v=20$ 元/t，则

$$C_T=F_M+v(M_H-M_L)$$

$$=[300+20\times(927.32-672.68)]元\approx 5393\ 元$$

分段调整计划模式的总费用包括库存费用和运能调整费，即
$$C_{TB} = C_{1\sim 6} + C_{6\sim 12} + C_T = 2682 \text{元} + 2682 \text{元} + 5393 \text{元} = 10757 \text{元}$$

（3）动态调整运能计划水平模式费用分析。随着市场需求的变化，动态调整计划各时段运能水平（见图 8-13），目标是使各时段产需相等，库存达到最小。

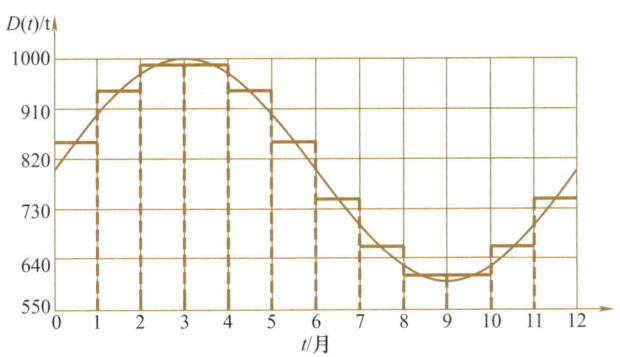

图 8-13　运能计划动态调整模式

在动态运能计划水平模式下，计划产量紧随市场需求变化而调整，产需基本平衡，即各时段的计划产量与需求水平相等，因而可仅考虑计划调整费而不考虑各时段的库存费用。本例中设计划每月调整一次，其中 3~4 和 9~10 月为淡-旺季转换期，计划运能水平不变，则年计划运能变动次数为 9 次。设各月运能水平等于当月平均需求水平，即 $M_i = \overline{D}_i$，则 M_i 可用下式确定

$$M(t) = D(t) = 600 + 200 \times \left(\sin\frac{t-0.5}{1.91} + 1\right), \quad t = 1, 2, \cdots, 12 \tag{8-11}$$

由式（8-11）算出各月运能 M_i 和运能变动值 M_Δ，如表 8-4 所示。

表 8-4　计划期各月运能及运能差值表　　　　　　　　　（单位：t）

月份	1	2	3	4	5	6	7	8	9	10	11	12
M_i	851.8	941.4	993.2	993.2	941.4	851.8	748.3	658.6	606.8	606.8	658.5	748.2
M_Δ	—	89.6	51.8	0	51.7	89.7	103.5	89.7	51.8	0	51.7	89.6

把例 8-2 中数据代入式（8-6），得

$$C_{TC} = \sum_{t=2}^{12} [F_M + v(M_t - M_{t-1})]$$
$$= [9 \times 300 + 20 \times (89.6 + 51.8 + 51.7 + 89.7 + 103.5 + 89.7 + 51.8 + 51.7 + 89.6)] \text{元}$$
$$= 16082 \text{元}$$

比较以上三种运能计划模式的总成本费用：
$$C_{TB}(10757 \text{元}) < C_{TA}(12730 \text{元}) < C_{TC}(16082 \text{元})$$

可见例 8-2 中分段调整运能计划模式为最优模式。

4. 运能计划模式决策敏感性分析

从以上费用模型可见，影响计划模式决策的因素主要有三个：第一个是库存占用与保管费；第二个是与运能调整次数有关的运能调整固定费；第三个是与运能调整幅度有关的运能调整变动费率。为此，可通过改变这三个因素的取值，分析各因素变化对运能计划决策的影响。

（1）运能调整固定费率 $F_M = 300$ 元/次，运能调整变动费率 $v = 20$ 元/t，库存费率 hc 变化，三种运能模式的费用曲线如图 8-14 所示。

图 8-14 中，$C_a(hc)$ 为固定运能模式费用，$C_b(hc)$ 为分段调整运能模式费用，$C_c(hc)$ 为动态调整运能模式费用。

用 Math CAD 软件计算得出：当 $hc \leq 146$ 元/t 时，固定运能模式为优；当 146 元/t$< hc \leq 476$ 元/t 时，分段运能模式为优；当 $hc > 476$ 元/t 时，动态运能模式为优。

（2）库存费率 $hc = 200$ 元/t，运能调整固定费率 $F_M = 300$ 元/次，运能调整变动费率 v 变化。三种运能模式的费用曲线如图 8-15 所示。

同理，用 Math CAD 软件计算得出：当 $v \leq 7.15$ 元/t 时，固定调整运能模式为优；当 7.15 元/t$< v \leq 27.75$ 元/t 时，分段调整模式为优；当 $v > 27.75$ 元/t 时，动态运能模式为优。

（3）库存费率 $hc = 200$ 元/t，运能调整变动费率 $v = 20$ 元/t，运能调整固定费率 F_M 变化，不同运能计划模式费用曲线如图 8-16 所示。其中 $C_c(F_M)$ 曲线在不同 F_M 水平下均大于 $C_a(F_M)$ 和 $C_b(F_M)$，故可略去。

从图 8-16 可见，当 $F_M \leq 2277.57$ 元/次时，分段调整运能模式较优；而当 $F_M > 2277.57$ 元/次时，固定产能模式较优。

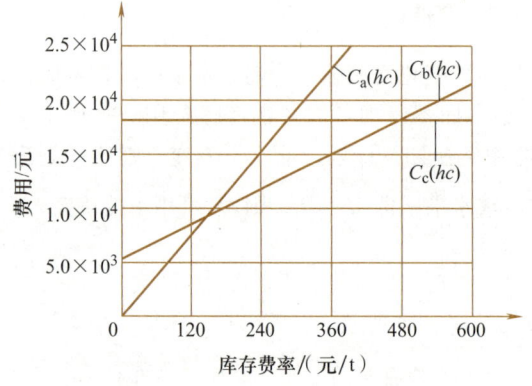

图 8-14　库存费率变化对运能计划决策的影响

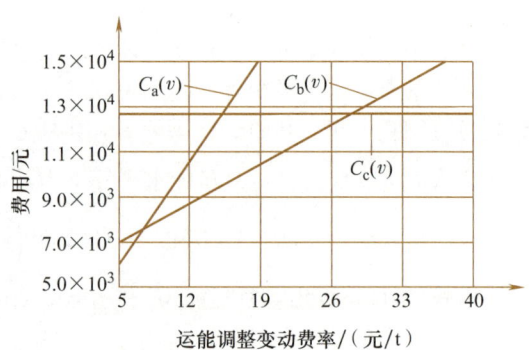

图 8-15　运能调整变动费率变化对运能计划决策的影响

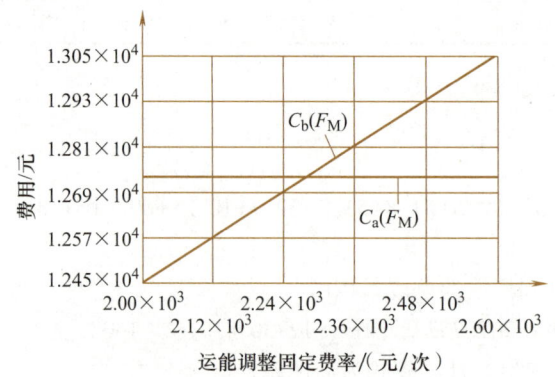

图 8-16　运能调整固定费率变化对运能计划决策的影响

8.4.3　基于产品不可储存的短期运能计划决策

设运营系统的运能水平可在一定程度上调整，如安排加班加点、增加外购外协，但运能短期调整将增加一定的成本费用。在产品（服务）不可储存的条件下，需求随机波动变化带来的产能失配损失包括需求大于运能时企业的机会损失和需求小于企业运能时的运能空置损失。

1. 基于产品不可储存的运能计划决策概述

在产品不可储存的条件下，产能与需求适配也将带来损失，但相应的损失费有所不同：当产能大于需求时，将带来产能空置损失（如设备、设施、人员等空置）；而当产能小于需求时，则将产生机会损失，需求不能得到满足还可能产生客户流失。企业运能计划决策有以下三种。

（1）固定运能水平模式。运能水平固定不变，当运能大于需求时，将产生运能空置损失；而当运能小于需求时，将产生机会损失。

（2）动态调整运能模式。按市场实际需求水平，动态调整运营系统运能，如临时增减员工，临时租用场地和设备，临时增加外协等。动态调整运能需要消耗运能调整费用，但可以减少或避免运能失配损失，还能较好地满足市场需求。

（3）分段调整运能模式。按市场需求变化规律，旺季时段把运能扩大到较高水平，淡季时把运能缩减到较低水平。这种模式是前两种决策的折中。

2. 需求季节性变化、产品不可储存的运能决策

设市场需求季节性变化，已收集销售量变化历史数据如图 8-17 所示。以运能-需求失配损失最小为目标，比较和选择运能决策（此例采用离散数据分析法进行计算）。

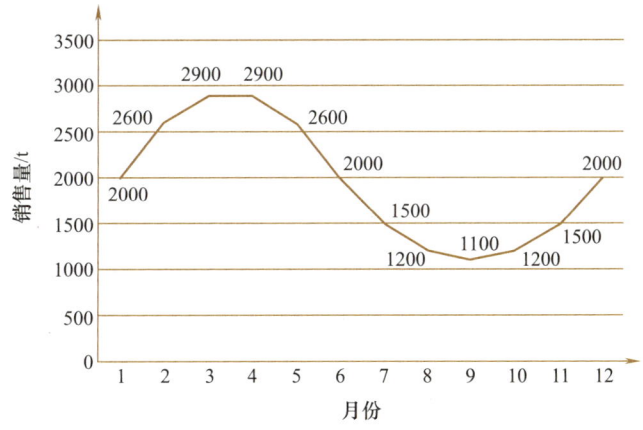

图 8-17　某企业产品年销售量变化

运能调整费可用下式求得

$$I_M = k_M(M_U - M_L) \tag{8-12}$$

式中　I_M——运能调整费；

M_U——高端运能水平；

M_L——低端运能水平；

k_M——运能调整费率。

（1）固定运能水平决策。在固定运能条件下，运能-需求失配损失包括运能大于市场需求时的运能空置损失与运能小于市场需求时的机会损失和客户流失损失等。构建以运能-需求失配损失最小为目标的运能决策模型为

$$C(M_i)_{\min} = \min\left\{\sum_{D_j=D_1}^{M_i}(M_i-D_j)k_1 + \sum_{D_j=M_i}^{D_N}(D_j-M_i)k_2\right\} \tag{8-13}$$

式中　D_j——第 j 时段的需求水平；

D_1——最低运能配置水平；

D_N——最高运能配置水平；

M_i——运能配置水平；

k_1——运能空置损失率；

k_2——运能不足损失率。

式（8-13）中，第一项为运能空置损失项，第二项为运能不足损失项。

例 8-3 设运能空置损失率 $k_1=800$ 元/（t·月）；运能不足损失率 $k_2=1000$ 元/（t·月）。把图 8-17 中 M_i 和 D_j 的数据代入式（8-13）中，计算各运能水平下的运能失配损失值，结果如表 8-5 所示。

表 8-5 运能失配损失值 （金额单位：万元）

运能配置方案 M_i/(t/月)	市场需求 D_j/(t/月)											运能失配损失值
	2000	2600	2900	2900	2600	2000	1500	1200	1100	1200	1500	2000	
1100	90	150	180	180	150	90	40	10	0	10	40	90	1030
1200	80	140	170	170	140	80	30	0	8	0	30	80	928
1500	50	110	140	140	110	50	0	30	40	30	0	50	750
2000	0	60	90	90	60	0	40	64	72	64	40	0	580
2500	40	10	40	40	10	40	80	104	112	104	80	40	700
2600	48	0	30	30	0	48	88	112	120	32	88	48	644
2900	72	30	0	0	24	72	112	136	144	136	112	72	910

由表 8-5 结果可见，最优运能配置水平为 2000t/月，月运能失配损失值为 580 万元。

（2）分段调整运能水平决策。分段调整运能决策分析过程需要分两步完成：第一步，分别确定旺季和淡季的最佳运能计划水平；第二步，分别计算出旺季最优运能水平和淡季最优运能水平下的运能损失费，以及计划期的运能调整费。这三项费用之和即分段调整运能水平决策的总费用。计算公式为

$$C(M_i)_{\min}=\min\left\{\sum_{D_j=D_1}^{M_i}(M_i-D_j)k_1+\sum_{D_j=M_i}^{D_N}(D_j-M_i)k_2+(M_U-M_L)k_M\right\} \quad (8\text{-}14)$$

式（8-14）中，第一项为运能空置损失，第二项为运能不足损失，第三项为运能调整损失。分别计算运能空置损失、运能不足损失和运能调整损失值如下。

1）计算需求旺季的最优运能配置水平及其运能失配损失值。代入需求旺季的数据，计算结果如表 8-6 所示。

表 8-6 需求旺季的运能失配损失值 （金额单位：万元）

运能配置方案 M_i/(t/月)	市场需求 D_j/(t/月)						运能失配损失值
	2000	2600	2900	2900	2600	2000	
2000	0	60	90	90	60	0	300
2500	40	10	40	40	10	40	180
2600	48	0	30	30	0	48	156
2900	72	30	0	0	24	72	198

由表 8-6 结果可见，需求旺季的最优运能配置水平为 2600t/月，运能失配损失值为 156 万元。

2）计算需求淡季的最优运能配置水平及其运能失配损失值。代入淡季的数据计算结果如表 8-7 所示。

表 8-7　需求淡季的运能失配损失值　　　　　　　　　（金额单位：万元）

运能配置方案 M_i/(t/月)	市场需求 D_j/(t/月)						运能失配损失值
	1500	1200	1000	1200	1500	2000	
1100	40	10	0	10	40	90	190
1200	30	0	8	0	30	80	148
1500	0	24	32	24	0	50	130
2000	40	64	72	64	40	0	280

由表 8-7 结果可见，需求淡季的最优运能配置水平为 1500t/月，运能失配损失值为 130 万元。

3）计算运能调整费。运通能调整发生在从淡季转入旺季或从旺季转入淡季时，为适应市场需求变化，运能要从低端调整到高端，或从高端调整到低端。为简化计算，本例以运能调整综合变动费率表示：k_M = 1500 元/t。运能调整费为

$$I_M = (M_U - M_L)k_M = [(2600-1500) \times 1500] 元 = 165 万元$$

4）分段调整运能策略的总损失费用。

$$C(M_i) = E_1(M_i) + E_2(M_i) + I_M = (156+130+165) 万元 = 451 万元$$

式中　$E_1(M_i)$——需求旺季的运能失配损失；

　　　$E_2(M_i)$——需求淡季的运能失配损失；

　　　I_M——运能调整费。

3. 动态调整运能水平决策

动态调整运能水平决策是指以月为单位，根据当月客户实际需求量，动态调整运能水平。动态调整运能水平决策可以使运能失配损失达到最小（甚至可以忽略不计），但运能调整费较高。动态调整运能的成本费用的计算公式为

$$C(M_i) = \sum_{i=2}^{N}(M_i - M_{i-1})k_M = \sum_{i=2}^{N}(D_i - D_{i-1})k_M \tag{8-15}$$

本例中，期初运能水平为 2000t，用式（8-15）逐月计算动态调整运能的成本费用，结果如表 8-8 所示。

表 8-8　动态调整运能的成本费用

月份	1	2	3	4	5	6
市场需求/t	2000	2600	2900	2900	2600	2000
运能调整费/万元	0	72	42	0	42	72
月份	7	8	9	10	11	12
市场需求/t	1500	1200	1100	1200	1500	2000
运能调整费/万元	60	42	12	12	42	60
总调整费/万元	456					

从本例结果可见，固定运能决策损失为 580 万元；分段调整运能决策损失为 451 万元；动态调整运能决策损失为 456 万元。最优为分段调整运能决策。

8.4.4　运营能力的核算与平衡

1. 运营能力的计算

运营能力的计算应从基层开始，自下而上进行。首先，计算各班组或设备组的运能；然后，

在对各班组运能进行综合平衡的基础上,确定上一层级部门的运能;最后,再以各部门的运能为基础进行综合平衡,确定企业的运能。

以设备加工为主的运营系统,运能主要取决于设备或设备组条件。假定人员、物料供应等均能满足要求,计算运能主要考虑设备的数量、效率和工作时间。

以人工作业为主的运营系统,运能主要取决于作业人数、作业效率、有效工作时间等。因而计算运能主要按作业人数、作业效率、有效工作时间计算,场地面积一般作为约束条件考虑。

在单一品种生产条件下,运营能力可以用产品实物单位来表示;但在多品种生产条件下,可用班组或设备组在计划期可承担的工时或台时数来表示。用工时或台时表示运能有利于进行运能平衡。

小组运能计算公式为

$$M_i = \frac{T_e S_{ei}}{t} (实物单位) \tag{8-16}$$

或

$$M_i = T_e S_{ei} (时间单位) \tag{8-17}$$

式中　M_i——第i设备组运能;

　　　S_{ei}——设备数;

　　　T_e——计划期设备有效工作时间;

　　　t——单件时间。

在某些情况下,运营系统的运能取决于生产面积。此时,运能主要决定于生产面积、计划期运作时间、单位产品占用生产面积和时间。以生产面积计算运能的公式为

$$M_A = \frac{T_e A}{at} \tag{8-18}$$

式中　M_A——以生产面积计算的运能;

　　　A——生产面积;

　　　a——单位产品占用生产面积;

　　　T_e——计划期运营时间;

　　　t——单位产品占用生产面积时间。

2. 部门之间运营能力的平衡

设部门业务流程分别由多个班组完成,而各个班组的运能不相等时,就需要对各班组进行运能平衡。针对瓶颈班组采取负荷转移、加班加点等方法,使部门运能达到合理的水平。

例 8-4　某部门有 6 个环节,各环节运能如图 8-18 所示。现要求确定该部门的运能。图中虚线表示平均运能,环节 02 和 04 为瓶颈环节,环节 03 和 05 运能大于平均值,在允许运能转移的前提下,可考虑把环节 03 的多余运能转移到环节 02,而把环节 05 多余的运能转移至环节 04,经平衡后各环节运能基本达到平均水平,从而保证整个部门的运能达到平均水平。

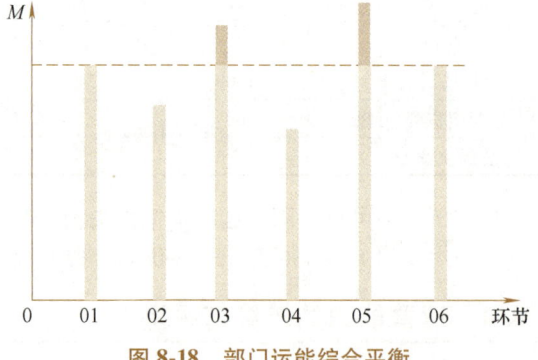

图 8-18　部门运能综合平衡

在环节之间的运能不能实现相互转移的情况下,可以安排环节 02 和 04 适当加班,或把环节 02 和 04 的任务部分外协,以补充能力不足

部分,从而确保部门整体运能达到平均水平。

3. 运营能力与计划任务的平衡

运营能力与计划任务的平衡是指采取相应的策略和措施,使各部门在计划期内的运营能力与任务量相匹配。

(1) 运能与计划平衡步骤。

1) 计算部门内各小组计划期的运能(工时或台时)。
2) 按工序计算各任务计划期的业务/工作量(工时或台时)。
3) 累计计划期各任务在各小组的业务/工作量(工时或台时)。
4) 比较计划期的任务工时与能力工时,结果有两种情况:①运能小于任务量需要;②运能大于任务量需要。

(2) 运能小于计划任务的平衡措施。

1) 安排产能不足的小组加班加点。
2) 增加产能不足小组的人力或设备。
3) 转移产能不足小组的部分任务至其他小组。
4) 把部分计划任务转为外协(外包)。
5) 调整计划任务(在客户同意的条件下)。

(3) 运能大于计划任务的平衡措施。

1) 安排任务不足小组的成员支持其他小组的作业(前提是员工具有多岗操作能力)。
2) 提前安排部分后续计划任务(前提是库存占用成本小于人员和设备空置费)。
3) 减少任务不足小组的工作时间。

(4) 运能与计划任务平衡实例。

例 8-5 某部门有 M_A、M_B、M_C、M_D、M_E、M_F 6 个工作小组,各小组分别有员工 16 人、17 人、18 人、16 人、20 人、21 人,10 月份计划任务有 $J_1, J_2, \cdots, J_8$ 共 8 项,各任务的计划产量和单件工时如表 8-9 所示。设小组制度工作时间为 22 天,实行两班制,每班工作 8h,时间有效系数为 0.92。试对该部门的运能与计划进行平衡。

表 8-9 部门各小组的计划产量和单件工时

任务		小组					
		M_A (16)	M_B (17)	M_C (18)	M_D (16)	M_E (20)	M_F (21)
J_1	300	2.2		4.0	2.5		3.2
J_2	400	1.5	3.0	2.5		4.0	2.3
J_3	220		2.6		3.5	4.2	3.1
J_4	330	3.3	2.8	2.2		3.2	
J_5	260	3.6		5.1	3.3		4.1
J_6	320		3.2	3.1		3.1	3.3
J_7	400	1.8	2.6		4.6	2.6	
J_8	480	2.3	3.3		3.4	2.5	3.2

注:括号内数字为员工数;第二列数字为任务数;时间单位:工时。

运能与计划任务平衡步骤如下。

(1) 计算计划期内各小组产能 M_i。

$$M_i = DBtpk$$

式中　D——计划期工作天数；
　　　B——每天工作班数；
　　　t——每班工作时数；
　　　p——组内人数；
　　　k——时间有效系数。

$M_A = (22×2×8×16×0.92)$ 工时 $= 5181$ 工时；$M_B = (22×2×8×17×0.92)$ 工时 $= 5505$ 工时
$M_C = (22×2×8×18×0.92)$ 工时 $= 5829$ 工时；$M_D = (22×2×8×16×0.92)$ 工时 $= 5181$ 工时
$M_E = (22×2×8×20×0.92)$ 工时 $= 6477$ 工时；$M_F = (22×2×8×21×0.92)$ 工时 $= 6801$ 工时

（2）计算计划期各小组任务总工时 T_i。

$$T_i = \sum_{j=1}^{n} Q_j T_{i,j}$$

式中　Q_j——j 产品计划产量；
　　　$T_{i,j}$——第 i 小组 j 产品的单件工时。

$T_A = (300×2.2+400×1.5+330×3.3+260×3.6+400×1.8+480×2.3)$ 工时 $= 5109$ 工时
$T_B = (400×3.0+220×2.6+330×2.8+320×3.2+400×2.6+480×3.3)$ 工时 $= 6344$ 工时
$T_C = (300×4.0+400×2.5+330×2.2+260×5.1+320×3.1)$ 工时 $= 5244$ 工时
$T_D = (300×2.5+220×3.5+260×3.3+400×4.6+480×3.4)$ 工时 $= 5850$ 工时
$T_E = (400×4.0+220×4.2+330×3.2+320×3.1+400×2.6+480×2.5)$ 工时 $= 6812$ 工时
$T_F = (300×3.2+400×2.3+220×3.1+260×4.1+320×3.3+480×3.2)$ 工时 $= 6220$ 工时

（3）计算小组产能与任务差值。

$$\Delta M_i = M_i - T_i$$

$\Delta M_A = M_A - T_A = (5181-5109)$ 工时 $= 72$ 工时
$\Delta M_B = M_B - T_B = (5505-6344)$ 工时 $= -839$ 工时
$\Delta M_C = M_C - T_C = (5829-5244)$ 工时 $= 585$ 工时
$\Delta M_D = M_D - T_D = (5181-5850)$ 工时 $= -669$ 工时
$\Delta M_E = M_E - T_E = (6477-6812)$ 工时 $= -335$ 工时
$\Delta M_F = M_F - T_F = (6801-6220)$ 工时 $= 581$ 工时

其中，差值为负说明产能不足。

（4）计算各小组人员数差值。

$$\Delta P = \frac{\Delta M}{t_p}$$

计划期每人产能工时为

$$t_p = Dtk = 162 \text{ 工时}$$

$$\Delta P_A = \frac{\Delta M_A}{t_p} = \frac{72 \text{ 工时}}{162 \text{ 工时}} = 0.44$$

$$\Delta P_B = \frac{\Delta M_B}{t_p} = \frac{-839 \text{ 工时}}{162 \text{ 工时}} = -5.2$$

$$\Delta P_C = \frac{\Delta M_C}{t_p} = \frac{585 \text{ 工时}}{162 \text{ 工时}} = 3.6$$

$$\Delta P_D = \frac{\Delta M_D}{t_p} = \frac{-669 \text{ 工时}}{162 \text{ 工时}} = -4.1$$

$$\Delta P_{\mathrm{E}} = \frac{\Delta M_{\mathrm{E}}}{t_{\mathrm{p}}} = \frac{-335 \text{ 工时}}{162 \text{ 工时}} = -2.1$$

$$\Delta P_{\mathrm{F}} = \frac{\Delta M_{\mathrm{F}}}{t_{\mathrm{p}}} = \frac{581 \text{ 工时}}{162 \text{ 工时}} = 3.6$$

计算结果如表 8-10 所示。

表 8-10 部门运能与计划任务平衡表 （时间单位：工时）

任务		小组						任务工时
		M_A	M_B	M_C	M_D	M_E	M_F	
J_1	300	2.2 / 660		4.0 / 1200	2.5 / 750		3.2 / 960	3570
J_2	400	1.5 / 600	3.0 / 1200	2.5 / 1000		4.0 / 1600	2.3 / 920	5320
J_3	220		2.6 / 572		3.5 / 770	4.2 / 924	3.1 / 682	2948
J_4	330	3.3 / 1089	2.8 / 924	2.2 / 726		3.2 / 1056		3795
J_5	260	3.6 / 936		5.1 / 1326	3.3 / 858		4.1 / 1066	4186
J_6	320		3.2 / 1024	3.1 / 992		3.1 / 992	3.3 / 1056	4064
J_7	400	1.8 / 720	2.6 / 1040		4.6 / 1840	2.6 / 1040		4640
J_8	480	2.3 / 1104	3.3 / 1584		3.4 / 1632	2.5 / 1200	3.2 / 1536	7056
小组负荷率		5109/5181 0.99	6344/5505 1.15	5244/5829 0.90	5850/5181 1.13	6812/6477 1.05	6220/6801 0.91	35579/34974 1.02

注：第二列数字为计划任务数；各单元格斜线左上角数字为单件工时，右下角数字为任务在相应单元的计划工作量。

根据以上计算结果，把产能有剩余的小组人员调往产能不足的小组。例如，把 M_C 小组剩余的约 4 人调往 M_D 小组，把 M_F 小组剩余的约 4 人调往 M_B 小组，对其余产能与计划差值不大的小组，可安排相应的加班加点。

8.5 运营计划的线性规划方法

完成运营计划任务、实现生产目标有多种方案可供选择，运营计划决策是指通过科学的分析和决策，寻求和确定最优计划方案，以最低的代价实现运营目标。

在以人工作业为主的生产系统中，运营计划产量安排必须与工人数增减、工人加班工时的利用等结合起来。而增加工人必然增加招聘和培训成本；减少工人数，根据相关劳动法规，则会产生工人辞退费。充分利用工人的加班工时固然可以减少用工人数，但与此同时，由于加班工时的成本率比正常工时的成本率更高，因而也增加了人工费用。根据市场需求的变化，在年度计划以及各月份计划确定后，合理确定用工人数和工人加班工时，是人工作业系统需要重点决策的问题。

目标函数是计划期各项费用总和最小化，总费用项目包括与劳动力相关的费用、储存费用、劳动力变动费用和其他生产费用。

$$\min F = \sum_{t=1}^{T} c_t P_t + c_{Rt} L_{Rt} + c_{ot} L_{ot} + h_t I_t + w_t S_t + c_{\Delta t}^+ l_t^+ + c_{\Delta t}^- l_t^-$$

s.t.
$$\begin{cases} NI_t = NI_{t-1} + P_t - D_t \\ NI_t = I_t - S_t \\ L_{Rt} = L_{R,t-1} + l_t^+ - l_t^- \\ L_{ot} - L_{ut} = m_t P_t - L_{Rt} \\ P_t, I_t, S_t, L_{Rt}, L_{ot}, L_{ut}, l_t^+, l_t^- \geq 0 \end{cases}$$
(8-19)

式中　D_t——计划时段 t 的预测需求量；

P_t——计划时段 t 的产量（决策变量）；

c_t——单位产品生产成本（不含劳动力费用）；

I_t——计划时段 t 末的储存量；

S_t——计划时段 t 末未交付的订货量；

h_t——计划时段 t 单位产品储存保管费；

w_t——计划时段 t 单位产品缺货（未能交付订货）费用；

L_{Rt}——计划时段 t 正常生产时间；

c_{Rt}——正常生产时间单位工时成本；

L_{ot}——计划时段 t 安排的加班时间；

c_{ot}——单位加班工时成本；

T——计划期时段数；

L_{ut}——窝工时间；

m_t——生产单位产品所需工时；

l_t^+——计划时段 t 增加的劳动工时；

l_t^-——计划时段 t 减少的劳动工时；

$c_{\Delta t}^+$——计划期增加单位工时的费用；

$c_{\Delta t}^-$——计划期减少单位工时的费用。

例 8-6　某公司生产 5 种产品，各产品轮番生产，产品转换时要更换工装、调整设备，每种产品的月需求量、各产品的期初储存量、单位产品工时如表 8-11 和表 8-12 所示。与劳动力相关的数据及要求如下：

表 8-11　各月产品需求量　　　　　　　　　　（单位：件）

月份	产品				
	A	B	C	D	E
1	150	300	600	150	400
2	300	600	600	200	400
3	300	900	600	250	400
4	400	1500	600	400	400
5	400	600	650	350	400
6	400	600	600	350	400
7	400	100	700	350	400
8	500	0	700	500	400
9	300	0	700	550	400

（续）

月份	产品				
	A	B	C	D	E
10	250	0	600	475	400
11	200	0	600	450	400
12	0	0	600	400	400
单件工时	2	1	1	4	2
期初库存	150	700	200	200	500

表8-12 以工时表示的月需求量 （单位：件）

月份	产品					合计
	A	B	C	D	E	
1	300	300	600	600	800	2600
2	600	600	600	800	800	3400
3	600	900	600	1000	800	3900
4	800	1500	600	1600	800	5300
5	800	600	650	1400	800	4250
6	800	600	600	1400	800	4200
7	800	100	700	1400	800	3800
8	1000	0	700	2000	800	4500
9	600	0	700	2200	800	4300
10	500	0	600	1900	800	3800
11	400	0	600	1800	800	3600
12	0	0	600	1600	800	3000
期初库存	300	700	200	800	1000	3000

$c_t = 80$ 元/工时；$c_{Rt} = 12$ 元/工时；$c_{ot} = 18$ 元/工时；雇用费用 = 1600 元/人；解雇费用 = 5920 元/人；$c_{\Delta t}^+ = (1600/160)$ 元/工时 = 10 元/工时；$c_{\Delta t}^- = (5920/160)$ 元/工时 = 37 元/工时；工人上限为 26 人，已雇用 16 人；要求安全库存量为 2 周；储存保管费率 $h_t = 2.7$ 元/工时；月正常工作时间为 160 工时/人；$L_{Rt} \leq (26 \times 160)$ 工时 = 4160 工时；$I_t \leq$ 安全需求（2 周需求量）。

试确定既能满足需求量又不出现产品积压的综合运营计划。

采用单纯形法求解（过程从略），得出以工时表示的综合运营计划，如表8-13所示。

表8-13 以工时表示的综合运营计划 （单位：件）

月份	项目							
	I_t	P_t	D_t	L_{Rt}	L_{ot}	L_{ut}	l_t^+	l_t^-
1	3280	2880	2600	2880	0	0	0	0
2	3580	3700	3400	3700	0	0	820	0
3	3380	3700	3900	3700	0	0	0	0
4	2125	4045	5300	3700	345	0	0	0
5	2100	4225	4250	3700	525	0	0	0
6	1900	4000	4200	3700	300	0	0	0
7	2250	4150	3800	3700	450	0	0	0
8	2150	4400	4500	3700	700	0	0	0

(续)

月份	项目							
	I_t	P_t	D_t	L_{Rt}	L_{ot}	L_{ut}	l_t^+	l_t^-
9	1900	4050	4300	3700	350	0	0	0
10	1800	3700	3800	3700	0	0	0	0
11	1500	3300	3600	3700	0	400	0	0
12	1800	3300	3000	3700	0	400	0	0

8.6 产品出产进度安排的原则

产品出产进度安排是指把全年的计划任务按品种、规格、数量、交货期等指标具体地分配到计划期各个时段中。要求保证完成合同所规定的条款，注意排产的科学顺序，要与各项技术准备工作相衔接，此外还要合理地利用各种生产资源和管理资源。科学而合理地安排企业的产品出产进度，一方面有利于进一步落实企业的销售计划，满足市场需求，履行经济合同；另一方面有利于企业平衡运能，有效利用设备和人力。由于不同企业的经营特点不同，其运营类型不同，因而其产品出产进度安排也会有所不同。

8.6.1 大批大量生产的进度安排

（1）均匀安排。对于市场需求稳定的大批大量生产企业，适合采用均衡安排的方式，即把计划期的生产任务均匀地分配到各时段。

（2）分段安排。对于市场需求有季节性变化的情况，为了减少库存积压和资金占用，按照淡、旺季需求的变化幅度，把计划期的产量任务分配到各时段，旺季多生产、淡季少生产。这种安排对运能利用有一定的负面影响。

（3）动态安排。对于市场需求随机变化且库存占用有严格限制的情况，应按各时段市场的实际需求安排产量。这种方式一般对应于订单生产条件。动态安排条件下计划期各时段的生产任务变化不定，使得生产资源和运能的利用率降低，但库存占用较小。

8.6.2 多品种成批生产的进度安排

多品种成批生产的进度安排较为复杂，既要考虑各品种的产量进度安排，又要考虑多种产品的合理搭配生产，还要考虑生产运营系统资源的有效利用。对于计划期产量较大的主导产品，通常可采用均衡排产的方式，保持全年生产主流的均衡；对于批量较小的品种，可采用"集中轮番"的方式，即按品种集中安排在一较短时段内生产，以减少同一时段内生产的品种数；对于小批量产品的生产进度，可采用"填平补齐"的方式，在生产时间间隙安排小批量产品的生产。在安排新产品或需要用到关键设施产品的生产进度时，要尽量分散安排，以保证相关资源的均衡利用。

8.6.3 单件多品种订单生产的进度安排

在单件多品种订单生产条件下，主要任务是保证交货期。由于订单生产企业在安排进度计划时，只接到部分客户的订单，一般这些订单任务是计划期第一季度要求交货的任务，因此排产时具体安排已经明确的客户订单，其他时段的任务按需求预测，做相应粗略的安排，随着时间的推移和客户订单的陆续到达，再分时段具体安排和落实计划进度。同时，尽可能按季分摊，分期、分批交错安排，将涉及研发与技术准备工作的新产品分摊到各个季度。对于型号各异的产品，要通过合理搭配来协调生产；而对于新、老产品，则主要采取交替式安排，逐渐实现以新产品代替老产品。

8.6.4 滚动式计划法

滚动式计划法是一种随时间推移和实际执行结果而不断调整未来计划的方法。这种方法适用于编制灵活、有弹性的各种计划，可以使企业在适应市场需求的同时，保持生产的稳定和均衡。

编制滚动式计划可以把整个计划期分为几个时段，其中第一个时段的计划为执行计划，后几个时段的计划为预计计划。执行计划较具体，要求按计划实施；预计计划则比较粗略，每经过一个时段，就根据执行计划的实施情况以及企业内、外条件的变化，对原预计计划做相应的调整与修改，预计计划中第一个时段的计划就变成了执行计划。例如，某企业编制 2024 年运营计划，计划期分为四个时段，一季度为第一时段，是执行期，二季度后各时段为预计计划期，一季度计划实施后，计划期往后推一个季度，并根据一季度计划实施的结果和市场条件的变化，调整二季度后各时段计划，以此类推。修订计划的间隔时间称为滚动期，它通常等于执行计划的计划期。滚动式计划的时段可为年、季、月或更短的时间间隔。

滚动式计划法有以下优点。

（1）计划是动态的，计划的应变性和严肃性均能得到保证。传统的计划方法，计划方案一旦编制完成，则不再改动；如果计划期出现偏差，以后各期计划不做相应调整，计划就会流于形式。而运用滚动式计划法，无论是长期计划还是短期计划，在计划滚动期内，都要按市场实际需要的变化不断地进行调整，按滚动期连续不断地调整计划。可见，滚动式计划具有适应市场变化的特点。同时，因为执行计划与编制计划的时间接近，内、外条件不会发生很大变化，所以可以保证计划的有效完成，既体现了计划的严肃性，又保证了计划的灵活性。

（2）提高了计划的连续性。某企业的滚动式计划如图 8-19 所示。

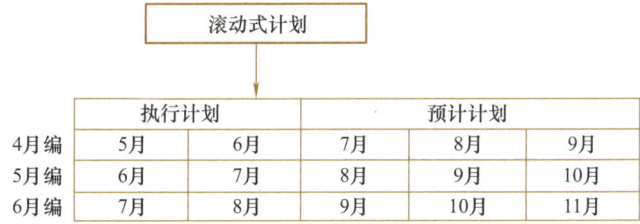

图 8-19 滚动式计划

图 8-19 中，滚动期为 5 个月，时段为 1 个月，即 4 月编 5、6、7、8、9 月的计划，5 月编 6、7、8、9、10 月的计划，4 月编的 7、8、9 月计划和 5 月编的 8、9、10 月计划是预计计划。在一个滚动期内，执行计划和预计计划应为多长时间，应根据企业的具体情况确定。

8.7 主生产计划

8.7.1 从综合运营计划到主生产计划

综合运营计划作为企业的整体战略蓝图，为企业的各项经营活动提供了宏观指导和方向。

然而，要确保这些战略意图能够在生产环节中得以具体实现，就需要制订更为详细和具体的主生产计划（Master Production Schedule，MPS）。

主生产计划是指根据预期产品到达量、订货提前期和现有库存等因素而规定的计划期内必须完成的具体产品的数量和进度。可见，主生产计划的目标是在满足订单需求的前提下，有效利用现有生产能力，以最低的成本按进度生产出最终产品。制订主生产计划的时间跨度一般为2~3个月，规定每周或旬的生产批量，并按月对整个计划进行更新。

主生产计划是生产部门的关键工具，它根据运营计划中的战略目标和市场需求，将生产计划细化到具体的产品、数量和交货期。这种细化不仅有助于生产部门明确生产任务，还能够确保生产活动与市场销售紧密衔接，优化生产资源配置，提高生产效率，并灵活应对市场变化。

8.7.2 制订主生产计划的程序

主生产计划的制订需要考虑市场需求、生产能力、资源状况等多个因素，同时，主生产计划的执行结果会反馈到综合运营计划中，为综合运营计划的调整和优化提供依据。因此，制订主生产计划的程序是一道反复试算的过程。根据综合运营计划拟订草案后，需要与企业的现有资源（如人员、设备、物料、外协能力等）进行比对。如果方案需求超出现有能力，就必须修改原有方案，直到得到符合资源约束条件的方案。如果经过反复试算和协调，资源条件仍无法满足计划所需，就需要增加资源或对综合运营计划进行修改调整，以获得切实可行的主生产计划。在完成制订合适的主生产计划后，交由管理部门进行审批，形成粗能力计划（Rough-cut Capacity Planning，RCCP）并下达给相关部门。在此之后，进一步分解主生产计划，编制物料需求计划（Material Requirements Planning，MRP）。

8.7.3 主生产计划的输入、计算逻辑与输出

1. 主生产计划的输入

主生产计划的输入包括以下几个方面。

（1）产品需求，包括预测的市场需求和已承诺的订单。这是主生产计划制订的基础，决定了需要生产多少产品以及何时生产。

（2）预期库存信息，包括现有库存量、安全库存量以及库存周转情况等。这些信息有助于企业了解库存状况，从而制订合理的生产计划。

（3）生产能力，是指企业能够生产产品的最大能力，包括设备能力、人力资源和原材料供应等。主生产计划的制订需要考虑生产能力的限制，以确保生产计划的可行性。

（4）综合计划分解。主生产计划的输入还包括从综合计划（如长期生产计划或销售计划）中分解出来的每一种产品的产量要求。这有助于确保主生产计划与企业的整体战略和目标保持一致。

2. 主生产计划的计算逻辑

主生产计划涉及生产批量和生产时期两个关键指标。其中，生产批量可以通过对经济生产批量进行修正得到。为确定生产时期，需要引入一个中间变量，即预期库存量（Projected On-hand Inventory，POH）。其计算公式为

$$I_t = I_{t-1} + P_t - \max(F_t, CO_t) \tag{8-20}$$

式中　I_t——第 t 期的预期库存量；

　　　I_{t-1}——第 $t-1$ 期的预期库存量；

P_t——第 t 期的主生产计划生产量；

F_t——第 t 期的预测量；

CO_t——第 t 期发货的订单数量。

在式中，之所以选择预测需求与客户订单两者之间的较大者，就是为了使所编制的主生产计划能够满足未来可能达到的订单需求。

预期库存量是判断是否启动主生产计划的指标，一旦预期库存量变为负数，就启动主生产计划。下面举例说明主生产计划的计算逻辑。

例 8-7 一家服装制造厂生产某款式的春夏连衣裙。根据往年的订单情况预测，这款连衣裙3月的需求为800件，4月的需求为1200件。目前已知3月—4月客户的订单情况，如表8-14所示。3月的期初库存为450件。如果按经济生产批量600件安排生产，试制订3月和4月的主生产计划。

表 8-14 3月—4月客户订单情况 （单位：件）

项目	3月周次				4月周次			
	1	2	3	4	5	6	7	8
需求预计	200	200	200	200	300	300	300	300
客户订单	240	140	100	80	0	0	0	0

根据式（8-20）可计算出各期的预测库存量，如表8-15所示。

表 8-15 3月—4月预期库存量 （单位：件）

项目	3月周次				4月周次			
	1	2	3	4	5	6	7	8
需求预计	200	200	200	200	300	300	300	300
客户订单	240	140	100	80	0	0	0	0
预期库存量	210	10	−190					
计划生产量								

从表8-15中可以看出，如果不进行主生产计划，第3周的预期库存量为−190件，将无法满足市场需求。因此，该服装厂需要在第3周启动主生产计划，进行生产补货。根据经济订货批量，制订该企业3月和4月的主生产计划如表8-16所示。

表 8-16 3月—4月主生产计划 （单位：件）

项目	3月周次				4月周次			
	1	2	3	4	5	6	7	8
需求预计	200	200	200	200	300	300	300	300
客户订单	240	140	100	80	0	0	0	0
预期库存量	210	10	410	210	510	210	510	210
计划生产量			600		600		600	
待分配库存量	70		420		600		600	

表8-16中，待分配库存量（Available-to-Promise，ATP）是指企业在下一次计划生产之前，其库存或计划生产量中尚未被分配给客户订单的部分，这部分资源可用于承诺给新客户或现有客户的额外订单。因此，需要对有期初库存的第1周以及需要进行计划生产的周期计算待分配库

存量。各期的待分配库存量等于本期的计划生产量减去直到下一次计划生产产品到达为止的全部订单。对第1周，还需要另外加上期初库存量。例如，第1周ATP = (450-240-140)件 = 70件，第3周ATP = (600-100-80)件 = 420件。

计算待分配库存量的一个主要目的是判断能否接受未来到达的新订单。例如，若该服装厂接到一个数量为90件的订单，要求在第2周交货，根据表8-16的结果，该厂的待分配库存量仅有70件，不宜再接受该订单。这是因为：厂家已经为近期的主生产计划做好了包括人员、材料、设备、资金等方面的生产准备工作，如果为了满足个别超出待分配库存的订单，必然要更改主生产计划。主生产计划的制订涉及多方面的决策和协调，通常需要经过详细的规划和资源配置，这种变动可能会导致成本上升、生产效率和产品质量下降等，最后导致不必要的损失。

但是，如果该服装厂接到了一个数量为620件的订单，要求在第8周交货，虽然订单数量比待分配库存量稍大，但交货期比较靠后，就给了服装厂一定的缓冲时间，可以调整主生产计划以满足这一订单需求。

例8-7中的这一思想被称作主生产计划的时间围栏。主生产计划的时间围栏是指在制订主生产计划时，为了确保计划的可行性和稳定性，而对生产计划所设定的时间范围或时间段。这个时间段通常是根据企业的生产能力、资源状况、市场需求以及交货期要求等因素综合确定的。随着客户对产品多样性和订单响应速度要求的不断提高，时间围栏的总体变化趋势是冻结期和刚性期在缩短，稳定期和可变期在变长。

（1）冻结期（或称为"严格冻结区"）是时间围栏内最为严格的一个阶段，通常位于时间围栏的开始部分。在这个阶段内，主生产计划具有高度的稳定性。由于更改成本高昂，此阶段内的主生产计划灵活性较低，几乎是不可更改的，任何对主生产计划的修改都需要经过严格的审批流程，并且可能对供应链和生产计划产生重大影响。

（2）刚性期可以视为冻结期的一个延伸或过渡阶段，在这个阶段内，主生产计划的更改仍然受到较为严格的限制，但相对于冻结期而言，存在一定的灵活性，允许在特定条件下进行微调。在考虑更改时，需要权衡更改带来的风险和收益。

（3）稳定期位于时间围栏的中间部分，是主生产计划相对稳定的一个阶段。在这个阶段内，主生产计划具有一定的灵活性，可以根据市场需求和生产能力的变化进行适当调整。但也需要考虑对供应链和生产计划的影响。

（4）可变期（或称为"柔性区"）位于时间围栏的末尾部分，是主生产计划最为灵活的一个阶段，可以根据市场需求和生产能力的快速变化进行实时调整，对供应链和生产计划的影响较小。

需要注意的是，以上定义和阶段划分并非绝对的，不同的企业和行业可能根据自身特点和需求进行不同的划分与命名。在实际应用中，企业可以根据自身情况设定合适的时间围栏和阶段划分，以确保MPS的可行性和稳定性，同时提高生产效率和响应速度。

3. 主生产计划的输出

主生产计划的输出文件通常与生产计划、物料需求、库存控制等方面紧密相关。如生产计划表是主生产计划系统的主要输出之一，它详细列出了未来一段时间内需要生产的产品种类、数量、生产时间等信息。这个表格是生产部门执行生产任务的直接依据。又如物料需求计划文件，主生产计划确定了产品的生产需求后，物料需求计划会根据这些需求以及产品的物料清单（BOM）来计算所需的原材料和零部件的数量及时间，从而生成物料需求计划文件。这个文件对于采购和库存管理至关重要。

本章小结

本章介绍了运营计划的基本理论、运营计划体系结构、运营计划指标与运能平衡的原理、运营计划指标之间的平衡方法;设市场长期需求趋势变化、短期需求随机波动的情况,以运能失配损失最小为目标,建立了企业长期运能优化决策和企业短期运能优化决策模型和分析方法,通过案例数据计算,得到了设定条件下的最优运能配置决策;分别考虑了产品可储存特征和不可储存条件下,基于需求季节性波动的运营计划策略模型和优化方法;介绍了基于线性规划方法的人工作业系统综合计划建模与优化方法;还介绍了生产过程各环节的运能核算方法以及生产系统的运能平衡方法;介绍了大批大量生产的进度安排、多品种成批生产的进度安排和单件多品种订单生产的进度安排;简单介绍了滚动计划法的基本原理;最后介绍了主生产计划的输入、计算逻辑及输出。

思考与练习题

1. 什么是运营能力?运营能力的类型有哪些?
2. 影响企业运营能力的主要因素有哪些?
3. 一般可用哪几种计量单位来计算企业的运营能力?
4. 企业运营计划中的主要指标有哪些?
5. 企业运营计划可分为哪几种?如何确定运营计划?
6. 简述不同类型企业出产进度安排的原则。
7. 某化工车间有 10 台反应釜,平均每台年有效工作时间为 2060 台时,加工 A、B、C 3 种化工产品,年计划产量分别为 100t、200t 和 250t。每吨产品所需反应釜台时分别为 26 台时、30 台时和 40 台时。试求:

(1) 该车间以 A 产品为代表产品的运营能力。

(2) 以台时为单位计算车间运能,并计算车间运能负荷率。

8. 某设备组年总有效工时为 26000 台时,生产 A、B、C 3 种产品,年计划产量分别为 120 台、260 台和 160 台,单位产品加工时间分别为 30 台时、42 台时和 38 台时。试求:

(1) 以台时为计量单位,计算和比较设备组负荷率。

(2) 现有客户要求增加订货,订购 100 台 B 产品,B 产品生产成本为 12000 元/台,其中变动成本为 9600 元/台,客户要求价格为 10800 元/台。试分析可否接受该客户的增加订货。

9. 某车间有 5 个工段,年生产天数为 300 天,两班制,每班工作 8h,时间有效系数为 0.92,各工段均配置 5 台设备,计划产量分别为 N_A=780 件,N_B=860 件,N_C=820 件,N_D=780 件,计划生产 A、B、C、D 4 种产品,各种产品需经 5 个工段顺序加工,各产品在各工段的单件加工时间如表 8-17 所示。试计算各工段产能,并根据计划产量计算运能负荷率的平衡。

表 8-17 产品工段单件加工时间 （单位:台时）

工段	产品				需求工时	运能工时	工段负荷率
	A	B	C	D			
工段 01	6	8	7	9			
工段 02	5	6	5	8			

(续)

工段	产品				需求工时	运能工时	工段负荷率
	A	B	C	D			
工段03	8	7	6	5			
工段04	4	9	6	6			
工段05	7	10	4	9			

10. 某电冰箱生产企业生产3种不同规格的电冰箱，根据企业以往订单情况预测，160L冰箱4月的需求为200台，5月的需求为240台。目前已知4月客户订单情况如8-18表所示。4月初库存15台。如果按照经济生产批量80台安排生产，试制订4月、5月的主生产计划。

表8-18　4月—5月客户订单情况　　　　　　　　　　（单位：台）

项目	4月周次				5月周次			
	1	2	3	4	5	6	7	8
需求预计	50	50	50	50	60	60	60	60

如果企业后续收到了客户发送来的新订单，如表8-19所示，请判断是否可以接收这些订单。

表8-19　客户新订单

订单序号	订货量/台	交货时间（周序号）
1	50	3
2	24	7
3	30	5

案例分析

Memorial 医院案例

Memorial 医院位于美国北卡罗来纳州西部山区，是一家拥有265张病床的地区医疗保健机构。这家医院的任务是为 Ashe 郡及其周边6郡提供优良的医疗保健服务。为了完成这项使命，Memorial 医院的 CEO 提出了三个目标：①使客户服务最大化，以提高客户满意度；②使成本最小化以保持竞争力；③使员工数量波动最小，有助于稳定区域就业水平。

这家医院为了计划和调度护理人员，将运营业务分为8个大病区。这些病区及其病床数、期望的患者-护士比率、每个病区的病人统计平均数如表8-20所示。在过去的几年里，尽管所服务的7个郡的人口有所增加，但对医院服务的总体需求相对稳定。这种稳定的需求可能源于该地区其他医院竞争的加强，以及医疗保健服务有更多选择，比如健康保健组织（Health Maintenance Organizations，HMOs）。但是，对 Memorial 医院服务的需求量确实随着病区类型和一年中时间的不同而变化很大。表8-21给出了各病区按月分解的日平均患者人数的历史数据。

表8-20　病区承载能力数据

病区	病床数/张	每个护士护理的患者数/人	患者统计人数[a]/人
特护	20	2	10
心脏病科	25	4	15

(续)

病区	病床数/张	每个护士护理的患者数/人	患者统计人数*/人
产科	30	4	10
儿科	40	4	22
外科	5	+	+
术后	15	5	8（周二至周五的日等价数）①
急诊	10	3	5（日等价数）①
综合科	120	8	98

注：*表示一年的日平均数。

+表示医院雇用了20名外科手术护士。常规手术安排在周二和周五。这些天，每天每个手术室（床）安排5台手术。急诊手术则根据需要随时安排。

① 指用每日等价病人数来安排护理人员，这是因为进入这些病区的患者会在比较短的时间内离开。每日等价数为5，是指一般情况下，该病区一天平均接待5名患者。

表8-21 每月的日平均患者统计人数

病区	病床数/张	每个护士护理的患者数/人	患者统计人数*/人
特护	20	2	10
心脏病科	25	4	15
产科	30	4	10
儿科	40	4	22
外科	5	+	+
术后	15	5	8（周二至周五的日等价数）
急诊	10	3	5（日等价数）
综合科	120	8	98

注：*表示周二和周四每日安排手术台数。

+表示每日等价病人数。

Memorial医院护理部的主管是达琳·弗赖伊。每年秋季，她都要面临工作中最难处理的问题：制订下一年度护理人员的配置计划。尽管在过去的两年里，对护理人员的平均需求相对稳定，但是因为工作方法、工资结构、临时护工的可得性及成本等都会发生变化，所以员工配置计划通常也要变更。随着秋天的临近，弗赖伊已经在收集信息，计划下一年度的员工配置水平。

Memorial医院护理人员正常的工作时间为：每周4天，每天10h。所有护理级别的护士在正常工作时间的平均工资为12美元/h。必要时可以安排加班。然而，考虑到护理人员承担的工作强度，每周只允许有少量的加班。护理人员每周最多工作5天，每天工作12h，加班按18美元/h支付工资。在需求特别大时，可雇用临时兼职护理人员一段时间。临时护理人员的工资为15美元/h。Memorial医院的政策规定临时护理人员的比例不得超过护理人员总数的15%。

医院发现雇用和留住合格的护理人员是许多医院一直面临的难题。其中一个原因是各种形式的私人诊所用更高的工资和更大的工作弹性吸引许多护理人员离开这些医院。这种情况导致不管对护理服务的需求是多少，Memorial医院都要保证给全职护理人员每周至少付30h的工资。此外，每位护理人员每年还有4周的带薪休假。但是，在每年的特殊时段内，休假安排多少会受到对护理人员预计需求的限制。

当前,医院雇用了130名护理人员,其中包括20名外科护士。另外110名护理人员被分配到医院其余的7个大病区。人事部门已告知弗赖伊,医院雇用1名新的全职护理人员,其平均成本为400美元,而解聘1名护理人员的费用为150美元。尽管解聘是一种选择,但弗赖伊知道医院的目标是维持稳定的员工数量。

弗赖伊在查看了自己收集的信息后,除了已经合理配置的外科病区以外,她决定改变其他所有病区的护理人员配置。

思考:

1. 就弗赖伊制订 Memorial 医院护理人员配置计划而言,她可以获得的备选方案有哪些?
2. 请解释:每个备选方案满足 CEO 提出的目标的情况如何?
3. 基于给出的数据,为 Memorial 医院制订护理人员配置计划,并说明该计划的合理性。

第 9 章

从 MRP 到 ERP

学习目标

（1）理解独立需求与相关需求的相关概念。
（2）掌握用 MRP 解决三个关键问题：需要生产什么、需要生产多少以及何时需要。
（3）理解并掌握 ERP 的概念、职能及发展。

【引导案例】

ERP 动了谁的"奶酪"

YJ 公司是一家专门制作专用服装的企业。企业用到的物料有 2000 多种。不但呆滞物料的处置令运营主管头疼，日常的采购、入库、出库也困扰着仓库主管：台账、统计、报表不但需多头管理，而且层次多，数量、品种方面的差错时有发生。

为了彻底解决物料管理混乱的局面，公司决定投资上马 ERP 项目。前期的调研、选型已基本结束。经过几次动员会，项目进入了业务设计阶段。在这一阶段遇到的阻力远远超出了预料。"不上 ERP 等死，上 ERP 找死"的说法在公司内部传播着。

运营主管并不想掩盖这个问题，但一向总经理汇报就会招来一通批评。

思考：

1. "解剖"一款夹克，统计所需要的物料；对于多品种物料应如何进行管理更好呢？
2. 规划建设 ERP 系统的阻力来自哪些方面？

9.1 MRP 概述

9.1.1 MRP 的由来

20 世纪 40 年代初，西方经济学家通过对库存物料随时间推移而被使用和消耗的规律的研究，提出了订货点法（Order Point, OP），并将其运用于企业的库存计划管理中。然而，订货点法存在一定的缺陷，不能有效地解决相关需求的问题，容易造成库存积压，使得占用资金大量增加，产品成本也随之增高，企业缺乏竞争力。为了解决传统的订货点法的缺陷，20 世纪 60 年代中期，美国 IBM 公司的管理专家约瑟夫·奥利佛博士首先提出了独立需求和相关需求的概念，将企业内的物料分成独立需求物料和相关需求物料两种类型，并在此基础上总结出了一种新的管理理论——物料需求计划（MRP），以解决物料库存控制的问题。

9.1.2 独立需求和相关需求的概念

1. 独立需求

独立需求是指某种物料的需求与其他物料的需求没有相关性，是独立的。独立需求一般来自企业外部，其需求量和需求时间由企业外部的需求来决定，如售后用的备品备件等。例如，汽车修理厂对轮胎的需求与其修理的汽车没有明显的相关性，因为并不是每一辆到修理厂维修的汽车都需要更换轮胎。由此可见，需求的物料种类及数量的不确定性是独立需求的显著特征，只能通过预测和客户订单来确定。通常使用经济订货批量模型来解决独立需求问题。

2. 相关需求

相关需求是指某种物料的需求量与其他物料的需求量存在内在联系。例如，汽车制造公司对轮胎的需求量与生产汽车的需求量是直接相关的，如果每生产1辆汽车需要4个轮胎，那么生产100辆汽车就需要400个轮胎。

尽管用户对企业所生产的产品的需求量可能是连续和独立的，但考虑到构成产品零部件的生产批量以及一种零部件可能用于生产多种不同的最终产品，会使得客户对零部件的需求是间断和波动的。因此为了更有效地控制相关需求物料的库存，MRP系统应运而生，它解决了企业生产的三个关键问题：需要生产什么？需要生产多少？以及何时需要？

9.1.3 MRP的基本原理

MRP的基本原理是指根据最终产品的产量，自动地计算出构成这些产品的相关物料（原材料、零部件、组件等）的需求量与需要的时间。根据物料的需求时间和生产（订货）周期来确定其开始生产（订货）的时间。也就是通过该系统可以将产品出产进度安排向后转化为对各种相关物料项（原材料、零件、组件）的需求，利用生产提前期以及其他相关信息，可以计算并决定这些所需的相关物料项的数量与时间安排，这样，最终产品的需求就转化为不同计划期内对底层物料项的需求，使得"采购—备料—加工—组装—总装"等基本的生产运作过程，以及相应的辅助性生产运作过程和服务性生产运作过程等，都能以确定的时间、数量进行统一安排、协调，从而能及时完成最终产品，满足市场的需求，并使库存保持在合理的低水平上。

9.2 MRP的处理逻辑

传统库存理论往往侧重于库存水平的控制，而MRP则引入了时间段的概念和反映产品结构的物料清单（Bill of Materials，BOM），这使得系统能够根据未来的生产计划和市场预测，准确地计算出生产所需的各种物料种类和数量，从而避免了物料短缺或过剩的问题。

9.2.1 MRP的输入

MRP的输入主要有三部分：主生产计划（MPS）、物料清单（BOM）和库存信息。

1. 主生产计划

主生产计划是MRP系统的首要输入，它包含了企业已经确定的销售订单和预测的销售目标，即近期内计划生产的产品及其交货日期。主生产计划是生产规划的起点，它根据市场预测、客户订单和企业战略，明确了在一定时段内需要生产哪些产品以及生产多少产品，一般为独立需求。这一输入为MRP系统提供了生产活动的总体框架和方向。表9-1为某产品生产计划的一部分，表明产品A的计划产量为：第5周10件，第8周15件；产品B的计划产量为：第4周13件，第7周12件；产品C的计划产量为：第1~9周每周生产10件。

表9-1　某产品第1~9周生产计划　　　　　　　　　　（单位：件）

周次	第1周	第2周	第3周	第4周	第5周	第6周	第7周	第8周	第9周
产品A					10			15	
产品B				13			12		
产品C	10	10	10	10	10	10	10	10	10

2. 物料清单

物料清单又称产品结构文件，是指包含了每单位产品所需的全部零件、组件与原材料等信息的清单。它表示产品的组成及结构信息，反映了产品项目的结构层次以及制成最终产品的各个阶段的先后顺序。如果把产品组成部分的层级关系用图形的方式直观地表示出来，就形成了一种树形结构图，称为产品结构树。在产品结构树中，配件之间呈现出一定的层级关系。图9-4是椅子的装配图与产品结构树。

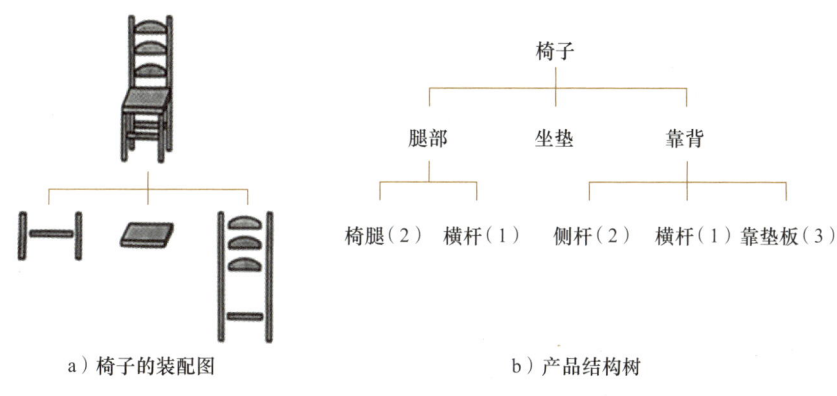

a）椅子的装配图　　　　　　　　　　b）产品结构树

图9-1　椅子的装配图与产品结构树

从图9-1可以看出，每装配1把椅子，需要1个腿部、1个坐垫和1个靠背。而加工1个腿部，需要2只椅腿和1只横杆；加工1个靠背，需要2个侧杆、1个横杆和3个靠垫板。

物料清单中所包含的物料可以分成两类：一类是自生产物料，另一类是采购物料（原材料、外购件和外协件等）。MRP展开后，自制项目的物料需求计划便形成相应的生产作业计划，采购项目的物料需求计划形成相应的采购计划。

3. 库存信息

库存信息包括供应商的信息、供应或生产提前期、订货批量、预期到货量、预期库存量、出入库记录等。库存信息是计算物料需求的主要依据之一。

9.2.2　MRP的运算逻辑

在进行MRP运算时，需要关注以下六个重要指标。

（1）总需求。总需求是指在考虑了商品或直供给其他企业的物料的基础上，根据产成品的数量及物料需求比例关系计算出来的全部需求。

（2）预期到货。已发订单，预计本期到货的数量。

（3）预期库存。预期到货加上本期期初库存减去预期出货。

（4）净需求。其计算公式为：净需求=总需求-预期库存+安全库存。

(5)计划订单入库。在规定时间内必须到货的物料数量。
(6)计划订单下达。在规定的时间内必须发出的订单数量。

注意,在实际计算物料需求时,还要考虑已向库房发出提货单,但尚未由库房发货的物料,即已分配量。

此外,所计算的物料不但要满足量的需要,还要满足时序上的要求。图9-2所示是一种带有时间坐标的产品结构树。要想满足时序要求,在规定的时间发货,就必须倒推进度。

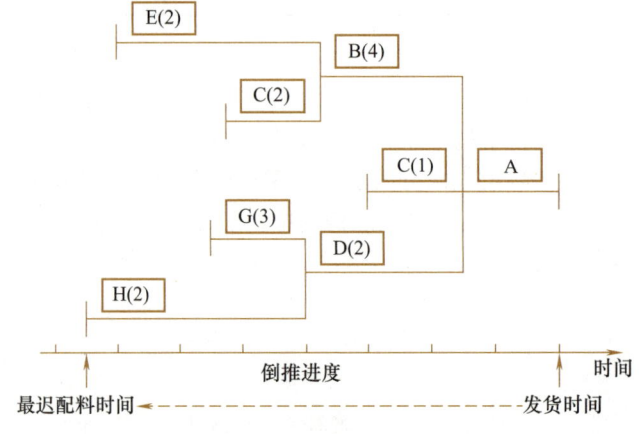

图9-2 带有时间坐标的产品结构树

可以借助表9-2所示的数据表来制订物料需求计划。表中,第0周表示期初,用于存放期初库存。

表9-2 MRP 数据表

计划期	第0周	第1周	第2周	第3周	第4周	第5周	第6周	第7周
总需求								
预期到货								
预期库存								
净需求								
计划订单入库								
计划订单下达								

下面举例说明 MRP 的运算过程。

例9-1 某文具厂生产一种手摇卷笔刀,手摇卷笔刀的 BOM 见图9-3。根据目前收到的客户订单和需求预测,该厂制订并下达了这款卷笔刀两个月的主生产计划,如表9-3所示。

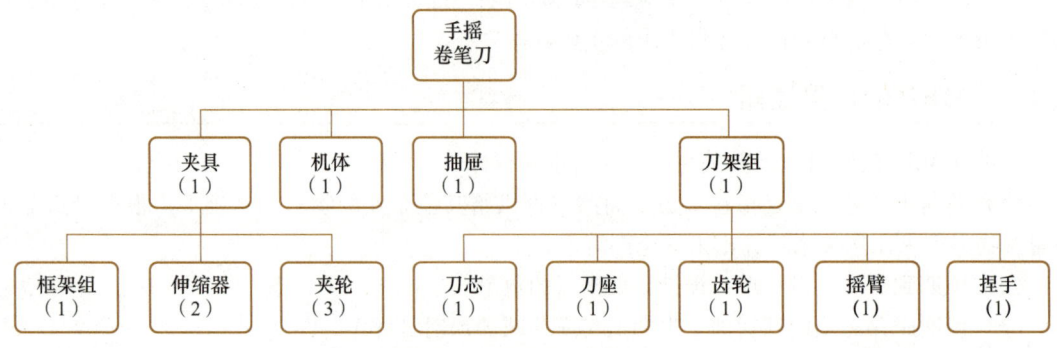

图9-3 手摇卷笔刀的 BOM

表 9-3　手摇卷笔刀主生产计划　　　　　　　　　　　　　　（单位：个）

周期	第0周	第1周	第2周	第3周	第4周	第5周	第6周	第7周	第8周
计划产出			1500	1500		1500	1500	1500	1500
计划投入									

根据生产工艺方案，这种手摇卷笔刀的生产周期是1周。

有关夹具、框架组、伸缩器、夹轮的编码，以及提前期、安全库存、经济订货（生产）批量、已分配量等信息如表9-4～表9-7所示。表中同时给出了各物料的预期库存与预期到货。

表 9-4　夹具 MRP　　　　　　　　　　　　　　　　　　（数量单位：个）

物料编码：A1　　　　　　提前期：1周　　　　　　低码位：1
安全库存：100　　　　　　经济批量：1000　　　　　已分配量：0

计划期	第0周	第1周	第2周	第3周	第4周	第5周	第6周	第7周	第8周
总需求									
预期到货		1000							
预期库存	800								
净需求									
计划订单入库									
计划订单下达									

表 9-5　框架组 MRP　　　　　　　　　　　　　　　　　（数量单位：个）

物料编码：B1　　　　　　提前期：1周　　　　　　低码位：2
安全库存：400　　　　　　经济批量：1500　　　　　已分配量：0

计划期	第0周	第1周	第2周	第3周	第4周	第5周	第6周	第7周	第8周
总需求									
预期到货			1500						
预期库存	3500								
净需求									
计划订单入库									
计划订单下达									

表 9-6　伸缩器 MRP　　　　　　　　　　　　　　　　　（数量单位：个）

物料编码：B2　　　　　　提前期：2周　　　　　　低码位：2
安全库存：600　　　　　　经济批量：1200　　　　　已分配量：0

计划期	第0周	第1周	第2周	第3周	第4周	第5周	第6周	第7周	第8周
总需求									
预期到货		3600							
预期库存	1000								
净需求									
计划订单入库									
计划订单下达									

表 9-7 夹轮 MRP　　　　　　　　　　　　　　　　（数量单位：个）

物料编码：B3 安全库存：200		提前期：2 周 经济批量：1600				低码位：2 已分配量：0			
计划期	第0周	第1周	第2周	第3周	第4周	第5周	第6周	第7周	第8周
总需求									
预期到货			3200						
预期库存	6800								
净需求									
计划订单入库									
计划订单下达									

根据主生产计划及生产提前期，确定手摇卷笔刀的计划投入，如表9-8所示。

表 9-8 手摇卷笔刀的计划投入　　　　　　　　　　（单位：个）

周次	第0周	第1周	第2周	第3周	第4周	第5周	第6周	第7周	第8周
计划产出			1500	1500		1500	1500	1500	1500
计划投入		1500	1500		1500	1500	1500	1500	

根据手摇卷笔刀的计划投入与手摇卷笔刀的BOM，利用总需求、预期到货、预期库存、计划订单入库与计划订单下达六个变量之间的逻辑关系，在保证夹具安全库存的前提下，运用夹具的提前期和经济批量信息，就可以确定夹具的计划订单下达的数量与时期，如表9-9所示。

表 9-9 夹具 MRP　　　　　　　　　　　　　　　　（数量单位：个）

物料编码：A1 安全库存：100		提前期：1 经济批量：1000				低码位：1 已分配量：0			
计划期	第0周	第1周	第2周	第3周	第4周	第5周	第6周	第7周	第8周
总需求		1500	1500		1500	1500	1500	1500	
预期到货		1000							
预期库存	800	300	800	800	300	800	300	800	800
净需求			1300		800	1300	800	1300	
计划订单入库			2000		1000	2000	1000	2000	
计划订单下达		2000		1000	2000	1000	2000		

其中，第1周的预期库存=[（800+1000）-1500]个=300个。

第2周的预期库存800个是这样计算出来的：

第1周的预期库存300个转入第2周。

第2周的总需求为1500个，所以，净需求=[（1500-300）+100]个=1300个；因为经济批量为1000个，所以，计划订单入库为2000个。

预期库存=[（300+2000）-1500]个=800个。

其余各计划期的预期库存照此计算，不再一一给出计算过程。

最后，根据夹具的计划投入与手摇铅笔刀的BOM，利用总需求、预期到货、预期库存、计划订单入库与计划订单下达六个变量之间的逻辑关系，在保证框架组、伸缩器与夹轮安全库存的前提下，运用三种物料的提前期和经济批量信息，就可以确定框架组、伸缩器与夹轮的计划订单入库及计划订单下达的数量与时期，如表9-10~表9-12所示。

表 9-10 框架组 MRP

物料编码：B1　　　　　　提前期：1　　　　　　低码位：2
安全库存：400　　　　　经济批量：1500　　　已分配量：0

计划期	第0周	第1周	第2周	第3周	第4周	第5周	第6周	第7周	第8周
总需求		2000		1000	2000	1000	2000		
预期到货			1500						
预期库存	3500	1500	3000	2000	1500	500	1500	1500	1500
净需求					400		1900		
计划订单入库					1500		3000		
计划订单下达				1500		3000			

表 9-11 伸缩器 MRP

物料编码：B2　　　　　　提前期：2　　　　　　低码位：2
安全库存：600　　　　　经济批量：1200　　　已分配量：0

计划期	第0周	第1周	第2周	第3周	第4周	第5周	第6周	第7周	第8周
总需求		4000		2000	4000	2000	4000		
预期到货		3600							
预期库存	1000	600	600	1000	600	1000	600	600	600
净需求				2000	3600	2000	3600		
计划订单入库				2400	3600	2400	3600		
计划订单下达		2400	3600	2400	3600				

表 9-12 夹轮 MRP

物料编码：B3　　　　　　提前期：2　　　　　　低码位：2
安全库存：200　　　　　经济批量：1600　　　已分配量：0

计划期	第0周	第1周	第2周	第3周	第4周	第5周	第6周	第7周	第8周
总需求		6000		3000	6000	3000	6000		
预期到货			3200						
预期库存	6800	800	4000	1000	1400	1600	400	400	400
净需求					5200	1800	4600		
计划订单入库					6400	3200	4800		
计划订单下达			6400	3200	4800				

由于企业产品种类、规格型号众多，产品结构及物料之间的关系复杂，订单数量较多，同时，由于存在经常有不同的产品共用同一种物料的情况，因此 MRP 的计算要比案例中复杂得多。在实际生产中企业可以通过成熟的软件系统来实现 MRP 的运算。

9.2.3 MRP 的输出

MRP 的输出包括量与期指标的计划订单入库，经由管理层授权的包括量与期指标的计划订单下达，经由管理层授权的物料需求计划变更、计划执行结果报告、例外报告等，如图 9-4 所示。

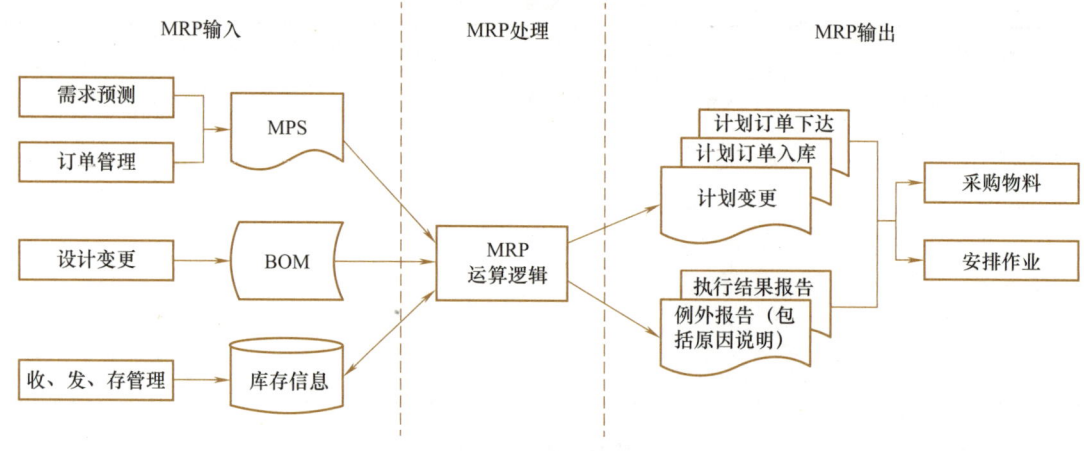

图 9-4　MRP 的流程

从图 9-4 可以看出，MRP 实质上是根据输入信息，经过计算机的动态运算，输出物料需求计划的过程。MRP 向前延伸到需求管理与设计变更及物资的收、发、存管理，向后延伸到物料的采购与作业计划。为安排作业计划，首先要核算工作中心的能力，即制订能力需求计划。

9.3　能力需求计划

能力需求计划（Capacity Requirements Planning，CRP）是指对 MRP 所需能力进行核算的一种计划管理方法，即通过计算各工作中心所需的各种资源，确定对人力、设备等资源的需求。

9.3.1　工作中心及其能力

工作中心是各种生产或加工能力单元和成本单元的统称，它可以是一台功能独立的设备，一组功能相同的设备，一条生产线，成组生产中的成组单元，由若干工人组成的班组，一定的装配面积，甚至可以是生产单一产品的封闭车间。实际生产中通常将工作中心作为成本核算的最小单位。

工作中心的能力是指可用机器数或人数、每日工作班次、每班可用的工作小时、工作中心平均效率以及工作中心的利用率。其中，工作中心利用率是指实际投入工时占计划工时的百分比，工作中心效率是指完成定额工时占实际投入工时的百分比。

工作中心的作用体现在：工作中心是平衡负荷和能力的基本单元，是车间分配作业任务和安排详细进度计划的基本单元，是车间作业计划完成情况的数据采集点，是计算加工成本的基本单元。

9.3.2　编制能力需求计划所需的信息

1. 已下达车间的任务单

已下达车间的任务单是指已授权并已下达到车间的订单，它占用了一部分能力，所以在编制能力需求计划时必须从工作中心的定额能力中扣除。

2. MRP 的计划订单下达

MRP 的计划订单是指 MRP 输出的尚未释放的订单，其中需要企业加工的物料将占用工作中心的能力。

3. 工艺路线

工艺路线即工艺流程或加工路线，是指描述某一项目加工方法及加工次序的文件。工艺路线不是一个纯技术文件，而是一个用于编制计划的管理文件。所以，工艺路线并不详细说明加工作业的各项具体技术条件和操作要求，主要说明实际加工和装配的工序顺序，具体包括：加工工序描述、工序顺序、每道工序使用的工作中心、定额时间（准备时间和加工时间）、外协工序的时间和费用、主要的工具或工艺装配、可替换工序、可替换工作中心等。

工艺路线的作用主要表现为以下几点。

（1）它是能力需求计划的计算依据。工序消耗工作中心的能力，系统根据工艺路线文件中工序所占用工作中心的定额工时、工序开始和完工日期，计算各个时段工作中心的负荷。

（2）它是计划排程的计算依据。

（3）提供计算加工成本的标准工时数据。

（4）跟踪在制品。

由于工艺路线的重要作用，生产计划系统对工艺路线的准确性有很高的要求。在实际生产中，如何保证工时定额数据的准确性是生产计划系统实施过程中的一个难点。对于一个加工件，可设定若干种工艺路线，以便在负荷与能力发生矛盾时替代主要工艺路线。

4. 工作日历

工作日历是指用于编制计划的特殊形式的日历，由普通日历除去每周的双休日、节假日、停工检修日等非工作日期。

5. 工作中心文件

工作中心文件是指包含计算工作中心能力所需信息的文档。

编制能力需求计划的过程是指根据物料需求计划输出的计划订单和工艺路线文件，求出生产这些物料在各个时段要占用某一工作中心的负荷小时数，再与工作中心的能力进行比较，生成能力需求报表。具体而言，编制能力需求计划要确定以下方面。

（1）生产什么产品？何时生产？

（2）占用什么工作中心？何时占用？占用负荷是多少？工作中心可用能力是多少？

9.4 从闭环 MRP 到 MRP Ⅱ

9.4.1 闭环 MRP

MRP 解决了为产品零部件配套服务的物料库存控制的问题，它根据市场需求和主生产计划提出物料需求的任务及零部件的采购计划或生产加工计划，是一种自上而下的"建议"计划信息。然而，事实上企业实际生产中的条件是不断变化的，如企业的制造工艺、生产设备等都是发展变化的；MRP 没有考虑企业能力的约束条件，MRP 制订的计划可能受到生产线的能力、供货能力或者运输能力的限制而无法实现；同时，企业面临的社会环境和市场环境不断变化，不断给企业执行 MRP 带来影响。因此，MRP 制订的生产计划在执行时经常产生偏离。产生这种情况的原因是：MRP 的信息处理是单向的，没有形成闭环的信息回路。随着市场的发展及 MRP 的应用与实践，20 世纪 80 年代形成了自上而下又自下而上的闭环 MRP。与 MRP 相比，闭环 MRP 把计划的稳定性和灵活性、可行性和实用性统一起来，从而形成了一个完整的生产计划与控制系统。

由此可以看出，闭环 MRP 有以下特点。

(1) 主生产计划来源于企业的生产经营规划与市场需求。
(2) 考虑到了能力与负荷的问题，从而保证计划是可行的、可靠的。
(3) 能力的执行情况最终反馈到计划制订层，整个过程是能力的不断执行与调整的过程。

9.4.2 MRP Ⅱ

在闭环 MRP 的基础上，如果以 MRP 为中心建立一个生产活动的信息处理系统，则可以利用 MRP 的功能制订采购计划。生产部门将销售计划与生产计划紧密配合来制订、修订主生产计划表，并将其不断细化。设计部门不再孤立地设计产品，而是将改良设计与以上生产活动信息相联系。进一步，将以上一切活动与财务系统结合起来：将库存记录、工作中心文件和物料清单用作成本核算的依据；根据由 MRP 得到的采购信息，建立应付账；根据销售信息，建立合同和应收账；把应收账与应付账同总账相关联，在此基础上产生各种报表。

在上述过程中，系统的信息共享程度和业务范围不仅超越了开环 MRP 的物料计划范畴，也超越了闭环 MRP 的生产管理范畴，使生产、销售、财务、采购和工程技术紧密地结合在一起，组成了一个包括销售、制造和财务等功能的全面生产管理集成优化系统，这就是制造资源计划。为了避免名词的混淆，物料需求计划称作狭义 MRP，而制造资源计划称作广义 MRP 或 MRP Ⅱ。

MRP Ⅱ 包括决策层、计划层、执行层等企业经营计划及生产中物料需求和生产能力需求的基础数据与主要财务信息。其中，经营计划是 MRP Ⅱ 的起点，它根据市场需求和企业现有条件，确定企业的产量、品种、利润等指标。根据经营计划制订包括产品销售计划，各种物料、资金、人工等在内的需求计划，进而制订企业的具体生产计划，确定生产何种产品及生产产量和投产时间。在制订生产计划的同时还需对生产能力进行平衡，以保证生产计划能够实际完成。然后，根据生产计划制订产品生产计划，规定每种产品的生产数量和生产时间。流程图中的业绩评价是指对 MRP Ⅱ 系统绩效进行评定，以求进一步提高和改善业绩。

MRP Ⅱ 的功能和范围已远远超出了 MRP，其包含了企业全部生产资源，实现了企业内部管理系统一体化。MRP Ⅱ 系统的特点可以从以下六个方面来说明。

1. 计划的一贯性和可行性

MRP Ⅱ 系统是一种计划主导型的管理模式，计划层次从宏观到微观、从战略到战术、由粗到细逐层细化，但始终保持与企业经营战略目标一致。MRP Ⅱ 系统的原则精神就是把通常的三级计划管理统一起来。编制计划集中在厂级职能部门，车间班组只负责执行计划，调度和反馈信息。计划下达前，计划制订人员反复进行能力平衡，并根据反馈信息及时调整，处理好供需矛盾，保证计划的一贯性、有效性和可执行性。

2. 管理的系统性

MRP Ⅱ 系统是一种系统工程，它把企业所有与生产经营直接相关的部门工作连成一个整体，每个部门都从系统整体出发做好本岗位工作，每个人都清楚自己的工作同其他职能的关系。只有在统一的计划下才能成为系统，条框分割、各行其是的局面将被团队精神所取代。

3. 数据共享性

MRP Ⅱ 系统是一种管理信息系统，企业各部门依据同一数据库的信息进行管理，任何一种数据变动都能及时地反映给所有部门，做到数据共享，在统一数据库支持下按照规范化的处理程序进行管理和决策，改变过去那种信息不同、情况不明、盲目决策、相互矛盾的现象。为此，要求企业员工用严肃的态度对待数据，专人负责维护数据库，保证数据的及时、准确和完整。

4. 动态应变性

MRP Ⅱ系统是一个闭环系统，它要求跟踪、控制和反馈瞬息万变的实际情况，管理人员可随时根据企业内外部环境条件的变化迅速做出响应，及时调整决策，保证生产正常进行。它可以保持较低的库存水平，缩短生产周期，及时掌握各种动态信息，因而有较强的应变能力。为了做到这一点，必须树立全员的信息意识，及时、准确地把变动了的情况输入系统。

5. 模拟预见性

MRP Ⅱ系统是生产经营管理客观规律的反映，按照规律建立的信息逻辑必然具有模拟功能。它可以解决"如果怎样……将会怎样"的问题，可以预见相当长的计划期内可能发生的问题，事先采取措施消除隐患，而不是等问题已经发生了再花几倍的精力去处理。这就使管理人员得以从忙忙碌碌的事务堆里解脱出来，致力于实质性的分析研究和改进管理工作。

6. 物流与资金流的统一

MRP Ⅱ系统包含了成本会计和财务的功能，可以由生产经营活动直接产生财务数字，把实物形态的物料流动直接转换为价值形态的资金流动，保证生产和财会数据一致。财会部门及时得到资金信息用来控制成本，通过资金流动状况反映物流和生产作业情况，随时分析企业的经济效益，参与决策，指导经营和生产活动，真正起到会计师和经济师的作用。这要求企业全体员工牢牢树立成本意识，把降低成本作为一项经常性的任务。

尽管MRP Ⅱ继承和发展了MRP，对生产计划的控制比较完善，在生产计划的领域中比较先进和实用，但是仍然存在一定的局限性，主要表现为以下三个方面。

（1）企业面临激烈的竞争，市场对企业综合竞争实力以及响应市场的能力要求越来越高，这就要求企业有更高的信息化集成。

（2）它要求对企业内部整体资源以及企业所处供应链上的各个节点进行集成，而不仅仅对企业与制造相关部门的物流、资金流、信息流进行集成。

（3）为了提高企业的竞争力，必须将制造部门的集成扩展到企业内部所有经营活动的集成，以及供应链上各个节点的集成。

9.5 ERP

9.5.1 ERP 概论

企业资源计划（ERP）是指在现代企业管理的先进思想的基础上，以市场和客户的需求为导向，以计划和控制为主线，以先进的现代信息技术，特别是网络技术为平台，全面集成了企业内外部的所有资源信息，包括客户、市场、销售、采购、计划、生产、财务、质量、服务等，为企业提供决策、计划、控制与业绩评估的全方位的系统化的先进管理思想和方法。

ERP实施的目标是通过消除企业生产经营过程中的一切浪费，实现信息流、物流、资金流、价值流和业务流的有机集成，最终提高客户的满意度，提高企业业绩。

ERP是对MRP Ⅱ的继承和发展。ERP除了继承了MRP Ⅱ的制造、供销和财务模块，还扩展了其他管理模块，如质量管理、人力资源管理、电子通信、设备管理、电子商务等模块。ERP是面向企业所处供应链的全面管理，ERP将供应商、制造商、企业自身、协作商、客户都纳入到管理体系中，实现了企业业务流的集成，从而在很大程度上提高了企业的响应速度和能力。不仅应用更为广泛，而且ERP的技术更为成熟。ERP与MRP Ⅱ的不同点在于，ERP在应用功能上超越了MRP Ⅱ，实现了更为广泛的管理功能，并且将这些功能集合起来；ERP在应用环境上支持多种生产类型、多种经营方式、多种业务，在应用方法上采用了图形、模拟、决策等各种方法；在应用技术上支持开放的客户机/服务器系统。以上各个方面的集成形成了 ERP 系统的特点。

9.5.2 ERP 的特点

1. 应用功能的扩展

ERP 以 MRP Ⅱ 功能为核心，同时扩展了 MRP Ⅱ 的功能，如质量管理、试验室管理、产品数据管理、流程作业管理、配方管理、仓库管理、运输管理、资产维护管理、人力资源管理、规章报告管理、电子数据交换（Electronic Data Interchange，EDI）等功能。并且，这些功能由批处理走向实时化处理，从而使时间这一特性表现得更加突出。要快速地完成整个经营过程，时间已成为一种关键性的资源。

广义的功能扩展是指将 ERP 功能与企业外部通过供应链等功能相集成，ERP 将面向整个供应链。这样，一方面使企业外部资源被集成进来而得到充分利用，另一方面使企业内部资源被集成出去而得到充分共享。

ERP 所有功能都是以客户为中心而展开的，这包括：对客户的需求要做出迅速响应；对客户要求的交货期要按时做到；对客户提出的高质量要保证达到；对客户希望的低价格要尽量给予满足。总之，一切围绕着客户进行运作，这就形成了 ERP 功能与客户关系管理功能相集成。

为了达到以上的目标，需要打破职能层级体制的界限，将经营过程看作一条链，通过全新的流程设计或对现有流程的改造，使流程增值，这样，企业的组织结构就是弹性的，企业的流程是可以重组。可以通过动态企业建模来实现企业流程重组，而动态企业建模是通过企业建模器来实现的。企业建模器是一种由 ERP 公司推出的支持企业流程重组，推进企业应用软件实施的工具，它可以用于创建和维护企业模型。企业模型描绘了与管理企业的 ERP 软件相关的业务，可以实现企业流程的可视化。每个企业模型均包括企业结构模型、业务模型和数据模型。这些模型供客户在选择软件、实施系统、设计流程时使用。

2. 应用环境的扩展

按照制造业的生产类型的划分标准，可以将其分为离散式和流程式两种。早期的 MRP Ⅱ 往往被用于离散式的生产类型，如机器制造业、飞机制造业、汽车制造业等。后来，ERP 也能用于流程式的生产类型了，这是随着 ERP 的流程作业管理、配方管理及批号跟踪等功能的扩充而发展的，如化工业、食品业、医药业等。

在实践中，除了离散式生产和流程式生产之外，还有离散式加流程式的混合型的生产类型，如既有离散式的机械加工车间，又有流程式的电镀车间的混合型企业，当然 ERP 也能用于混合型企业。

按照制造业的产品产量和产品重复程度可以分为单件生产、多品种小批量生产、少品种重复生产和标准产品大量生产四种生产类型。单件生产应用 MRP Ⅱ 最为有效，如飞机制造业。标准产品大量生产应用 JIT（及时系统）最为合适，如汽车工业的流水线生产。同样，也有单件加标准产品大量生产混型的企业，如既有单件的加工车间，又有大量生产的装配车间的混合型企业。由于 ERP 的功能范围广，所以它能适应各种生产类型。

除了以上情况之外，集团公司的不断发展，特别是跨国集团公司的出现，产生了多国经营、多种经营的方式，以及制造公司、贸易公司、服务业等多种业务的混合经营方式。ERP 也能适应多种经营、多种业务的应用环境。

3. 应用方法的扩展

ERP 不仅在功能和环境上有了发展，在应用方法上也比 MRP Ⅱ 前进了一步。它具有模拟功能和图形处理的能力，以及从结构化的决策向半结构化和非结构化的决策转化的决策支持功能。

4. 应用技术的扩展

随着计算机技术的飞速发展，ERP 在应用技术上也在不断地前进。开放的计算机服务器的技术被用于 ERP；图形用户界面（Graphical User Interface，GUI）的 ERP 软件替代了字符界面的 MRP Ⅱ 软件；关系数据库的结构和第四代语言（4GL）以及面向对象的技术被用于 ERP 软件；新一代的 Internet Web 服务器的技术以及电子商务支持技术被用于 ERP。

5. 应用性能的提高

除了以上各个方面之外，ERP 系统还有其最基本的性能特点，体现在以下几个方面。

（1）集成度高。集成度高是 ERP 系统最突出的性能特点。整个系统自销售订单、预测等入口至财务的总账、车间控制等出口，各功能模块之间相连接，数据传递迅速，系统性强。销售与制造集成，销售与财务集成，采购与财务集成，采购与制造集成，财务内部各功能集成……总之，系统中的几十个模块既是相对独立的，也是高度集成的。例如，通过销售订单模块建立订单之后，产品生产并经过产品发货等处理，开出发票后会自动进入应收账管理。在应收账模块中可以自动产生销售业务的记账凭证，避免了由人工根据销售的原始凭证编制记账凭证的过程和记账凭证输入的过程，并且可以自动过账至总账模块。将以上业务串连起来的是客户订单/发票模块、应收账模块和总账模块。同理，将采购业务串连起来的是采购模块、应付账模块和总账模块。串连的过程就是集成的过程。后续模块会自动接受前端模块传递来的信息，使信息流自然而畅通。

在 ERP 中，除了以上业务之外，在其他业务方面还可以举出不少例子来说明集成性，这就证明了 ERP 确实是个集成度相当高的系统。

系统的高集成性给应用带来的最大好处是保证了数据的一致性，避免了各种功能对同一数据的重复输入。以订单、发票、应收账和总账的集成来说，一般企业中 50%的记账凭证来自应收账，因此应收账自动产生记账凭证并过账至总账，无形中减少了 50%的记账凭证输入量。

（2）通用性强。通用性是检验商品化软件的主要标准，这是因为软件要实现商品化就必须解决通用性问题。对不同的企业来说，通用软件中的基本流程是相同的，也是通用的。但是不同业务的所有处理不可能都一样，而不一样的地方就是所谓不通用的部分。对此部分，通用软件应为用户提供较好的工具帮助其解决。例如，对于不同的报表，通用软件可以为用户提供报表生成器，帮助用户自行设置报表。单据内容不同，通用软件可以为用户提供字段修改功能或者允许用户自行设置项目。

ERP 软件是管理软件中通用性最强的软件，因为它不仅能在一个企业应用，还能在一个行业应用，在多个行业应用，在多个区域应用，甚至在多个国家应用。这是因为 ERP 软件提供了报表生成器、单据修改功能、屏幕菜单增添功能、基本项目的定义功能。有了这些功能，ERP 系统的柔性增加，能适用于各行各业，软件的生命力比较强，能够做到在全球广为流传，这是 ERP 系统相当成功的一面。

（3）跨国业务功能。ERP 的跨国业务功能表现在以下几个方面。

1）具有多种语言的版本，能用于不同民族和国家。

2）具有定义多种货币的功能，适用于不同国家和地区的货币。

3）具有多种税制，能进行复杂税款的处理，适用于不同国家和地区所使用的不同类型的税制。

4）能将跨国公司各分支机构的报表数据合并至跨国公司总部。

（4）先进的管理思想和方法。在 ERP 系统中用到了一些管理上先进的理念。如物料需求计划 MRP，及时系统 JIT，分销需求计划 DRP 等。这些理念都被吸收进了 ERP 系统之中，成为 ERP 的主要内容。

（5）不断进步。从 MRP、闭环 MRP、MRP Ⅱ 至 ERP 是一个不断迭代的过程，每上升一个层次就是一次质的飞跃，表示克服了前项管理某方面的缺陷。从 MRP 到闭环 MRP 克服了只考虑物料而没有考虑能力的缺陷；从闭环 MRP 到 MRP Ⅱ 克服了缺少财务管理功能的缺陷；从 MRP Ⅱ 到 ERP 克服了生产类型的限制、功能不足的缺点以及技术手段落后的缺陷。

9.5.3 ERP 的功能模块

ERP 集成了企业各项职能管理。其中，营销管理、生产计划、产品研发、采购管理、车间管理、库存管理、财务管理、人力资源管理是一般制造业的八项基本职能。

值得注意的是，企业类型不同，各项职能管理的重要性也不同。制造业与服务业就有很大区别。例如，零售、银行、医疗保健、教育、物流、房地产等均与制造业要完成的业务有很大不同。即使同属制造业，不同类型企业的业务范围也不同。例如，服装、化工、食品、冶金、制药、机械加工等企业要完成的业务有很大区别。即使是同一类型的企业，其管理重点也不同，例如，有些企业把质量管理作为一个模块进行重点管理；有些企业则更关注物料管理、计量管理、工程管理、安全管理或会计核算等。正是由于这些不同，ERP 要实现的功能就有很大区别。

但是，无论如何，任何一家企业的基本业务或职能之间必然存在一定的逻辑关系，厘清这些逻辑关系有助于从全局观点来实现企业的有序、高效经营。ERP 的实施为企业的经营管理带来了革新，主要体现在以下几个方面。

（1）从集成企业内部资源转换为集成供应链资源。如果 MRP Ⅱ 实现了企业内部各种资源的集成，那么，ERP 就实现了供应链上下游成员企业资源的集成。

（2）从面向职能配置资源转换为面向流程配置资源。无论是人力资源管理、设施布置，还是组织的配置，都从面向专业职能转向了面向流程。一切资源都是用来支持订单履行的。特别地，当局部目标与订单履行的总体利益出现矛盾时，应保证整体利益的实现。

为使这种转换的效能发挥到最大，就需要对所有业务流程进行优化设计，使流程达到规范、有效的最基本的要求。在组织配置上，则以精简、高效为驱动，实现组织扁平化。

（3）从以产品为中心转换为以客户为中心。为实施 ERP，就要改变以产品为中心的管理思想，转而实施以客户为中心的管理理念。以客户为中心，要求整个企业运营的起点是客户订单的获得，终点是客户订单的履行。

9.5.4 ERP 系统建设的基本步骤

ERP 几乎成了企业经营管理的标准配置。企业在规划建设或改造升级 ERP 系统时，必须遵循一定的步骤。

（1）企业主要业务关系描述。必要时抽调主要业务部门的骨干，以图形方式描绘企业主要业务的逻辑关系，确定核心业务的起点、终点，识别并确认企业的管理重点。此外，还要摸清企业生产系统和管理业务信息技术应用的现状、存在的问题及造成问题的原因。

（2）确定项目预算。如果项目预算充分，可考虑一步到位，实现各项功能的集成。如果预算不充分，应根据企业的实际需求，瞄准核心业务及管理重点。同时，考虑系统的扩展性。

（3）系统选型。在进行系统选型时，应处理好先进性与专业性的关系。世界知名品牌供应商的系统固然好用，但是，如果企业的业务比较特殊，就应选择那些专门为本行业开发的系统。一方面，可以最大限度地减少二次开发；另一方面，可以借鉴典型的企业应用实例。

（4）系统开发与数据上线运行。任何一家企业的 ERP 系统均需要进行二次开发。系统开发的关键是业务或工艺设计。为顺利完成系统开发，应营造一个能够充分沟通、交流的环境，使各主要业务部门的参与者能够站在全局观点进行业务或工艺设计。

（5）系统的维护与完善。ERP 系统的维护包括例行和突发事件的处理。例行的维护是指包括软硬件在内的维护以及系统对应用环境和流程改变的适应性维护。ERP 系统的完善是指扩大系统应用的功能，提高系统安全等级，提高运行效率，最终提升系统总体目标。

9.5.5 ERP 的新发展

随着互联网技术的普及和公司运营的国际化，ERP 系统有了新的发展，其功能得到了进一步扩展。具体表现为以下三个方面。

（1）纳入产品数据管理（Product Data Management，PDM）功能。PDM 是指将企业产品实现全过程中的各种数据和文档组织在一个统一的环境中，以实现设计数据、产品结构信息、工艺方案等的共享。其最大效果是减少了系统在新产品投产时的准备工作量。

（2）增加了工作流功能。EDI 要求把电子计划文件、电子订单或电子工程更换文件等在要求的时间按要求的路线传递给指定的人员。为实现这一功能，需要采取工作流技术。同时，新的管理模式要求将重构后的业务流程用计算机软件控制起来。工作流技术的应用使 ERP 的功能扩展到办公自动化和业务流程控制。

（3）增加了数据仓库（Data Warehouse）和联机分析处理（On-Line Analytical Processing，OLAP）功能。所谓数据仓库，是指为企业所有级别的决策提供相应类型数据支持的战略集合。联机分析处理是指按照管理人员的要求，快速、灵活地进行大数据量的查询与处理，以使他们准确地掌握企业的经营状况，做出正确的决策。SAP 公司已与其他公司联合开发出集综合查询、报表管理和 OLAP 为一体的决策支持系统（Decision Support System，DSS）。

本章小结

本章介绍了物料需求计划的起源，对独立需求和相关需求的物料概念进行了界定；介绍了 MRP 的基本原理和处理逻辑，包括输入信息，如主生产计划、物料清单、库存信息；通过例题说明 MRP 的运算逻辑以及输出结果；介绍了能力需求计划，强调了工作中心及其能力在平衡负荷与计划排程中的关键作用；此外，随着企业管理需求的升级，闭环 MRP 逐步发展为 MRP Ⅱ，介绍了 MRP Ⅱ 系统的特点；MRP Ⅱ 进一步演变为 ERP，介绍了 ERP 的概念、特点及功能模块，还介绍了 ERP 系统的建设步骤；最后，介绍了 ERP 的发展方向。

思考与练习题

1. 何谓独立需求、相关需求？
2. MRP 要解决什么样的问题？
3. 何谓 BOM 及产品结构树？
4. 计算物料需求要考虑哪些因素？
5. 简述 MRP 的逻辑关系。

6. 工作中心的能力取决于哪些因素?
7. 能力需求计划要解决什么问题?
8. 何谓 MRP Ⅱ?
9. 简述 ERP 的特点。
10. 简述规划建设 ERP 的基本步骤。

豫达汽车配件有限公司的 MRP

豫达汽车配件有限公司是一家年产值 2000 万元左右的民营企业。豫达主要生产中低档乘用车灯具,包括各种照明灯和信号灯。公司的主要客户是三四线城市的汽车修理站。

公司自成立之初就将产品质量放在首位。正是由于公司的良好信誉,豫达的配件不用赊销。更让同行望尘莫及的是,豫达生产的灯具 80% 是面向订单的。

认识到管理和技术创新对公司生存与发展的重要意义,公司筹措了 500 万元资金用于 ERP 系统的建设。经过半年多的设计、开发,豫达的 ERP 系统已经正式上线运行。配合 ERP 系统的建设与上线运行,公司对组织结构进行了前所未有的改革,实现了组织结构的扁平化。同时,公司对主要管理流程进行了再造或优化。

ERP 系统上线运行以来,物料需求计划模块一直没有达到预期的功能,甚至对顶期到货的管理仍然需要人工干预。系统对物料信息变动的反应要么太过敏感,要么过于迟缓,缺少时间窗口意识。此外,公司至今仍然缺乏对某些信息变更授权的明确规定,时不时会出现主管领导以命令形式要求更改系统物料信息的情况。

思考:

1. 为了应对有关企业内部或外部因素发生的变化做出响应,ERP 系统中的物料需求计划应具备什么功能?

2. 结合案例豫达汽车配件有限公司的例子,设计 ERP 系统中物料需求计划响应物料变化的管理方案。

第 10 章

运营作业计划与调度控制

> **学习目标**
> （1）理解作业计划期量标准的概念。
> （2）掌握大量生产与成批生产期量标准的计算方法。

【引导案例】

张教授应该接受哪些项目的开发任务？

某高校管理信息系统课题组由张教授负责，课题组还有 2 位副教授、3 位讲师和一批研究生。10 多年来，他们一直在为企业开发管理信息系统。该课题组过去给水力发电企业开发的管理信息系统运行得很好，受到企业的欢迎。因此，很多水力发电企业以及火力发电企业纷纷找上门来，要求张教授为它们开发管理信息系统。

张教授和他的研究团队除了开发管理信息系统之外，还要承担繁重的教学任务。尽管采用模块化设计，减少了不少重复开发的工作量，但毕竟每家企业都有自己的特殊要求，因此开发管理信息系统的工作量仍然很大。从系统调查、系统分析、系统设计到程序设计，需要投入大量的人力。教师有授课任务，不能集中全力；研究生要完成学位论文，要答辩，找工作，也只能集中一段时间到现场。张教授本人除了承担本科和研究生的教学工作外，还有很多社会活动，他担任了 3 个学会的理事长，又是省政府咨询委员。

今年有 4 家企业来找张教授谈项目，为简便起见，分别称这 4 家企业的项目为 A、B、C、D。它们的项目工作量不同，项目经费也不同。张教授手头还有几个未完成的项目，他估算了一下，今年能够投入新的管理信息系统开发的有 12000 人工小时。根据经验，张教授估计 A、B、C、D 这 4 项任务的人工小时数分别为 3800、4000、4500 和 4200。经与企业商谈，A、B、C、D 的项目经费分别为 36 万元、30 万元、40 万元和 35 万元。你认为张教授能够接受哪些项目的开发任务？会优先考虑哪些项目？如何确定完成期限？

作业计划是运营计划的执行计划，它从时间上把年度计划任务具体到月份、周、天、工作班的任务；在对象上，它把以产品为单位的计划任务细分为以零部件为单位的生产任务；在执行单位上，它把企业的任务细分到部门、班组，直至每个岗位（WS）的任务。

作业计划是指根据运营计划目标和任务（或订单）要求，对设备、人员、物料等资源进行具体安排。例如，制造业企业要根据运营计划（客户订单）的具体要求，安排车间、班组、工作地每天的工作，包括工作内容、工作时间、工作进度等；医院安排给病人做手术，要确定具体的医师和护士、手术室，配备手术器械设备等。作业计划的基本原则是在确保运营计划按时、按量、按质完成的条件下，使各项资源得到有效利用，实现高效率、低成本、高效益。

编制作业计划就是把一个较短时间内的任务分配给相应的部门、岗位（工作地）、人员去完成。作业计划任务的安排往往可以有多种选择。例如，不同的工段（小组或工作地）可以完成不同的作业任务，一项任务可以分配到不同的工段（小组或工作地），每个工段（小组或工作地）可能同时有多项任务等待加工，而任务的先后顺序将产生不同的生产绩效，如时间损失、延期交货、平均流程时间、平均在制品占用等。这就要求解决工段（小组或工作地）的任务调度排序问题，通过科学的作业计划安排，可以实现高效率、短周期、少延期、低成本的目标要求。

10.1 作业计划标准

作业计划标准是制订作业计划的基础。作业计划标准包括"期"和"量"两方面的指标，因而也称为期量标准。确定作业计划标准就是对产品（零部件）的生产过程所规定的时间上和数量上的标准。"期"是指时间，包括作业周期、作业提前期、作业间隔期等；"量"是指数量，如作业批量、在制品数量等。

不同的作业类型，其计划方法不同，因而所用到的作业计划标准的内容也不同，下面分别按大批大量生产、成批生产、单件小批生产三种不同类型的作业计划标准进行分析。

10.1.1 大批大量生产的作业计划标准

1. 标准计划

（1）连续式流水线标准计划。连续式流水线运行稳定，各道工序（岗位）的工作固定，作业重复性大。在流水线正常运行的条件下，作业速度是固定的，每天的产出量也是一定的。在这种情况下，可以为流水线规定一个标准作业计划。该作业计划具体规定了流水线每天的开动班次，以及各工作班统一的工作起止时间和休息时间。以上具体规定加上流水线每个工作地上标准的操作规程，形成了流水线的标准计划。

流水线在一个工作班内的工作起止时间和统一休息时间如表10-1所示。

表10-1 连续式流水线标准计划表

0	60	120	180	240	0	60	120	180	240	时间使用/min
										休息次数	每次休息	有效时间
	工休15min				午餐60min			工休15min		2次	15	450

（2）间断式流水线标准计划。间断式流水线的同期化水平相对较低，各工序时间（速度）与节拍不相等。这种情况若采用连续式流水线的组织方式，则运行过程将会频繁地出现"阻塞"和"饥饿"现象，"阻塞"环节的在制品数量越积越多，而"饥饿"环节的设备和人员利用率将会降低。为此，间断式流水线以看管期为单位确定标准计划。

看管期是为间断式流水线规定的一个工作循环时间标准。在标准循环时间内,各工序的产量相等。速度快的工序完成规定产量后即停下来,工人和设备在剩余时间可以安排其他工作。

为了便于组织和管理,看管期一般取与流水线工作班时间成整数倍的值,如 1h、2h、4h、8h 等。确定看管期要考虑的因素包括制品的特点、工作地之间的距离等。制品的体积大、价值高则看管期取短,反之取长;工作地之间距离大则看管期取长,反之取短。

看管期内第 i 道工序工作延续时间 T_{gi} 的计算公式为

$$T_{gi}=Q_k t_i \qquad (10\text{-}1)$$

式中　t_i——第 i 道工序单件时间;

Q_k——看管期规定的统一产量,$Q_k = T_k/r$,其中 T_k 为看管期,r 为流水线的节拍。

当第 i 道工序的工作延续时间大于看管期,即 $T_{gi} > T_k$ 时,该工序上将配备多个工作地。各工作地的延续时间有两种安排方法。

一种是把负荷平均分配给各工作地,计算公式为

$$T_{i,j}=\frac{T_{gi}}{S_{ei}} \qquad (10\text{-}2)$$

式中　$T_{i,j}$——看管期内第 i 道工序上 j 工作地的工作延续时间;

S_{ei}——第 i 道工序实配的工作地数。

另一种是非平均安排法,即安排 $S_{ei}-1$ 个工作地的工作延续时间等于看管期($T_{i,(s-1)} = T_k$),剩下一个工作地的工作延续时间 $T_{i,s} = T_{gi} - (S_{ei}-1)T_k$。

当工作地的工作延续时间小于看管期时,该工作地看管期内将出现部分空闲时间,为充分利用设备和工人,还应确定该工作地在看管期内的工作起止时间。如表 10-2 所示,工作地 03 和 05 可以安排由同一工人来完成,在该工人看管期内,前 80min 完成工作地 03 的工作,后 40min 完成工作地 05 的工作,这就提高了工人的利用率。

表 10-2　看管期内工作地的工作延续时间及起止时间

工序	工作地	0　　30　　60　　90　　120	时间使用/min	单件工时/min
1	01	▬▬▬▬▬▬▬▬▬▬▬▬		12
1	02	▬▬▬▬▬▬▬▬▬▬▬▬		12
2	03	▬▬▬▬▬▬▬▬		4
3	04	▬▬▬▬▬▬▬▬▬▬▬▬		8
3	05	▬▬▬▬		8

2. 在制品占用量定额

在制品占用量定额是指在一定时间、环节和生产技术组织条件下,为保证运营过程连续进行所必需的在制品数量。大批大量生产条件下的在制品分为流水线内部在制品和流水线之间在制品。

(1) 流水线内部在制品。

1) 工艺在制品。工艺在制品是指正在各工作地上加工、检验的在制品。工艺在制品 Z_g 的计算公式为

$$Z_g = \sum_{i=1}^{m} S_{ei} g_i \tag{10-3}$$

式中　g_i——第 i 道工序一个工作地上同时加工的产品数；

S_{ei}——第 i 道工序上的工作地数；

m——流水线的总工序数。

2) 运输在制品。运输在制品是指正在运输或在运输工具上等待运输的在制品。运输在制品 Z_y 的计算公式为

$$Z_y = (m-1) q_y \tag{10-4}$$

式中　q_y——工序间运输批量。

采用连续式传送带时，传送装置上占用的在制品计算公式为

$$Z_y = q_y \frac{L}{d} \tag{10-5}$$

式中　L——传送带工作区总长度；

d——前后两件产品的距离。

3) 周转在制品。周转在制品是由于前后工序的效率不同而产生的。当前道工序速度快于后道工序时，工序之间的在制品将逐步增加；当前道工序速度慢于后道工序时，按平行-顺序流转方式转移。为了保证后道工序在看管期内的作业连续，后道工序在每个看管期内开始作业前应先储备一定量的在制品。周转在制品数量在看管期内是动态变化的，从 0 变到最大，再从最大变为 0。周转在制品的最大值取决于工序之间的速度差和看管期的时长。

工序之间的周转在制品要根据看管期内前后工序参与工作的工作地数变化的情况分段计算，各时段最大周转在制品 Z_{Tj} 的计算公式为

$$Z_{Tj} = \left[\frac{T_j S_{i,j}}{t_i} - \frac{T_j S_{(i+1),j}}{t_{i+1}} \right] \tag{10-6}$$

式中　T_j——看管期内 j 时段长；

t_i——第 i 道工序单件时间；

$S_{i,j}$——第 i 道工序在 j 时段同时工作的工作地数。

表 10-2 中，工序 1~2 之间各时段的最大周转在制品计算如下：

按时段划分原则，第一时段为 0~80min，第二时段为 80~120min，则

$$Z_{T1} = \left[\frac{80 \times 2}{12} - \frac{80 \times 1}{4} \right] 件 \approx -7 \text{ 件}$$

第一时段最大周转在制品为负值，表明该时段前道工序的速度比后道工序慢，应在看管期初预先储存最大周转在制品量，以保证后道工序在该时段连续运行。

$$Z_{T2} = \left[\frac{40 \times 2}{12} - \frac{40 \times 0}{4} \right] 件 \approx 7 \text{ 件}$$

第二时段最大周转在制品为正值，表明该时段前道工序的速度比后道工序快，故该时段最大周转在制品出现在末端，如表 10-3 所示。

表 10-3　工序 1~2 之间的各时段的最大周转在制品变化情况

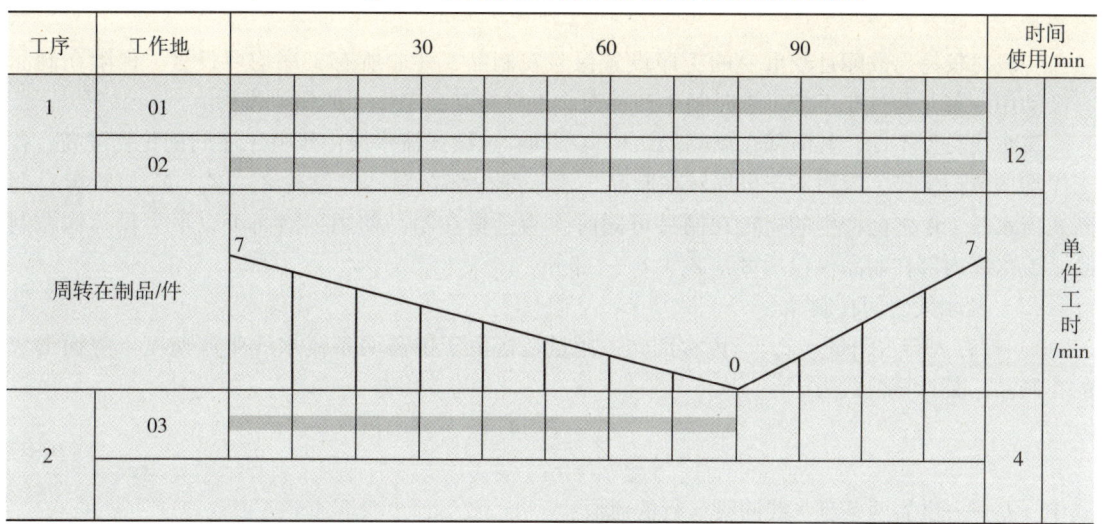

工序 2~3 之间各时段的最大周转在制品变化情况如表 10-4 所示。

表 10-4　工序 2~3 之间各时段的最大周转在制品变化情况

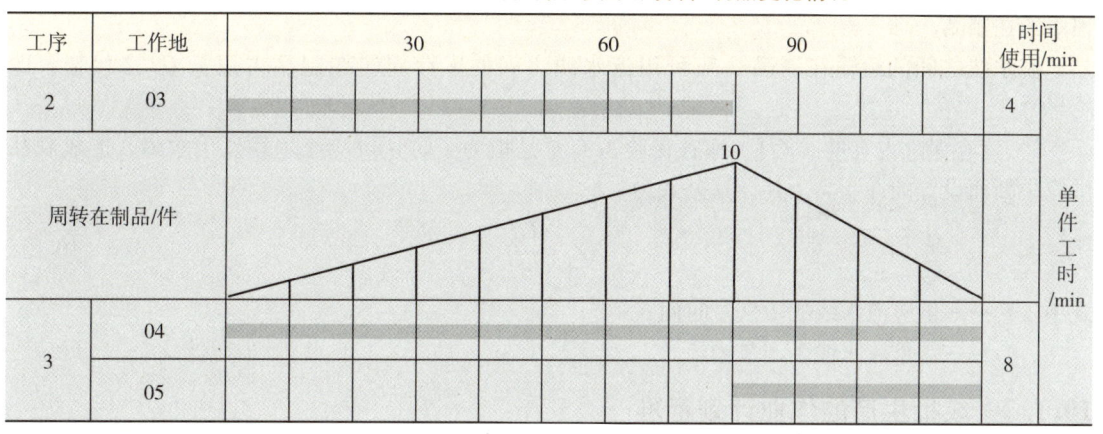

各工序之间周转在制品平均值为最大值的 1/2，流水线的周转在制品为各工序之间周转在制品平均值之和。其计算公式为

$$Z_z = \sum_{i=1}^{m-1} \max(Z_{i,i+1})/2$$

4) 保险在制品。保险在制品是为了避免个别工序出现意外问题（故障）导致整条生产线停工而设置的。意外问题（故障）包括设备故障、人员问题、供应问题等。保险在制品的大小取决于问题（故障）出现的概率、问题（故障）排除时间、问题（故障）导致停产损失的大小。工序 i 和工序 $i+1$ 之间的保险在制品 $Z_{b(i,i+1)}$ 的计算公式为

$$Z_{b(i,i+1)} = T_{h,i} q_{i+1} \tag{10-7}$$

式中　$T_{h,i}$——问题（故障）排除时间；

q_{i+1}——后道工序单位时间产量。

流水线保险在制品 Z_b 的计算公式为

$$Z_b = \sum_{i=1}^{m-1} Z_{b(i,i+1)} \tag{10-8}$$

一般对较易出故障且较重要的工序设置保险在制品，并非所有工序均要设置。保险在制品一经动用，需要通过非正常工作时间生产补充，以保持其稳定生产的保险作用。

流水线类型不同，其内部在制品的结构也不同：连续式流水线由于各工序同期化程度高，各工序均按节拍生产，因而不产生周转在制品，流水线内部在制品仅包括 Z_g、Z_y、Z_b 三部分；间断式流水线工序之间产生的周转在制品可同时作为运输在制品使用，因而可以不另设运输在制品，流水线内部在制品仅包括 Z_g、Z_z、Z_b 三部分。

（2）流水线之间在制品。

1）库存周转占用量（Z_k）。库存周转占用量是指由于供需两条流水线生产速度不等而形成的在制品。其计算公式为

$$Z_k = \frac{T_s}{r_{供}} - \frac{T_s}{r_{需}} \tag{10-9}$$

式中　T_s——供需两条流水线同时运行的时段；

　　　$r_{供}$——供应线生产节拍；

　　　$r_{需}$——需求线生产节拍。

2）运输占用量（Z_y）。流水线之间运输占用量是指存在于相邻（供需）流水线之间运输过程中的在制品。

流水线之间的运输在制品一般可用流水线之间的库存周转在制品占用量 Q_y 来代替，即 $Z_y = Q_y$。

3）库存保险占有量（Z_b）。库存保险占有量是指为了防止供应流水线发生故障，造成制品供应中断而设置的在制品。其计算公式为

$$Z_b = \frac{T_h}{r} \tag{10-10}$$

式中　T_h——供应流水线故障恢复时间；

　　　r——需求流水线生产节拍。

10.1.2　成批生产的作业计划标准

成批生产是指生产多种产品，每种产品均有一定的产量，且各种产品的产量不相同的生产方式。成批生产的产品可以是预测生产式的标准产品，也可以是订单生产式的非标准产品。预测生产式条件下，年度运营计划确定了各种产品的年生产总量，作业计划把年生产总量分解到各计划时段按批量组织生产，各车间、工段、小组或工作地按一定的时间间隔成批轮番地生产不同的产品。在订单生产条件下，客户订单产品有一定批量，但不一定重复订货，这种条件下的作业计划标准要求也有所不同。

成批生产的作业计划标准主要包括批量、作业间隔期、制品批的处理周期、制品批的处理提前期、在制品占用量等。

1. 批量和作业间隔期

批量（n）是指消耗一次准备与结束时间所处理的同种制品的数量，即一次投入（或产出）同种制品的数量。

作业间隔期（R）是指相邻两批同种制品投入（或产出）的时间间隔。

批量与作业间隔期的关系为

$$n = Rq \tag{10-11}$$

式中 q——平均日产量，$q=D/T$，其中，D 为计划产出量，T 为计划期工作天数。

在计划产出量（D）一定的情况下，批量（n）越大，则投产次数越少，品种转换次数越少，设备调整消耗的准备与结束时间越少；而从另一个角度看，批量越大，则作业间隔期越长，在制品数量越大，占用费用越多。合理确定批量和作业间隔期，可以降低相关成本。确定批量和作业间隔期的方法主要有两种，即最小批量法与经济批量法。

（1）最小批量法。最小批量法是主要从合理利用设备的角度考虑确定最佳批量的方法。一般情况下，设备调整时间与加工时间的比值不超过一定的标准。用公式表示为

$$\frac{t_a}{nt} \leq \alpha$$

即

$$n \geq \frac{t_a}{\alpha t}$$

考虑综合设备调整费、在制品占用费因素，最小批量取值为

$$n^* = \frac{t_a}{\alpha t} \tag{10-12}$$

式中 t_a——设备一次调整时间；

t——产品单件加工时间；

α——设备调整时间损失系数，一般取 0.03~0.12，具体取值可参考表 10-5。

表 10-5 设备调整时间损失系数 α

零件体积	生产类型		
	大批	中批	小批
小件	0.03	0.04	0.05
中件	0.04	0.05	0.08
大件	0.05	0.08	0.12

最小批量法优先考虑了设备利用率，同时兼顾了产品批量对在制品数量的影响，其效果主要取决于 α 的取值。

（2）经济批量法。经济批量法是以考虑与批量有关的综合费用最小化为目标，来确定最优批量的方法。与批量有关的费用可以分为设备调整费、在制品占用费和保管费。设备调整费是随批量增加而减少的费用，用 C_1 表示；在制品占用费和保管费是随批量增加而增加的费用，用 C_2 表示。这两类与批量相关的费用可分别用如下公式计算：

1) 设备调整费（C_1）。

$$C_1 = A\frac{D}{n} \tag{10-13}$$

式中 A——设备一次调整费；

D——计划期产量；

n——批量。

2) 在制品占用费和保管费（C_2）。

$$C_2 = i\frac{n}{2} \tag{10-14}$$

式中 i——单位产品保管费，$i=ph$，其中，p 为单位产品价格，h 为单位资金、单位时间占用费。

与批量相关的综合费为

$$C = C_1 + C_2 = A\frac{D}{n} + \frac{n}{2}ph \quad （10\text{-}15）$$

画出批量与费用变化关系，如图 10-1 所示。

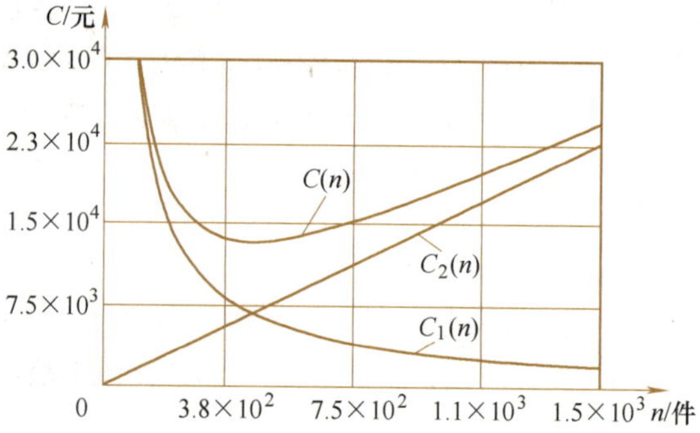

由 C 对 n 求导，并令 $\dfrac{dC}{dn} = 0$，可得到经济批量为

$$n^* = \sqrt{\frac{2AD}{ph}} \quad （10\text{-}16）$$

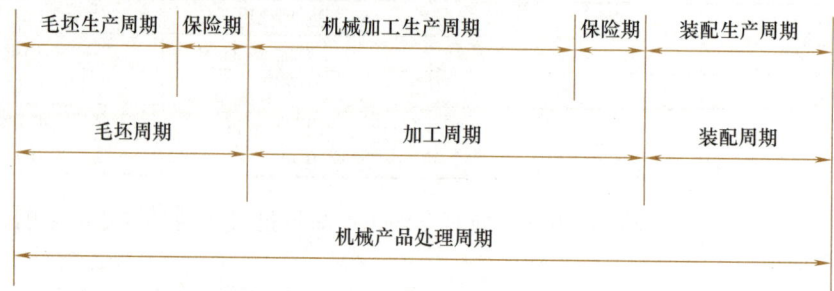

图 10-1　批量与费用变化关系

经济批量 n^* 对应费用最小值点。

如设 $D = 20000$ 件，$p = 100$ 元，$A = 150$ 元，$h = 0.30$，则

$$n^* = \sqrt{\frac{2 \times 150 \times 20000}{100 \times 0.30}} \text{件} = 447.21 \text{件}$$

2. 制品批的处理周期

处理周期是指一批制品从投入原材料开始，经过一系列作业过程，直至产成品产出所经过的日历时间。

制品批的处理周期由其处理过程各阶段的处理周期组成，而各阶段的处理周期由其各作业的处理周期组成。图 10-2 是某机械产品的批量处理周期结构。

图 10-2　某机械产品的批量处理周期结构

（1）制品批的作业周期。制品批的作业周期是指一批制品在某项作业上的处理时间。

$$T_{gi} = \frac{nt_i}{dS_{ei}k} + \frac{t_{si}}{d} \quad （10\text{-}17）$$

式中　T_{gi}——制品批在第 i 道工序上的加工周期；
　　　n——工序加工批量；
　　　t_i——第 i 道工序单件工时定额；
　　　k——工时定额完成系数，$k = t_i/t_{ei}$，其中，t_{ei} 为第 i 道工序实际单件工时；
　　　t_{si}——第 i 道工序一次准备与结束时间；
　　　d——每天有效工作时间；
　　　S_{ei}——第 i 道工序上的工作地数。

（2）制品批的阶段处理周期。制品批的阶段处理周期是指一批制品在某阶段的处理时间。阶段处理周期的长短主要取决于制品在作业之间的流转方式。通常，可按顺序流转方式计算制

品批的阶段处理周期，然后用平行系数加以修正，得到平行流转方式和平行-顺序流转方式下的制品批加工周期。

顺序流转方式下，制品批在某阶段的处理周期 T_s 为

$$T_s = \sum_{i=1}^{m} T_{gi} + (m-1)t_d \tag{10-18}$$

式中　t_d——作业平均间断（等待）时间；
　　　m——作业数。

平行流转方式下，制品批在某阶段的处理周期 T_p 为

$$T_p = T_s k_p \tag{10-19}$$

式中　k_p——平行系数，一般取 0.6~0.8。

（3）制品批的处理周期。制品批的处理周期等于各阶段处理周期之和加上各阶段的保险期。

$$T = \sum_{i=1}^{m} T_{gi} + \sum_{i=1}^{m} T_{b(i,i+1)} \tag{10-20}$$

式中　$T_{b(i,i+1)}$——作业 i 与 $i+1$ 之间的保险期。

3. 制品批的处理提前期

处理提前期是指一批制品在某阶段投入或产出的时间比该批制品在总装配阶段全部完工产出的时间所提前的时间。

设装配阶段的产出提前期为零，按反工艺顺序，可计算出各生产环节的投入和产出提前期。某机械产品在各阶段的处理提前期关系如图 10-3 所示。

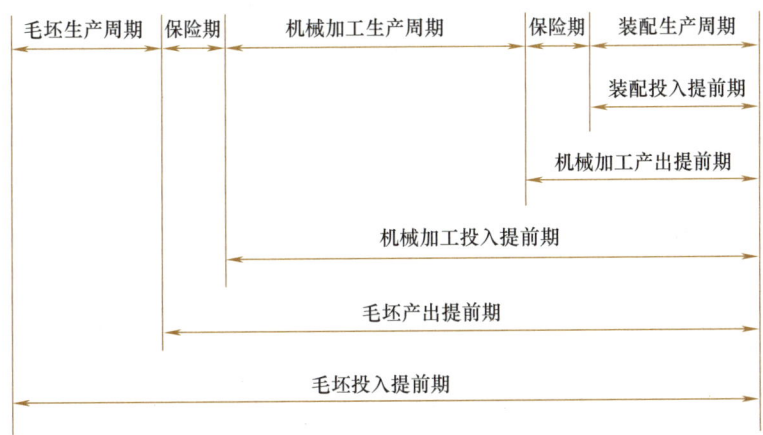

图 10-3　某机械产品在各阶段的处理提前期关系

（1）毛坯投入提前期。

$$D_{i,\text{in}} = D_{i,\text{out}} + T_{gi} \tag{10-21}$$

式中　$D_{i,\text{in}}$——制品批在 i 部门的投入提前期；
　　　$D_{i,\text{out}}$——制品批在 i 部门的产出提前期；
　　　T_{gi}——制品批在 i 部门的处理周期。

（2）毛坯产出提前期。

1）前后部门处理批量相等时。

$$D_{i,\text{out}} = D_{(i+1),\text{in}} + T_{b(i,i+1)} \tag{10-22}$$

式中　$D_{(i+1),\text{in}}$——制品批在 $i+1$ 部门的投入提前期；

2)前部门批量为后部门批量的 N 倍时。

$$D_{i,\text{out}} = D_{(i+1),\text{in}} + (R_i - R_{i+1}) + T_{b(i,i+1)} \tag{10-23}$$

式中　R_i——i 部门的处理间隔期；

　　R_{i+1}——$i+1$ 部门的处理间隔期。

例 10-1　某企业生产甲产品 120 台，要求在 5 月 30 日全部产出，作业计划标准如表 10-6 所示。为简化分析，设部门之间的保险期为 0。试确定产品批在各部门的处理提前期。

表 10-6　产品批作业计划标准

产品代号	部门	批量 n	处理间隔期 R/天	处理周期 D/天
甲产品	装配车间	20 台	10	30
零件	加工车间	60 件	30	50

产品批在各部门的处理周期、处理间隔期和处理提前期的关系如图 10-4 所示。

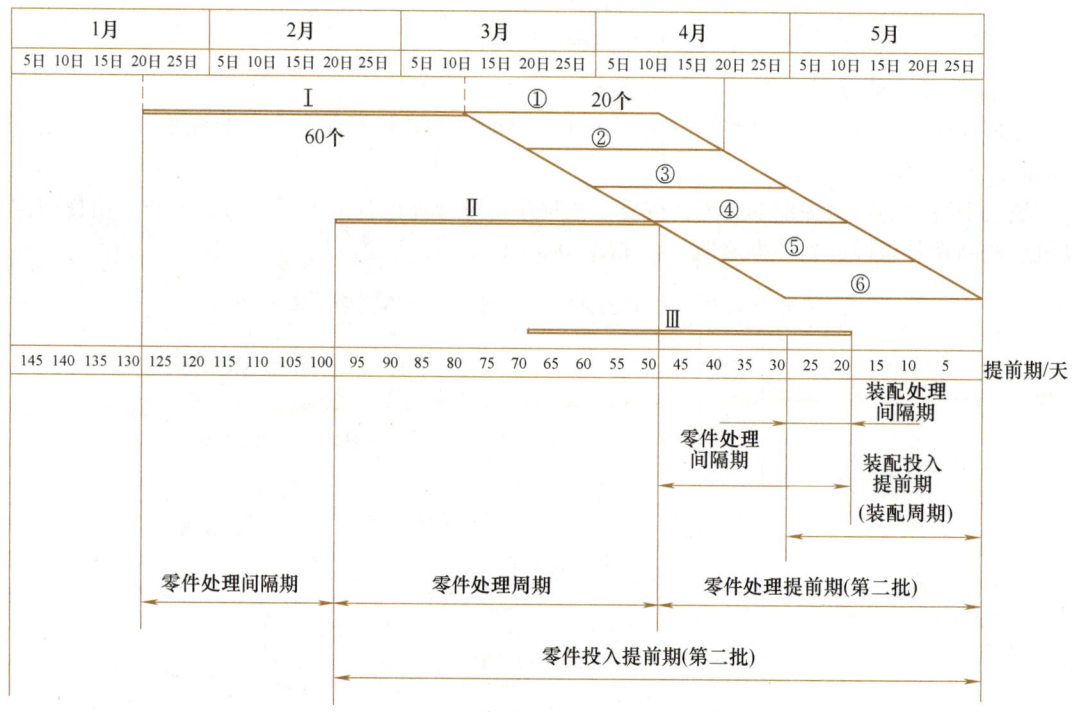

图 10-4　产品批在各部门的处理周期、处理间隔期和处理提前期的关系

根据表 10-6 中数据，$n_\text{加} = 3n_\text{装}$（$n_\text{加}$、$n_\text{装}$ 分别为加工车间批量和装配车间批量），按提前期计算公式，计算结果如下。

装配第六批：$D_{\text{装},\text{out}} = 0$ 天；　　　　　　　　$D_{\text{装},\text{in}} = (0+30)$ 天 $= 30$ 天

装配第五批：$D_{\text{装},\text{out}} = 10$ 天；　　　　　　　$D_{\text{装},\text{in}} = (10+30)$ 天 $= 40$ 天

装配第四批：$D_{\text{装},\text{out}} = (10+10)$ 天 $= 20$ 天；　$D_{\text{装},\text{in}} = (20+30)$ 天 $= 50$ 天

加工第二批：$D_{\text{加},\text{out}} = (30+30-10)$ 天 $= 50$ 天；$D_{\text{加},\text{in}} = (50+50)$ 天 $= 100$ 天

加工第一批：$D_{\text{加},\text{out}} = (50+30)$ 天 $= 80$ 天；　$D_{\text{加},\text{in}} = (80+50)$ 天 $= 130$ 天

4. 在制品占用量

（1）部门内部在制品占用量。在成批生产条件下，在制品整批地在部门之间转移（见图 10-5），

部门内部在制品占用量（Z_{ch}）的计算公式为

$$Z_{ch} = nN_i \tag{10-24}$$

式中　N_i——i 部门内部在制品批数，$N_i = T_i/R_i$，其中，T_i 为 i 部门产品批的生产周期，R_i 为 i 部门的处理间隔期；

　　　n——生产批量。

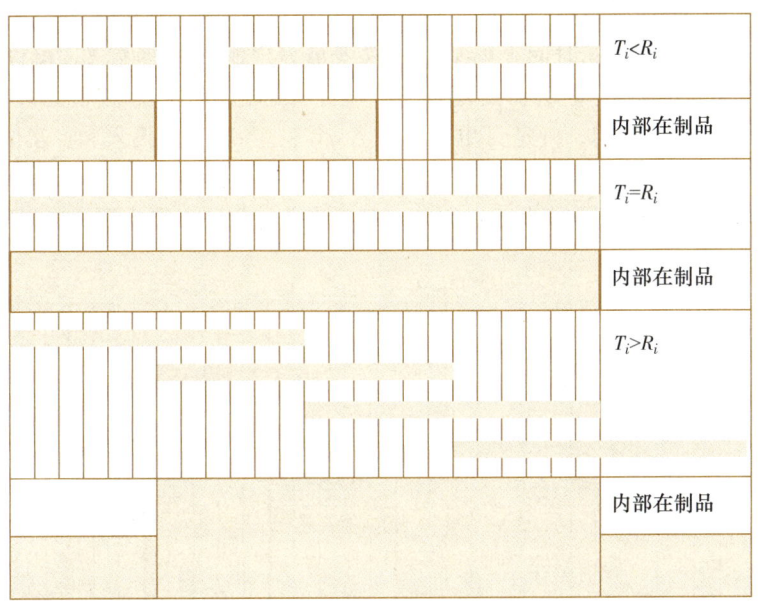

图 10-5　成批生产条件下的部门内部在制品占用量

（2）部门之间库存在制品占用量。部门之间库存在制品占用量包括流动在制品占用量和保险在制品占用量。前者因前后两个部门的生产批量和间隔期不同而产生，或因出入库时刻不同而产生。

1）前部门批量为后部门批量的 3 倍，即 $n_i = 3n_{i+1}$ 时，库存在制品的变化如图 10-6 所示。

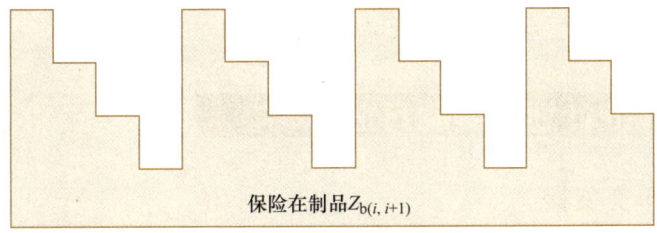

图 10-6　前部门批量为后部门批量 3 倍时库存在制品的变化

2）前部门批量等于后部门批量，即 $n_i = n_{i+1}$ 时，库存在制品的变化如图 10-7 所示。

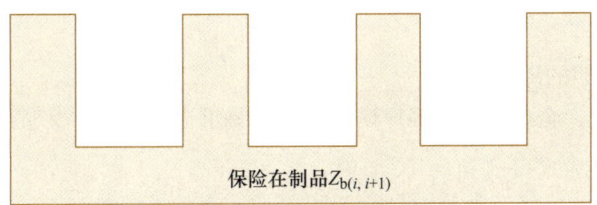

图 10-7　前后部门批量相等时库存在制品的变化

由图 10-7 可见，当前后部门批量相等且出入库时间相同时，周转在制品库存将降至 0，即只存在保险在制品。

10.1.3　单件小批生产的作业计划标准

单件小批生产的产品品种多，单一产品的产量少，按客户订单要求组织生产。在这种生产方式下，运营过程组织的关键在于时间上的衔接。因而，作业计划标准主要在于控制"期"，即控制部门之间投入和产出在时间上的衔接，以满足客户的交货期要求。单件小批生产的作业计划标准主要在于处理提前期和处理周期图表，根据处理提前期和处理周期图表（见图 10-8），按反工艺顺序方向，确定订单产品在各部门、各环节的投入和产出时间。在确定作业计划任务时，一方面要考虑满足客户交货期的要求，另一方面要考虑各环节的产能利用是否平衡。由于客户订单常处于不均衡状态，因此，制订作业计划还必须合理解决加班加点、外协加工的问题。

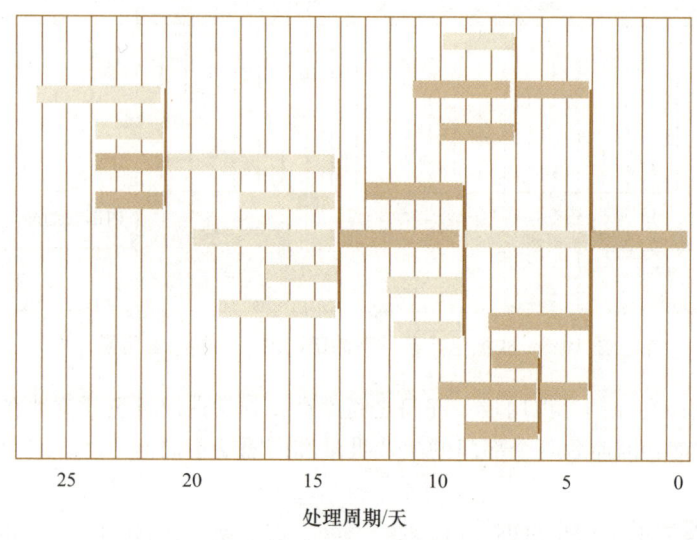

图 10-8　某产品处理周期示意图

10.2　作业计划的编制方法

10.2.1　确定订单交货期

确定订单交货期是作业计划非常重要的内容之一。交货迅速且准时，可以提高客户的满意度，而确定合理的交货期是保证按期交货的前提条件。交货期设置过松，则会失去客户，还会增加库存；交货期设置过紧，则需要加班加点，将增加生产成本或造成延期交货，导致罚款和信誉损失。

1. 确定订单交货期的流程

当客户订单到达时，企业要根据客户提出的订货要求进行价格、交货期决策。其决策流程如图 10-9 所示。

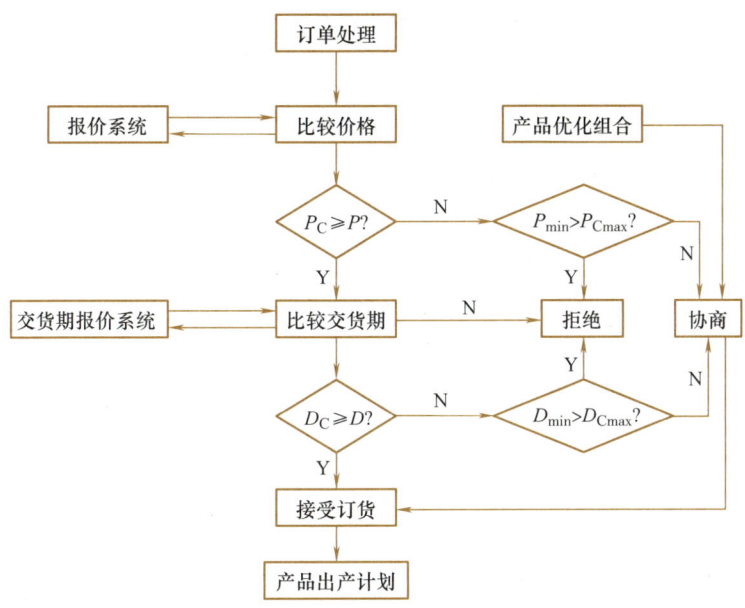

图 10-9 订货决策流程

P_C—客户报价 P—企业报价 P_{Cmax}—客户可接受的最高价格
P_{min}—企业可接受的最低价格 D_C—客户要求的交货期 D—企业预报交货期
D_{min}—企业可能的最早交货期 D_{Cmax}—客户允许的最迟交货期

2. 确定交货期的常用方法

（1）常数法（Constant，CON）。

$$d_i = r_i + k \tag{10-25}$$

式中 d_i——完工期；
  r_i——到达时间或准备就绪时间；
  k——由经验确定的常数。

（2）随机法（Random，RAN）。

$$d_i = r_i + e_i \tag{10-26}$$

式中 e_i——随机数，按客户要求确定。

（3）任务量倍数法（Total Work Content，TWK）。

$$d_i = r_i + kp_i \tag{10-27}$$

式中 k——由经验确定的常数，一般取 3~8；
  p_i——订单产品总工作量。

（4）作业数倍数法（Number of Operations，NOP）。

$$d_i = r_i + kn_i$$

式中 n_i——产品工序数。

（5）松弛时间法（Slack，SLK）。

$$d_i = r_i + p_i + k \tag{10-28}$$

10.2.2 确定各环节作业计划任务

确定各部门（车间或小组）生产任务，就是把企业的计划任务具体分解到各部门（车间或工作地）。不同生产类型条件下，可采用不同的任务分解方法。

1. 在制品定额法

大批大量生产条件下，部门分工、相互衔接关系稳定，作业计划控制的重点是前后部门在数量上的衔接和部门之间库存在制品数量的变化。

在制品定额法是根据在制品占用量定额，按反工艺顺序依次计算各部门的产出量和投入量的方法，也称为连锁计算法。确定各部门生产任务的计算公式为

$$i\text{ 部门产出任务量}: N_{i,\text{out}} = N_{i+1,\text{in}} + Z_{i,\text{销}} + (Z_{\text{库定}} - Z_{\text{库初}}) \tag{10-29}$$

式中　$N_{i,\text{out}}$ ——i 部门产出任务量；

　　　$N_{i+1,\text{in}}$ ——i 部门的紧后部门投产任务量；

　　　$Z_{i,\text{销}}$ ——i 部门在制品计划外销量；

　　　$Z_{\text{库定}}$ ——在制品库定额；

　　　$Z_{\text{库初}}$ ——在制品库期初预计占用量。

$$i\text{ 部门投入任务量}: N_{i,\text{in}} = N_{i,\text{out}} + Z_{i,\text{废}} + (Z_{i,\text{定}} - Z_{i,\text{初}}) \tag{10-30}$$

式中　$N_{i,\text{in}}$ ——i 部门投入任务量；

　　　$Z_{i,\text{废}}$ ——i 部门计划期预计废品数；

　　　$Z_{i,\text{定}}$ ——i 部门内部在制品定额；

　　　$Z_{i,\text{初}}$ ——i 部门期初在制品数。

例 10-2　某企业计划生产 A 产品 10000 台，其中甲零件 1 件/台，计算该零件各部门的生产任务。

该零件各部门的计划投入量与产出量如表 10-7 所示。

表 10-7　各部门的计划投入量与产出量

部门	编号	项目	数量/件
总装车间	1	产出量	10000
	2	废品量	—
	3	在制品定额	800
	4	期初在制品结存量	300
	5	投入量（1+2+3-4）	10500
零件库	6	在制品外销量	1000
	7	库存在制品定额	200
	8	期初库存在制品结存量	300
加工车间	9	产出量（5+6+7-8）	11400
	10	废品量	20
	11	在制品定额	300
	12	期初在制品结存量	120
	13	投入量（9+10+11-12）	11600
毛坯库	14	半成品外销量	500
	15	库存半成品定额	300
	16	期初库存半成品结存量	100

（续）

部门	编号	项目	数量/件
铸造车间	17	产出量（13+14+15-16）	12300
	18	废品量	50
	19	在制品定额	500
	20	期初在制品结存量	350
	21	投入量（17+18+19-20）	12500

在制品定额法也适用于将计划从部门层次分解到各工段，乃至各工作地。确定了计划期各层次作业计划任务后，若是预测生产，则可以把任务均衡分解到计划期的各时段；若是订单生产，则要根据客户的交货期要求和负荷均衡化原则，具体确定各层次部门在计划期各时段的生产任务，不能满足均衡化要求的，则要合理安排相应部门和工作地的加班工时，或确定外协工作。

2. 累计编号法

在多种品种成批生产的条件下，产品轮番生产，在制品变化大，不能用在制品定额法组织生产，只能用累计编号法确定各部门的任务量。

累计编号法用累计数来表示计划期的产品生产任务。累计数是从计划期生产某产品的第一台算起，按顺序给产品编号，然后按各工艺阶段的处理提前期和产品平均日产量，推算出各部门计划期的投入和产出量任务。这种把各生产环节的提前期转化成提前量的方法也称为提前期法。

i 部门计划期产出累计号数计算公式为

$$N'_{i,\text{out}} = N'_{m,\text{out}} + D_{i,\text{out}} q_m \tag{10-31}$$

式中 $N'_{m,\text{out}}$——装配车间计划期产出累计号数；

$D_{i,\text{out}}$——i 部门产出提前期；

q_m——装配车间平均日产量。

i 部门计划期投入累计号数计算公式为

$$N'_{i,\text{in}} = N'_{m,\text{out}} + D_{i,\text{in}} q_m \tag{10-32}$$

式中 $D_{i,\text{in}}$——i 部门投入提前期。

i 部门计划期实际产出任务量计算公式为

$$N_{i,\text{out}} = N'_{i,\text{out}} - N''_{i,\text{out}} \tag{10-33}$$

式中 $N''_{i,\text{out}}$——i 部门上一计划期已产出的累计号数。

i 部门计划期实际投入任务量计算公式为

$$N_{i,\text{in}} = N'_{i,\text{in}} - N''_{i,\text{in}} \tag{10-34}$$

式中 $N''_{i,\text{in}}$——i 部门上一计划期已投入的累计号数。

累计编号法可以由各部门（车间）同时计算确定计划期相应的任务量。累计编号法对同一产品的所有零部件采用相同编号，因而有利于产品生产的配套性。当某部门（车间）的实际产量与计划不一致时，差异部分自动计入下一计划期，有利于简化作业计划工作。

3. 项目计划法

在订单式、单件、多品种生产条件下，产品任务大多属于一次性生产，安排各项任务的作业计划时，既要保证任务的交货期，又要协调和平衡好设备、人员、物料等资源在各时间段的负荷。根据各项产品（任务）的交货期要求，明确其在各工艺阶段的工作内容，按反工艺顺序方向，安排各产品（任务）在各相应部门和相应计划时段的工作内容和进度要求。当某部门在某时段出现超负荷情况时，可考虑调整相应工作的起止时间，或适当安排加班加点，以确保任务按期完成。计划安排过程可以借助 Microsoft Project 软件。该软件可以方便地进行项目计划安排，同时可以对资源使用进行优化，在计划实施过程中还可以方便地对计划进行调整。

4. 订货点法

对于品种繁多、价值较小、耗用量和时间随机的对象，如标准件和通用件，采用订货点法确定任务比较合适。订货点法就是预先确定各种零部件的合理生产批量，每次生产一批交到仓库，需用的部门到仓库去领用，库存量随着领用而不断减少，当库存量下降到规定限度（订货点）时，仓库立即向有关部门和车间发出生产通知，生产车间立即组织生产，生产完成后再交到仓库。可见，这是一种根据批量标准和仓库存量变化来确定生产任务的方法，如图 10-10 所示。

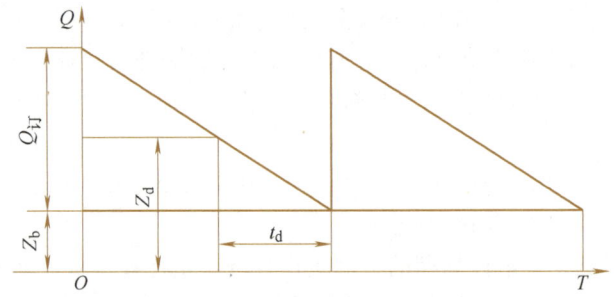

图 10-10　确定产品作业计划任务的订货点法

$Q_{订}$—订货批量　Z_b—保险在制品量　Z_d—订货点库存量　t_d—订货提前期

10.3　运营作业计划控制

在作业计划实施过程中，由于受到各种因素的影响，实际生产状况与作业计划要求可能不断出现差异，如生产进度、品种、质量、消耗等指标与计划标准产生偏离。为了保证完成企业的运营计划，实现企业的经营目标，必须对企业的生产活动进行有效的控制。

所谓运营作业计划控制，是指按作业计划进度的要求，通过检查和监督作业计划的实际完成情况，及时发现偏差，找出原因，采取措施，保证作业计划实现的过程。

10.3.1　作业计划控制工具

作业计划控制首先要保证及时、准确地收集生产现场的数据和资料，然后对数据和资料进行统计和处理。作业计划控制要用到相应的工具，如甘特图（条形图）、曲线图、表格等，如图 10-11 与图 10-12 所示。

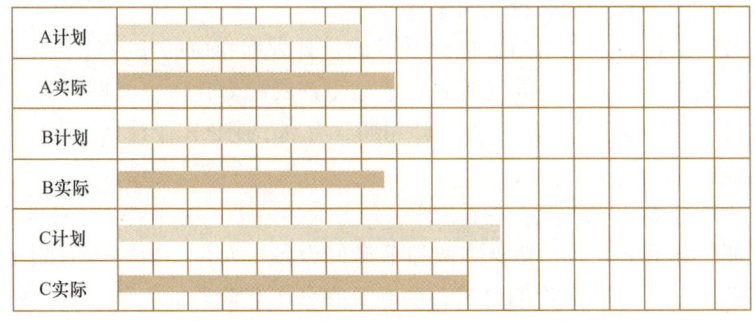

图 10-11　运营计划进度控制甘特图

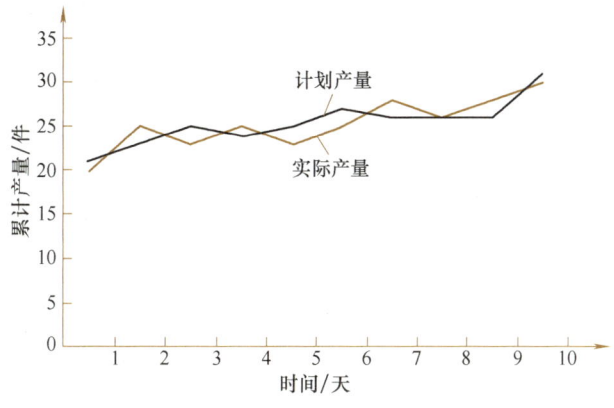

图 10-12　运营计划进度控制曲线图

10.3.2　影响运营计划进度的因素

（1）设备和工装故障。运营过程中出现设备和工装意外故障，会导致生产中断，使生产周期延长。设备的意外故障取决于设备的合理使用和维护，同时也与设备本身的技术可靠性有关。

（2）物料供应脱节。物料供应脱节一方面是指外部物料供应脱节，这种情况可能是供应方的问题导致的供应中断，也可能是物流运输过程发生延误导致的；另一方面是指运营过程中内部各环节衔接不上，造成停工待料。

（3）发生质量事故。当运营过程出现质量事故时，在问题和原因未查清，问题未彻底解决之前，整个生产必须停止。这种情况将直接影响作业计划的进度。

（4）员工缺勤。员工缺勤造成缺岗，设备缺乏人员操作，导致生产速度减慢甚至停滞。这也是导致作业计划滞后的重要原因。

10.3.3　生产进度控制的措施

（1）设置保险库存量。设置保险库存量可有效避免一些意外事故造成的运营过程中断，但也将增加企业的在制品占用量，增加库房面积及库房管理人员，因而增加库存成本。

（2）合理安排设备维修。实行设备计划维修制，安排在非生产时间进行设备维修和抢修，实行快速设备维修法（如部件更换法）。

（3）加班加点和任务转移。当生产进度落后于计划时，可安排有关环节加班加点赶工；当加班加点仍满足不了进度要求时，可考虑发外协进行加工。这两种途径都将增加生产成本。

（4）推行一岗多能制或配备适量后备工人。为减少员工缺勤造成的停工影响，一方面可配备一定的后备工人，另一方面可对员工进行定期轮岗培训，培养多面手。

10.4　作业计划任务排序

10.4.1　作业计划任务排序问题概述

制造业和服务业企业在实际运营中，确定作业计划时面临大量的作业计划任务排序问题。所谓作业计划任务排序，是指多项任务（产品）同时等待某部门（工作地或设备）的处理（加工），要求合理安排这些任务的先后处理（加工）顺序。在服务业中，该类问题为排队问题，排队问题将在其他课程中详细介绍。本书主要研究制造业中的计划任务排序问题。

1. 排序问题分类

作业计划任务排序问题分成两大类。

一类是流程型排序问题（Flow-shop Scheduling）。流程型排序问题是指有多项任务等待排序，各项任务的工艺（业务）流程顺序相同。这类问题只需进行一次排序，所有的设备（岗位）的加工顺序均相同，总的排序方案有 $n!$ 个。流程型排序问题是 NP 完全问题，不能用数学方法求解析解。在实际应用中，常用优先规则法求得较优解，或借助计算机和智能优化算法（如遗传算法、模拟退火算法等）进行排序方案优化搜索，从而找到较优解。

另一类是随机型排序问题（Job-shop Scheduling）。该类问题的各项任务工艺（业务）流程顺序不相同，因而各设备（岗位）的加工顺序也不相同。设总的设备数（岗位数）为 m 个，则总加工方案数有 $(n!)^m$ 个。

根据任务排序的动态性，排序问题可分为静态排序问题和动态排序问题。静态排序问题是指排序时所有任务均已到达等待，排序任务是确定的，因而排序结果是固定的；动态排序问题是指排序时只有部分任务已到达，尚有部分任务随着时间的推移随机地到达并等待。对于这种情况，排序方法有两种策略：一种策略是随着新任务的到达，动态地对尚未投入加工（处理）的任务进行排序，每当有新任务到达，均可能改变原有加工顺序；另一种策略是按一定的时间间隔排序，每经过规定的时间间隔，对新到达任务进行一次排序，但新任务加工顺序不改变原有已排序任务的顺序。

根据任务加工时间的确定性，排序问题可分为确定型排序问题和不确定型排序问题。确定型排序问题是指各项任务的工序时间是确定的，因而排序结果也是确定的；不确定型排序问题是指各项任务在各工序的加工时间是随机波动的，因而排序得到的结果是不确定的。对于任务工序时间为随机的情况，采用动态排序的方法更为有效，即工序设备每完成一项任务后，即按预定排序规则在等待加工的多项任务中选择其中一项进行加工。

本章主要研究静态的、确定型的排序问题。

2. 作业计划排序符号说明

设有 n 个作业要经 m 台设备加工，工艺流程用 $M_1, M_2, \cdots, M_m$ 表示，n 项任务的先后加工顺序就是这里要解决的排序问题。

下面对有关符号进行说明。

(1) J_i 为作业 i ($i=1,2,\cdots,n$)。

(2) M_j 为设备 j ($j=1,2,\cdots,n$)。

(3) $p_{i,j}$ 为任务 J_i 在设备 M_j 上的加工时间，任务 J_i 的总加工时间 $p_i = \sum p_{i,j}$。

(4) r_i 为 J_i 到达的时间。

(5) d_i 为 J_i 的预定交货期。

(6) c_i 为 J_i 完工的时间，$c_i = r_i + \sum (w_{i,j} + p_{i,j}) = r_i + w_i + p_i$，其中 $w_{i,j}$ 为任务 i 在工序 j 的等待时间，w_i 为任务 i 的总等待时间。

(7) c_{max} 为最长完工时间，$c_{max} = \max\{c_i\}$。

(8) F_i 为 J_i 的流程时间，即任务在车间的实际停留时间，$F_i = c_i - r_i = w_i + p_i$。

(9) F_{max} 为最长流程时间，$F_{max} = \max\{F_i\}$。

(10) L_i 为任务延迟时间，$L_i = c_i - d_i$。$L_i > 0$，说明 J_i 出现延期；$L_i < 0$，说明 J_i 提前完工；$L_i = 0$，则说明 J_i 按时完工。

（11）L_{max} 为最长延迟时间，$L_{max} = \max\{L_i\}$。

10.4.2 任务排序优先规则

任务排序优先规则（Priority Rule）是指任务作业排序时采用的优先准则，如先到先服务、最小服务时间优先、重要任务优先、紧急任务优先等规则。据有关文献介绍，目前已有的排序优先规则有 100 多种，其中常用的有 10 多种。表 10-8 列出了一些常用的排序优先规则。

表 10-8 常用的排序优先规则

名称	具体规则
FCFS（先到先服务规则）	按照任务到达时间的先后确定加工（处理）顺序
SPT（最短加工时间规则）	按照任务加工时间的长短确定加工（处理）顺序，时间短的任务先加工（处理）
EDD（最早交货期规则）	根据任务预定交货期先后确定加工（处理）顺序，交货期最早的任务优先加工（处理）
STR（松弛时间规则）	松弛时间=离交货期剩余时间-任务剩余加工时间，松弛时间最短的任务优先加工（处理）
CR（关键比率规则）	时间比率=离交货期剩余时间/任务剩余加工时间，比率最小的任务优先加工（处理）
STR/OP（工序平均松弛时间规则）	工序平均松弛时间=（离交货期剩余时间-任务剩余加工时间）/剩余工序，平均松弛时间最短的任务优先加工（处理）

设任务转换成本和转换时间与加工（处理）顺序无关，则排序时主要考虑任务处理时间和任务交货期；而当加工顺序影响任务转换时间时，排序时需考虑任务的相似性，一般首先对任务进行相似性分组，然后对不同任务组进行排序，接着再对组内任务进行排序。

预定的交货期可以是客户订单规定的交付时间，也可以是预测生产式下计划规定的完工时间。交货期是任务排序时重要的考虑因素。

10.4.3 n 项任务单台设备的排序问题

n 项任务单台设备的排序问题是流程型排序问题的一种特例。

例 10-3 有 8 项任务需经单台设备加工，资料如表 10-9 所示。试求几种常用规则下的加工顺序及其排序效果。

表 10-9 8 项任务单台设备加工时间资料 （单位：天）

任务	J_1	J_2	J_3	J_4	J_5	J_6	J_7	J_8
加工时间 t_j	8	3	6	12	7	5	3	2
交货期 d_j	19	12	9	34	48	40	37	23

注：任务编号也为任务的到达顺序号。

1. 先到先服务（加工）规则（FCFS）

按先到先服务规则，任务加工顺序为 $J_1 \to J_2 \to J_3 \to J_4 \to J_5 \to J_6 \to J_7 \to J_8$。

按如下公式计算排序效果指标。

$$\text{任务完工时间}: F_j = F_{j-1} + t_j \tag{10-35}$$

式中 F_{j-1}——j 任务的紧前任务完工时间；

t_j——j 任务加工时间。

$$\text{任务平均完工时间}: \bar{F} = \sum_{j=1}^{n} \frac{F_j}{n} \tag{10-36}$$

式中 n——任务数。

$$任务延期量: D_j = \max\{0, F_j - d_j\} \quad (10\text{-}37)$$

$$总延期量: D = \sum_{j=1}^{n} D_j \quad (10\text{-}38)$$

$$平均延期量: \overline{D} = \sum_{j=1}^{n} \frac{D_j}{n} \quad (10\text{-}39)$$

得到的排序效果如表 10-10 所示。

表 10-10 按先到先服务规则得到的排序效果 （单位：天）

任务	J_1	J_2	J_3	J_4	J_5	J_6	J_7	J_8
加工时间 t_j	8	3	6	12	7	5	3	2
交货期 d_j	19	12	9	34	48	40	37	23
完工时间 F_j	8	11	17	29	36	41	44	46
延期量 D_j	0	0	8	0	0	1	7	23

$$\overline{F} = \frac{(8+11+17+29+36+41+44+46) 天}{8} = 29 \ 天$$

$$D = (8+1+7+23) 天 = 39 \ 天$$

$$\overline{D} = \frac{(8+1+7+23) 天}{8} = 4.88 \ 天$$

先到先服务（加工）规则是服务领域广泛应用的规则，也是社会公众广泛认可的规则，但该规则不能保证资源得到最有效利用，因而服务业也常用其他一些规则，如贵宾优先规则、紧急状况优先规则、老幼病残孕优先规则等。

2. 最短加工时间规则（SPT）

按任务加工时间长短，时间最短的任务优先加工，得到的加工顺序为 $J_8 \to J_2 \to J_7 \to J_6 \to J_3 \to J_5 \to J_1 \to J_4$。排序效果如表 10-11 所示。

表 10-11 按最短加工时间规则得到的排序效果 （单位：天）

任务	J_8	J_2	J_7	J_6	J_3	J_5	J_1	J_4
加工时间 t_j	2	3	3	5	6	7	8	12
交货期 d_j	23	12	37	40	9	48	19	34
完工时间 F_j	2	5	8	13	19	26	34	46
延期量 D_j	0	0	0	0	10	0	15	12

$$\overline{F} = \frac{(2+5+8+13+19+26+34+46) 天}{8} = 19.13 \ 天$$

$$D = (10+15+12) 天 = 37 \ 天$$

$$\overline{D} = \frac{(10+15+12) 天}{8} = 4.63 \ 天$$

由结果可见，最短加工时间规则可以得到最短的任务平均完工时间，因而也有最小的平均在制品占用量。在服务业中，则有最少的平均等待人数。但在这种规则下可能会出现延期交货现象。

3. 最早交货期规则（EDD）

按最早交货期规则，任务加工顺序为 $J_3 \to J_2 \to J_1 \to J_8 \to J_4 \to J_7 \to J_6 \to J_5$。排序效果如表 10-12 所示。

表 10-12 按最早交货期规则得到的排序效果 （单位：天）

任务	J_3	J_2	J_1	J_8	J_4	J_7	J_6	J_5
加工时间 t_j	6	3	8	2	12	3	5	7
交货期 d_j	9	12	19	23	34	37	40	48
完工时间 F_j	6	9	17	19	31	34	39	46
延期量 D_j	0	0	0	0	0	0	0	0

$$\overline{F} = \frac{(6+9+17+19+31+34+39+46)\text{天}}{8} = 25.13 \text{ 天}$$

$$D = 0$$

$$\overline{D} = 0$$

由结果可见，最早交货期规则可以使任务延期量最小。但在这种规则下任务平均完工时间相对较长，因而平均在制品数较多。

4. EDD-SPT 综合规则

在按 EDD 规则排序所得方案的基础上，再按 SPT 规则对其调整。

（1）在表 10-12 中检查并找出满足 $d_j \geqslant F_{\max}$ 条件的任务；把满足 $d_j \geqslant F_{\max}$ 条件的任务按 SPT 规则调整排序。

（2）若除 $F_{\max}$ 任务外，没有满足 $d_j \geqslant F_{\max}$ 条件的任务，则去掉 $F_{\max}$ 任务，对剩余任务继续执行步骤（1），直至把所有任务检查和调整完。

检查和调整任务加工顺序如表 10-13 所示。

表 10-13 检查和调整任务加工顺序 （单位：天）

任务	J_3 ←	→ J_2	J_1 ←	→ J_8	J_4 ←	→ J_7	J_6	J_5
加工时间 t_j	6	3	8	2	12	3	5	7
交货期 d_j	9*	12	19*	23	34*	37	40	48
完工时间 F_j	6	9*	17	19*	31	34*	39	46
延期量 D_j	0	0	0	0	0	0	0	0

第一步：$F_{\max} = F_5 = 46$ 天，没有满足调整条件的任务。

第二步：去掉 F_5 后，$F_{\max} = F_6 = 39$ 天，还是没有满足调整条件的任务。

第三步：去掉 F_6 后，$F_{\max} = F_7 = 34$ 天，此时有 $d_4 = 34$ 天，按 SPT 规则，把 J_7 与 J_4 调换。

第四步：去掉调整后的任务，对剩余任务继续检查和调整，直至所有任务都检查和调整完毕，得到排序效果如表 10-14 所示。

表 10-14 按 EDD-SPT 规则得到的排序效果 （单位：天）

任务	J_2	J_3	J_8	J_1	J_7	J_4	J_6	J_5
加工时间 t_j	3	6	2	8	3	12	5	7
交货期 d_j	12	9	23	19	37	34	40	48

(续)

任务	J_2	J_3	J_8	J_1	J_7	J_4	J_6	J_5
完工时间 F_j	3	9	11	19	22	34	39	46
延期量 D_j	0	0	0	0	0	0	0	0

$$\overline{F}=\frac{(3+9+11+19+22+34+39+46)\text{天}}{8}=22.88 \text{ 天}$$

$$D=0$$

$$\overline{D}=0$$

可见，交货延期为0，平均完工时间减少了2.25天（25.13天−22.88天）。

5. 关键比率规则（CR）

关键比率规则实际上是按任务的紧迫性确定任务顺序的方法。任务 j 的比率用 k_j 表示，比率最小者为关键比率。比率的计算公式为

$$k_j=\frac{d_j-r}{t_j} \quad (10\text{-}40)$$

式中 r——任务可开始的时间。

第一步：设开始时间为0，计算任务关键比率，结果选比率最小的 J_3。

第二步：去掉 J_3，以 J_3 完工的第6天为开始时间，计算任务关键比率，结果选 J_1。

第三步：去掉 J_1，以 J_1 完工的第14天为开始时间，计算各项任务的关键比率，结果选 J_2。

以此类推，确定其他未选任务关键比率的计算和顺序，结果如表10-15所示。

表10-15 任务关键比率计算表 （单位：天）

任务	J_1	J_2	J_3	J_4	J_5	J_6	J_7	J_8
加工时间 t_j	8	3	6	12	7	5	3	2
交货期 d_j	19	12	9	34	48	40	37	23
$r=0$	2.38	4.00	1.50*	2.83	6.86	8.00	12.33	11.50
$r=6$	1.63*	2.00		2.33	6.00	6.80	10.33	8.50
$r=6+8=14$		−0.67*		1.67	4.86	5.20	7.67	4.50
$r=14+3=17$				1.42*	4.43	4.60	6.67	3.00
$r=17+12=29$					2.71	2.20	2.67	−3.00*
$r=29+2=31$					2.43	1.80*	2.00	
$r=31+5=36$					1.71		0.33*	
$r=36+3=39$					1.29*			

得到加工顺序为 $J_3 \rightarrow J_1 \rightarrow J_2 \rightarrow J_4 \rightarrow J_8 \rightarrow J_6 \rightarrow J_7 \rightarrow J_5$。排序效果如表10-16所示。

表10-16 按关键比率规则得到的排序效果 （单位：天）

任务	J_3	J_1	J_2	J_4	J_8	J_6	J_7	J_5
加工时间 t_j	6	8	3	12	2	5	3	7
交货期 d_j	9	19	12	34	23	40	37	48
完工时间 F_j	6	14	17	29	31	36	39	46
延期量 D_j	0	0	5	0	8	0	2	0

10.4.4 流程型作业计划任务排序

流程型作业计划任务排序问题的特征是所有任务的工艺流程均相同。设排序目标是总加工周期最小化。

流程型作业计划任务排序主要有以下几个假设。

（1）一台设备同一时刻只能加工（处理）一项任务。

（2）一项任务同一时刻只能在一台设备上加工（处理）。

（3）任务在一台设备上开始加工（处理）后，不允许其他任务插入。

1. n 项任务 2 台设备的排序

n 项任务需经 2 台设备加工，目标是使总加工周期最小化。对此问题，约翰逊（S. M. Johnson）于 1954 年提出了一个最优规则，简称约翰逊规则。运用约翰逊规则排序，可得到最优加工顺序。约翰逊规则的具体步骤如下。

（1）从加工时间矩阵中找出最短的加工时间。

（2）若最短加工时间出现在加工中心 M_1 上，则对应的作业尽可能往前排；若最短加工时间出现在加工中心 M_2 上，则对应的作业尽可能往后排；若最短加工时间有多个，则任选用一个。

（3）重复上述步骤，直至把所有作业排序完。

例 10-4 有 8 项任务，需经 2 台设备加工，各项任务的工艺流程顺序相同，具体数据如表 10-17 所示。

表 10-17 8 项任务经 2 台设备加工的加工数据　　　　　（单位：天）

设备		任务							
		J_1	J_2	J_3	J_4	J_5	J_6	J_7	J_8
M_1	$t_{1,j}$	8	3	6	12	7	5	3	5
M_2	$t_{2,j}$	9	2	5	3	4	10	7	11

用约翰逊规则进行排序，得到排序结果为 $J_8 \to J_7 \to J_6 \to J_1 \to J_3 \to J_5 \to J_4 \to J_2$。根据上述排序结果，用哈姆表算法[一]计算各项任务的完工时间为

$$F_{i,j} = t_{i,j} + \max\{F_{(i-1),j}, F_{i,(j-1)}\} \tag{10-41}$$

$$总加工周期：T = \max\{F_{i,j}\} \tag{10-42}$$

用哈姆表算法计算约翰逊规则排序结果的加工周期如表 10-18 所示。

表 10-18 用哈姆表算法计算约翰逊规则排序结果的加工周期　　　　　（单位：天）

设备		任务							
		J_8	J_7	J_6	J_1	J_3	J_5	J_4	J_2
M_1	$t_{1,j}$	2 / 2	3 / 5	5 / 10	8 / 18	6 / 24	7 / 31	12 / 43	3 / 46
M_2	$t_{2,j}$	11 / 13	7 / 20	10 / 30	9 / 39	5 / 44	4 / 48	3 / 51	2 / 53

用哈姆表算法计算自然顺序下的加工周期如表 10-19 所示。

一 哈姆表算法是伯德洛夫·哈姆在著名的约翰逊规则基础上提出的一种近优的多设备排序优化算法，该算法中包括下文中列表计算任务完工时间的方法。

表 10-19　用哈姆表算法计算自然顺序下的加工周期　　　　　　（单位：天）

设备		任务							
		J_1	J_2	J_3	J_4	J_5	J_6	J_7	J_8
M_1	$t_{1,j}$	8 \ 8	3 \ 11	6 \ 17	12 \ 29	7 \ 36	5 \ 41	3 \ 44	2 \ 46
M_2	$t_{2,j}$	9 \ 17	2 \ 19	5 \ 24	3 \ 32	4 \ 40	10 \ 51	7 \ 58	11 \ 69

2. n 项任务 3 台设备的排序

例 10-5　有 8 项任务，需经 3 台设备加工，具体数据如表 10-20 所示。

表 10-20　8 项任务经 3 台设备加工的加工数据　　　　　　　（单位：天）

设备		任务							
		J_1	J_2	J_3	J_4	J_5	J_6	J_7	J_8
M_1	$t_{1,j}$	2	3	5	8	6	7	12	3
M_2	$t_{2,j}$	11	7	10	9	5	4	3	2
M_3	$t_{3,j}$	11	13	12	15	16	11	12	14

对于这类排序问题，应设排序目标为最大完工时间最短，采用约翰逊规则求解，也就是把 3 台设备转换成 2 台假想设备，再用约翰逊规则进行排序。采用约翰逊规则求得最优解的条件为

$$\min t_{1,j} \geq \max t_{2,j} \text{ 或 } \min t_{3,j} \geq \max t_{2,j}$$

本例中，$\min t_{3,j}=11$，$\max t_{2,j}=11$，满足最优解条件。把 3 台设备转化成 2 台假想设备，各项任务在假想设备上的加工时间用如下方法计算

$$t_{g,j}=t_{1,j}+t_{2,j}$$
$$t_{h,j}=t_{3,j}+t_{2,j}$$

2 台假想设备的加工时间如表 10-21 所示。

表 10-21　2 台假想设备的加工时间　　　　　　　　　　　　（单位：天）

设备		任务							
		J_1	J_2	J_3	J_4	J_5	J_6	J_7	J_8
M_g	$t_{g,j}$	13	10	15	17	11	11	15	5
M_h	$t_{h,j}$	22	20	22	24	21	15	15	16

用约翰逊规则求得最优加工顺序为 $J_8 \to J_2 \to J_5 \to J_6 \to J_1 \to J_3 \to J_7 \to J_4$（或 $J_8 \to J_2 \to J_5 \to J_6 \to J_1 \to J_3 \to J_4 \to J_7$）。

用哈姆表算法求最优顺序下各项任务的加工周期如表 10-22 所示。

表 10-22　最优顺序下各项任务的加工周期　　　　　　　　　（单位：天）

设备		任务							
		J_8	J_2	J_5	J_6	J_1	J_3	J_7	J_4
M_1	$t_{1,j}$	3 \ 3	3 \ 6	6 \ 12	7 \ 19	2 \ 21	5 \ 26	12 \ 38	8 \ 46
M_2	$t_{2,j}$	2 \ 5	7 \ 13	5 \ 18	4 \ 23	11 \ 34	10 \ 44	3 \ 47	9 \ 56
M_3	$t_{3,j}$	14 \ 19	13 \ 32	16 \ 48	11 \ 59	11 \ 70	12 \ 82	12 \ 94	15 \ 109

用哈姆表算法求自然顺序下的加工周期如表 10-23 所示。

表 10-23　自然顺序下的加工周期　　　　　　　　　　　　　　　　　　（单位：天）

设备		任务							
		J_1	J_2	J_3	J_4	J_5	J_6	J_7	J_8
M_1	$t_{1,j}$	2 / 2	3 / 5	5 / 10	8 / 18	6 / 24	7 / 31	12 / 43	3 / 46
M_2	$t_{2,j}$	11 / 13	7 / 20	10 / 30	9 / 39	5 / 44	4 / 48	3 / 51	2 / 53
M_3	$t_{3,j}$	11 / 24	13 / 37	12 / 49	15 / 64	16 / 80	11 / 91	12 / 103	14 / 117

3. n 项任务 m 台设备的排序

例 10-6　有 8 项任务，需经 6 台设备加工，具体数据如表 10-24 所示。

表 10-24　8 项任务经 6 台设备加工的加工数据　　　　　　　　　　　　（单位：天）

设备		任务							
		J_1	J_2	J_3	J_4	J_5	J_6	J_7	J_8
M_1	$t_{1,j}$	5	7	5	2	5	6	4	2
M_2	$t_{2,j}$	7	5	8	6	6	2	2	3
M_3	$t_{3,j}$	3	6	4	4	7	6	3	2
M_4	$t_{4,j}$	4	3	6	1	9	3	11	9
M_5	$t_{5,j}$	8	2	9	6	1	8	3	7
M_6	$t_{6,j}$	2	9	1	3	8	9	7	6
合计		29	32	33	22	36	34	30	29

（1）关键任务法。

1）求各项任务的总加工时间，以总加工时间最长者为关键任务 J_c。

2）找出 $t_{1,j} < t_{m,j}$ 的任务，满足条件的任务按 $t_{1,j}$ 从小到大排在 J_c 前面。

3）找出 $t_{1,j} > t_{m,j}$ 的任务，按 $t_{m,j}$ 从大到小排在 J_c 后面。

4）$t_{1,j} = t_{m,j}$ 的任务排在 J_c 紧前或紧后。

本例中关键任务 $J_c = J_5$。

满足 $t_{1,j} < t_{m,j}$ 的任务有 J_2、J_4、J_6、J_7、J_8，按从小到大排在 J_5 之前，即 $J_8 \to J_4 \to J_7 \to J_6 \to J_2 \to J_5 \to$。

满足 $t_{1,j} > t_{m,j}$ 的任务有 J_1、J_3，按 $t_{m,j}$ 从大到小排在 J_5 之后。

得到的加工顺序为 $J_8 \to J_4 \to J_7 \to J_6 \to J_2 \to J_5 \to J_1 \to J_3$。

用哈姆表算法计算加工周期，得到排序效果如表 10-25 所示。

表 10-25　关键任务法下的排序效果　　　　　　　　　　　　　　　　　（单位：天）

设备		任务							
		J_8	J_4	J_7	J_6	J_2	J_5	J_1	J_3
M_1	$t_{1,j}$	2 / 2	2 / 4	4 / 8	6 / 14	7 / 21	5 / 26	5 / 31	5 / 36
M_2	$t_{2,j}$	3 / 5	6 / 11	2 / 13	2 / 16	5 / 26	6 / 32	7 / 39	8 / 47

(续)

设备		任务							
		J_8	J_4	J_7	J_6	J_2	J_5	J_1	J_3
M_3	$t_{3,j}$	2 / 7	4 / 15	3 / 18	6 / 24	6 / 32	7 / 39	3 / 42	4 / 51
M_4	$t_{4,j}$	9 / 16	1 / 17	11 / 29	3 / 32	3 / 35	9 / 48	4 / 52	6 / 58
M_5	$t_{5,j}$	7 / 23	6 / 29	3 / 32	8 / 40	2 / 42	1 / 49	8 / 60	9 / 69
M_6	$t_{6,j}$	6 / 29	3 / 32	7 / 39	9 / 49	9 / 58	8 / 66	2 / 68	1 / 70

（2）最小排序系数 k_j 法。首先计算各项任务的排序系数 k_j，即

$$k_j = \frac{\sum_{i=1}^{m/2} t_{i,j}}{\sum_{i=(m+1)/2}^{m} t_{i,j}} \tag{10-43}$$

排序系数是指任务工艺流程的前半部分时间之和与后半部分时间之和的比值。当设备数为奇数时，中间设备的加工时间平分给前后两部分相加。按上式计算的任务排序系数大小，从小到大排序。例10-6 计算的结果如表10-26所示。

表10-26 任务排序系数计算表 （单位：天）

设备		任务							
		J_1	J_2	J_3	J_4	J_5	J_6	J_7	J_8
M_1	$t_{1,j}$	5	7	5	2	5	6	4	2
M_2	$t_{2,j}$	7	5	8	6	6	2	2	3
M_3	$t_{3,j}$	3	6	4	4	7	6	3	2
M_4	$t_{4,j}$	4	3	6	1	9	3	11	9
M_5	$t_{5,j}$	8	2	9	6	1	9	3	7
M_6	$t_{6,j}$	2	9	1	3	8	9	7	6
k_j		1.07	1.29	1.06	1.20	1.00	0.70	0.43	0.32

按任务排序系数从小到大排序，得到的排序结果为 $J_8 \rightarrow J_7 \rightarrow J_6 \rightarrow J_5 \rightarrow J_3 \rightarrow J_1 \rightarrow J_4 \rightarrow J_2$。用哈姆表算法计算的排序方案的任务加工周期如表10-27所示。

表10-27 最小排序系数法下的加工周期 （单位：天）

设备		任务							
		J_8	J_7	J_6	J_5	J_3	J_1	J_4	J_2
M_1	$t_{1,j}$	2 / 2	4 / 6	6 / 12	5 / 17	5 / 22	5 / 27	2 / 29	7 / 36
M_2	$t_{2,j}$	3 / 5	2 / 8	2 / 14	6 / 23	8 / 31	7 / 38	6 / 44	5 / 49

(续)

设备		任务							
		J_8	J_7	J_6	J_5	J_3	J_1	J_4	J_2
M_3	$t_{3,j}$	2 / 7	3 / 11	6 / 20	7 / 30	4 / 35	3 / 41	4 / 48	6 / 55
M_4	$t_{4,j}$	9 / 16	11 / 17	3 / 30	9 / 39	6 / 45	4 / 49	1 / 50	3 / 58
M_5	$t_{5,j}$	7 / 23	3 / 30	8 / 38	1 / 40	8 / 54	6 / 62	6 / 68	2 / 70
M_6	$t_{6,j}$	6 / 29	7 / 37	9 / 47	8 / 55	1 / 56	2 / 64	7 / 71	9 / 80

用哈姆表算法计算的自然顺序下的总加工周期如表 10-28 所示。

表 10-28　自然顺序下的总加工周期　　　　　　　　　　　（单位：天）

设备		任务							
		J_1	J_2	J_3	J_4	J_5	J_6	J_7	J_8
M_1	$t_{1,j}$	5 / 5	7 / 12	5 / 17	2 / 19	5 / 24	6 / 30	4 / 34	2 / 36
M_2	$t_{2,j}$	7 / 12	5 / 17	8 / 25	6 / 31	6 / 37	2 / 39	2 / 41	3 / 44
M_3	$t_{3,j}$	3 / 15	6 / 23	4 / 29	4 / 35	7 / 44	6 / 50	3 / 53	2 / 55
M_4	$t_{4,j}$	4 / 19	3 / 26	6 / 35	1 / 36	9 / 53	3 / 56	11 / 67	9 / 76
M_5	$t_{5,j}$	8 / 27	2 / 29	9 / 44	6 / 50	1 / 54	8 / 64	3 / 70	7 / 83
M_6	$t_{6,j}$	2 / 29	9 / 38	1 / 45	3 / 53	8 / 62	9 / 73	7 / 80	9 / 89

由结果可见，应用关键任务法和最小排序系数法所得的排序方案均得到了较优方案。

（3）约翰逊规则扩展应用方法。把约翰逊规则扩展应用于 n 项任务 m 台设备的排序问题，可以求得 m 个排序方案。比较这 m 个方案，取其中最优方案。应用约翰逊规则，需要把 m 台设备的问题转换成 2 台假想设备进行求解，具体步骤如下。

步骤 1：抽出第 1 台设备和第 m 台设备组成 1 组假想设备，根据 $t_{1,j}$ 和 $t_{m,j}$，运用约翰逊规则，求得第 1 个排序方案。

步骤 2：将第 1 台和第 2 台设备的加工时间相加，作为第 1 台假想设备的加工时间，即 $t_{g,j} = t_{1,j} + t_{2,j}$；将第 m 台和第 $m-1$ 台设备的加工时间相加，作为第 2 台假想设备的加工时间，即 $t_{h,j} = t_{m,j} + t_{m-1,j}$；2 台假想设备组成第 2 组假想设备，用约翰逊规则求得第 2 个排序方案。

步骤 3：将 $t_{g,j} = t_{1,j} + t_{2,j} + t_{3,j}$ 作为第 1 台假想设备的加工时间；将 $t_{h,j} = t_{m,j} + t_{m-1,j} + t_{m-2,j}$ 作为第 2

台假想设备的加工时间；2 台假想设备组成第 3 组假想设备，用约翰逊规则求得第 3 个排序方案。

以此类推。

步骤 $m-1$：将 $t_{g,j}=t_{1,j}+t_{2,j}+\cdots+t_{m-1,j}$ 作为第 1 台假想设备的加工时间；将 $t_{h,j}=t_{m,j}+t_{m-1,j}+\cdots+t_{2,j}$ 作为第 2 台假想设备的加工时间；2 台假想设备组成第 $m-1$ 组假想设备，用约翰逊规则求得第 $m-1$ 个排序方案。用哈姆表算法计算以上各排序方案的加工周期，最小值对应的方案即为最优方案。

10.4.5 非流程型排序问题

n 项任务经 m 台设备加工，各项任务的工艺流程不同，这时就产生了非流程型排序问题。非流程型排序问题方案共有 $(n!)^m$ 个。这类问题的排序比流程型排序问题更为复杂，用解析法求最优方案几乎是不可能的。实践中多采用排序规则进行排序，分别为每一设备排序。非流程型排序问题中各设备的加工顺序是相关的，因而可行解空间更大，采用智能优化算法中的模拟退火算法或遗传算法，借助计算机可以有效地进行排序方案寻优。下面通过一个简单的例子了解非流程型排序问题的特点。

例 10-7　2 项任务需经 4 台设备加工，各任务的工艺流程如下。

(1) J_1: A(2)$\Rightarrow$B(1)$\Rightarrow$C(8)$\Rightarrow$D(2)。

(2) J_2: A(1)$\Rightarrow$D(4)$\Rightarrow$B(1)$\Rightarrow$C(4)。

试求总加工周期最短的加工顺序。

假设条件：

(1) 以纵坐标表示 J_2 的工艺流程时间进度，横坐标表示 J_1 的工艺流程时间进度，绘制产品工艺过程加工干涉区，即两种产品需同时使用同一设备的区域。

(2) 从原点开始，终点为两项任务均已完工的 e 点，用最短时间路线连接原点和终点，当碰到干涉区，则沿干涉区边沿走，不允许进入干涉区。直线所经路线可能有多种方案，其中最短时间路线就是作业计划最优排序方案。

结果如图 10-13 所示。

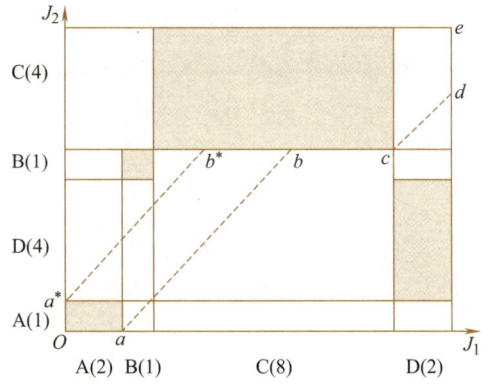

图 10-13　非流程型排序问题示例

比较两条线路的长度：

(1) $O\to a\to b\to c\to d\to e$，$F_1=(2+1+8+2+2)\text{h}=15\text{h}$。

(2) $O\to a^*\to b^*\to c\to d\to e$，$F_2=(1+4+1+6+4)\text{h}=16\text{h}$。

由结果可见，应选择加工周期较短的 $O\to a\to b\to c\to d\to e$ 加工顺序。

由本例可见，n 项任务 m 台设备的非流程型排序问题并不像理论分析的那样有 $(n!)^m$ 个方案。本例中仅在 A 设备上需进行排序，而在其他设备上由于任务到达时间不同，实际需排序的方案远少于理论值。此外，流程型排序问题的规则在非流程型排序问题中不一定有效，如本例中，若按最短加工时间规则排序，则应先加工 J_2，但按该方案排序的加工周期是大于优先加工 J_1 的。

10.5 订单生产计划投产量决策

10.5.1 问题概述

在激烈的市场竞争环境下,严格地按质、按量、按期交货,全方位地满足客户的要求,已成为企业赢得客户订单的重要条件。在运营计划和控制实践中,如何根据客户订单,合理地确定计划投产量,以确保在按规定数量交货的同时,使企业的成本最低、效益最好,是作业计划工作的一项重要内容。

多品种、小批量、多批次、生产重复性低,是订单生产式运营系统运作的主要特点。不同客户的订单在技术要求、工艺路线、原材料等方面存在差异,企业生产难以形成标准化和规范化的生产工艺流程与方法。相对于大批量、标准化的生产模式,订单生产式运营系统的产品不合格品率较高,不合格品率具有随机不确定的特征。这一方面使订单产品交货期难以保证,另一方面使得管理人员在制订投产计划时难以合理确定投产量,因而常常出现实际产量小于客户订单规定产量(欠产)或超过客户订单规定产量(超产)的情况。为了避免产出量不足,确保客户订单数量得到满足,企业管理人员常采用加大计划投入量的策略。这种投产策略往往导致超产。处理超产产品的途径有三个:①把超产产品当废料处理掉(如回炉处理或当废品卖给收购商);②大幅折价卖给其他客户(前提是该产品勉强适用于某些客户,且产品没有知识产权的约束);③把超产产品长期堆放于产品仓库中,等待日后有售出的机会。企业的实践表明,超产产品能够售出的机会很小,因而日积月累,导致企业仓库积压了大量的超产产品。这一方面占用了企业宝贵的仓库空间和资金,另一方面也掩盖了超产的问题和矛盾。

为了避免超产带来的损失,实践中有部分企业严格按客户订货量确定其计划投产量。由于受到一些难以预见和控制的随机因素的影响,在运营过程中,产品的合格率波动较大,因而实际产出量常小于客户订货量。为了补足欠产产品,企业必须安排产品的再投产,模具安装、设备调整、材料准备、人员安排等生产技术准备工作必须再次进行。这不但会导致生产费用的增加,还会延长生产周期,打乱运营系统的运营秩序,加重延期交货问题。

综上所述,根据企业运营系统的实际状况及客户订货的特点和要求,综合考虑客户要求和企业成本费用,合理确定产品的计划投产量,是订单生产计划与控制的重要决策问题。

10.5.2 订单生产式运营系统计划投产量决策模型

在客户订货量和价格一定的条件下,产品生产成本决定了企业的效益,因而产品投产量决策模型以生产成本最小化为决策目标。

同时有 N 个客户订购 j 产品时,j 产品需求量 D_j 的计算公式为

$$D_j = \sum_{i=1}^{N} D_{i,j} \tag{10-44}$$

式中 $D_{i,j}$——i 客户订购 j 产品的订货量。

过量产出的损失费期望值 $W(P_j)$ 的计算公式为

$$W(P_j) = \int_{\frac{D_j}{P_j}}^{1} [C_g(r_j P_j - D_j) + C_r(1-r_j)P_j] R(r_j) \, dr_j \tag{10-45}$$

s.t. $r_j P_j \geq D_j$

式中 C_g——过量产出的单位产品的处理成本;

C_r——报废不合格单位产品的处理成本；

P_j——产品 j 的计划投产量；

r_j——产品 j 生产过程合格品率，且 r_j 服从正态分布；

$R(r_j)$——r_j 的概率密度函数，且 $R(r_j) = \dfrac{1}{\sigma_j \sqrt{2\pi}} e^{\frac{(r_j-\mu_j)^2}{2\sigma_j^2}}$，其中 μ_j 为 j 产品合格品率中值。

产量不足的损失费期望值 $S(P_j)$ 的计算公式为

$$S(P_j) = \int_0^{\frac{D_j}{P_j}} [C_q(D_j - r_j P_j) + C_r(1 - r_j)(D_j - r_j P_j) + F_j] R(r_j) \mathrm{d}r_j \tag{10-46}$$

$$\text{s.t.} \quad r_j P_j \leq D_j$$

式中 F_j——投产 j 产品的一次准备和结束费；

C_q——欠产再投产的单位产品成本。

以综合损失费期望值最小化为计划投产量决策目标，产品 j 计划投产量决策模型为

$$\min E(P_j) = \left\{ \int_{\frac{D_j}{P_j}}^{1} [C_g(r_j P_j - D_j) + C_r(1 - r_j) P_j] R(r_j) \mathrm{d}r_j \right\}_{r_j P_j \geq D_j} + \\ \left\{ \int_0^{\frac{D_j}{P_j}} [C_q(D_j - r_j P_j) + C_r(1 - r_j)(D_j - r_j P_j) + F_j] R(r_j) \mathrm{d}r_j \right\}_{r_j P_j \leq D_j} \tag{10-47}$$

$$\text{s.t.} \quad P_j \geq 0, \ r_j \geq 0$$

令 $C_g = 120$ 元，$C_q = 180$ 元，$C_r = 100$ 元，$D_j = 600$ kg，$F_j = 2000$ 元，$r_j = 0.6 \sim 1$，$\mu_j = 0.8$，$\sigma_j = 0.2$，使用 Math CAD 软件计算式（10-45）~式（10-47），得到以计划投产量为自变量的超产损失费 $W(P_j)$ 和欠产损失费 $S(P_j)$ 曲线，如图 10-14 所示，综合损失费 $E(P_j)$ 曲线如图 10-15 所示。

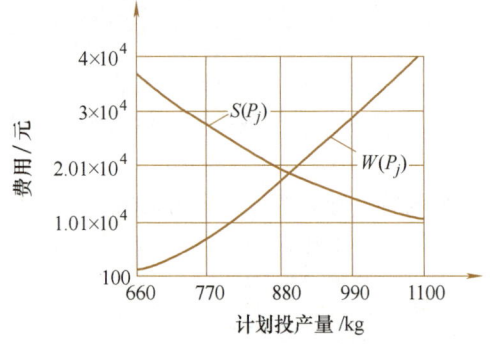

图 10-14　计划投产量与超产和欠产损失费

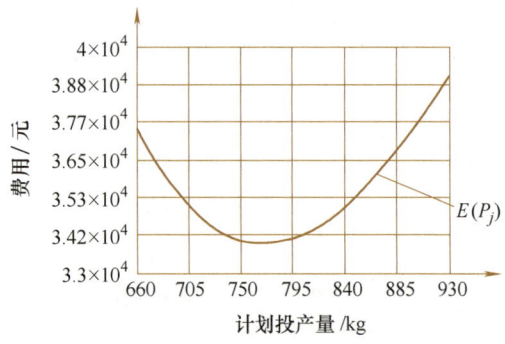

图 10-15　计划投产量与综合损失费

由式（10-47）和图 10-15，可得出最优计划投产量为 780kg，最小综合损失期望值为 12070 元。

在实际应用中，为简化计算过程，可把式（10-47）表示成离散函数，即

$$\min E(P_j) = \sum_{r_j P_j \geq D_j} R(r_j) [(r_j P_j - D_j) C_g + C_r(1 - r_j) P_j] + \\ \sum_{r_j P_j \leq D_j} R(r_j) [(D_j - r_j P_j) C_q + C_r(1 - r_j)(D_j - r_j P_j) + F_j] \tag{10-48}$$

应用式（10-48）计算和比较不同的计划投产量水平方案的损失期望值，选取损失期望值最小的计划投产量方案为最优方案。

例 10-8　某铝材企业是生产工程用铝型材的专业生产企业，企业面向客户实行订单生产式，

由于运营系统运行过程随机因素影响大,超产产品库存积压严重、欠产再投产的情况经常发生。现有客户订购 j 产品,总订货量为 2000kg。根据历史统计资料:超量产品将作为废料回炉处理,回炉处理成本为 160 元/kg;欠产再投产产品成本为 180 元/kg;不合格产品报废成本为 150 元/kg;产品投产时需要进行模具预加热、模具装拆、设备调整、材料准备等生产准备与结束工作,准备与结束费为 3000 元/次。根据订单产品的技术要求和运营系统的技术现状,管理人员预计该产品运营过程合格率为 80%~100%,各合格率对应的概率如表 10-29 所示。现要求确定最优计划投产量 P_j。

表 10-29 某产品运营过程合格率及其概率

合格率(r_j)	100%	95%	90%	85%	80%
概率($R(r_j)$)	0.15	0.20	0.25	0.25	0.15

取大于订单需求量的计划投产量 2000~2400kg 为决策区间,以 100kg 为相邻方案级差,用式(10-48)计算出各方案损失期望值,如表 10-30 所示。

表 10-30 计划投产量损失期望值表

合格率(r_j)	100%	95%	90%	85%	80%	损失期望值/元
概率($R(r_j)$)	0.15	0.20	0.25	0.25	0.15	
可能产量/kg	2400	2280	2160	2040	1920	66070
损失值/元	9600	12560	15400	15100	13410	
可能产量/kg	2300	2185	2070	1955	1840	58827.50
损失值/元	7200	9370	11425	15712.50	15120	
可能产量/kg	2200	2090	1980	1870	1760	56685
损失值/元	4800	6180	9900	18975	16830	
可能产量/kg	2100	1995	1890	1785	1680	60682.50
损失值/元	2400	3930	13575	22237.50	18540	
可能产量/kg	2000	1900	1800	1700	1600	70200
损失值/元	0	7200	17250	25500	20250	

由表 10-30 的结果可见,最优计划投产量为 2200kg,最小损失期望值为 56685 元。

10.6 服务业中的服务作业排序

随着制造业劳动生产率的提高,人们的物质生活水平大大改善,提高生活质量的要求越来越突出,对精神生活方面提出更多的要求,提高生活质量与服务业关系密切。更多的劳动力和资源转移到服务业中,使得人们对服务业的运作管理日益重视。提高服务作业的效率和质量是当今生产运作管理研究的焦点问题之一。服务业与制造业一样,也需要合理利用资源,提高生产率和改进服务质量。为了做到这一点,服务业也需要制定战略决策,寻求目标市场,设计特定的服务,并在日常运作中用低成本、高质量、按期交付的方式提供各种服务,使顾客满意。服务业的作业计划与制造业的作业计划有共同点,也有不同之处。服务业运作最主要的特点是顾客到达的随机性和服务时间的不确定性,这个特点使得服务业的作业计划与制造业的作业计划需要分开讨论。

10.6.1 服务企业运作的特点

类似于制造业中的生产系统,服务业中有服务交付系统(Service Delivery System)。为了确定适当的服务交付系统,服务企业必须确定提供什么样的服务,在何处提供服务以及对谁提供服务。因此,在确定目标市场战略决策的过程中,要设计服务交付系统,并确定其运行方式。有时,服务的消费者并非购买服务的人。例如,电视节目的消费者是观众,但电视台的收入却来自广告费和赞助,这种情况使目标市场的确定变得复杂。

在目标市场确定之后,第二步就是确定服务"产品"。确定服务内容时,要弄清楚顾客经过所有的服务台后获得了什么,他们的感受如何,还有什么要求,等等。由于服务的无形性,服务企业不能像制造企业那样通过事先展示自己的产品来了解顾客的需要,只能在为顾客服务之后才能了解所设计的成套服务是否满足顾客的需要。服务内容是丰富的,酒店和旅馆并不只提供一个房间给顾客过夜,还需要考虑顾客感受到的舒适度和愉快度、房间的清洁度、服务人员的礼貌程度、人身和物品的安全程度等。顾客通过他们的感受来评价服务质量。

如何将服务能力与顾客需求相匹配,是服务作业计划要解决的主要问题。理想的情况是,顾客流均衡地通过服务系统,等待时间接近零,服务能力得到充分利用。然而,顾客到达的随机性和服务时间的不确定性使得工作负荷难以准确确定。服务能力也有类似情况。从总体上讲,服务系统的资源配置决定了它的服务能力。从具体运作上讲,由于服务主要是通过人去实施的,而人与机器不同,机器有确定的生产能力,能够在预定的时间内完成预定的加工任务,并能够保证质量的一致性。人的服务能力受工作态度、服务技能和情绪的影响,还受到顾客的"干扰"。因此,服务能力难以准确确定。

大多数服务企业很难将营销与生产运作分离。对于制造业,从事营销的人直接与顾客打交道,从事生产的人基本上不与顾客直接接触;对于服务业,从事营销的人与从事生产的人往往不可分离,他们要同顾客直接打交道。由于纯服务不能存储,使得只有在顾客出现时才能提供服务,即服务在生产出来时就交付了,因此,服务企业的管理者需同时管理营销渠道、分配渠道和生产系统。

10.6.2 服务过程排队管理

排队是日常生活中常见的现象,到银行取钱要排队,到餐馆就餐要排队,去超市购物在收银口要排队,节假日买火车票要排队,在食堂吃饭要排队,飞机等待着陆和货轮等待卸货要排队……漫长的等待时间常常会为服务企业带来一系列的负面影响:排队浪费顾客的宝贵时间,影响他们的工作和生活;排队会影响顾客的情绪,造成不满意甚至怨恨;对企业来说,过长的排队会丧失顾客,最终丧失生存之本。

实际上,顾客到达的间隔时间和服务时间都是随机变量,这都是产生排队现象的根本原因。即使平均服务速率大于顾客平均到达速率,由于受随机因素的影响,顾客到达速率不均,也避免不了要排队;当平均服务速率小于顾客平均到达速率,排队就会越来越长。因此,排队现象是不可能消除的,等待服务是一种必然现象。服务组织只能通过排队管理来减少排队现象和减轻顾客烦恼。另外,从服务组织的视角看,排队还是有积极作用的。排队可以提高服务设施的利用率,排队显得服务组织的产品和服务备受欢迎,有利于提高企业的声誉。但顾客不喜欢排队,希望服务能够及时进行。研究排队现象有助于合理确定服务能力,使顾客排队限制在一个合理的范围内。

1. 排队系统的目标

对于管理者而言，在设计排队系统时希望达到以下目的：①提高服务设施的利用率；②减少等待顾客的平均数量；③减少顾客在服务系统中停留的平均时间；④减少顾客在队列中停留的平均时间；⑤顾客等待时间不超过某一设定值 T 的概率最小；⑥失售概率最小等。

因此，排队系统设计的目标是使顾客等待成本与服务设施成本之和最小。一般而言，顾客等待成本随着服务能力的扩充而减小，服务设施成本随着服务能力的扩充而增大，如图 10-16 所示。排队系统的设计追求总成本最小。

2. 排队系统的设计

排队系统通常由需求群体、到达过程、队列结构、排队规则和服务过程五部分构成，如图 10-17 所示。需求群体是由寻求服务的顾客构成的群体。到达过程描述的是隔多久到达一位顾客，即顾客到达时间间隔的分布。当服务台空闲

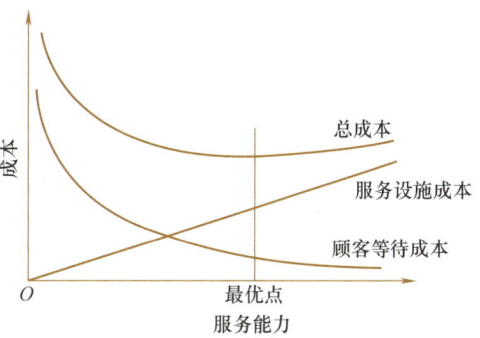

图 10-16 排队系统总成本的变化

时，到达的顾客立即可以得到服务；否则，顾客需要排队等待服务。有的顾客看到队列很长或出于其他原因，不加入排队。等待过程可以排成不同结构的队列，这就是队列结构。在队列中等待的顾客可能由于服务太慢或者其他原因而中途退出。当服务台出现空闲时，就会按一定的规则从队列中选取一位顾客进行服务，这就是排队规则。服务机构可能有一个或多个服务台，也可能没有服务台（顾客自我服务）。服务结束后，顾客离开，以后有可能重新加入服务需求群体，也可能从此不再回来。

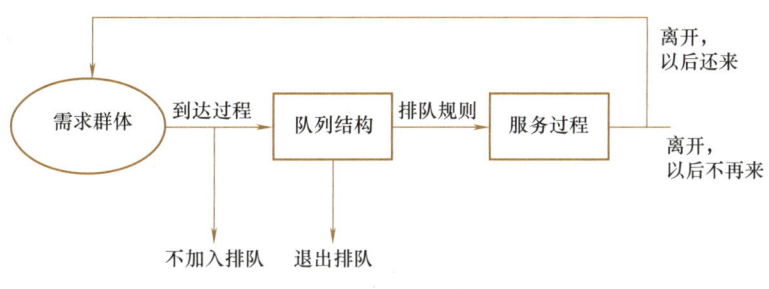

图 10-17 排队系统的构成

（1）需求群体。需求群体可能是同质的，也可能是异质的。例如，到医院看病的病人可能是预约的，也可能是没预约的；可能是一般病人，也可能是急诊病人。他们预期的等待时间不同。需求群体可能是有限的，也可能是无限的（顾客到达没有限制）。如一个家庭有四口人，使用一个卫生间，需求群体就是有限的；城市里的公共厕所，需求群体则是无限的。无论是同质需求群体还是异质需求群体，都可能是无限的或者有限的。

（2）到达过程。通过记录顾客实际到达情况，可以确定顾客到达时间间隔的分布。大量观察表明，顾客到达的时间间隔服从指数分布，即顾客到达间隔时间短的情况出现的频率较高，到达间隔时间长的情况出现的频率较低。用公式表示为

$$f(t) = \lambda e^{-\lambda t} \tag{10-49}$$

式中 λ ——顾客平均到达率；

t ——到达的时间间隔；

e——自然对数的底（2.71828…）。

（3）队列结构。图10-18展示了五种排队系统的结构。

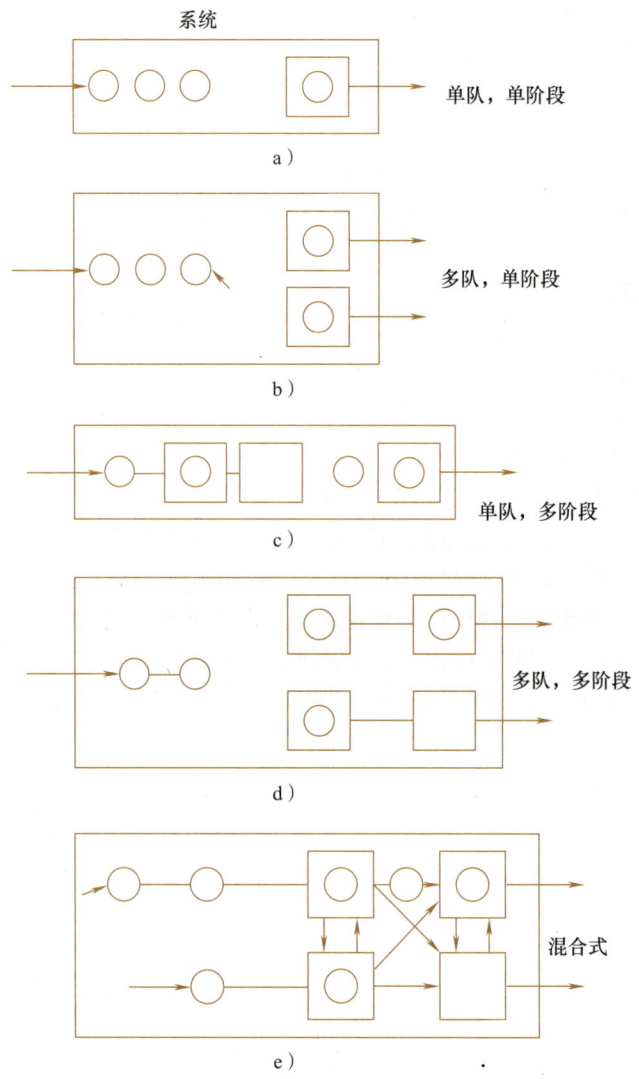

图10-18 排队系统结构类型

注：图中圆圈表示队列，方框表示服务台。

图10-18a 所示为单队、单阶段排队系统，它是最简单的排队系统。在这种系统中，顾客到达后要经过一个服务台服务，然后离开。这种情形有很多，比如到城市市区设立的火车或飞机的售票点购票，就是单队、单阶段排队系统。

图10-18b 所示为多队、单阶段排队系统，它有多个并行的通道，每个通道仅有一个服务台，顾客经过一个服务台服务后离开。比如机场安检，顾客排成多个队列，经过多个安检口检查后离开。

图10-18c 所示为单队、多阶段排队系统，它只有一个通道，但有多个串行的服务台，各个服务台之间可能仍要排队，比如到医院挂号、就诊、划价、交费、取药等多个串行服务台都需要排队。

图 10-18d 所示为多队、多阶段排队系统，它有多个并行的通道，每个通道有多个服务台。

图 10-18e 所示为混合式系统，它有多个通道，但各个通道不是平行的，它们之间有交叉，服务台也有多个。

（4）排队规则。排队规则是指服务组织规定的选择下一个接受服务的顾客的规则，最常用的规则是先到先服务。这种规则对顾客公平，但它是一种静态的规则，不随顾客的特征和队列的情况而改变。而动态的排队规则要随顾客的特征或队列的情况而改变。动态的排队规则包括优先级规则、SPT（Shortest Processing Time）规则和 EDD（Earliest Due Date）规则等。优先级规则是按顾客的特征设置的，可以采用优先级将顾客分类，在同一优先级内仍按先到先服务规则排队。比如设置老年公民的专门队列，以保证老年人得到较快的服务，但在老年队列中仍是按先到先服务规则提供服务。另外，还有紧急情况的特别优先级，比如为了抢救危重病人而要暂停对现有病人的治疗。为了改善排队情况，还可以采用其他优先级规则，如 SPT 规则和 EDD 规则。应用 SPT 规则，使具有最短服务时间的顾客享受优先服务，可以使所有顾客的平均等待时间最短，等待所需空间最小，相应的服务设施最少。但是，如果一直使用 SPT 规则，往往造成需要较长服务时间的顾客等待时间过长。应用 EDD 规则，可以使那些随后有较紧急事情待办的顾客优先接受服务。

（5）服务过程。除了顾客自我服务，服务过程是与顾客交互的过程，提高服务质量特别重要。服务质量涉及服务态度、服务速度和处理问题的质量。尊重顾客，对顾客热情，使用礼貌语言，耐心解释都是十分重要的。作为服务组织，应该主动转移顾客的注意力，使他们在排队过程中不感到难受，甚至不感觉在排队。可以在等待的场合摆放一些杂志，或播放电视节目。如海底捞在取号等待区准备飞行棋、象棋等桌游。另外，还可以对顾客在排队过程中提前"加工处理"，包括在队列中填写所需表格，把菜单递给顾客准备点菜，使顾客感到"服务已经开始"。

10.6.3 排队模型

20 世纪 20 年代，丹麦数学家、电气工程师爱尔朗（A. K. Erlang）在用概率论方法研究电话通话问题时，开创了排队论这门应用数学学科。排队模型用来计算某个特定服务系统的各项特征，如顾客平均等待时间、需要多少个服务台等，它有助于服务组织确定服务能力、预测增加服务台将带来的效果等。

排队模型的分类表示采用 1953 年由 D. G. Kendall 提出的方法。他用由 3 个字母组成的符号 $A/B/m$ 表示排队系统，其中 A 表示顾客到达间隔时间的概率分布；B 表示服务时间的概率分布；m 表示平行的服务台数目，$m=1,2,3,\cdots$。A 和 B 处若标以 M（Markov），则表示到达间隔时间和服务时间服从指数分布（相当于到达率和服务率服从泊松分布）；若标以 D（Deterministic），则表示到达间隔时间和服务时间为常数；若标以 E_k（Erlang），则表示到达间隔时间和服务时间服从爱尔朗分布；若标以 G，则为一般分布（正态分布、均匀分布等）。为了表示其他特征，有时也用 4~5 个字母 $A/B/m/N\text{-}S$ 来表示，如 N 表示队列的最大长度，代表系统容量限制（若为 ∞，则省略）；S 表示排队规则（若为先到先服务规则，则省略）。

排队模型的种类如图 10-19 所示。这些模型是以服务系统达到稳定状态的假设为前提的。商店在开门时没有达到稳定状态，这时顾客大量涌入，队列很长。经过一段时间后，服务系统就达到稳定状态。

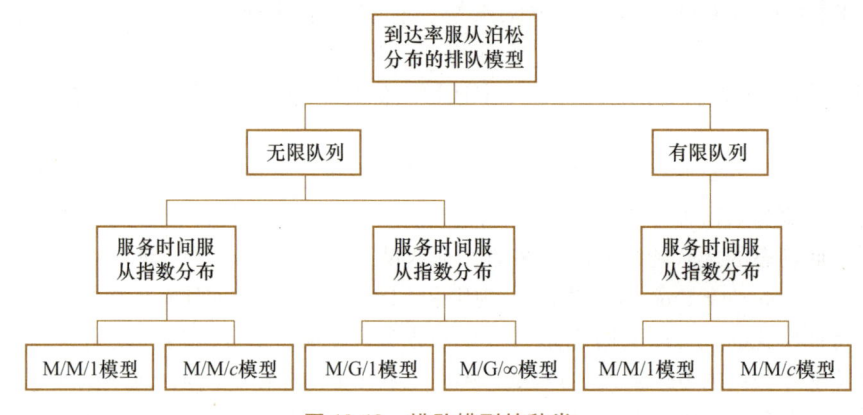

图 10-19 排队模型的种类

n——系统中的顾客数；

λ——顾客平均到达率；

μ——平均服务率；

L_q——队列中的平均顾客数；

L_s——系统中的平均顾客数；

ρ——系统利用率（或服务强度）；

W_q——顾客在队列中的平均等待时间；

W_s——顾客在系统中的平均停留时间；

P_0——系统中顾客数为零的概率；

P_n——系统中顾客数为 n 的概率；

M——服务台数量。

这些参数之间有以下关系。

服务系统利用率 $$\rho = \frac{\lambda}{M\mu} \tag{10-50}$$

服务中的平均顾客数 $$r = \lambda/\mu \tag{10-51}$$

服务系统中的平均顾客数 $$L_s = L_q + r \tag{10-52}$$

队列中顾客平均等待时间 $$W_q = \frac{L_q}{\lambda} \tag{10-53}$$

系统中顾客平均停留时间 $$W_s = W_q + \frac{1}{\mu} = \frac{L_s}{\lambda} \tag{10-54}$$

式（10-53）和式（10-54）都表示：$L=\lambda W$，即系统（或队列）中的平均顾客数＝顾客平均到达率×系统（队列）中顾客的平均等待时间。这个公式是由约翰·利特尔（John Little）提出的，故称利特尔法则（Little's Law）。

1. M/M/1 模型

一般而言，采用顾客的平均到达率表示顾客需求率的强度，用平均服务率表示服务系统的能力。平均到达率是顾客到达平均时间间隔的倒数，平均服务率是对顾客服务的平均时间的倒数。若平均 5min 到达一个顾客，则平均到达率为每小时平均到达 12 个顾客；若对每个顾客的平均服务时间为 3min，则平均服务率为每小时 20 个顾客。通常，平均到达率小于平均服务率，否则排队将越来越长。

M/M/1 模型的假设条件如下。
（1）需求群体。顾客总数无限，对顾客的服务相互独立，且不受排队系统的影响。
（2）到达过程。到达间隔时间服从指数分布（到达率服从泊松分布）。
（3）队列结构。只有一条等待队列，队伍长度无限制。
（4）排队规则。先到先服务。
（5）服务过程。只有一个服务台，服务时间服从指数分布。
单位时间随机到达 x 个顾客的概率为

系统中顾客平均停留时间

$$P(x) = \frac{\lambda^x e^{-\lambda}}{x!} \tag{10-55}$$

系统中没有顾客的概率为（即服务设施处于闲置状态的时间比例）

$$P_0 = 1 - \frac{\lambda}{\mu} \tag{10-56}$$

$$P_n = \left(\frac{\lambda}{\mu}\right)^n P_0 \tag{10-57}$$

$$L_s = \frac{\lambda}{\mu - \lambda} \tag{10-58}$$

$$W_s = \frac{L_s}{\lambda} = \frac{1}{\mu - \lambda} \tag{10-59}$$

$$L_q = L_s - \frac{\lambda}{\mu} = \frac{\lambda^2}{\mu(\mu - \lambda)} \tag{10-60}$$

$$W_q = W_s - \frac{1}{\mu} = \frac{\lambda}{\mu(\mu - \lambda)} \tag{10-61}$$

例 10-9 某医院急诊室有一位外科医生全天工作。急诊病人的到达率服从泊松分布，外科医生的服务率服从指数分布。已知 $\lambda = 2.4$ 人/h，$\mu = 3$ 人/h。请问：
（1）该外科医生平均有多少时间在救护病人？
（2）急诊病人平均等多长时间才能得到治疗？
（3）病人到医院看病平均要花费多少时间？

解： （1）$\rho = \lambda/\mu = 2.4/3 = 80\%$，该医生平均 80% 的时间在救护病人。
（2）$W_q = \lambda/[\mu(\mu-\lambda)] = \{2.4/[3\times(3-2.4)]\}\text{h} = 1.33\text{h}$，病人平均等待 1.33h 才能得到治疗。
（3）$W_s = 1/(\mu-\lambda) = [1/(3-2.4)]\text{h} = 1.67\text{h}$，病人到医院看病平均要花费 1.67h。

2. M/M/c 模型

M/M/c 模型的假设条件与 M/M/1 模型的假设相同，但是有多个相同的服务台，且服务台的服务相互独立。M/M/c 模型比 M/M/1 模型要复杂得多。

增加服务台的数目会增加服务设施的投资，但减少顾客等待的效果是显著的。当 $c=1$ 时，服务台的利用率为 80%；在顾客到达率不变的情况下，当 $c=2$ 时，服务台的利用率为 40%。但是，系统中的平均顾客数却只有 $c=1$ 时的 1/4！

例如，某管理学院有 4 个系：生产运作管理系、信息管理系、市场营销系以及会计系。每个系都配备 1 位秘书，为本系教师提供打印教学资料等服务。由于教师经常向院长反映，交给秘书的任务拖得太久才能完成，院长派人专门调查秘书工作的情况。得到的结果是：秘书工作任务的到达率服从泊松分布，其中信息管理系任务的平均到达率为每小时 3 项，其他系为每小时 2 项，所有秘书完成一项任务的平均时间为 15min，服务时间服从指数分布。院长认为，如果将 4 个系的秘书集中办公，按照先到先服务规则，最先到达的任务由最先出现空闲的秘书处理，服务状况一定会有很大改变。

现行系统分设独立秘书，每个系都是单一的 M/M/1 排队系统，μ 为平均每小时完成 4 项任务。信息管理系平均每项任务需等待 $W_s=1/(\mu-\lambda)=[1/(4-3)]h=1h$ 才能完成，其他系需等待 $W_s=1/(\mu-\lambda)=[1/(4-2)]h=0.5h$ 才能完成。

集中办公后，实际变成了一个 M/M/4 系统，到达率 $\lambda=2+2+2+3=9$，即每小时有 9 项任务到达。通过计算得出：$P_0=0.098$，$L_s=2.56$，$W_s=0.28h$，系统等待时间大大缩短。

本章小结

本章介绍了运营计划的执行计划——作业计划与控制的基本原理，大批大量生产、成批生产和单件小批生产三种生产类型下作业计划标准的内容及其确定方法，订单交货期的确定方法及确定流程，确定各部门作业计划任务的方法；介绍了作业计划控制的内容和要求，作业计划进度控制的措施；结合企业实际问题，介绍了订单生产条件下，针对客户订单任务的最优投产量决策模型，并用实际数据演示和证明了该决策模型的有效性；还介绍了作业计划排序方法，包括作业计划优先排序规则、n 项任务单机排序的优化方法、流程型排序问题优化方法和非流程型排序问题优化方法；结合企业实际，分析了订单生产条件下的计划投产量决策模型，并用实例演示了该模型的应用；最后分析了服务业运作的特点，介绍了随机服务系统的构成和最简单的随机服务系统。

思考与练习题

1. 影响运营计划进度的因素有哪些？
2. 常用的排序优先规则有哪些？
3. 各作业计划任务排序规则的目标和效果是什么？
4. 某车间有 7 项任务需要经钻床-磨床的相同工艺顺序加工，各任务在两设备上的加工时间如表 10-31 所示。试确定加工周期最短的任务排序，并用哈姆表算法计算各任务在两设备上的完工时间。

表 10-31　各任务的加工时间　　　　　　　　　　　　（单位：min）

工艺	任务						
	J_1	J_2	J_3	J_4	J_5	J_6	J_7
钻床	6.7	2.3	5.1	2.3	9.9	4.7	9.1
磨床	4.9	3.4	8.2	1.2	6.3	3.4	7.4

5. 有 7 项任务，均需经 $M_1 \to M_2 \to M_3$ 相同工艺顺序加工，如表 10-32 所示。试确定加工周期最短的任务加工顺序。

表 10-32　各任务的加工时间　　　　　　　　　　　　（单位：min）

工艺	任务						
	J_1	J_2	J_3	J_4	J_5	J_6	J_7
M_1	12	4	8	11	6	9	10
M_2	8	9	7	6	10	8	9
M_3	10	12	11	13	10	11	12

6. 现有9项任务等待某设备加工，各项任务加工时间和交货期限如表10-33所示。

表10-33　各任务的加工时间　　　　　　　　　　　（单位：min）

任务	J_1	J_2	J_3	J_4	J_5	J_6	J_7	J_8	J_9
加工时间	4	12	2	11	12	3	4	6	2
交货期限	20	30	15	16	18	5	9	12	33

（1）按最小加工时间原则排序。

（2）按最早交货期原则排序。

（3）计算按上述两规则排序的平均完工时间和平均延期时间。

7. 有9项任务需经某设备加工，各任务加工时间和交货期限要求资料如表10-34所示，试用EDD-SPT综合规则确定加工顺序。

表10-34　各任务的加工时间　　　　　　　　　　　（单位：天）

任务	J_1	J_2	J_3	J_4	J_5	J_6	J_7	J_8	J_9
加工时间	3	2	6	8	4	10	5	2	1
交货期限	12	8	13	38	40	27	29	42	43

8. 表10-35所列的是将作业A、B、C、D和E分配到机床J_1、J_2、J_3、J_4和J_5的相关成本。试将这些作业分配给机床，使成本最小。

表10-35　各作业分配到各机床的成本　　　　　　　　（单位：元）

作业	机床				
	J_1	J_2	J_3	J_4	J_5
A	6	11	12	4	10
B	5	12	10	7	9
C	7	14	13	8	12
D	8	15	16	7	9
E	4	10	15	11	10

9. 有9项任务需经6台设备加工，各任务的工艺顺序相同，如表10-36所示。试用关键零件法和最小排序系数法分别求加工顺序，并用哈姆表算法求各任务在各设备上的流程时间。

表10-36　各任务的加工时间　　　　　　　　　　　（单位：min）

时间	任务								
	J_1	J_2	J_3	J_4	J_5	J_6	J_7	J_8	J_9
T_a	3	2	6	8	4	9	5	2	1
T_b	5	3	2	5	3	4	2	1	6
T_c	7	6	8	7	6	8	6	9	7
T_d	8	2	5	1	2	4	3	7	6
T_e	2	4	7	2	5	5	6	2	8
T_f	4	5	3	4	2	7	4	3	2

10. 某间断流水线生产节拍$r=5$min/件，看管期为100min，其中3道工序的单件加工时间分别为$t_1=10$min，$t_2=4$min，$t_3=6$min。看管期内各道工序工作地工作延续时间如图10-20所示。试

计算各道工序之间最大周转在制品占用量,并绘出工序之间的周转在制品变化图。

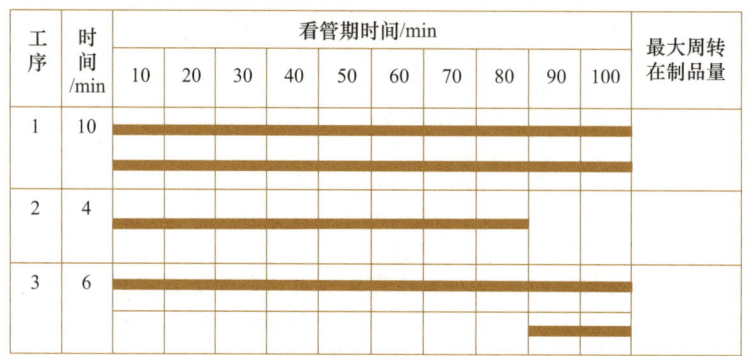

图 10-20 看管期内各道工序工作地工作延续时间

案例分析

让病人等待?在 Schafer 的办公室不可能发生

作为一名儿科医生,Schafer 深知医生和病人之间的良好关系始于双方都能准时赴约。这一点在 Schafer 的专科——儿科显得尤其重要。病得较轻的孩子的母亲都不想让她的孩子和那些病得较重的孩子一起坐在候诊室,并且等待时间一长,生病的孩子们容易烦躁。

但在实践中无论是谁的过错,迟到都会带来一些问题。尽管让那些可能还有其他约会的人一直等是很不公平的,但最近的一次调研表明,病人在办公室外面平均等待的时间达到 20min。对于这些情况,病人可能会容忍,但他们并不高兴。在 Schafer 的办公室,Schafer 不能容忍这种情况,并且 Schafer 认为在其他医生的办公室,这种情况也完全可以避免。大约在 99% 的情况下,Schafer 是在预约时间接待患者的。因而在 Schafer 繁忙的行医中,遇到过很多感激涕零的病人。他们经常对 Schafer 说:"您能够准时接待我们,我们真的很感激您!为什么其他医生不能做到这点呢?"Schafer 的回答是:"我不知道,但是我很愿意告诉他们我是这么做的。"

1. 按实际情况安排预约

成功计划的关键是根据需要实施治疗,为每次就诊安排适当的时间段,然后严格按计划执行。这就是说,医生要掌握好自己的节奏,如果接待员偏离了计划,必须进行及时纠正,患者也要遵守他们的预约时间。通过实际安排病人的就诊时间,Schafer 发现可以将病人分成几类。对新病人可以安排半小时;给一个健康婴儿做体检或者一个重要病情安排 15min 时间;给伤症复查、疫苗注射或者类似小疣之类的小病安排 5min 或者 10min。当然你可以根据你的操作方法制定你的时间安排。

Schafer 经常使用的诊疗室有 3 个,第 4 个预留给小孩,第 5 个预留给急诊病人。有这么多诊疗室,Schafer 不需要把时间浪费在等待病人上,病人也很少待在接待处等待。在工作量较少的日子,Schafer 从早上 9 点到下午 5 点要接诊二三十个病人。他们的预约系统非常灵活,在需要的时候完全可以应付在同样时间诊治四五十个病人的情况。下面介绍他们是如何收紧计划的。

Schafer 的 2 个助手(在繁忙的时间有 3 个)在保持接诊顺序的同时,每天为急诊病人安排一定量的空当。Schafer 和他的助手们在冬季的几个月以及周末和节日后的几天比平时繁忙,需要保留多一点空当。

初次就诊,他们通常以半小时或以小时为单位来安排计划。如果比计划早一点完成诊治,他们就可以为立即需要诊治的病人挤出一点时间。如果需要，还可以在健康检查的15min内预约两三个病人。有了可利用的缓冲时间，就可以在重症病人身上多花10min。一般要求新病人的父母在预约前的几分钟到办公室，来完成一些文字登记工作，同时接待员会告诉他们："这位医生总是很准时地按预约时间诊治。"一些病人因此才选择Schafer的。但是另外一些不知道情况的病人就要告诉他们。

2. 急诊安排

急诊是医生无法遵守预约时间的最常用借口。当一个手臂骨折的小孩来就诊或者医生接到医院电话去参加一个剖宫产急救手术时，医生很自然地会放下手头的一切工作。如果只是中断一会儿，那么还可以设法赶上原来的计划。如果需要很长时间，那么接下来的几个病人就可以选择继续等待或者安排新的预约。Schafer的助手偶尔要对随后的一两个小时的预约全部进行重新安排。但是，通常这种插入中断都不会超过10~20min，而且病人也会选择等待。在这种情况下，Schafer会把他们安排到为急诊额外预留的时间里。重要的是，Schafer从来不让急诊破坏我一整天的计划。一旦一个延迟得到调整，那么后面的预约我都可以准时完成。Schafer能想象到唯一会破坏Schafer的计划的情景是：在工作室和医院同时有急诊病人，但是这还从来没有发生过。

除了急诊，Schafer没有遇到过没有预约病人就直接过来的情况。因为在这个社区大家都知道除了急诊外，Schafer只能按预约接待病人。所以对于没有预约的非急诊情况，会按照预约电话一样处理。接待员会询问来访者是想咨询还是想预约，如果是后者，就为他们安排最早可能就诊的时间。

3. 电话处理

如果你不能好好处理患者打来的电话，你的预约计划会被破坏。但是，Schafer这里不会有这种问题。和其他医生不同，Schafer没有固定的电话时间，但是Schafer的助手在办公时间会处理所有来自患者家长的电话。如果问题比较简单，Schafer的助手就会直接回答。如果问题需要Schafer来回答，那么助手就会写在患者的表格中，在Schafer为下一个孩子诊治时交给Schafer，由Schafer或者助手在表格中写下答案，然后由助手传达给打电话的人。如果打电话的人坚持要跟Schafer说话，标准的回答是"如果时间不超过1min，医生将会和您直接通话。不然您可能要安排预约再过来。"在这种情况下，Schafer很少要答复电话。Schafer不会总是把电话时间限制在1min，有时也会把通话时间延长到两三分钟。

4. 迟到处理

若出现迟到10min以上的情况，Schafer不会立即为他们诊治。迟到不足10min的人，还是可以立即得到诊治，但是要提醒他们已经迟到了。一旦病人超过预约时间10min以上还没有出现在工作室，接待员会通知患者，然后在患者记录表上做上记录，记下日期、迟到原因，以及他当天是得到诊治还是另外预约时间了。这样可以帮助Schafer和他的助手鉴别那些总是迟到的人，在必要的时间对他们采取强硬点的措施。

5. 不到处理

对于预约过但是根本没有出现，连电话号码也找不到的病人该如何处理呢？这些也会记录在患者记录表中。通常这些病人会进行很简单的解释，如果情况第二次出现，Schafer和他的助手会重复同一步骤。如果第三次发生，病人就会收到一封信，提醒他们时间已经预留出来，但是他们三次都没有出现，再出现这种情况他们会为这些浪费的时间付费的。

这是Schafer和他的助手给少数几个影响计划的人的最强硬的措施。但是Schafer从来没有因为病人这么做而抛弃他们。事实上，我从未要求一个没有出现的人付过费。威胁他们这么做其实只是帮助他们改正。而且,当他们回来的时候,他们会得到同其他病人一样的便利和尊重。

思考:
1. 预约系统的哪些特征在获得"感激的病人"方面起到了关键作用?
2. 什么程序使预约系统有充分的柔性来适应急诊,同时又可以赶上其他病人预约的时间?
3. 对于诸如迟到和不到的情况,应该如何处理?
4. 为 Schafer 医生的这些患者制订一个从早上9:00开始的计划:

Johnny Appleseed,左手拇指破裂。

Mark Borino,一个新患者。

Joyce Chang,一个新患者。

Amar Gachane,发热。

Sarah Goodsmith,注射疫苗。

Tanya Johnston,婴儿健康检查。

JJLopez,新患者。

Angel Rammirez,婴儿健康检查。

Bobby Toolright,膝盖扭伤复查。

Schafer 医生每天大约在早上9:00开始工作,在上午10:15—10:30休息一下。

运用可以使调度效率最高的优先级原则,说明这种优先原则是否有例外的情况。在计算中采用案例中列出的时间长度的上限(比如案例中规定5~10min,那么在解决这个问题的时候假设需要10min)。

第 11 章

网络计划技术及其应用

> **学习目标**
> （1）掌握网络图和网络技术方法、网络图时间参数计算及关键路线确定。
> （2）了解网络计划的优化与实施。

◆【引导案例】

北极星导弹潜艇的提前竣工

在 20 世纪 50 年代末，美国海军面临着一个重大的挑战：研制并部署北极星导弹潜艇。这是一个高度复杂且时间紧迫的项目，涉及多个学科领域和大量的技术难题。为了确保项目的顺利进行和按时完成，美国海军武器局特别规划室采用一种全新的计划管理方法——计划评审技术（Program Evaluation and Review Technique，PERT）。

PERT 方法的应用，使得项目团队能够更好地估计任务的时间需求，识别关键路径，并优化资源配置。通过这种方法，项目团队能够更有效地管理风险，确保关键任务得到优先处理，同时减少不必要的延误。

最终结果令人瞩目。北极星导弹潜艇的研制进度比计划提前了整整两年。这一成就不仅证明了 PERT 方法的有效性，还为美国海军赢得了宝贵的时间优势，增强了国家的战略威慑能力。

网络计划技术方法起源于美国。1957 年，美国杜邦公司首次采用了新的计划管理方法——关键路线法（Critical Path Method，CPM），第一年就节约了 100 多万美元。1958 年，美国海军武器局特别规划室在研制北极星导弹潜艇时，应用计划评审技术使北极星导弹潜艇比预定计划提前两年完成。统计资料表明，在不增加资源的情况下，采用 PERT 方法可以使进度提前 15%～20%，成本节约 10%～15%。1961 年，我国著名科学家钱学森倡导 PERT 在我国推广应用；1963 年，我国著名数学家华罗庚将 CPM 与 PERT 统称为"统筹学"，大力推广网络计划技术方法，使网络计划技术方法在我国各类大型工程项目的管理中得到了广泛应用。

11.1 网络图和网络计划技术方法

网络计划技术用网络图的形式来描述项目的具体作业及其相互关系、作业时间。网络图是由节点（圆圈）和箭线两个元素组成的，一般有两种形式：节点型网络图和箭线型网络图。节点型网络图以节点表示作业，箭线表示作业之间的关系，如图 11-1a 所示。本书第 7 章中所用的网络图也是节点型网络图。箭线型网络图中以箭线表示作业（活动、工序），节点表示事项，每一箭线的头和尾与节点连接，分别代表作业的开始事项和结束事项，如图 11-1b 所示。箭线型网络图可用箭线长度直观地表示作业持续时间，便于计划进度的监控。本章中采用箭线型网络图。

A
B
C
a）
1
A
2
B
3
C
4
b）

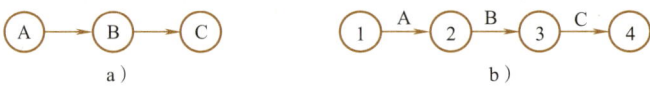

图 11-1　节点型网络图和箭线型网络图

11.1.1　网络计划技术方法的优点

网络计划技术方法是继 20 世纪甘特发明条形图以来，在计划技术上的一项巨大进步。甘特图法是传统的作业计划方法。图 11-2 为用甘特图表示的制造某一专用设备的各项作业的进度安排。图中用线条标出了各项作业的延续时间和起止时间以及整个项目的时间周期。甘特图计划工具虽然简单明了，但不能反映作业之间的先后逻辑关系，也不能反映各作业的相对重要性。

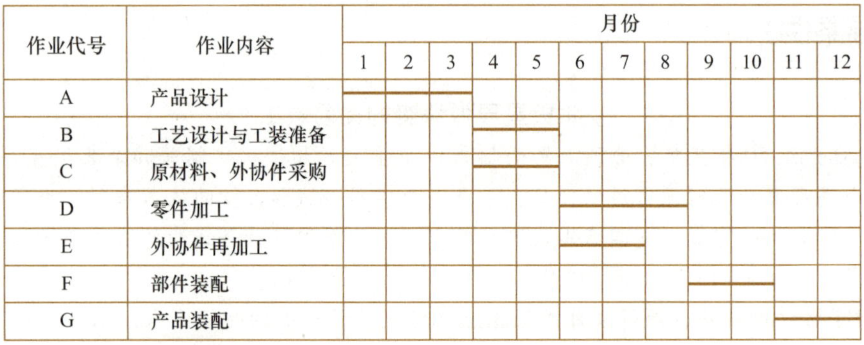

作业代号
作业内容
月份
1 2 3 4 5 6 7 8 9 10 11 12
A 产品设计
B 工艺设计与工装准备
C 原材料、外协件采购
D 零件加工
E 外协件再加工
F 部件装配
G 产品装配

图 11-2　用甘特图表示的作业计划

用网络图表示专用设备制造进度计划，如图 11-3 所示，其中字母后的数字为作业的持续时间。

1
A
3
2
B
2
C
2
3
4
D
3
E
2
5
F
2
6
G
2
7

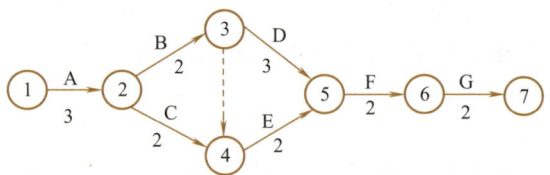

图 11-3　用网络图表示专用设备制造进度计划

对甘特图与网络图进行比较，可以看出网络图有以下优点：

（1）网络图可使整个项目结构和逻辑关系一目了然。

（2）可方便地估计项目的完成时间，并明确哪些为关键作业。

（3）便于确定作业的开始时间和结束时间，控制项目计划进度。

（4）有利于管理者把注意力集中到关键作业上，优化资源的利用效率。

11.1.2　编制网络计划的基本步骤

网络计划的编制过程可以概括为以下基本步骤。

1. 确定项目计划目标

项目计划目标是计划所要达到的预期结果，目标可能包括项目总周期、项目总成本等。例如建一幢大楼，预期结果就是要在预定的时间内以及在合理的成本条件下，将大楼保质保量地盖起来。

2. 项目分解结构

项目分解是指将一个工程项目分解成各种作业（工序）。项目分解结构（Work Breakdown Structure，WBS）定义了项目任务的层次结构，它将整个项目分解成任务包（Work Package），再将任务包分解成任务，最后再将任务分解成具体作业，如图 11-4 所示。项目分解结构图为弄清项目所需要的作业建立了一个逻辑框架，有助于管理人员确定所要做的工作，便于管理人员编制预算和作业计划。

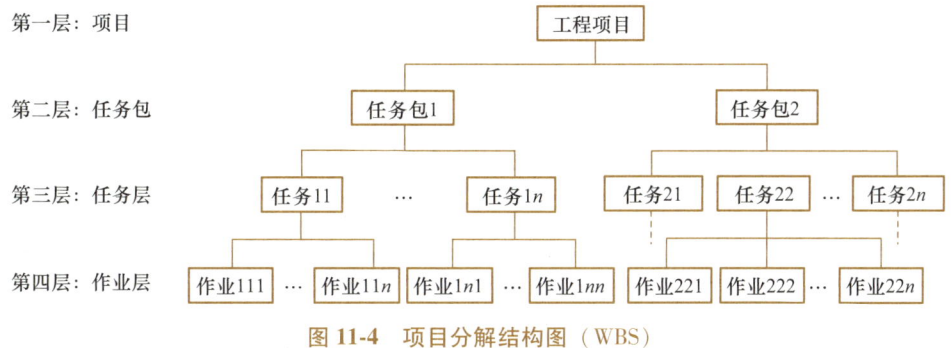

图 11-4　项目分解结构图（WBS）

3. 确定各作业之间的逻辑关系

项目分解成作业之后，要确定各种作业之间的先后顺序关系，即一项作业的进行是否取决于其他作业的完成，通常用紧前作业、紧后作业来表达这种先后关系。作业之间的几种关系如图 11-5 所示。

4. 绘制项目网络图

根据项目分解结果和作业先后顺序逻辑关系，按照预定的网络图画图规则，就可以画出项目的网络图。具体画法见 11.1.3 节的内容。

5. 估计作业时间

作业时间是指在一定的技术组织条件下，为完成一项任务或一道工序所需要的时间。作业时间以 $t(i,j)$ 表示，其单位可以是小时、天、周等，可按具体工作性质及网络图使用对象而定。根据作业性质的不同特点，确定作业时间的方法有单一时间估计法和三点时间估计法两类。

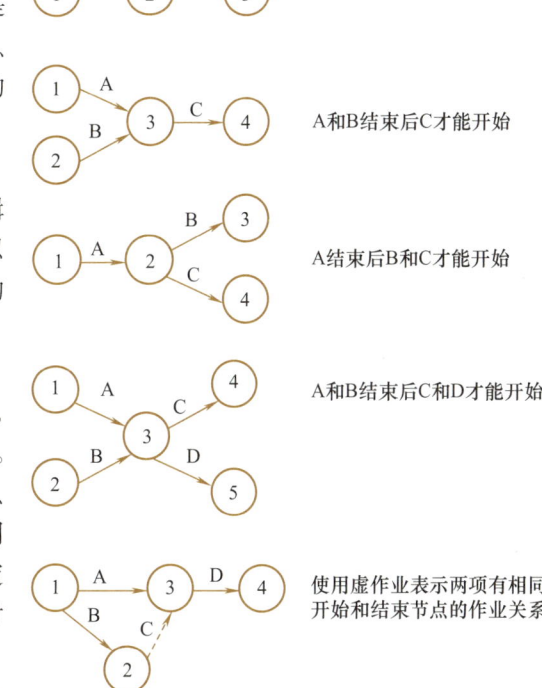

图 11-5　网络图各种作业关系表示方法

（1）单一时间估计法。单一时间估计法是指对各种作业时间仅估计一个时间值。这种方法适用于不确定因素较少、有先例可依的项目。基于单一时间估计法的网络图也称为确定型网络图。

（2）三点时间估计法。三点时间估计法是指对作业时间估出乐观时间（Optimistic Time）、最可能时间（Most Likely Time）和保守时间（Pessimistic Time）三个时间值，然后求出完成时间的期望值。该方法适用于不确定因素较多、无先例可循的项目。基于三点时间估计法的作业时间期望值 t_{ei} 和作业时间标准差 σ_i 的计算公式为

$$t_{ei}=\frac{1}{6}(t_{oi}+4t_{mi}+t_{pi}) \tag{11-1}$$

$$\sigma_i=\frac{(t_{pi}-t_{oi})}{6} \tag{11-2}$$

式中 t_{oi}——乐观时间，即预计作业完成的最短时间；

t_{mi}——保守时间，即预计作业完成的最长时间；

t_{pi}——最可能时间，即预计作业完成可能性最大的时间。

6. 计算时间参数，确定关键路线

网络图时间参数包括事项时间参数和作业时间参数。求出时间参数之后，就可以确定关键路线。

7. 网络计划优化

运用网络计划技术的主要目的是规范时空秩序，优化资源配置，具体包括时间优化、时间-资源优化和时间-费用优化。

8. 项目过程监控与调整

利用网络计划组织项目实施并对项目实施过程进行监控，根据项目实施实际状况对项目计划进行必要的调整。

11.1.3 网络图的绘制

1. 网络图的构成

网络图用箭线表示作业，用圆圈（节点）表示事项。事项表示一项作业的开始或结束。如果某节点只有箭线发出而没有箭线进入，则该节点为项目的起始节点（简称始点）；如果某节点只有箭线进入而没有箭线发出，则该节点为项目的终止节点（简称终点）；介于起始节点与终止节点之间的节点为中间节点。中间节点连接着先行作业箭线的箭头和后续作业箭线的箭尾，因此，中间节点既表示先行作业的结束时刻，又表示后续作业的开始时刻。

既不需要消耗时间也不需要消耗其他资源的作业称为虚作业。虚作业用虚箭线表示。虚作业在实际工作中并不存在，但在箭线型网络图中却有着重要作用，如图 11-6 中的③→④就是虚作业。

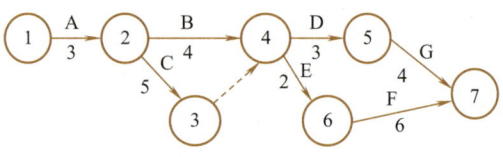

图 11-6 有虚作业的项目网络图

从网络图的起始节点出发，沿箭线方向经过一系列节点和箭线，到网络图的终点有多条路线，各条路线上的作业时间之和称为路线长，其中最长路线称为关键路线，关键路线长即为工程项目的周期。例如图 11-6 中，从始点①到终点⑦有 A→B→D→G（14）、A→B→E→F（15）、A→C→D→G（15）、A→C→E→F（16）四条不同的路线，关键路线为 A→C→E→F，路线长为 16。

2. 绘制网络图的规则

（1）网络图中不允许出现循环线路。图 11-7 即出现循环线路的示例。

（2）两个节点之间只允许有一条箭线相连。当两项作业的起始节点和终止节点相同时，不能采用图 11-8a 的画法，而应引入虚作业，采用图 11-8b 的画法。

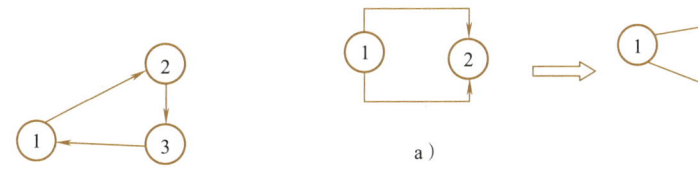

图 11-7　错误的循环线路　　图 11-8　两个节点之间有多项活动时的网络图画法

（3）一个项目的网络图只能有一个起始节点和一个终止节点。起始节点表示项目的开始，终止节点表示项目的结束，起始节点在图的左边，终止节点在图的右边。图 11-9a 和图 11-10a 的画法是错误的，正确的画法如图 11-9b 和图 11-10b 所示。

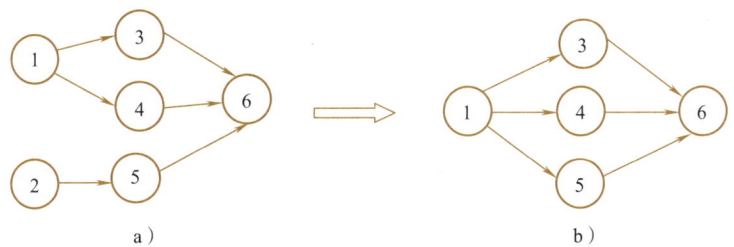

图 11-9　出现多个始点事项时网络图的错误画法和正确画法

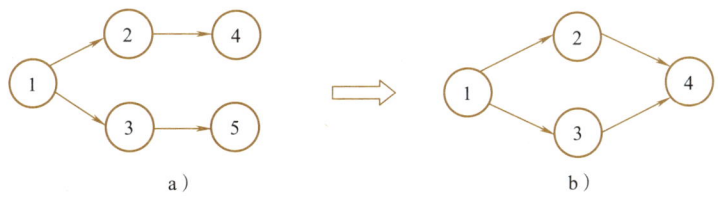

图 11-10　出现多个终点事项时网络图的错误画法和正确画法

（4）箭头事项的编号必须大于箭尾事项的编号。编号最好是跳跃式的，以便网络计划调整时插入新的作业。通常用 i 表示箭尾事项，用 j 表示箭头事项，$j>i$。

3. 网络图的具体绘制

项目分解之后，根据在项目分解中确定的作业之间的关系，列出作业清单。作业清单可以采用紧前作业或紧后作业表示作业的先后关系。表 11-1 为某机械厂管理信息系统开发作业清单。

表 11-1　某机械厂管理信息系统开发作业清单

作业代号	作业描述	紧后作业	作业所需时间/周
A	系统分析和总体设计	B，C	3
B	输入/输出设计	D	4
C	模块 I 详细设计	E，F	6
D	输入/输出程序设计	G，I，K	8
E	模块 I 程序设计	G，I，K	8
F	模块 II 详细设计	H	5
G	输入/输出和模块 I 测试	J	3
H	模块 II 程序设计	I，K	6

（续）

作业代号	作业描述	紧后作业	作业所需时间/周
I	模块Ⅱ测试	J	3
J	系统总调试	L	5
K	文档编写	无	8
L	系统测试	无	3

根据作业清单中规定的作业之间的关系，将作业代号栏中所有的作业逐项画在网络图上。按照惯例，绘制网络图应该从左至右进行。项目的起始节点画在最左边，然后，从作业代号栏中找出紧后作业栏中没有出现的作业，即项目开始时就可以进行的作业，从起始节点发出的箭线就表示这些作业。画出最早能开始的作业后，就要找出其紧后作业，再将表示其紧后作业的箭线画在紧后。按这样的步骤，直到找出没有紧后作业的作业为止。没有紧后作业的作业所对应的箭线汇集在终止节点上。绘出草图后，将序号标在节点上，将作业代号标在箭线上，时间标在箭线下方，根据网络图绘制的规则，逐项对作业进行检查，去掉不必要的虚作业，最后画出正规的网络图，如图11-11所示。

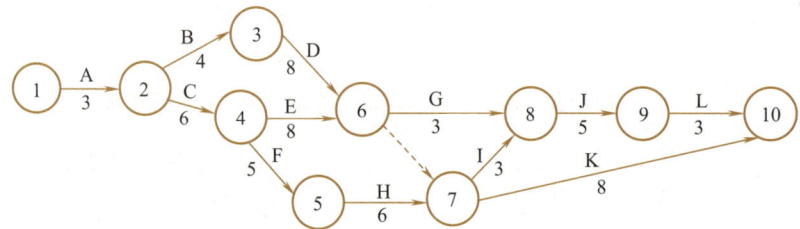

图11-11 某机械厂管理信息系统开发网络图（单位：周）

绘制箭线型网络图的关键在于虚箭线的画法。以下三种情况都需要用虚箭线才能表示清楚：①当一项作业完成之后，同时有几项作业可以进行，且只有当这几项作业都完成后，后续作业才能开始表示清楚，如图11-12所示；②交叉作业，如图11-13所示；③当出现图11-14所示的情况时，没有虚箭线也是无法表达的。

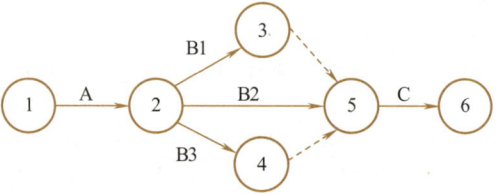

图11-12 多项活动平行作业的网络计划图表示方法

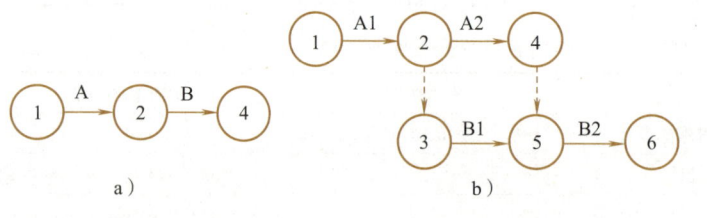

图11-13 前后作业交叉安排的网络图画法

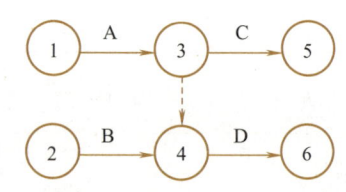

图11-14 应用虚箭线的第三种情况

11.2 网络图时间参数计算及关键路线确定

计算网络图中有关的时间参数，主要目的是找出关键路线，为网络计划的优化、调整和执行提供明确的时间概念。有关的时间参数主要包括事项时间参数和作业时间参数。

网络图的时间参数包括事项的最早时间和最迟时间、作业的最早时间和最迟时间以及时差等。进行时间参数计算不仅可以得到关键路线，确定和控制整个任务在正常进度下的最早完工期，而且可以在掌握非关键工作的基础上，对人、财、物等资源的使用进行优化安排，即进行网络计划的优化。

11.2.1 事项时间参数计算

事项时间是一个瞬时的概念，它包括事项最早时间、事项最迟时间和事项时差。在网络图中，始点表示项目开始事项，这一事项的发生表示项目最早可以进行的作业开始；终点表示项目完成事项，这一事项的发生表示项目最后进行的作业完成；中间节点表示以该节点为结束事项的作业完成和以该节点为开始事项的作业开始的双重含义。

1. 事项最早时间

事项最早时间（Early Time, ET(j)）是指以 j 节点为开始事项的作业最早可以开始的时间，或以该节点为结束事项的作业最早可能完成的时间。事项最早时间从始点开始从左至右计算。一般假定网络图的起始节点最早开始时间为 0，即 ET(1)=0。其余节点最早可能发生时间的计算公式为

$$\mathrm{ET}(j) = \max\{\mathrm{ET}(i) + t(i,j)\} \tag{11-3}$$

式中　i——箭尾事项；
　　　j——箭头事项；
$t(i,j)$——作业 (i,j) 时间。

2. 事项最迟时间

事项最迟时间（Late Time, LT(i)）是指以 i 节点为结束事项的作业最迟必须完成的时间，或以该节点为开始事项的作业最迟必须开始的时间。事项最迟时间从网络图的终点开始，按节点编号逆向计算，直到网络图的始点为止。i 节点最迟时间的计算公式为

$$\mathrm{LT}(i) = \min\{\mathrm{LT}(j) - t(i,j)\} \tag{11-4}$$

3. 事项时差

当某事项的最早时间与最迟时间不相等时，则出现事项时差 $S(i)$，即

$$S(i) = \mathrm{LT}(i) - \mathrm{ET}(i) \tag{11-5}$$

4. 关键路线

从始点到终点将所有时差为 0 的节点顺序地连接起来所形成的路线，即为关键路线。现将图 11-11 所示的网络图事项时间参数计算出来。

先计算事项最早可能发生的时间：

$$\mathrm{ET}(1) = 0 \text{ 周}$$
$$\mathrm{ET}(2) = \mathrm{ET}(1) + t(1,2) = (0+3) \text{ 周} = 3 \text{ 周}$$
$$\mathrm{ET}(3) = \mathrm{ET}(2) + t(2,3) = (3+4) \text{ 周} = 7 \text{ 周}$$
$$\mathrm{ET}(4) = \mathrm{ET}(2) + t(2,4) = (3+6) \text{ 周} = 9 \text{ 周}$$
$$\mathrm{ET}(5) = \mathrm{ET}(4) + t(4,5) = (9+5) \text{ 周} = 14 \text{ 周}$$
$$\mathrm{ET}(6) = \max\{\mathrm{ET}(3) + t(3,6), \mathrm{ET}(4) + t(4,6)\}$$
$$\qquad = \max\{7+8, 9+8\} = 17 \text{ 周}$$
$$\mathrm{ET}(7) = \max\{\mathrm{ET}(6) + t(6,7), \mathrm{ET}(5) + t(5,7)\}$$
$$\qquad = \max\{17+0, 14+6\} = 20 \text{ 周}$$

按以上步骤将其余事项的最早时间计算出来，得到 ET(10)=31 周。

然后计算事项最迟必须发生的时间。

设 LT(10) = ET(10) = 31 周，则

$$LT(9) = LT(10) - t(9,10) = (31-3) 周 = 28 周$$
$$LT(8) = LT(9) - t(8,9) = (28-5) 周 = 23 周$$
$$LT(7) = \min\{LT(10) - t(7,10), LT(8) - t(7,8)\}$$
$$= \min\{31-8, 23-3\} = 20 周$$
$$LT(6) = \min\{LT(8) - t(6,8), LT(7) - t(6,7)\}$$
$$= \min\{23-3, 20-0\} = 20 周$$

按以上步骤将其余事项的最迟时间计算出来。

事项时差的计算按式(11-5)进行，计算结果如表11-2所示。

表 11-2 事项时间参数计算表　　　　　　　　　　　　（单位：周）

事项 i	1	2	3	4	5	6	7	8	9	10
ET(i)	0	3	7	9	14	17	20	23	28	31
LT(i)	0	3	12	9	14	20	20	23	28	31
S(i)	0	0	5	0	0	3	0	0	0	0

从起始节点到终止节点按顺序将事项时差为0的节点连接起来，就得到项目的关键路线：A→C→F→H→I→J→L。

对于比较简单的网络图，可以直接在网络图上计算各节点的时间参数。将节点最早时间记于符号"⊥"的左边，节点最迟时间记于符号"⊥"的右边，如图11-15所示。

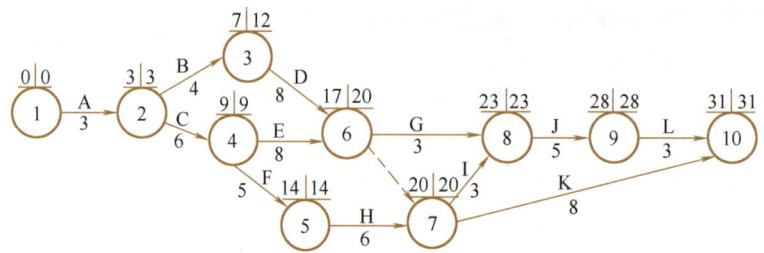

图 11-15　网络图节点（事项）时间参数计算结果（单位：周）

11.2.2　作业时间参数计算

作业时间参数有四个：作业最早开始时间、作业最早完成时间、作业最迟完成时间、作业最迟开始时间。

1. 作业最早开始时间

作业最早开始时间（Early Start Time，ES(i,j)）是指该项作业最早可以开始的时间。作业最早开始时间等于其箭尾事项的最早时间，即

$$ES(i,j) = ET(i) \tag{11-6}$$

2. 作业最早完成时间

作业最早完成时间（Early Finish Time，EF(i,j)）等于该项作业的最早可以开始时间加上作业时间，即

$$\mathrm{EF}(i,j) = \mathrm{ES}(i,j) + t(i,j) = \mathrm{ET}(i) + t(i,j) \tag{11-7}$$

3. 作业最迟完成时间

作业最迟完成时间（Late Finish Time，$\mathrm{LF}(i,j)$）是指为保证项目按期完工而最迟必须完成的时间。作业最迟完成时间等于其箭头事项的最迟时间，即

$$\mathrm{LF}(i,j) = \mathrm{LT}(j) \tag{11-8}$$

4. 作业最迟开始时间

作业最迟开始时间（Late Start Time，$\mathrm{LS}(i,j)$）是指为保证项目按期完工而最迟必须开始的时间。作业最迟开始时间等于作业最迟完成时间减去其作业时间，即

$$\mathrm{LS}(i,j) = \mathrm{LT}(j) - t(i,j) \tag{11-9}$$

5. 作业时差

作业时差是指在不影响整个项目完工时间的条件下，某项作业最迟开始（完成）时间与最早开始（完成）时间的差值，也就是作业开始时间或完成时间容许推迟的最大限度。作业时差一般可以分为总时差和单时差。

（1）总时差。总时差 $\mathrm{ST}(i,j)$ 是指在不影响整个项目工期的条件下，作业 (i,j) 的开始或完成时间的机动时间。其计算公式为

$$\mathrm{ST}(i,j) = \mathrm{LS}(i,j) - \mathrm{ES}(i,j) = \mathrm{LF}(i,j) - \mathrm{EF}(i,j) \tag{11-10}$$

总时差是存在于非关键路线上的机动时间，是可供非关键路线上各项活动共用的时差。

（2）单时差。单时差 $S(i,j)$ 是指只能供作业 (i,j) 使用，而其他作业不能共用的时差。其计算公式为

$$\begin{aligned} S(i,j) &= \mathrm{ES}(j,k) - \mathrm{EF}(i,j) = \mathrm{ES}(j,k) - \mathrm{ES}(i,j) - t(i,j) \\ &= \mathrm{ET}(j) - \mathrm{ET}(i) - t(i,j) \end{aligned} \tag{11-11}$$

即作业 (i,j) 的单时差等于其紧后作业 (j,k) 的最早开始时间减去作业 (i,j) 的最早完成时间，或等于作业 (i,j) 紧后作业 (j,k) 的最早开始时间减去作业 (i,j) 的最早开始时间再减去 (i,j) 的作业时间。

6. 关键路线

时差为 0 的作业称为关键作业。从起始节点到终止节点按顺序把关键作业连接起来所形成的路线就是关键路线。一个网络图至少有一条，甚至有多条关键路线，关键路线的各项作业时间之和即项目总工期。

关键路线并不是一成不变的，在网络计划的执行过程中，由于各种因素变化的影响，作业实际执行时间可能发生变化，因而关键路线可以变成非关键路线，非关键路线也可以变成关键路线。因此，要用动态的观点看待关键路线，保证工程按期完成。

7. 随机型网络图的关键路线

在随机型网络图中，作业时间是随机波动的变量，随机变量的和也是一个随机变量。按照数理统计学的"中心极限定理"，具有有限的数学期望与方差的独立同分布的随机变量之和也服从正态分布。因此，网络图中每一条路线所需的时间近似地服从正态分布。

例 11-1 某项目网络图及作业时间参数如图 11-16 和表 11-3 所示。

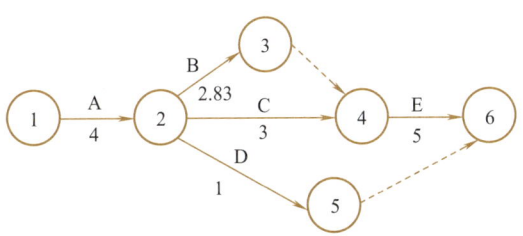

图 11-16 某项目网络图（单位：周）

表 11-3　某项目作业时间参数估计　　　　　　　　　　（单位：周）

作业	α_i	m_i	b_i	t_{ei}	σ_i
A	2	3	10	4	1.33
B	1	2	8	2.83	1.17
C	2	3	4	3	0.33
D	1	1	1	1	0
E	3	4	11	5	1.33

设 T_k 为路线 k 中各项作业时间期望值之和，σ_k 为 k 路线长的均方差，则

$$T_k = \sum_{i \in k} t_{ei} \tag{11-12}$$

$$\sigma_k = \sqrt{\sum_{i \in k} \sigma_i^2} \tag{11-13}$$

由式(11-12)，计算各路线中各项作业时间期望值之和。

路线 A→B→E：T_k = 11.83 周

路线 A→D：T_k = 5 周

路线 A→C→E：T_k = 12 周

比较各条路线中各项作业时间期望值之和，可见关键路线为 A→C→E。由式(11-13)，计算关键路线长的均方差为

$$\sigma_k = \sqrt{1.33^2 + 0.33^2 + 1.33^2} \text{ 周} = 1.91 \text{ 周}$$

根据正态分布原理，该路线上所有作业在 12 周内完工的概率为 50%。

现要求该工程在 15 周内完工，试求按期完工的概率有多大。

根据上述要求，计算参数 Z：

$$Z = \frac{T - T_k}{\sigma_k} = \frac{(15-12)\text{周}}{1.91 \text{周}} = 1.57$$

式中　T——要求工程完工时间。

根据 σ_k = 1.91 周和 Z = 1.57，查标准正态分布表，得出概率为 94.20%，即关键路线 A→C→E 上所有作业在 15 周内都完工的概率是 94.20%。

那么，路线 A→C→E 是不是关键路线呢？不一定。现在计算路线 A→B→E 上的所有作业在 15 周内完工的概率。

$$T_k = (4 + 2.83 + 5) \text{ 周} = 11.83 \text{ 周}$$

$$\sigma_k = \sqrt{1.33^2 + 1.17^2 + 1.33^2} \text{ 周} = 2.22 \text{ 周}$$

$$Z = \frac{(15 - 11.83) \text{周}}{2.22 \text{周}} = 1.43$$

查标准正态分布表，得出概率为 92.40%。因此，路线 A→B→E 在 15 周内完工的概率小于关键路线 A→C→E 在 15 周内完工的概率。由此可见，对随机型网络计划问题，作业时间之和均值最大的路线不一定是关键路线。

11.2.3　网络图时间参数的计算方法

计算网络图时间参数可以采用手工计算和计算机计算的方法。对于手工计算，最常用的计算方法是图上计算法和表格上计算法。前述事项时间参数的计算，采用的就是图上计算法。图上计算法的优点是直观，容易掌握。

在进行图上计算时,也可用符号"田"表示前述 4 个时间,即左上角为作业最早开始时间 $ES(i,j)$,右上角为作业最迟开始时间 $LS(i,j)$,左下角为作业最早完成时间 $EF(i,j)$,右下角为作业最迟完成时间 $LF(i,j)$。图 11-15 所示的作业时间参数计算结果如图 11-17 所示。

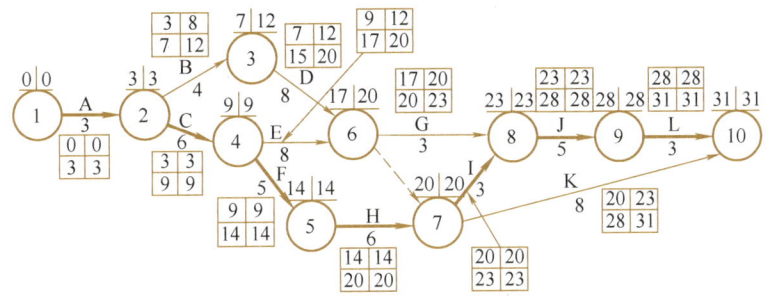

图 11-17　网络计划时间参数图上计算法示例（单位:周）

当网络图作业项目数很多、结构比较复杂时,图上计算法会使得图上参数太多,容易造成读图困难,因此也可以采用表格上计算法。

表格上计算法就是借助表格进行计算的一种方法。使用这种方法,可直接求出作业时间参数,而不需要计算节点时间参数。表 11-4 为图 11-11 中各项作业时间参数 $ES(i,j)$、$EF(i,j)$、$LS(i,j)$、$LF(i,j)$ 计算表。

表 11-4　作业时间参数计算表　　　　　　　　　　　　（单位:周）

作业代号	$i \rightarrow j$	$t(i,j)$	$ES(i,j)$	$EF(i,j)$	$LS(i,j)$	$LF(i,j)$	$ST(i,j)$	$S(i,j)$	关键作业
A	①→②	3	0	3	0	3	0	0	√
B	②→③	4	3	7	8	12	5	0	
C	②→④	6	3	9	3	9	0	0	√
D	③→⑥	8	7	15	12	20	5	2	
E	④→⑥	8	9	17	12	20	3	0	
F	④→⑤	5	9	14	9	14	0	0	√
G	⑥→⑧	3	17	20	20	23	3	3	
虚作业	⑥→⑦	0	17	17	20	20	3	3	
H	⑤→⑦	6	14	20	14	20	0	0	√
I	⑦→⑧	3	20	23	20	23	0	0	√
J	⑧→⑨	5	23	28	23	28	0	0	√
K	⑦→⑩	8	20	28	23	31	3	3	
L	⑨→⑩	3	28	31	28	31	0	0	√

11.3　网络计划的优化与实施管理

绘制网络图,计算网络时间和确定关键路线,会得到一个初始的计划方案。但它只是符合作业的逻辑关系和工期规定,尚未顾及诸如有限的人力、物力、财力,容许的工期时间等其他条件的限制,因而未必可行。网络计划优化是指在满足一定条件的前提下,利用时差来平衡时间、资源与费用三者的关系,寻求工期最短、费用最低、资源利用最佳的网络计划的过程。但是,目前还没有使这三方面因素同时优化的数学模型。现在能进行网络计划优化的有时间优化、时间-费用优化和时间-资源优化。

11.3.1 时间优化

时间优化是指不考虑资源限制，寻求最优工期。这种情况通常发生在任务紧急、资源有保障的情况下。

由于项目工期由关键路线上作业的时间决定，压缩工期的关键就在于如何压缩关键路线上的作业时间。缩短关键路线上作业时间的途径有以下几种。

（1）利用平行、交叉作业缩短关键路线上作业的时间。

（2）在关键路线的作业上赶工，缩短其时间。

压缩了关键路线上的作业时间后，原来的非关键路线可能转化为关键路线。若要进一步缩短项目工期，就要在更多的关键路线上赶工，从而导致缩短项目工期所付出的代价更大。从经济上考虑，为缩短工期而付出高昂的代价可能是不值得的。

11.3.2 时间-费用优化

实施时间-费用优化的前提条件是假设作业完成时间与费用之间存在一定的关系。项目总费用可以分为直接费用和间接费用两部分，这两部分费用与工期变化的关系是相反的。所以，时间-费用优化的目的就是确定总费用最小的项目工期。

1. 直接费用

直接费用（C_D）是指能够直接计入成本计算对象的费用，如直接工人工资、原材料费用等。一般情况下，直接费用随工期的缩短而增加。

正常条件下的作业延续时间称为正常时间（t_z），相应费用称为正常费用（c_z）。在一定范围内缩短作业时间，需增加直接费用投入。当然，作业时间不可能无限缩短，采取赶工措施能达到的最短作业时间为极限时间（t_g），相应的费用为极限费用（c_g）。为简化处理，设作业时间-费用关系为线性关系。在线性假定条件下，作业每缩短一个单位时间所引起的直接费用增加值称为直接费用变化率（赶工费率），记为 e。其计算公式为

$$e = \frac{c_g - c_z}{t_z - t_g} \tag{11-14}$$

直接费用与作业时间之间的关系如图 11-18 所示。

2. 间接费用

间接费用（C_I）是与整个工程有关的、不能或不宜直接分摊给某一作业的费用，如项目管理费用、占用资金应付利息、延期罚款、工期缩短奖励等。一般情况下，工期越长，间接费用越高。通常将间接费用与工期之间看成线性关系。

工程总费用（C_T）、直接费用（C_D）、间接费用（C_I）与项目工期之间的关系如图 11-19 所示。

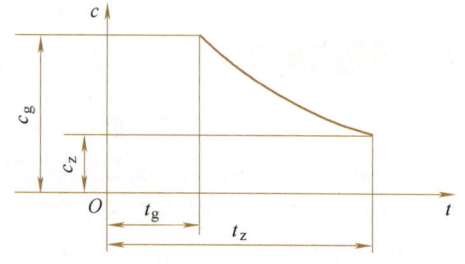

图 11-18 直接费用与作业时间之间的关系

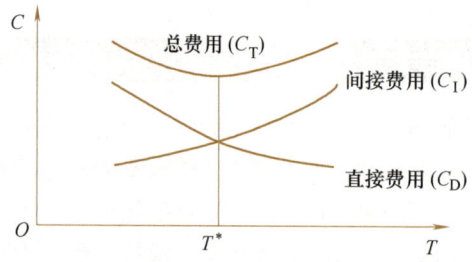

图 11-19 工程总费用、直接费用、间接费用与项目工期之间的关系

由图 11-19 可见，存在一个总费用最小的最佳工期 T^*。设工期从 T 压缩至 T'（$T'<T$），相应的总费用变化为

$$C_T(T') = C_D(T') + C_I(T') = C_D(T) + \Delta C_D + C_I(T) + \Delta C_I$$

$$C_T(T') - C_T(T) = \Delta C_D + \Delta C_I$$

若 $\Delta C_D + \Delta C_I < 0$，则工期可以进一步缩短；否则，缩短工期将导致总成本不降反升。

时间–费用优化一般应按以下三条规则进行优化。

（1）时间压缩对象必须在关键路线上进行。

（2）选择直接费用变化率最小的作业压缩时间。

（3）压缩幅度不能超出最短作业时间极限。

例 11-2 某项目的网络图如图 11-20 所示。各项作业的正常时间及直接费用、赶工时间及直接费用如表 11-5 所示。设该项目单位时间的间接费用为 5000 元。按合同要求，工期为 8 周，每延期 1 周将罚款 4500 元，每提前 1 周将奖励 5000 元。试确定最低费用总工期。

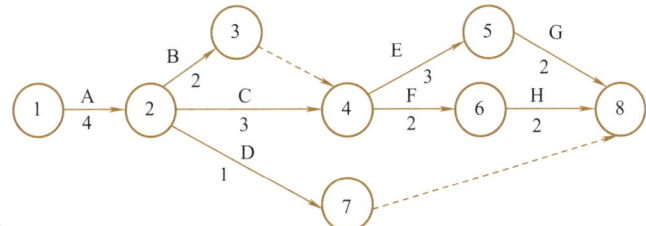

图 11-20 某项目的网络图（单位：周）

表 11-5 费率计算表

作业	正常时间/周	直接费用/万元	赶工时间/周	直接费用/万元	赶工费率/(万元/周)
A①→②	4	1.40	3	2.00	0.60
B②→③	2	1.50	1	2.00	0.50
C②→④	3	1.50	1	2.50	0.50
D②→⑦	1	0.60	1	0.60	—
E④→⑤	3	0.80	2	1.50	0.70
F④→⑥	2	0.30	1	0.50	0.20
G⑤→⑧	2	0.80	1	1.20	0.40
H⑥→⑧	2	0.60	1	1.00	0.40

（1）利用所给数据，计算直接费用变化率，填于表 11-5 中。

（2）求正常工期下的关键路线（A→C→E→G）。由于工期比合同规定延迟了 4 周，总罚款为 1.80 万元。通过压缩关键作业时间，缩短总工期，具体步骤如下。

1）关键作业为①→②、②→④、④→⑤、⑤→⑧。选赶工费率最小的作业⑤→⑧，将其从 2 周压缩到 1 周。直接费用增加了 0.40 万元，间接费用减少了 0.50 万元，工期减少了 1 周，延期罚款减少了 0.45 万元，共节省了 0.55 万元。

2）经过上一步后，作业④→⑥和⑥→⑧已成为关键作业。按直接费用最小的原则，寻找可供压缩时间的关键作业。此时，若压缩作业②→④的时间，则赶工费率为 0.50 万元/周；若通过压缩节点④之后的作业时间来压缩工期，则必须同时压缩作业④→⑤和④→⑥的时间，赶工费率为（0.70+0.20）万元/周＝0.90 万元/周；选赶工费率较小的作业②→④压缩，压缩时间为 1 周。直接费用增加了 0.50 万元，间接费用减少了 0.50 万元，工期减少了 1 周，延期罚款减少了

0.45万元，共节省了0.45万元。

3）作业②→④压缩1周后，作业②→③也成为关键路线，这时，要进一步压缩工期有三种方案选择：压缩作业①→②时间，赶工费率为0.60万元/周；同时压缩作业②→③和②→④的时间，赶工费率为（0.50+0.50）万元/周=1.00万元/周；同时压缩作业④→⑤和④→⑥的时间，赶工费率为0.90万元/周。选赶工费率最小的作业①→②压缩，压缩时间为1周。直接费用增加了0.60万元，间接费用减少了0.50万元，工期减少了1周，延期罚款减少了0.45万元，共节省了0.35万元。

4）进一步缩短工期可供选择的方案有：同时压缩作业②→③和②→④的时间，赶工费率为1.00万元/周；同时压缩作业④→⑤和④→⑥的时间，赶工费率为0.90万元/周；同时压缩作业④→⑤和⑥→⑧的时间，赶工费率为（0.70+0.40）万元/周=1.10万元/周。选赶工费率较小的作业④→⑤和④→⑥同时压缩，压缩时间各为1周。直接费用增加了0.90万元，间接费用减少了0.50万元，延期罚款减少了0.45万元，共节省了0.05万元。

5）剩下可供选择的方案是：同时压缩作业②→③和②→④的时间各1周，赶工费率为1.00万元/周。直接费用增加了1.00万元，间接费用节省了0.50万元，提前1周奖励了0.50万元，共节省0元。

最后结果如表11-6所示，总费用增加最少的方案是工期压缩到8周。每压缩一次作业的时间，都要重新计算和确定出新的关键路线和关键作业，以便找出下一次的压缩对象。随着作业时间的压缩，关键作业和关键路线越来越多，压缩工期的代价也将越来越大。本例的最后结果如图11-21和表11-6所示。

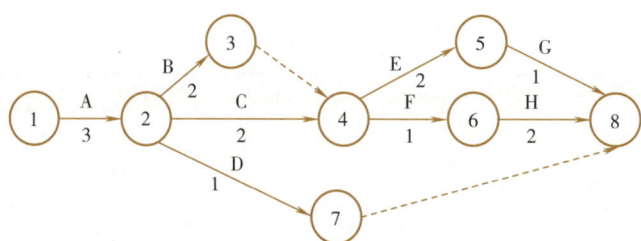

图11-21 工期优化后的网络图（单位：周）

表11-6 网络计划优化过程计算表

工期/周	12	11	10	9	8	7
赶工作业	无	⑤→⑧	⑤→⑧，②→④	⑤→⑧，②→④，①→②	⑤→⑧，②→④，①→②，④→⑥，④→⑤	⑤→⑧，②→④，①→②，④→⑥，④→⑤，②→③，②→④
直接费用变化/万元	0	0.40	0.90	1.50	2.40	3.40
间接费用变化/万元	0	-0.50	-1	-1.50	-2.0	-2.50
工期奖罚变化/万元	1.80	1.35	0.90	0.45	0	-0.50
总费用变化/万元	1.80	1.25	0.80	0.45	0.40	0.40

11.3.3 时间-资源优化

时间-资源优化是指在有限的资源约束下，合理调整网络计划，使工期最短；或者在工期一定的情况下，合理调整网络计划，使资源充分利用。前者称为有限资源下的工期优化问题，后者称为工期一定条件下的资源均衡问题。

1. 资源有限、工期最短问题

由于人力、物力和财力有限，一些作业不能同时进行，其中一些必须推迟。在这种条件下，为了使项目工期最短，首先要尽可能保证关键作业准时进行；然后，保证时差最小的作业优先进行，同时要统筹兼顾项目进度的要求和现有资源的限制。

将每安排完一项作业称为一步，设 $\{S_t\}$ 为 t 步之前已安排的作业，$\{O_t\}$ 为第 t 步可以安排作业的集合，那么有资源约束的网络计划的构成步骤如下。

（1）设 $t=1$，$\{S_1\}$ 为空集，$\{O_1\}$ 为项目第一步可安排作业的集合。

（2）将 $\{O_1\}$ 中的作业按总时差大小从小到大排序。

（3）计算作业所需资源量，在可供最大资源量约束条件下，按优先顺序安排 $\{O_1\}$ 中的作业；对优先权相同的情况，取最能充分利用资源的作业。

（4）将能完成的作业放入 $\{S_1\}$，从 $\{O_1\}$ 中除去已完成的作业，并将随后可安排的作业放入 $\{O_1\}$，使 $t=t+1$。

（5）若还有未安排的作业，转步骤（2）；否则停止。

2. 工期一定条件下的资源应用优化

（1）根据规定的工期和工作量，计算出各时段作业所需要的资源数量，并按计划规定的时间单位做出日程上的进度安排。

（2）在不超过有限资源和保证总工期的条件下，先将资源优先分配给关键路线上的作业和时差较小的作业，并尽量使资源能均衡、连续地投入。

（3）必要时适当调整总工期，以保证资源的合理使用。

例 11-3 图 11-22 为某项目的网络图，其每项作业的先后关系、作业所需资源（本例中为人力，单位为人）、作业时差和关键作业如表 11-7 所示。若不考虑资源约束，则工期为 20 周，所需人数的分布如图 11-23 所示。

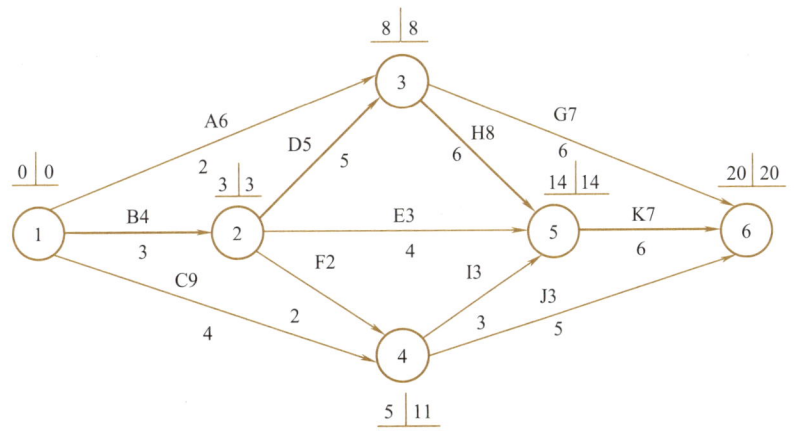

图 11-22 某项目的网络图（时间单位：周）

表 11-7　某项目作业时间和所需资源情况

作业	作业时间/周	紧后作业	所需人数/人	总时差/周	单时差/周	关键作业
A①→③	2	H, G	6	6	6	
B①→②	3	D, F, E	4	0	0	*
C①→④	4	I, J	9	7	1	
D②→③	5	H, G	5	0	0	*
E②→⑤	4	K	3	7	7	
F②→④	2	I, J	2	6	0	
G③→⑥	6	—	7	5	5	
H③→⑤	6	K	8	0	0	*
I④→⑤	3	K	3	5	6	
J④→⑥	5	—	3	10	10	
K⑤→⑥	6	—	7	0	0	*

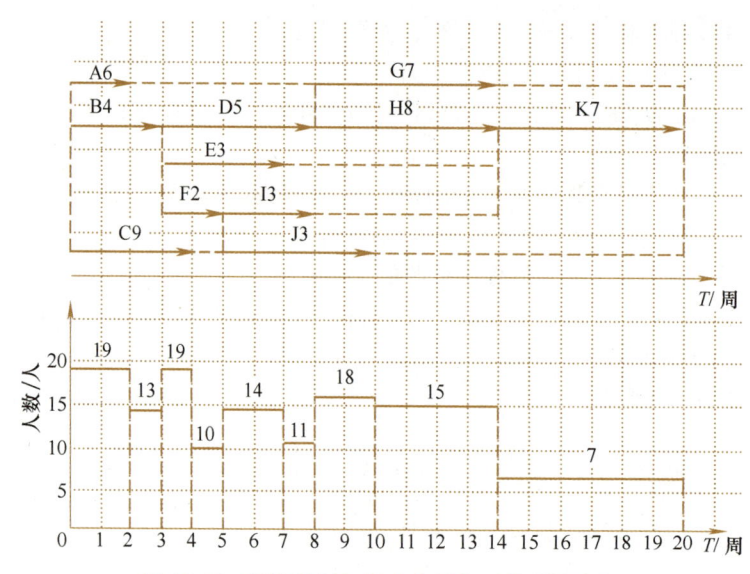

图 11-23　网络计划初始方案及各时段所需人数

设图 11-22 中项目的网络计划初始方案及各时段所需人数如图 11-23 所示。项目可供使用的总人数为 14 人，试对项目网络计划进行优化。

由图 11-23 可见，由于项目计划安排没有考虑总人员的限制，各时段所需人数不均衡，高峰期所用人数超过了 14 人的极限，不能满足计划要求。为此，必须对计划安排进行优化调整。利用非关键路线的时差，把人数超标时段的作业调整至所需人数较少的时段，优化调整后的网络计划及各时段所需人数如图 11-24 所示。

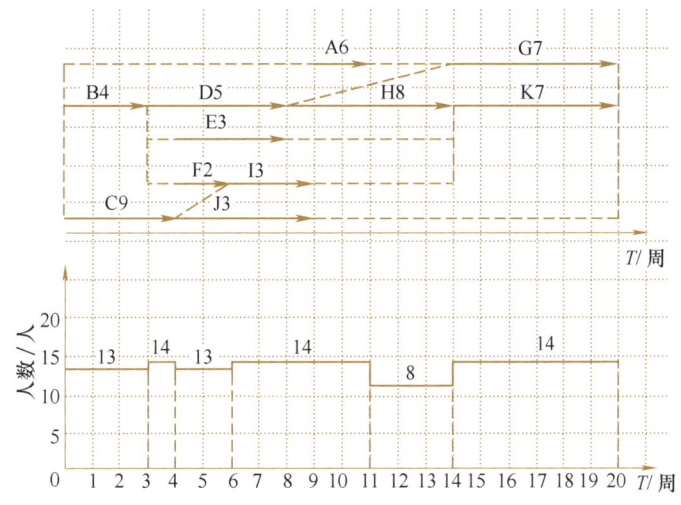

图 11-24　优化调整后的网络计划及各时段所需人数

11.3.4　网络计划技术实施过程的监督与管理

网络计划技术是一种先进的计划工具和方法,但由于计划过程和实施过程存在很多不确定因素,因此在网络计划实施阶段必须不断检查、监控,及时发现问题、分析原因、采取措施加以解决,这样才能确保计划的实现。

实施网络计划监督与管理的主要内容如下。

(1) 执行情况的报告。计划执行单位应定期向主管部门报告计划执行的进展情况,包括工作原计划工时、预定完工期、当前进展情况等。

(2) 计划主管部门对报告进行分析。主管部门的调度小组应对收到的报告进行对比分析和评判,发现问题,分析原因,做出修改指令。主要修改的内容包括:将已完工的工作或因某些原因需要取消的工作从网络图中删除;根据实际情况,修改某些未完成工作所需工时或添加某些新工作。修改后,要按新网络图重新计算有关的时间参数和关键路线、总工期。

(3) 网络计划的调整。如果计算出的新工期不符合预定工期,则需要进行调整。通过对计划、实际资源的研究,对网络计划的逻辑顺序、作业工时进行修订,使调整后的计划符合预定工期。此外,还应进行财务控制,即检查各项作业是否在预订费用内进行。

本章小结

本章介绍了网络计划技术的基本原理,网络图的基本结构,绘制网络图的基本规则和要求,项目管理中应用网络计划的步骤,网络图时间参数的计算方法及关键路线的确定,进而通过实例介绍了利用网络图进行时间-资源优化、时间-费用优化的方法,以及网络计划技术实施过程的监督与管理。

思考与练习题

1. 网络计划技术可以应用到哪些领域?
2. 节点型网络图与箭线型网络图有何不同?

3. 简述 PERT 与 CPM 的主要区别。
4. 简述编制网络计划的基本步骤。
5. 网络图的构成要素有哪些?
6. 简述绘制网络图的基本过程。
7. 试述直接费用、间接费用的概念。如何进行时间-资源优化?
8. 根据表 11-8 给出的资料绘制网络图,计算各工序的最早开工时间、最早完工时间、最迟开工时间和最迟完工时间,并指出关键路线。

表 11-8 有关资料

工序	紧前工序	工序时间/天	工序	紧前工序	工序时间/天
A	G, M	3	G	B, C	2
B	H	4	H	—	5
C	—	7	I	A, L	2
D	L	3	K	F, I	1
E	C	5	L	B, C	7
F	A, E	5	M	C	3

9. 某工程项目各作业时间及先后关系如表 11-9 所示。

表 11-9 某工程项目各作业时间及先后关系

作业	时间/周	紧前作业	作业	时间/周	紧前作业
A	2	—	E	3	B
B	4	—	F	4	C
C	5	A, B	G	4	D, E
D	4	A, B			

(1) 试画出该工程项目的节点型和箭线型网络图。
(2) 计算各节点时间参数和作业时间参数。
(3) 计算各作业时差并找出关键路线。

10. 根据表 11-10 的资料绘制网络图,计算时间参数,并确定关键路线。如果要求缩短项目总工期 4 天,可以缩短哪些活动的时间?计算由此产生的成本。

表 11-10 有关资料

作业	紧后作业	正常时间/天	赶工时间/天	正常费用/元	赶工费用/元
A	B, C	7	6	7000	8000
B	D	3	2	5000	7000
C	D	4	3	9000	10200
D	F, E	5	4	3000	4500
E	G	2	1	2000	3000
F	G	4	2	4000	7000
G	—	5	4	5000	8000

11. 如图 11-25 所示,某工程网络图的箭线上标出了作业的最乐观时间、最可能时间和最悲观时间。

(1) 计算各节点的时间参数。
(2) 计算各作业的平均时间。
(3) 计算项目期望完工时间。
(4) 计算工程在 46 天内完成的概率。

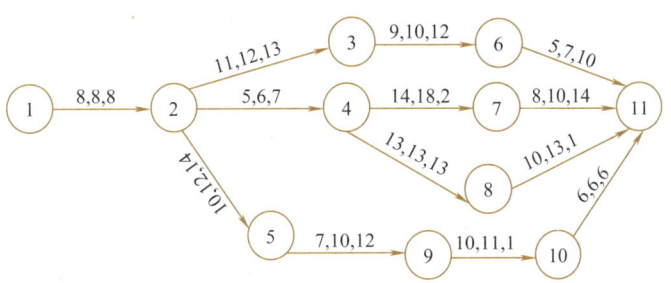

图 11-25　某工程网络图（时间单位：天）

案例分析

美国西南大学露天运动场

西南大学（SWU）是一所规模很大的州立大学。它坐落于美国得克萨斯州的斯蒂芬维尔镇，在达拉斯-沃斯堡都市区西南方，拥有近 2 万名在校学生。该镇是一座典型的大学城，学生成了小城的主要人口，在春秋季开学后学生比当地常住居民还要多。

西南大学长期拥有橄榄球运动的优势，并且是"十一大"联盟的会员之一，通常在大学橄榄球排名中居前 20 名。为了实现排名第一这个遥远而长期的目标，西南大学聘用了传奇人物博·皮塔诺担任主教练。

博·皮塔诺加入西南大学的要求之一就是修建新的露天运动场。随着观看球赛人数的增加，西南大学的管理者们必须开始面对这个问题。经过 6 个月的研究、大量的政治考量和一系列认真的财政分析，西南大学校长乔尔·威斯纳做出了扩建校园内的露天运动场的决定。

然而校长发现，即使增加数千个座位（其中包括数十个豪华包厢），也并不能使所有人都满意。具有影响力的皮塔诺想要的是一座一流的运动场，其中有运动员宿舍和为未来的美国全国大学生体育协会（NCAA）冠军队的教练所建的豪华办公室。但是决定已经做出，就算教练和其他人不满也得接受这个决定。首要工作在 2019 年赛季结束后开始建设，距 2020 年赛季开赛有 270 天。建筑商希尔建筑公司（鲍勃·希尔是该校的毕业生）签下了项目合同。鲍勃·希尔看着工程师列出的任务表后，望着威斯纳校长的眼睛，充满自信地说："我保证队伍明年按时完工。""我希望如此，"威斯纳校长回答道，"比起因将与宾州州立大学的比赛推迟或取消而被皮塔诺教练惩罚来说，合约规定的每天 10000 美元的违约罚款可能不算什么。"希尔微笑了一下，无须做任何回答。因为在疯狂迷恋橄榄球的得克萨斯州，如果 270 天的工期不能按时完工，希尔建筑公司将会深陷困境。

回到办公室后，希尔反复翻看数据（见表 11-11），其中的乐观时间估计值可被看成赶工目标。然后，他叫来了工长，"福克斯，如果没有 75% 的把握在 270 天之内完工，我想我们就需要赶工！告诉我赶工到 250 天的成本，还有 240 天的成本。我希望提前完工，而不仅仅是按时完工！"

表 11-11　西南大学项目

活动	描述	紧前活动	时间估计值/天			赶工成本/ (美元/天)
			乐观	最可能	悲观	
A	担保、保险和税收构造	—	20	30	40	1500
B	包厢地基和混凝土底脚	A	20	65	80	3500
C	更新运动场豪华包厢座位	A	50	60	100	400
D	更新跑道、楼梯和电梯	C	30	50	100	1900
E	内部配线和装置	B	25	30	35	9500
F	检查和审核	E	0.1	0.1	0.1	0
G	测量垂直度	D, E	25	30	35	2500
H	油漆	G	10	20	30	2000
I	五金器具、电线、金属制品	H	20	25	60	2000
J	瓷砖、地毯、窗户	H	8	10	12	6000
K	检查	J	0.1	0.1	0.1	0
L	最后的琐碎工作、清洁	I, K	20	25	60	4500

思考：

1. 为希尔建筑公司绘制网络图，找出关键路线，并计算出项目的期望完成时间。

2. 项目在270天内完工的概率是多少？

3. 假如要将工期提前到250天或240天，希尔将如何做？成本是多少？（假设将乐观时间估计值当成赶工时间）。

第 12 章

运营系统库存管理

> **学习目标**
> （1）理解库存的分类、库存成本结构、库存控制模式。
> （2）掌握库存 ABC 分类法、库存优化模型。

◆【引导案例】

关注库存跌价损失

　　多年前，业界龙头企业英特尔推出了全新的迅驰芯片，得到许多笔记本计算机厂商的支持。随即市场上的奔腾 4 笔记本计算机开始了大规模的降价。产品在终端市场自然的折价对 IT 企业来说并不是新鲜事，笔记本计算机产品每个月都会有 3~5 次的降价，一些配件的价格变动更是几乎以小时来计算。据说北京中关村的 CPU 商家手中的资金几乎每三天周转一次。像内存条这样的产品，市场中"炒手"的存在导致其价格波动几乎无规律可循。

　　所以大多数 IT 企业不得不面对同样一个问题，即如何控制库存。明电通信息技术有限公司物流部经理于仁告诉记者，IT 行业的技术更新升级快，产品生命周期比其他行业相对短得多，每当新技术开始应用，旧技术产品就必须降价。

　　对 IT 产业来说，库存除了意味着最基本的存货成本支出，比如房租、水电费和人力支出外，库存跌价损失更为重要。"IT 产品库存跌价损失很大，如果库存控制得不好，将会给企业带来很大的问题。"于仁补充道。

　　另外，整个 IT 产业的发展显示了这样的趋势：越是符合个人口味和个性化的产品，就越容易受到市场的追捧，比如明基的 Q-DESK 套装，其特点就是艺术化的液晶显示器。但这个发展趋势对物流提出了更高的要求：越是多型号的产品就越要进行严格的库存控制，因为库存种类和数量越多，意味着库存跌价损失的风险越大。

　　高库存同时也意味着另一个问题，那就是占用更多的资金，这对于毛利率日益降低的 IT 产业来说尤其不利。于仁说，库存周期的降低实际意味着资金周转速度的加快。

　　于仁提供了一组模拟数字：以一个 IT 企业每月营业收入 2.4 亿元计算，假设产品的市场价格每月平均损失 4%，如果库存周期为 30 天，那么企业每月的正常损失是 960 万元；如果库存周期达到 10 天，那么企业的损失是 108 万元；如果库存周期下降到 5 天，那么企业的损失只有 27 万元。其中的差异是显而易见的。

　　运营系统库存是指运营系统在运行过程中处于加工（处理）、储存、运输、等待等状态的物料（或产品）。合理的库存是保证运营系统正常运行的必要条件，然而，库存占用了大量的资金、生产场地或库房面积，需配备保管和搬运人员，会产生库存消耗，此外，成品库存还存在一定的市场风险。无论是制造业还是服务业运营系统，库存管理都是一个非常重要的职能。库存管理的目的是在满足运营系统正常运行需要的条件下，使库存量最小、库存相关费用最小。

12.1 库存概述

12.1.1 库存的定义

由于需求和供应方在生产模式、时间、空间和速度方面存在差异，因而必须设置库存，以消除或减小这种差异带来的影响。所谓库存，是指存在于运营系统运行过程各环节的物料存储，包括原材料、辅助材料、零配件、在制品和产成品。合理的库存是运营系统正常运行的必要条件，然而由于种种原因，实际运营系统库存中存在不少不合理的库存。库存需占用时间、空间和资金，耗费人力和物力，增加运营系统的运行成本，因此，如何科学地管理库存，确保在满足运营过程需要的前提下，最大限度地降低与库存相关的费用，是本章主要研究的问题。

12.1.2 库存的作用

库存的作用类似于楼房顶层蓄水池，池子里水的高度代表库存，水流进池子的速度相当于供应速度，水流出池子的速度代表需求速度。流进（供应）速度大于流出（需求）速度时，池子里水的高度（库存）将增加；流进（供应）速度小于流出（需求）速度时，池子里水的高度（库存）就会减少。外部供水水压是波动的、不稳定的：白天是用水的高峰期，水流进池子的速度变小；晚上是用水的低谷期，水流进池子的速度加大。此外，同栋楼住户在不同时段的用水需求不均衡，导致水压不稳定，从而影响供水。在楼房顶层配置蓄水池后，楼房住户就能得到稳定的水供应。可见，蓄水池起到了平滑外部供水波动、满足用水需求的作用。另外，当供水厂或管路出现意外故障，外部供水突然中断时，靠楼顶蓄水池可维持一段时间的供水，从而避免短期供水故障直接导致居民用水中断。

运营系统的库存具有与上述蓄水池类似的作用。具体作用如下。

（1）维持运营系统运行的稳定性。原材料库存将制造商与供应商分开，在制品库存将制造过程的各个阶段分开，产成品库存将制造商与经销商分开，从而避免将上游环节的故障或波动直接传导到下一环节，导致整个运营系统崩溃。

（2）缩短订单供货周期。对于订货量小、订货次数多、订货时间随机的客户，保持适量的库存，可满足随时订货和随时提货的要求。

（3）应对内外需求波动。运营系统在运行过程中，面临供应、生产、需求三方面的不确定性，如物料供应意外中断、设备故障、质量事故、需求变化等。而应对这些不确定性因素带来的冲击的有效措施，就是设置相应的库存。

（4）防止生产流程中断。运营过程一般包含多个环节，任何一个环节出现故障和问题，都会影响整个运营系统的正常运行。在容易产生故障的环节设置合理的库存，可以有效地避免或减少这种生产流程中断。

（5）获得生产规模效益。实行批量生产可以有效地降低成本，获得生产规模效益。批量采购可以获得数量折扣，降低订货成本，节省运输费用。当供需双方在时间、空间和数量上不能保持同步时，批量销售可以降低销售成本。

12.1.3 库存的分类

运营过程是指将原材料等资源转化为产成品的过程，运营系统按预定的工艺流程，源源不断地把各种原材料、零部件等物料转换成产成品。对于不少服务业企业来说，则需在提供服务的同时配套提供有形产品，或者以有形产品为载体提供相应的服务。运营系统处理和储存的物料种类有很多，为便于分类管理，有必要对库存进行适当的分类。

1. 根据物质形态分类

（1）原材料库存。原材料库存是指企业向供应商采购回来用于生产产品所需的主要材料库存。原材料通过运营系统制造过程被转换成产成品，即构成产成品的实体。

（2）在制品库存。在制品库存是指已投入生产，处于加工、检验、运输、等待过程的半成品库存。

（3）产成品库存。产成品库存是指已完成运营过程，可交付市场或客户的成品库存。

2. 根据需求重复性分类

（1）单周期需求库存。单周期需求库存是指满足需求仅发生在一个较短的周期内的需求库存。单周期需求库存一般是由产品本身特性或市场需求特性所决定的。例如，产品具有较短的保鲜期或有效期，不能跨期储存和销售（如月饼、蔬菜等）；或产品本身具有时效性，不能跨期消费和销售（如奥运纪念品、挂历、报纸杂志等）。

（2）多周期需求库存。多周期需求库存是指物料可在较长时期的多个周期内消费和储存的物品的库存。库存物料可跨周期储存和销售，不影响物料的正常使用。例如，工厂生产用原材料、零配件，商业企业的日用品、家电等产品。

值得注意的是，如果产品具有较强的时尚性，如时装、鞋帽、书包、流行电器等产品，则其库存管理策略往往倾向于采用单周期库存管理模式。

3. 根据需求可控性分类

（1）独立需求库存。来自市场客户的产品和服务需求为独立需求。独立需求的特点是需求对象和数量不稳定，一般只能通过预测方法估计；独立需求受外部环境因素的影响较大，且独立需求库存的数量和控制模式，对满足市场需求、确保运营系统正常运行均具有重要的意义。

（2）相关需求库存。相关需求是指企业内部物料转化过程各环节之间所发生的需求，也是由独立需求而产生的需求。它可根据独立需求数量和产品结构精确地计算出来。相关需求库存由独立需求的数量和时间决定，相关需求库存管理将对运营系统正常运行产生重要影响。

4. 根据物料库存功能分类

（1）周转库存。周转库存是指由于运营系统运行过程各环节之间在时间、空间、批量和速度等方面存在差异而产生的库存。周转库存取决于订货批量。

例 12-1 某产品每天销售 20 件，订货提前期为 10 天。试分析订货批量分别为 600 件、400 件、200 件时的周转库存变化。

订货批量为 600 件、400 件、200 件时的周转库存变化如图 12-1~图 12-3 所示。

从图 12-1~图 12-3 可见，订购批量越小，则平均周转库存量越小，但订货频度越高，订货总成本也越高。库存管理的一项重要内容就是确定总库存费用最小化的订货批量，即经济订货批量。

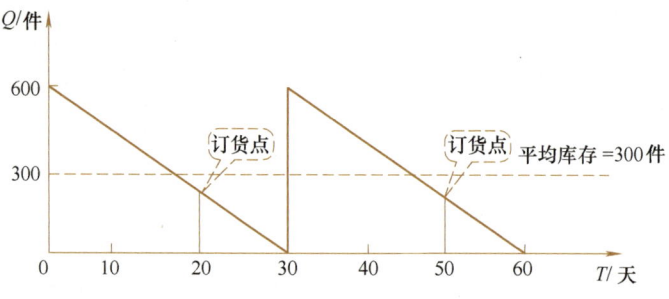

图 12-1　批量为 600 件时的周转库存变化

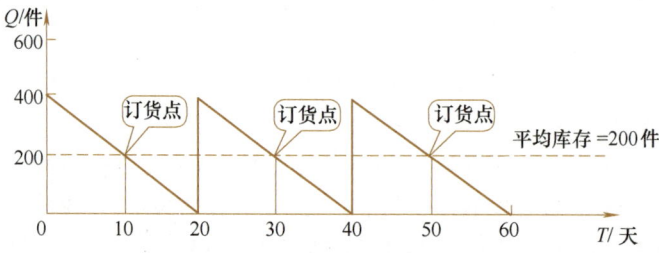

图 12-2　批量为 400 件时的周转库存变化

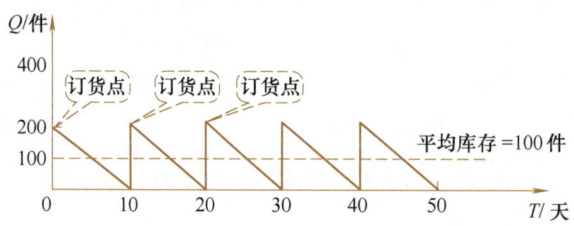

图 12-3　批量为 200 件时的周转库存变化

（2）保险库存。保险库存又称安全库存，是指为了应对不确定性因素的影响而配置的库存量。例如，订货提前期的需求速度加快、供应期延误等特殊原因都将导致库存与供应脱节，为此必须配置一定量的保险库存。保险库存越大，出现缺货的可能性越小；但保险库存过大，会导致库存总量增加，从而增加库存成本。

图 12-4~图 12-6 表示的是例 12-1 中当需求速度加快、供应期延误以及这两类变化同时发生时对保险库存量的需求。

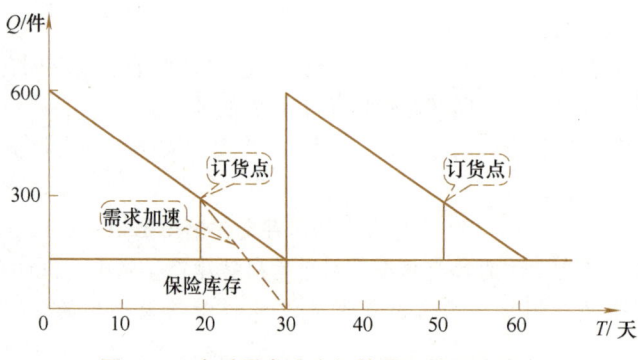

图 12-4　应对需求速度加快需要的保险库存

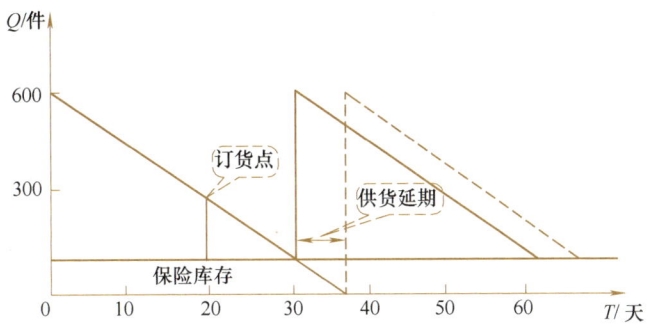

图 12-5　应对供应期延误需要的保险库存量

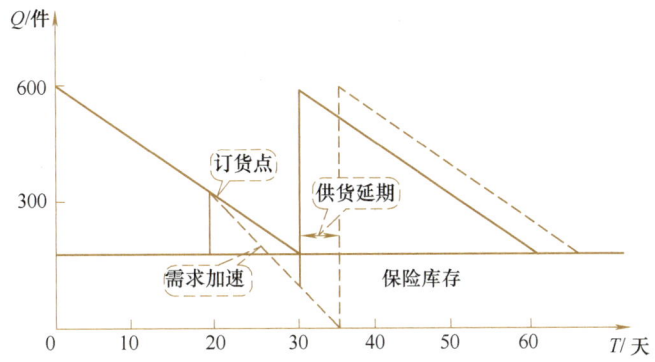

图 12-6　应对需求速度加快和供应期延误同时发生的保险库存量

12.1.4　库存成本结构

库存控制的目标是在满足生产和消费需要的前提下降低库存成本。为了有效控制库存成本，必须对库存成本构成进行分析。

1. 订货成本

订货成本又称调整成本，是指从需求方向供应方提出订货到物料入库过程中所发生的除购置费之外的各项相关费用之和。它通常包括订货手续费、运输装卸费、验收入库费、采购人员差旅费、订货通信费等；对于企业自制的零部件或物料，在物料品种转换时将发生设施调整费用，包括设备调整费、工作地和零配件转换费。一个生产批量一般对应一次设备调整费，订货总成本由订货次数和每次订货费用所决定。

2. 保管成本

保管成本是指物料在库存过程中发生的成本。它主要包括占用资金的利息、仓储费、人工费、税金等，以及仓储过程中由于变质、丢失等产生的费用。保管成本的大小主要取决于库存量的大小和库存时间的长短。确定库存量时，不仅要考虑供应和需求的特点和要求，同时还要考虑物料的体积和价值。

3. 购置成本

购置成本是指库存物料的购置费。为了鼓励需求方加大一次采购批量，供应商常采用批量价格折扣策略。在这种情况下，采购商可以增大一次订货批量以获得价格优惠。有时，供应商为了促销产品，在短期内实施优惠促销。另外，当采购商预知物料提价信息时，订货批量决策是影响购置成本的一个重要因素。

4. 缺货成本

缺货成本是指由于库存无法满足生产需要或市场需求而产生的损失。缺货成本由两部分组成：一是供应缺货导致运营系统停工待料而产生的系统闲置损失；二是库存缺货导致订单任务交货延期带来的罚款损失等。如果是产成品库存缺货，则还将使客户满意度下降，带来市场机会损失。

12.2 库存控制模式

12.2.1 库存控制系统

库存控制系统由输入、输出、约束条件和运行机制四个方面组成，如图 12-7 所示。库存控制系统输入和输出的都是各种物料资源。作为系统，库存控制主要在时间和数量上起调节作用。约束条件包括库存资金约束、库容约束等。运行机制包括控制哪些参数以及如何控制。库存控制的参数一般包括订货点、订货间隔期、订货量等。

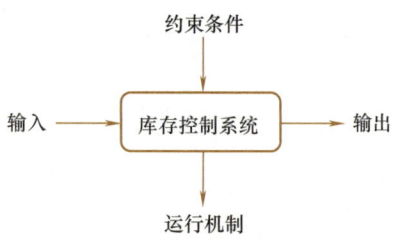

图 12-7 库存控制系统

库存控制系统有三种形式：定量控制系统、定期控制系统、最大–最小控制系统。

1. 定量控制系统

定量控制系统是一种定量不定期的控制模式，即订货点（Reorder Point）和订货批量是固定的，当库存量降到订货点 S_{min} 时，即向供应方发出订货单，如图 12-8 所示。从发出订单到货物入库所经历的时间为订货提前期。由于需求速度在变化，因而订货间隔期是不确定的，何时订货主要取决于库存何时下降到订货点。在这种方式下，必须实时监控物料库存量，当某种物料达到订货点数量时，要确保能及时发出警报。实践中，企业常采用双堆法进行控制：将同种物料分装在两个容器中，其中一个容器的物料用完后，库存控制系统就发出订单，并开始使用另一容器中的物料，待供应方物料到货后，再将物料按两个容器存放。在用计算机管理库存的条件下，可通过软件设置，使库存量下降到订货点时及时发出警报。定量控制系统下，由于不同产品的库存可能不在相同时间到达订货点，因而可能会出现采购批量和运输量的不经济。

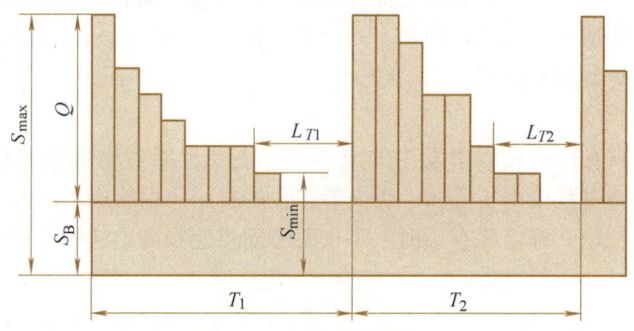

图 12-8 定量控制系统

S_{max}—最大库存量 S_B—保险库存 S_{min}—最小库存量
Q—订货批量 L_{T1}、L_{T2}—订货提前期 T_1、T_2—订货间隔期

在定量控制系统中，$Q_1 = Q_2 = \cdots = Q_n$；$T_1 \neq T_2 \neq \cdots \neq T_n$。

2. 定期控制系统

定期控制系统是一种定期不定量的控制系统，即设定一个固定的订货间隔期，每经过一个订货间隔期，则发出一个订单进行订货，每次订货量根据订货时的实际库存量决定。订货量等于预定最大库存量减去订货时的实际库存量，如图12-9所示。由于消耗速度的波动，每次的订货量是变化的，部分产品订货时的实际库存水平可能还很高，因而订货量很小。

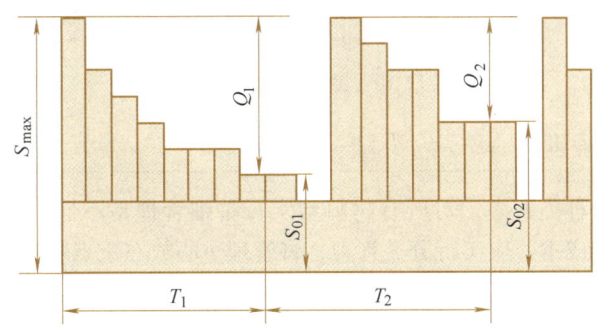

图12-9 定期控制模式

S_{01}—第一期订货时的库存量 S_{02}—第二期订货时的库存量

在定期控制系统中，订货间隔期不变，即$T_1 = T_2 = \cdots = T_n$；各期订货批量：$Q_1 = S_{max} - S_{01}$，$Q_2 = S_{max} - S_{02}$。

定期控制系统规定在统一的时间订货，从而避免了实时监控库存的麻烦，通过安排多种产品在同一时间订货，还可以改善采购和运输的经济性。其缺点在于：定期控制系统需考虑整个订货周期内消耗速度加快而出现缺货的问题，因而需要设置较高的安全库存；不论物料实际库存水平多少，都要定期发出订货。这就可能出现订货时，物料的实际库存水平很高，因而订货批量很小的现象。

定量控制系统与定期控制系统的比较如表12-1所示。

表12-1 定量控制系统与定期控制系统的比较

特征	定量控制系统	定期控制系统
订货量	Q不变	Q变化
何时发出订单	当库存水平低于订货点	当到达订货间隔期
保持记录情况	每次提货或增加库存都登记	只在订货间隔期盘点
库存水平	低于定期控制系统	高于定量控制系统
物品种类	价格较高、关键或重要的物品	数量大、价格低、只需一般管理的物品

3. 最大-最小控制系统

最大-最小控制系统是指在定期控制系统的基础上，再加入一个最小库存量S_0标准，每经过一个订货间隔，检查一次实际库存，如果实际库存小于或等于S_0，则发出订货；如果实际库存大于S_0，则在经过时间t后再确定是否订货。t主要由实际库存量与最小库存的差值（ΔQ）和预计消耗速度（q）确定，即$t = \Delta Q / q$，如图12-10所示。

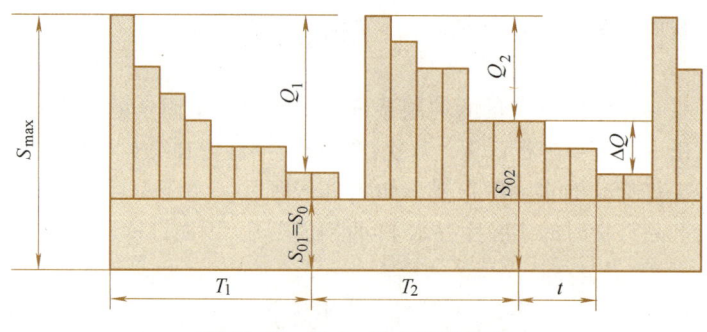

图 12-10　最大-最小控制模式

12.2.2　库存分类管理（ABC 分类法）

运营系统库存物料种类繁多，对所有物料均实行精细管理是不恰当的。为了提高库存管理的效率，节省库存管理成本，应实行分类管理，将管理重心放在重点物料上。

ABC 分类法是库存管理的有效方法，这种方法是由意大利经济学家帕累托（Pareto）在 19 世纪调查米兰城市的社会财富分布时发现的。他发现社会财富的 80% 被占人口 20% 的少数人占有，而占人口 80% 的人仅占有社会财富的 20%。帕累托将其统计结果绘制成帕累托图，如图 12-11 所示。

库存物料占用资金量的分布曲线与帕累托曲线基本一致。少数品种的库存物料占用了大部分的流动资金，这些物料无疑是成本控制的重点。库存管理的 ABC 分类法的基本思路是，将库存物料按其占

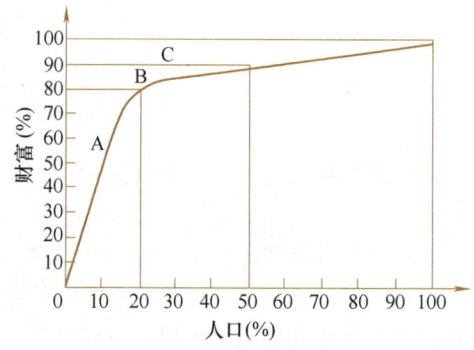

图 12-11　帕累托图

用资金的多少依次划分为 A、B、C 三大类，并按不同类型物料的特点采用相应的管理方法，从而达到简化库存管理、减少库存管理成本、提高管理效率的目的。

库存物料分类标准如下：A 类物料品种数占库存物料总种数的 10%~20%，但占用的资金达到 70%~80%；B 类物料占用资金的 15%~20%，品种数占物料总种数的 20%~25%；C 类物料品种数较多，占库存物料总品种数的 60%~65%，而占用库存资金的比例仅为 5%~10%。

运用 ABC 分类法进行库存管理的具体步骤如下。

（1）将库存物料占用资金情况汇总，计算各种物料占用库存资金的比例。

（2）按物料占用资金额大小从大到小依次排列。表 12-2 是某仓库库存物料占用资金的基本数据。

表 12-2　某仓库库存物料占用资金的基本数据

物料编号	年均资金占用量/元	占用资金比例（%）
22	95000	40.69
68	75000	32.13
27	25000	10.71
03	15000	6.43
82	13000	5.57
54	7500	3.21
36	1500	0.64
19	800	0.34
23	425	0.18

(续)

物料编号	年均资金占用量/元	占用资金比例（%）
41	225	0.10
合计	233450	100

（3）分析占用资金比例情况，从大到小计算累计数，按 ABC 分类法将各种物料归类。表 12-3 是对表 12-2 数据进行分类处理后的结果。

表 12-3 ABC 分类的结果

物料编号	年均资金占用量/元	占用资金比例（%）	物料类型
22，68	170000	72.82	A
27，03，82	53000	22.70	B
54，36，19，23，41	10450	4.48	C
合计	233450	100	

A 类物料是库存管理的重点，应该严格控制其库存量，在保证需求的前提下，尽可能地减少库存，在控制模式上，可采用定量控制模式，连续监控库存状况；B 类物料采用一般控制，库存控制可采用定期控制模式；C 类物料可以放宽控制，适当增加订货量和订货间隔期，减少库存管理工作量。

需要再次指出的是，在实际的库存物料分类工作中，在考虑占用资金情况的同时，还要兼顾供货特点及物料重要程度等因素。一些对运营系统运行特别重要或供应不稳定的物料，需要按 A 类物料管理。例如，某些关键的设备备件对保证系统正常运转非常重要，一旦出现设备故障将无法及时排除，会造成重大停产损失；对供应不稳定的物料，必须保持较大的库存储备，以备供应出现问题时，仍可维持运营系统的正常运行。

12.3 库存优化模型

12.3.1 单周期库存优化模型

对于单周期需求来说，库存控制的关键在于确定订货量。单周期库存订货量等于预测的需求量，但由于预测误差的存在，根据预测确定的订货量和实际需求量不可能一致。一方面，如果订货量小于需求量，就会失去潜在的销售机会，产生机会损失；另一方面，如果订货量大于需求量，剩余部分的物品就会形成库存积压，从而可能以低于成本的价格出售，甚至做报废处理。显然，最理想的情况是订货量等于需求量。

为了确定最佳订货量，需要考虑与订货相关的各项费用。由于只发出一次订货，即只发生一次订购费用，因此订货费用为一种沉没成本，与决策无关。库存费用也可视为一种沉没成本，因为单周期物品的实际需求无法准确预计，而且只通过一次订货满足，所以即使有库存，其费用的变化也不会很大。因此，可以只考虑机会损失和过量订货损失。确定最佳订货量可采用损失期望值最小化法或利润期望值最大化法。下面介绍损失期望值最小化法。

根据上述分析，订货量（Q）大于或小于需求量（d）都将导致损失。前者会造成商品积压处理损失，后者会带来机会损失。损失期望值的计算公式如下：

$$\min E_L(Q) = \sum_{d>Q} C_u(d-Q) p(d) + \sum_{d<Q} C_o(Q-d) p(d)$$

式中 C_u——订货量小于需求量时的单位物料机会损失；

C_o——订货量大于需求量时的单位物料积压损失；

$p(d)$——需求量为 d 的概率。

例 12-2 某商场准备订购一批挂历以供应市场，根据近年来的挂历销售统计资料，各种可能的销售量及其概率如表 12-4 所示。挂历进货价为 20 元/本，售价为 50 元/本，若一年内卖不完，则每本挂历要亏损 20 元，要求确定最佳订货量。

表 12-4 某商场挂历的市场需求预测

需求 d/本	100	200	300	400	500
概率 $p(d)$	0.15	0.25	0.25	0.20	0.15

分别分析和计算订货量为 100 本、200 本、300 本、400 本和 500 本时的损失值。

当订货量为 100 本，而实际需求为 200 本时，其机会损失值=(200-100)本×(50-20)元/本=3000 元；当订货量为 300 本，而实际需求只有 200 本时，库存积压损失值=(300-200)本×20 元/本=2000 元；以此类推，分析和计算各种订货方案下的损失期望值，结果如表 12-5 所示。

表 12-5 不同情况下的损失期望值对比　　　　　　　　　　（金额单位：元）

订货量	需求量					损失期望值
	100 本	200 本	300 本	400 本	500 本	
	0.15	0.25	0.25	0.20	0.15	
100 本	0	3000	6000	9000	12000	5850
200 本	2000	0	3000	6000	9000	3600
300 本	4000	2000	0	3000	6000	2600
400 本	6000	4000	2000	0	3000	2850
500 本	8000	6000	4000	2000	0	4100

由计算结果可知，订货量为 300 本时损失期望值最小。因此，最佳订货量为 300 本。

12.3.2 多周期库存优化模型

1. 经济订货批量（EOQ）模型

经济订货批量模型又称整批间隔进货模型。该模型适用于整批间隔进货、不允许缺货的存储问题，即某种物资单位时间的需求量为 D，经过时间 T 后，存储量下降到 0，此时开始订货并随即到货，库存量由 0 上升为最高库存量 Q，然后开始下一个存储周期，形成多周期存储模型。从库存成本的角度分析，与订货批量费用有关的费用可分成两类：一类是随库存量增加而增加的费用，如仓储成本、资金占用成本、物料变质和陈旧损失等；另一类是随库存量增加而减少的费用，如订货费、购置费、设备调整费、缺货损失等。

库存总费用模型为

物料库存总成本=购置成本+持有成本+订货成本

即

$$C_T = Dp + \frac{Q}{2}ph + \frac{D}{Q}A$$

式中　C_T——计划期物料总成本；

　　　D——计划期物料需求总量；

　　　A——一次订货成本；

　　　p——单位物料价格；

Q——订货量;

h——单位物料单位时间持有成本。

由 C_T 对 Q 求导,并令其等于 0,得到经济订货批量(EOQ)的计算公式为

$$\text{EOQ} = \sqrt{\frac{2DA}{ph}}$$

订货点库存水平 R 的计算公式为

$$R = \bar{d}L$$

式中 $\bar{d}$——平均每天需求量;

L——订货提前期。

订货成本与订货批量的关系曲线如图 12-12 所示。

例 12-3 已知某商品的年需求量为 10000 件,每年按 365 天计。商品价格为 20 元/件,订购费为 1000 元/次,单位库存费用占用成本为 0.20 元,提前期为 10 天。试确定经济订货批量和订货点库存。

根据题意可知,$D = 10000$ 件,$A = 1000$ 元,$p = 20$ 元/件,$h = 0.20$,$L = 10$ 天,则经济订货批量为

$$\text{EOQ} = \sqrt{\frac{2DA}{ph}} = \sqrt{\frac{2 \times 10000 \times 1000}{20 \times 0.20}} \text{件} \approx 2236 \text{件}$$

平均日需求量为

$$\bar{d} = \frac{10000 \text{件}}{365 \text{天}} \approx 27.40 \text{件/天}$$

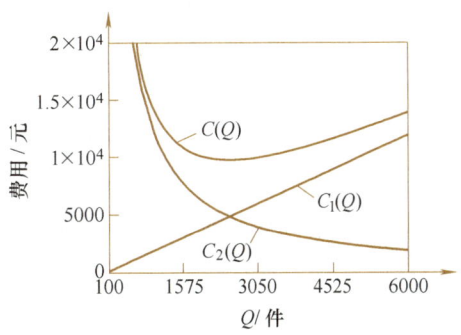

图 12-12 库存成本与订货批量的关系曲线
$C(Q)$——与批量相关的总费用
$C_1(Q)$——库存成本
$C_2(Q)$——订货成本

订货点库存水平为

$$R = \bar{d}L = 27.40 \text{件/天} \times 10 \text{天} = 274 \text{件}$$

2. 有价格折扣的最优订货批量模型

供应商从节省生产和运输成本的角度考虑,常采用批量价格折扣优惠策略,激励需求方加大购买批量。例如,当订货量 $Q < Q_1$ 时,价格为 P_0;当订货批量 $Q \geq Q_1$ 时,价格为 P_1;当订货批量 $Q \geq Q_2$ 时,价格为 P_2;$P_0 > P_1 > P_2$。批量、价格与总成本的关系曲线如图 12-13 所示。

订货批量决策过程如下。

(1)计算正常价格条件下的经济订货批量(EOQ)。

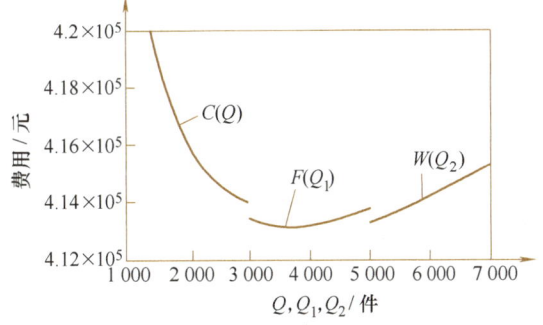

图 12-13 价格折扣下不同订货量区间的成本曲线
$C(Q)$——正常价格下的批量成本
$F(Q_1)$——价格为 P_1 时的批量成本
$W(Q_2)$——价格为 P_2 时的批量成本

(2)若 EOQ $\geq Q_1$,则按 EOQ 订货可使库存成本最小。

(3)若 EOQ $< Q_1$,则分别按 EOQ 和 Q_1 计算库存成本,取费用最小的方案。

(4)若 $Q_1 <$ EOQ $< Q_2$,则分别按 EOQ 和 Q_2 计算库存成本,采用费用最小的方案。

(5) 若 EOQ ≥ Q_2,则按 EOQ 订货可使库存成本最小。

例 12-4 某供应商为鼓励客户加大每次订货批量,实行批量价格折扣策略。已知一次订货成本为 1200 元,年持有费用率为 0.20,年需求量为 20000 件,订货批量与价格如表 12-6 所示。试求最优订货批量。

表 12-6 订货批量与价格

订货批量/件	价格/(元/件)
0~2999	20
3000~4999	18
5000 及以上	16.50

根据题意可知,$D=20000$ 件,$A=1200$ 元,$h=0.20$ 元/件。

正常价格水平下的经济订货批量为

$$EOQ = \sqrt{\frac{2DA}{ph}} = \sqrt{\frac{2 \times 20000 \times 1200}{20 \times 0.20}} \text{件} \approx 3464 \text{ 件}$$

EOQ 落在 3000~4999 批量折扣区间,因此应比较 EOQ 和第二折扣点 5000 件的总成本。经计算可得

$$C_{EOQ} = Dp_1 + \frac{D}{EOQ}A + \frac{EOQ}{2}p_1h$$

$$= \left(20000 \times 18 + \frac{20000}{3464} \times 1200 + \frac{3464}{2} \times 18 \times 0.20\right) \text{元} = 373163.61 \text{ 元}$$

$$C_{Q_2} = Dp_2 + \frac{D}{Q_2}A + \frac{Q_2}{2}p_2h$$

$$= \left(20000 \times 16.50 + \frac{20000}{5000} \times 1200 + \frac{5000}{2} \times 16.50 \times 0.20\right) \text{元} = 343050 \text{ 元}$$

可见,应选择订货批量 5000 件,总成本费用为 343050 元。

3. 边际单位数量价格折扣的订购批量优化模型

边际单位数量价格折扣方案是指供应商规定若干个数量价格折扣点 $q_0, q_1, \cdots, q_r$,设订购批量为 q,(q_1-q_0) 单位的产品价格为 p_0,(q_2-q_1) 单位的产品价格为 p_1,以此类推。边际成本随订购数量而变化,如图 12-14 所示。

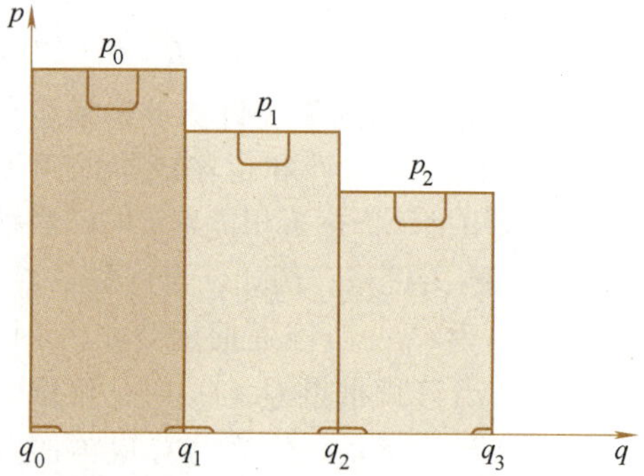

确定成本最小的最优订购批量。对于每个折扣点 i,$0 \leq i \leq r$(r 为最大折扣总序号),设 V_i 为订购 q_i 个单位物料的成本,定义 $V_0=0$,V_i 的计算公式为(其中 $0 \leq i \leq r$)

$$V_i = p_0(q_1-q_0) + p_1(q_2-q_1) + \cdots + p_{i-1}(q_i-q_{i-1})$$

图 12-14 不同订货批量区间的价格水平

对于每个 i 值,$0 \leq i \leq r-1$,考虑订购批量 $Q^{\ominus}$ 的变化范围为 $q_i \sim q_{i+1}$ 单位($q_i \leq Q \leq q_{i+1}$)。每次订购 Q 的原材料购置费为

⊖ q 指供应商规定的若干个数量价格折扣点,这些点用于划分不同价格折扣区间的数量节点。Q 指考虑订购批量时的一个变量,它的变化范围是在相邻两个折扣点 q_i、q_{i+1} 之间,$q_i \leq Q \leq q_{i+1}$。例如,当分析某个折扣区间内的成本情况时,Q 表示在该区间内具体的订购数量,计算在这个订购数量下的原材料购置费以及与订购相关的各种成本等。简单来说,q 是固定的折扣数量节点,而 Q 是在这些节点所划分的区间内变动的订购批量数量。

$$V_i+(Q-q_i)p_i$$

与订购相关的各种成本为

$$年订购成本 = \frac{D}{Q}A$$

$$年储存成本 = [V_i+(Q-q_i)p_i]\frac{h}{2}$$

$$年原材料成本 = \frac{D}{Q}[V_i+(Q-q_i)p_i]$$

$$年总成本 = \frac{D}{Q}A+[V_i+(Q-q_i)p_i]\frac{h}{2}+\frac{D}{Q}[V_i+(Q-q_i)p_i]$$

由年总成本对 Q 求导,并令其为 0,得到价格 p_i 下的最优订购批量公式

$$Q_i^* = \sqrt{\frac{2D(A+V_i-q_ip_i)}{hp_i}}$$

Q_i^* 有三种可能情况:①$q_i \leqslant Q_i^* \leqslant q_{i+1}$;②$Q_i^* < q_i$;③$Q_i^* > q_{i+1}$。

在第①种情况下,按 Q_i^* 订货可得到该价格区域的最优订货量,年物料总成本的计算公式为

$$C_i = \frac{D}{Q_i^*}A+[V_i+(Q_i^*-q_i)p_i]\frac{h}{2}+\frac{D}{Q_i^*}[V_i+(Q_i^*-q_i)p_i]$$

在第②、③种情况下,应分别比较按 q_i 和 q_{i+1} 采购的年物料总成本:

$$C_i = \min\left\{\frac{D}{q_i}A+\frac{V_ih}{2}+\frac{D}{q_i}V_i; \frac{D}{q_{i+1}}A+\frac{V_{i+1}h}{2}+\frac{D}{q_{i+1}}V_{i+1}\right\}$$

采用成本最小的订货批量方案。

例 12-5 某公司需某物料 60000 件/年,一次订购费 $A=400$ 元/批,物料储存费率 $h=0.25$,物料供应商采用边际单位数量价格折扣定价方案,如表 12-7 所示。试为购买方确定最优订购批量。

表 12-7 边际单位数量价格折扣定价方案

订购批量/件	边际单位价格/(元/件)
0~9999	6.00
10000~19999	5.85
20000 以上	5.70

已知 $q_0=0$;$q_1=10000$ 件;$q_2=20000$ 件;$p_0=6.00$ 元/件;$p_1=5.85$ 元/件;$p_2=5.70$ 元/件。计算 V_i:

$$V_0 = 0$$
$$V_1 = [6.00\times(10000-0)]元 = 60000 元$$
$$V_2 = [60000+5.85\times(20000-10000)]元 = 118500 元$$

由题可知,$D=60000$ 件/年,$A=800$ 元/批,$h=0.25$。

对于 $i=0$,计算 Q_0^*:

$$Q_0^* = \sqrt{\frac{2D(A+V_0-q_0p_0)}{hp_0}} = \sqrt{\frac{2\times 60000\times 800}{0.25\times 6.00}} 件 = 8000 件$$

由于 $0 < Q_0^* < q_1$,估算采购批量 $Q_0^* = 8000$ 件的成本:

$$C_{8000} = \left(\frac{60000}{8000}\times 800+8000\times 6.00\times\frac{0.25}{2}+\frac{60000}{8000}\times 8000\times 6.00\right)元 = 372000 元$$

对于 $i=1$，计算 Q_1^*：

$$Q_1^* = \sqrt{\frac{2D(A+V_1-q_1p_1)}{hp_1}} = \sqrt{\frac{2\times 60000\times(800+60000-10000\times 5.85)}{0.25\times 5.85}} \text{ 件}$$

$$= 13737 \text{ 件}$$

由于 $q_1<Q_1^*<q_2$，即 $10000<Q_1^*<20000$，计算订货批量为 13737 件时的成本：

$$C_{13737} = \left\{ \frac{60000}{13737}\times 800 + [60000+(13737-10000)\times 5.85]\times \frac{0.25}{2} + \right.$$

$$\left. \frac{60000}{13737}\times [60000+(13737-10000)\times 5.85] \right\} \text{元}$$

$$= 371278.54 \text{ 元}$$

对于 $i=2$，计算 Q_2^*：

$$Q_2^* = \sqrt{\frac{2D(A+V_2-q_2p_2)}{hp_2}}$$

$$= \sqrt{\frac{2\times 60000\times(800+118500-20000\times 5.70)}{0.25\times 5.70}} \text{ 件}$$

$$= 21126 \text{ 件}$$

由于 $Q_2^*>20000$，分别计算和比较订购批量为 21126 件和 20000 件时的年总成本：

$$C_{21126} = \left\{ \frac{60000}{21126}\times 800 + [118500+(21126-20000)\times 5.70]\times \frac{0.25}{2} + \right.$$

$$\left. \frac{60000}{21126}\times [118500+(21126-20000)\times 5.70] \right\} \text{元}$$

$$= 372667.32 \text{ 元}$$

$$C_{20000} = \left(\frac{60000}{20000}\times 800 + 118500\times \frac{0.25}{2} + \frac{60000}{20000}\times 118500 \right) \text{元}$$

$$= 372712.50 \text{ 元}$$

可见，订购批量为 13737 件时，年订购成本 371278.54 元为最低。

4. 允许缺货和具有补充时间的批量优化模型

设需求速度为 d，供应速度为 P，且 $P>d$，单位物料单位时间库存费为 C_1，单位物料单位时间缺货费为 C_2，一次订购费为 A，最大缺货量为 B，最大库存量为 Z。一个周期的库存量变化如图 12-15 所示。

（1）库存费用模型分析：$[0,t]$ 为一个库存周期，t_1 时刻开始供货，t_3 时刻一个周期的供货完成；$[0,t_2]$ 为缺货期，t_1 时刻缺货量达到最大值 B；$[t_1,t_2]$ 时间段物料以速度 $P-d$ 补充库存缺货，$[t_2,t_3]$ 时间段物料以速度 $P-d$ 入库，至 t_3 时刻物料入库完毕，库存达到最大值；$[t_3,t]$ 时间段物料以速度 d 出库，至 t 时刻物料库存降为 0，为一个库存周期。

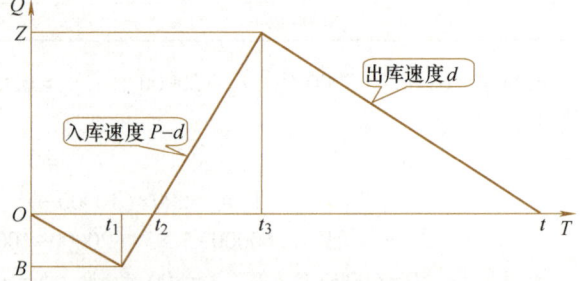

图 12-15　允许缺货补充时间较长的库存状态

（2）库存优化模型分析：根据图 12-15，建立一个库存周期的平均总费用模型，据此确定各项最优库存参数。从 $[0,t_1]$ 看，最大缺货量 $B=dt_1$；从 $[t_1,t_2]$ 看，最大缺货量 $B=(P-d)(t_2-$

t_1)。故有 $dt_1=(P-d)(t_2-t_1)$，整理得到：

$$t_1=\frac{(P-d)t_2}{P} \tag{12-1}$$

从 $[t_2,t_3]$ 看，最大库存量 $Z=(P-d)(t_3-t_2)$；从 $[t_3,t]$ 看，最大库存量 $Z=d(t-t_3)$。故有 $(P-d)(t_3-t_2)=d(t-t_3)$，整理得到：

$$t_3-t_2=\frac{d(t-t_2)}{P} \tag{12-2}$$

在一个周期内，在 $[t_2,t]$ 时段，库存量为正值，平均库存量为 $(P-d)(t_3-t_2)/2$，库存费为 $C_1(P-d)(t_3-t_2)(t-t_2)/2$；在 $[0,t_2]$ 时段，库存量为负值，平均缺货量为 $dt_1/2$，缺货费为 $C_2dt_1t_2/2$，一个周期内的平均总费用为

$$C=\left[\frac{C_1}{2}(P-d)(t_3-t_2)(t-t_2)+\frac{C_2}{2}dt_1t_2+A\right]\frac{1}{t} \tag{12-3}$$

将式(12-1) 和式(12-2) 代入式(12-3)，由 C 分别对 t 和 t_2 求偏导，并令其为0。解得各项最优库存参数如下。

$$\text{最优库存周期}: t^*=\sqrt{\frac{2A}{C_1}}\sqrt{\frac{C_1+C_2}{C_2}}\sqrt{\frac{P}{P-d}} \tag{12-4}$$

$$\text{经济生产批量}: Q^*=dt^* \tag{12-5}$$

$$\text{缺货补足时间}: t_2^*=\frac{C_1}{C_1+C_2}t^* \tag{12-6}$$

$$\text{开始生产时间}: t_1^*=\frac{P-d}{P}t_2^* \tag{12-7}$$

$$\text{结束生产时间}: t_3^*=\frac{d}{P}t^*+\left(1-\frac{d}{P}\right)t_2^* \tag{12-8}$$

$$\text{最大库存量}: Z^*=d(t^*-t_3^*) \tag{12-9}$$

$$\text{最大缺货量}: B^*=dt_1^* \tag{12-10}$$

$$\text{平均总费用}: C^*=\frac{2A}{t^*} \tag{12-11}$$

例 12-6 某种产品供应速度为 10 件/天，需求速度为 7 件/天，库存费为每件每天 0.13 元，缺货费为每件每天 0.50 元，每次生产准备费为 80 元。试求最优库存策略。

已知 $P=10$ 件/天；$d=7$ 件/天；$C_1=0.13$ 元/(天·件)；$C_2=0.50$ 元/(天·件)，$A=80$ 元/次，代入式(12-4)~式(12-11)。

$$\text{最优库存周期}: t^*=\left(\sqrt{\frac{2\times 80}{0.13}}\times\sqrt{\frac{0.13+0.50}{0.50}}\times\sqrt{\frac{10}{10-7}}\right)\text{天}=71.86\text{ 天}$$

$$\text{经济生产批量}: Q^*=(7\times 71.86)\text{件/次}=503.02\text{ 件/次}$$

$$\text{缺货补足时间}: t_2^*=\left(\frac{0.13}{0.13+0.50}\times 71.86\right)\text{天}=14.83\text{ 天}$$

$$\text{开始生产时间}: t_1^*=\left(\frac{10-7}{10}\times 14.83\right)\text{天}=4.45\text{ 天}$$

$$\text{结束生产时间}: t_3^*=\left[\frac{7}{10}\times 71.86+\left(1-\frac{7}{10}\right)\times 14.83\right]\text{天}=54.75\text{ 天}$$

$$\text{最大库存量}: Z^*=[7\times(71.86-54.75)]\text{件}=119.77\text{ 件}$$

最大缺货量：$B^* = (7 \times 4.45)$ 件 $= 31.15$ 件

平均费用：$C^* = \dfrac{2 \times 80}{71.86}$ 元/天 $= 2.23$ 元/天

5. 价格优惠期的订货批量优化模型

供应商为了开拓市场，常采取促销手段，实行短期内价格优惠策略。需求方应考虑在优惠期内是否应增加订货量及增加量应为多大等问题。

设价格优惠期前后物料价格为 P，优惠期的优惠价为 $P-\varepsilon$，年总需求量为 D，年储存费率为 h，一次订货费或一次调整费为 A，则优惠期前后的最优订货量为 $Q_0^* = \sqrt{2AD/(hP)}$。

确定优惠期的最优订货量为 Q_1^*，就是使 Q_1^*/D 时期内按 Q_1^* 订货的总成本（购置费、订货费和储存费）与按 Q_0^* 订货的总成本之差最大，如图 12-16 所示。

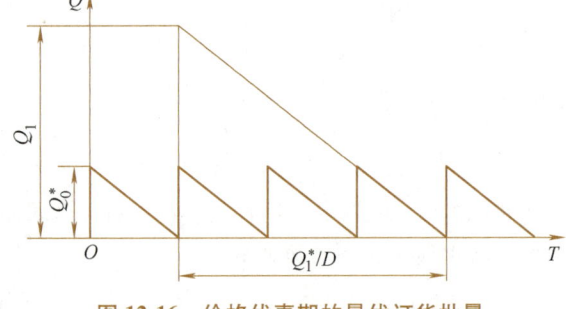

图 12-16　价格优惠期的最优订货批量

具体分析如下。

按 Q_1 订货，时段 Q_1/D 的总成本为

$$C_1 = (P-\varepsilon)Q_1 + \dfrac{Q_1}{2}(P-\varepsilon)h\dfrac{Q_1}{D} + A$$

若在时段 Q_1/D 仍按 Q_0^* 订货，则订货次数为 Q_1/Q_0^*，库存成本为

$$C_0^* = (P-\varepsilon)Q_0^* + P(Q_1-Q_0^*) + \dfrac{Q_0^*}{2}(P-\varepsilon)h\dfrac{Q_0^*}{D} + \dfrac{Q_0^*}{2}Ph\dfrac{Q_1-Q_0^*}{D} + A\dfrac{Q_1}{Q_0^*}$$

$$= PQ_1 - \varepsilon Q_0^* - \dfrac{\varepsilon h Q_0^{*2}}{2D} + \dfrac{PhQ_0^* Q_1}{2D} + A\dfrac{Q_1}{Q_0^*}$$

按 Q_1 订货可节省总成本额 ΔC 为

$$\Delta C = C_0^* - C_1 = \varepsilon(Q_1 - Q_0^*) - \dfrac{\varepsilon h Q_0^{*2}}{2D} + \dfrac{PhQ_1 Q_0^*}{2D} - \dfrac{(P-\varepsilon)hQ_1^2}{2D} + A\left(\dfrac{Q_1}{Q_0^*} - 1\right)$$

由 ΔC 对 Q_1 求导，并令 $\dfrac{\mathrm{d}\Delta C}{\mathrm{d}Q_1} = 0$，得到价格优惠期最优订货批量公式

$$Q_1^* = \dfrac{\varepsilon D + PhQ_0^*}{(P-\varepsilon)h}$$

例 12-7　某公司每年需要某物料 8000 件，价格为 10 元/件，每次订购成本为 30 元，年储存费率为 0.30，若某次订货时，供应商实行短期优惠，将单价降到 9 元/件。试求该公司应订购多少件为宜？

已知 $D = 8000$ 件，$A = 30$ 元，$h = 0.30$，$P = 10$ 元/件，$\varepsilon = 1$ 元/件。

计算经济订货批量 Q_0^*：

$$Q_0^* = \sqrt{\dfrac{2AD}{Ph}} = \sqrt{\dfrac{2 \times 8000 \times 30}{10 \times 0.30}} \text{ 件} = 400 \text{ 件}$$

计算价格优惠期订货批量 Q_1^*：

$$Q_1^* = \frac{\varepsilon D + PhQ_0^*}{(P-\varepsilon)h} = \frac{1 \times 8000 + 10 \times 0.30 \times 400}{(10-1) \times 0.30} 件 = 3407 件$$

价格优惠期的订货量 3407 件可供公司使用 0.43（3407/8000）年，节约费用为

$$\Delta C = \varepsilon(Q_1^* - Q_0^*) - \frac{\varepsilon h Q_0^{*2}}{2D} + \frac{PhQ_1^* Q_0^*}{2D} - \frac{(P-\varepsilon)hQ_1^{*2}}{2D} + A\left(\frac{Q_1^*}{Q_0^*} - 1\right)$$

$$= \left[1 \times (3407 - 400) - \frac{0.30 \times 400^2 - 10 \times 0.30 \times 3407 \times 400 + (10-1) \times 0.30 \times 3407^2}{2 \times 8000} + 30 \times \left(\frac{3407}{400} - 1\right)\right] 元$$

$$= 1526.26 \, 元$$

6. 涨价前的订购批量优化模型

物料涨价是常见的现象，设需求方预先掌握到涨价信息，则需求方是否需追加该物料的订货量？追加订货量以多大为好？

设物资现价为 P，在 t_1 时刻物价将涨到 $P+k$，在 t^*（$t^* < t_1$）时刻追加一批订货，订货量为 Q_1^*，在时刻 t^* 的库存量为 q，下一次订货发生在时刻 t_3，追加订货后物料可使用时间为：$t_3 - t^* = (Q_1^* + q)/D$，如图 12-17 所示。

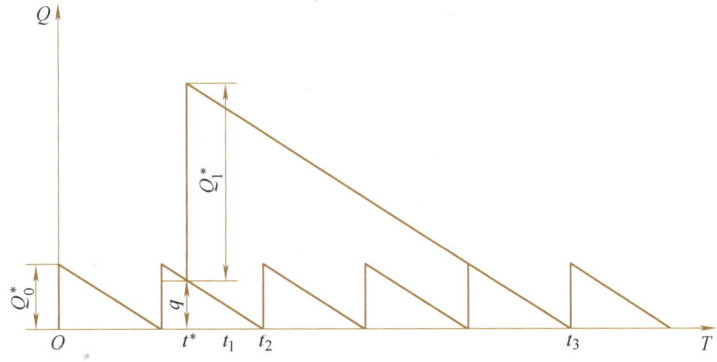

图 12-17 物料涨价前追加订货批量决策模型

涨价前的经济订货批量：

$$Q^* = \sqrt{\frac{2AD}{Ph}}$$

涨价后的经济订货批量：

$$Q_0^* = \sqrt{\frac{2AD}{(P+k)h}}$$

在 $t^* - t_3$ 时段内，追加订货时的总成本为

$$C_1^* = PQ_1 + \frac{(Q_1+q)}{2}Ph\frac{(Q_1+q)}{D} + A = PQ_1 + \frac{(Q_1+q)^2}{2D}Ph + A$$

若按 Q_0^* 订货，在 $t^* - t_3$ 时段的总成本为

$$C_0^* = (P+k)Q_1 + \frac{q}{2}Ph\frac{q}{D} + \frac{Q_0^*}{2}(P+k)h\frac{Q_1}{D} + A\frac{Q_1}{Q_0^*}$$

$$= (P+k)Q_1 + Q_1\sqrt{\frac{2Ah(P+k)}{D}} + \frac{Phq^2}{2D}$$

按追加订货策略，订货批量为 Q_1 时，可节省的成本为

$$\Delta C = C_0^* - C_1^* = Q_1 \left[k + \sqrt{\frac{2Ah(P+k)}{D}} - \frac{Phq}{D} \right] - \frac{PhQ_1^2}{2D} - A$$

由 ΔC 对 Q_1 求导，并令 $\dfrac{\mathrm{d}\Delta C}{\mathrm{d}Q_1} = 0$，可求得最优追加订货批量为

$$Q_1^* = \frac{P+k}{P} Q_0^* + \frac{kD}{Ph} - q$$

例 12-8 企业计划期需用某种物料，已知总需求 $D = 20000$ 件/年，一次订购费 $A = 100$ 元，$P = 19$ 元/件，$k = 1$ 元/件，$h = 0.20$。企业已知物料将在 5 天后涨价，现决定进行一次突击订货，目前物料库存量为 500 件，试确定最优追加订货量。

涨价后的经济订货批量为

$$Q_0^* = \sqrt{\frac{2AD}{(P+k)h}} = \sqrt{\frac{2 \times 20000 \times 100}{(19+1) \times 0.20}} \text{ 件} = 1000 \text{ 件}$$

涨价前的追加订货批量为

$$Q_1^* = \left(\frac{19+1}{19} \times 1000 + \frac{1 \times 20000}{19 \times 0.20} - 500 \right) \text{ 件} = 5815.79 \text{ 件}$$

追加订货节约的费用为

$$\Delta C = Q_1^* \left[k + \sqrt{\frac{2Ah(P+k)}{D}} - \frac{Phq}{D} \right] - \frac{PhQ_1^{*2}}{2D} - A$$

$$= \left\{ 5815.79 \times \left[1 + \sqrt{\frac{2 \times 100 \times 0.20 \times 20}{20000}} - \frac{19 \times 0.20 \times 500}{20000} \right] - \frac{19 \times 0.20 \times 5815.79^2}{2 \times 20000} - 100 \right\} \text{元}$$

$$= 3113.22 \text{ 元}$$

7. 考虑供需双方整体成本的订货批量优化模型

传统的批量优化常常由供需方单独决策，各自追求自身成本最小化。然而，当把供需方作为一个整体考虑时，这种供需方各自确定的最优订货批量并不能保证整体订货成本达到最小。因此，必须从整体批量成本考虑，建立包括供需双方批量成本的综合经济批量模型。

例 12-9 某公司对某物料的年总需求量为 200000 件，每次订购费为 1000 元，年存储成本费用率为 0.25，产品价格为 50 元/件。供应商每次接到该公司订单，都需专门组织生产、包装和运输，消耗一次准备与结束费为 1200 元，生产成本为 35 元/件，库存占用费用率为 0.25。试分析和确定最优生产和订购批量。

(1) 供需方独立决定订货批量。

1) 需求方的最优订货批量为

$$Q^* = \sqrt{\frac{2 \times 200000 \times 1000}{50 \times 0.25}} \text{ 件} = 5657 \text{ 件}$$

2) 需求方的订购和存储成本为

$$C_2^* = \left(\frac{200000}{5657} \times 1000 + \frac{5657}{2} \times 50 \times 0.25 \right) \text{元} = 70710.68 \text{ 元}$$

3) 供应商按批量 5657 件生产时的成本为

$$C_1^* = \left(\frac{200000}{5657} \times 1200 + \frac{5657}{2} \times 35 \times 0.25 \right) \text{元} = 67174.69 \text{ 元}$$

4) 供需双方总的批量订购和生产成本为
$$C_T^* = C_1^* + C_2^* = (70710.68 + 67174.69)元 = 137885.37 元$$

(2) 设供需方批量相同，求整体最优订货批量。

供需双方整体批量成本为
$$C_T^* = \frac{D}{Q_T}(A_1 + A_2) + \frac{Q_T}{2}h(P_1 + P_2)$$

由 C_T^* 对 Q_T 求导，并令其为 0，得到统一的经济订货和生产批量公式，即
$$Q_T^* = \sqrt{\frac{2(A_1 + A_2)D}{(P_1 + P_2)h}}$$

代入数据，求得整体经济批量为
$$Q_T^* = \sqrt{\frac{2 \times (1000 + 1200) \times 200000}{(50 + 35) \times 0.25}}件 = 6435 件$$

供需双方的整体成本为
$$C_T^* = \left[\frac{200000}{6435} \times (1000 + 1200) + \frac{6435}{2} \times 0.25 \times (50 + 35)\right]元 = 136747.94 元$$

比需求方单独决策时节省的成本为
$$\Delta C^* = (137885.37 - 136747.94)元 = 1137.43 元$$

在买方市场条件下，订购批量一般由客户确定，为了说服需求方将订购批量增加到 6435 件，供应商可给予适当的批量价格折扣。比较需求方按整体经济批量订货的成本与按独立经济批量的订货成本，该差值即为供应方应向需求方提供的最低价格折扣总额。

本例中，需求方按整体经济批量订货的成本为
$$C_2^* = \left(\frac{200000}{6435} \times 1000 + \frac{6435}{2} \times 50 \times 0.25\right)元 = 71298.78 元$$

比需求方独立决策时经济批量增量的成本为
$$\Delta C^* = (71298.78 - 70710.68)元 = 588.10 元$$

需求方单位产品成本增量 = 588.10 元/6435 件 = 0.09 元/件，因此，当订货批量达到 6435 件时，供应方提供的价格折扣额应大于或等于 0.09 元。与此同时，供应方也可节省成本 1137.43 元 - 588.10 元 = 549.33 元，从而实现双赢。

8. 独立考虑运输成本的订货批量模型

订货批量不同，运输方式和运输费率也可能不同，用经济订货批量公式求出订货批量 Q 后，应比较不同批量及相应运输方式所需运费对总费用的影响。

设不同运输批量的运费率如下。

当 $Q < N_1$ 时，单位物资运输费 = k_1；当 $N_1 \leq Q < N_2$ 时，单位物资运输费 = k_2；当 $Q \geq N_2$ 时，单位物资运输费 = k_3；$k_3 < k_2 < k_1$（N_1 为第二档价格运输批量标准，N_2 为第三档价格运输批量标准）。

与订购批量相关的总费用包括订货费、储存保管费、运输费。总费用的计算公式为
$$C_T(Q_i) = \frac{D}{Q_i}A + \frac{Q_i}{2}Ph + Dk_i$$

计算出经济批量 $Q_0^* = \sqrt{2AD/(Ph)}$。

若 $Q_0^* \geq N_2$，运费率为 k_3，Q_0^* 即所求最佳订货批量。

若 $N_1 \leq Q_0^* < N_2$，则分别计算按 Q_0^* 和 N_2 订货的总成本，运费率分别为 k_1 和 k_2，取总成本较

小的方案。

若 $Q_0^* < N_1$，则分别计算按 Q_0^*、N_1 和 N_2 订货的总成本，运费率分别为 k_1、k_2 和 k_3，取总成本最小的订货批量。

例 12-10 某生产商从 1500km 外的某供应商处采购一种原材料，需求量为 1200t/年，每次采购费为 800 元，每吨单价为 8000 元，年储存费率为 30%，采用铁路运输。铁路运输公司规定，不足 30t 按零担发运，运费率为 600 元/t，30t 以上按整车发运，运输费率为 550 元/t。试确定最优订购批量。

不考虑运费下的经济订货批量为

$$Q_0^* = \sqrt{\frac{2AD}{Ph}} = \sqrt{\frac{2 \times 800 \times 1200}{8000 \times 0.30}} \text{t} = 28.28\text{t}$$

经济订货批量 $Q_0^* = 28.28\text{t} < 30\text{t}$，故应比较订货批量为 28.28t 和 30t 的批量总费用，则

$$C_T(28.28) = \left(\frac{1200}{28.28} \times 800 + \frac{28.28}{2} \times 8000 \times 0.30 + 1200 \times 600\right) \text{元} = 787882.25 \text{元}$$

$$C_T(30) = \left(\frac{1200}{30} \times 800 + \frac{30}{2} \times 8000 \times 0.30 + 1200 \times 550\right) \text{元} = 728000 \text{元}$$

由结果可见，由于运输价格优惠，订货批量应取 30t，总费用为 728000 元。

9. 有约束条件的订购批量优化模型

运营系统订购批量常受到多个因素的约束，如库容、资金等。当有约束条件时，最优订购批量的确定必须满足约束条件要求。

例如，仓库存放 m 种物资，第 i 种物资的单位仓储空间为 f_i，可用的总仓储空间为 f，各种物资的订购批量应为多少？

首先，按公式 $Q_i^* = \sqrt{2D_iA_i/(P_ih_i)}$ 计算各种物料的经济批量，并检验是否满足

$$\sum_{i=1}^{m} f_i Q_i^* \leq f$$

如果满足，则所求得的订货批量即为最佳订货批量，否则目标函数应为

$$G = \sum_{i=1}^{m} \left[\frac{P_ih_iQ_i}{2} + \frac{A_iD_i}{Q_i}\right] + \lambda \left[\sum_{i=1}^{m} f_iQ_i - f\right] \tag{12-12}$$

由式(12-12)分别对 Q_i、λ 求偏导，令

$$\begin{cases} \frac{\partial G}{\partial Q_i} = \frac{P_ih_i}{2} - \frac{A_iD_i}{Q_i^2} + \lambda f_i = 0 & (i=1,2,\cdots,m) \\ \frac{\partial G}{\partial \lambda} = \sum_{i=1}^{m} f_iQ_i - f = 0 \end{cases}$$

解得

$$Q_i^* = \sqrt{\frac{2A_iD_i}{P_ih_i + 2\lambda f_i}} \tag{12-13}$$

$$f = \sum_{i=1}^{m} f_iQ_i^* \tag{12-14}$$

将式(12-13)代入式(12-14)，得到

$$f = \sum_{i=1}^{m} f_i \sqrt{\frac{2A_iD_i}{P_ih_i + 2\lambda f_i}} \tag{12-15}$$

用迭代法解式(12-15)，求出 λ 后代入式(12-13)求得 Q_i^*，第 i 种物资的订货周期为 $Q_i^*/$

D_i,订货次数为 D_i/Q_i^*。

例 12-11 某库存系统共有 3 种原材料,系统总库容限制为 2000m^3,库存费用率 $h=0.30$,其余基本资料如下。

原材料 1:$D_1=2000$ 件;$P_1=20$ 元/件;$A_1=200$ 元;$f_1=2\text{m}^3$。

原材料 2:$D_2=1000$ 件;$P_2=10$ 元/件;$A_2=100$ 元;$f_2=3\text{m}^3$。

原材料 3:$D_3=3000$ 件;$P_3=15$ 元/件;$A_3=300$ 元;$f_3=2\text{m}^3$。

试确定最优订货批量。

先计算各种原材料的基本经济补货批量,由公式 $Q_i^*=\sqrt{2D_iA_i/(P_ih_i)}$ 可得

$$Q_1^*=\sqrt{\frac{2\times2000\times200}{20\times0.30}}\text{件}=365\text{件}$$

$$Q_2^*=\sqrt{\frac{2\times1000\times100}{10\times0.30}}\text{件}=258\text{件}$$

$$Q_3^*=\sqrt{\frac{2\times3000\times300}{15\times0.30}}\text{件}=632\text{件}$$

检查约束条件是否得到满足,有

$$f=(2\times365+3\times258+2\times632)\text{m}^3=2768\text{m}^3>2000\text{m}^3$$

结果表明,现有空间不能满足需求,所以需要重新确定各品种的最优订货批量。通过式(12-15),代入以上数据,用迭代法可以求得 $\lambda=0.86$。把 λ 值代入式(12-13),可以得到各种原材料的最优订货批量为

$$Q_1^*=\sqrt{\frac{2\times2000\times200}{20\times0.30+2\times0.86\times2}}\text{件}=291\text{件}$$

$$Q_2^*=\sqrt{\frac{2\times1000\times100}{10\times0.30+2\times0.86\times3}}\text{件}=157\text{件}$$

$$Q_3^*=\sqrt{\frac{2\times3000\times300}{15\times0.30+2\times0.86\times2}}\text{件}=476\text{件}$$

$$f=\sum_{i=1}^{m}f_iQ_i^*=(2\times291+3\times157+2\times476)\text{m}^3=2005\text{m}^3$$

10. 多品种综合订货批量模型

在实践中,企业常会集中多种物料订单向同一个供应商采购,这样的好处在于能够实现多种物料统一运输、扩大运输批量、节省运输费用。下面讨论多种物料综合订购的 EOQ 模型。

多种物料综合订购没有价格折扣。设第 i 种物料单位时间的需求量为 D_i,订购批量为 Q_i,价格为 P_i,物料存储资金占用费率为 h,每次订货费为 A,n 种物料的统一订购周期为 T。目标函数为库存管理成本最小,综合考虑 n 种物资,确定共同的经济订购周期为 T^*,进而确定各种物资的经济订货批量 Q_i^*。

第 i 种物料单位时间持有成本 $=\dfrac{1}{2}Q_iP_ih=\dfrac{1}{2}D_iTP_ih$

n 种物料单位时间总持有成本 $=\dfrac{1}{2}\sum_{i=1}^{n}Q_iP_ih=\dfrac{1}{2}\sum_{i=1}^{n}D_iTP_ih$

单位时间订货费 $=\dfrac{A}{T}$

单位时间库存总费用：$C_t = \dfrac{1}{2}\sum_{i=1}^{n} D_i T P_i h + \dfrac{A}{T}$ （12-16）

由 C_t 对 T 求导，并令 $\dfrac{dC_t}{dT} = 0$，求得最优统一订购周期为

$$T^* = \sqrt{\dfrac{2A}{\sum_{i=1}^{n} D_i P_i h}}$$ （12-17）

由关系式 $Q_i^* = D_i T^*$ 得出，第 i 种物资的经济订货批量为

$$Q_i^* = D_i \sqrt{\dfrac{2A}{\sum_{i=1}^{n} D_i P_i h}}$$ （12-18）

将式（12-17）和式（12-18）代入式（12-16）中，可以得到最小库存总成本，即

$$C^* = \sqrt{2A \sum_{i=1}^{n} D_i P_i h}$$

例 12-12 某工厂使用 A、B、C 三种物料，年需求量分别为 2000 件、3000 件、2500 件，价格分别为 $P_1 = 20$ 元/件、$P_2 = 30$ 元/件、$P_3 = 15$ 元/件，物料库存费用率为 0.20，每次采购订货费用为 1200 元。试求这三种物料统一订购的最优周期及各自的经济订购批量。

已知 $A = 1200$ 元，$D_A = 2000$ 件，$D_B = 3000$ 件，$D_C = 2500$ 件，则

$$T^* = \sqrt{\dfrac{2A}{\sum_{i=1}^{n} D_i P_i h}} = \sqrt{\dfrac{2 \times 1200}{(2000 \times 20 + 3000 \times 30 + 2500 \times 15) \times 0.20}} \text{年} = 0.268 \text{ 年}$$

$$Q_A^* = D_A T^* = (2000 \times 0.268) \text{件} = 536 \text{件}$$
$$Q_B^* = D_B T^* = (3000 \times 0.268) \text{件} = 804 \text{件}$$
$$Q_C^* = D_C T^* = (2500 \times 0.268) \text{件} = 670 \text{件}$$

本章小结

本章系统地分析了库存管理的基本原理，论述了库存的作用，分析了库存的分类及各类库存的特点，介绍了三种典型的库存控制系统，即定量控制系统、定期控制系统和最大-最小控制系统，介绍了 ABC 分类法及其在库存管理中的应用；介绍了库存优化模型，包括单周期库存优化决策的损失期望值最小化法模型，多周期库存优化模型中的经济订货批量模型、有价格折扣的最优订货批量模型、边际单位数量价格折扣的订购批量优化模型、允许缺货和具有补充时间的批量优化模型、价格优惠期的订货批量优化模型、涨价前的订购批量优化模型、考虑供需双方整体成本的订货批量优化模型、独立考虑运输成本的订货批量模型、有约束条件的订购批量优化模型以及多品种综合订货批量模型。

思考与练习题

1. 库存有哪几种类型？库存有什么作用？
2. 库存成本由哪几种成本组成？订货批量变化会使它们如何相应地变化？
3. 简述三种典型的库存控制系统的控制机制。

4. 简析 ABC 分类法的工作原理与分类方法。

5. 某种时令产品在适销季节到来前一个月的批发价为 16.25 元/件，零售价为 26.95 元/件。如果该产品销售完，当期不能补充订货。当期卖不完，产品价格为 14.95 元/件，根据往年销售量情况统计，该产品需求概率分布如表 12-8 所示。试进行订货量决策。

表 12-8 产品需求概率分布

需求/打	6	7	8	9	10	11	12	13	14	15
概率	0.03	0.05	0.07	0.15	0.20	0.20	0.15	0.07	0.05	0.03

6. 某企业年需要物料 1.44 万件，该物料的价格为 0.40 元/件，储存与保管费率为 25%，订购成本为 200 元/次，一年工作 52 周，订货提前期为一周。试求：
（1）经济订货批量。
（2）年经济订货次数。
（3）年库存总成本。
（4）订货点库存储备。

7. 某公司生产电闸和继电器所用的铜接头，年需求量为 50000kg，年存储成本率为 20%，订购成本为 220 元/次。产品有关数据如表 12-9 所示，试确定该公司的最优采购批量。

表 12-9 产品有关数据

订货数量/kg	价格/(元/kg)
24999	0.85
25000~49999	0.80
50000 及以上	0.76

8. 某工厂年消耗某规格零件 20000 个，正常价格为 5 元/个，现正值供应商降价促销期，价格为 4.8 元/个。采购费为 60 元/次，年储存保管费率为 0.25%。此时应购入多少零件？

9. 企业用 3 种库存物料，财务部门对这些物料平均库存资金总额设定的上限为 10000 元，年库存持有成本率为 30%，其他相关数据如表 12-10 所示，试求每种物料单独订货的数量。

表 12-10 产品的相关数据表

产品	再订货成本/(元/次)	价格/(元/件)	年需求量/件
A	50	20	12000
B	50	10	25000
C	50	15	8000

案例分析

惠普在欧洲供应 DeskJet 打印机

DeskJet 打印机是 1988 年开始引入市场的，并逐渐成为惠普（HP）最成功的产品。DeskJet 打印机销售量稳步增长，1990 年销售量超过了 600000 台。然而，库存增加紧随销售量增长而出现。惠普的分销中心放满了 DeskJet 打印机的托盘。更糟糕的是，欧洲公司认为为了保持顾客满意度，库存还需要进一步提高。

1. DeskJet 打印机供应链

供应商、制造基地、分销中心、经销商和顾客的网络构成了 DeskJet 打印机的供应链（见图 12-18）。温哥华的惠普负责生产。制造过程有两个主要的阶段：①印制电路板的组装与检测（PCAT）；②最终组装与检测（FAT）。PCAT 包括组装和检测电子元件（例如合成电器、只读硬盘与原电路印制板）以及制造打印机的主板。FAT 包括组装其他附件（例如马达、电缆、袖珍键盘、塑料底盘、齿轮以及 PCAT 中组装好的印制电路板），这样才能生产出能使用的打印机，同时会对打印机进行最后的检测。PCAT 与 FAT 中需要的配件是从惠普的其他部门和世界各地的外部供应商那里采购的。

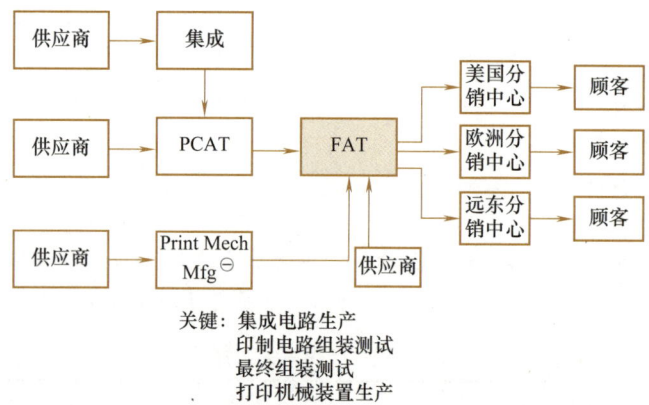

图 12-18　惠普 DeskJet 打印机的供应链

在欧洲销售 DeskJet 打印机需要根据不同的语言进行用户化生产，需要满足欧洲各国的电力供应要求，即所谓的"本土化"。特别地，DeskJet 打印机在不同国家的本土化包括组装合适的电力供应模块，这需要适合电压要求（110V 或 220V）；还要将组装插头以及打印机与用合适的语言表达的说明书包装起来。这样一来，该工厂的最终产品才算是为所有不同国家设计的本土化的打印机。在欧洲市场上，现有六种型号的打印机，它们分别是 A、AA、AB、AQ、AU 和 AY，如图 12-19 所示。

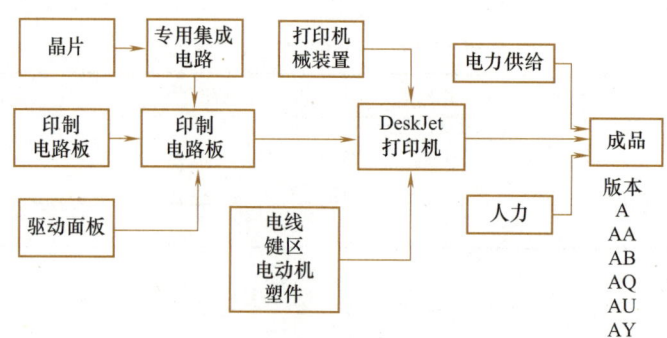

图 12-19　惠普 DeskJet 打印机的物料清单

○　Print Mech Mfg 代表参与惠普 Deskjet 打印机生产制造过程中的一个环节，负责打印机机械部分的制造，是整个供应链中的一个供应商，为打印机的生产提供关键的机械组件或部件，与其他供应商（如 PCAT、FAT 等）一起协作，确保打印机的顺利生产和供应。

工厂在 PCAT 和 FAT 环节总共需要花费 1 周的时间。从温哥华到欧洲分销中心的运输时间为 5 周。运送到欧洲的时间较长，这是因为海洋运转以及在进入港口时清关与交税需花费较多时间。工厂每周发送一批打印机给欧洲的分销中心。

打印机行业的竞争很激烈。分销商只愿意持有尽可能少的库存。因此，作为制造商的惠普面临提高其分销中心库存水平的压力。为了及时做出反应，管理层决定增加分销中心库存，以保证产品有较好的可获得性。

2. 库存服务危机

限制 DeskJet 打印机供应链的库存数量，同时提供较高水平的服务，这已经成为惠普温哥华公司管理层面临的一个重大挑战。生产部门已经成功地降低了由到欧洲分销中心的运输引起的不确定性。然而，预测欧洲的需求是一个重大的问题。某些国家需要的打印机出现了断货，而其他国家该型号的库存却不断上升的现象时有发生。过去，分销中心的库存水平是基于安全库存的，而安全库存是粗略估算的结果。特别地，每个分销中心的目标库存水平分别根据其模型设置，等于 1 个月的平均销量。然而，目前看来，随着精确预测的难度不断增加，安全库存的制定法则似乎有待修改。

惠普已经组建了一支团队协助实行科学的安全库存系统，该系统能够对预测失误和补给提前期做出反应。他们提议找出一个为欧洲分拨中心各个不同型号的 DeskJet 打印机合理计算安全库存水平的方法。该团队有一份需求数据样本，它们可以用以研究安全库存的方法（见表 12-11）。惠普希望这个新的方法能够解决库存与服务的问题。

表 12-11 欧洲 DeskJet 打印机的需求数据　　　　　　　　　　　　　（单位：台）

型号	11月	12月	1月	2月	3月	4月	5月	6月	7月	8月	9月	10月
A	80	—	60	90	21	48	—	9	20	54	84	42
AB	20572	20895	19252	11052	19864	20316	13336	10578	6095	14496	23712	9792
AU	4564	3207	7485	4908	5295	90	—	5004	4385	5103	4302	6153
AA	00	255	408	645	210	87	432	816	430	630	456	273
AQ	4008	2196	4761	1953	1008	2358	1676	540	2310	2046	1797	2961
AY	248	450	378	306	219	204	248	484	164	363	384	234
总计	29872	27003	32344	18954	26617	23103	15692	17431	13405	22692	30735	19455

一个不断出现的问题是，安全库存分析中使用的保管成本的选择。公司内部估计的范围是 12%（惠普的货款成本加上一些仓储费用）到 60%（基于新产品开发项目的预期投资收益）。管理层已经决定在研究中采用 25%。假定生产所有打印机并将其运送至欧洲的平均单位成本为 250 美元。另一个问题是安全库存概率的选择，该公司决定采用 98% 的概率水平，营销部门认为这个数字很合适。

3. 分销过程

分销中心一向把分销过程视为一个简单的、直线型的、标准化的过程。该过程有以下四个步骤。

（1）从各个供应商那里接收产品并放入库存。
（2）分拣出各个顾客订单所需的各种产品。
（3）用收缩性薄膜包装完成的订单并贴上标签。
（4）通过合适的运输装置运送顾客订购的货物。

DeskJet 打印机很适合标准化过程。相反地，其他产品例如计算机和监视器就要求特殊处理，即所谓的"整合"，包括附上键盘和目标国家的产品说明书。虽然这些额外的加工不需要很多额外的劳动力，但是它不适用于标准化过程且打乱了物料流动的过程。分销中心管理层为组装过程感到非常头痛。大体上，分销中心管理层强调其作为仓库的作用及继续从事他们最擅长的配送。

然而，最高管理层认为整合仓库中的产品是非常有价值的，因为它使得通用产品送到分销中心后，恰好在发送给顾客之前得以完成最后的配置。惠普可以生产通用产品运送到欧洲，而不是由工厂直接生产各国特定的产品。管理层对研究这个方法的价值很感兴趣，因为它可能被应用于 DeskJet 打印机。

思考：

1. 假设温哥华工厂继续生产在欧洲销售的六种型号的 DeskJet 打印机的库存模型。结合图 12-18，运用你的模型，计算欧洲分销中心对 DeskJet 打印机的预期年度投资额。

2. 比较问题 1 中的结果与分销中心现行的持有 1 个月平均库存的策略。

3. 评价文章提到的方法：为欧洲分销中心供应通用打印机，然后在发送给欧洲分销商之前在欧洲分销中心再包装电力供应元件与产品说明书。分析过程中，注意对分销中心库存投资的影响。

4. 你对惠普有什么建议？

第 13 章 现场管理

> **学习目标**
> （1）掌握现场与现场管理的常用方法，掌握现场 5S 管理的定义及内容。
> （2）了解定置管理、目视化管理的定义、内容及要求。

【引导案例】

伊品生物：以最小浪费创造最大价值

宁夏伊品生物科技股份有限公司（简称"伊品生物"）在项目实施之初即制定了长远的实施规划，确定在企业现场管理的标准化建设、目视化打造、看板化管理、改善化育人四个方面着力实施。

（1）标准化建设：不断完善现场人、物及操作的各项标准，使人员的言行举止、物品的定置定位及现场活动的方式逐渐实现标准化，规范现场的管理。

（2）目视化打造：将现场重要的管理事项、管理标准、管理参数通过形式多样的目视化方式进行展现，随时随地告诉及提示现场的操作人员按照标准操作和处理异常。

（3）看板化管理：将现场质量、成本、交期等信息通过现场的管理看板及时、准确地反映出来，通过管理看板中反映的信息发现和预测管理中存在的异常、隐患，同时营造出现场管理统一认识、杜渐防漏、褒优贬劣、相互竞争的氛围，实现树立良好企业形象的目的。

（4）改善化育人：将现场发现的问题及看板中反映出的异常点及时运用改善的工具进行改善，并将改善过程中成功的部分予以标准化，防止类似的问题再次发生，同时在改善过程中培养员工发现问题和解决问题的能力。

现场是企业从事运营活动的一线场所，是物化劳动和活劳动结合最紧密的场所。现场管理是企业管理系统的重要组成部分，现场管理水平的高低直接影响效率、质量和成本。本章主要介绍现场和现场管理的概念，现场管理的特点和要求，现场管理的意义，企业现场的常见问题以及现场管理的常用方法，如 5S 管理、定置管理、目视化管理和搬运管理等。

13.1 现场与现场管理

13.1.1 现场与现场管理的概念

1. 现场

对于制造业企业而言，现场是指以完成生产任务为核心的一系列活动场所。它包括工人直接从事产品加工制造、改变产品物理性质和化学性质、实现产品增值等基本流程的场所，也包括完成相关辅助生产、生产服务等业务流程的场所。对于服务业企业而言，现场包括员工直接完成服务流程的场所，以及为完成服务流程而配套的场所。例如，饭店的就餐场所是直接为就餐顾客提供服务的现场，厨房是完成制作各种菜肴的现场；银行营业点的前台是直接接触顾客和为顾客提供服务的现场，后台则是处理各种票据、进行业务结算的现场。

2. 现场管理

现场管理是指综合利用各种管理手段和方法，对现场的各种要素进行优化配置和组合，建立良好的生产运营秩序，实现优质、高效、低耗、均衡、安全、文明生产。现场管理水平的高低决定了企业的产品质量、生产效率、成本和效益，进而影响企业的整体发展和竞争力。众多企业的实践证明，"现场决定成败"，只注重企业战略、只关注企业研发、营销、财务而忽视现场管理，很容易导致整个企业的失败。

现代的成功企业无不高度重视现场管理。日本丰田汽车公司前副社长大野耐一以高度重视现场管理而闻名。他为了改善生产现场的管理状况，甚至把自己的办公室设到生产现场。他认为，只有深入现场调研，才能有效地发现问题、解决问题、改进生产。日本丰田汽车公司的5S管理、目视化管理、质量管理小组、看板管理等无不是针对现场的管理，并取得了显著成效。

13.1.2 现场管理的五要素

现场管理的五要素是指 Man（人员）、Machine（机器）、Material（材料）、Method（方法）和 Environments（环境），即人们常说的"人、机、料、法、环"，简称"4M1E"。其具体内容如下：①Man（人），包括人员数量、技能、整体素质等；②Machine（机器），包括设备检查、验收、保养、维护等；③Material（材料），包括生产用料的品质、成本和交货期等；④Method（方法），包括工艺流程、作业技术、操作标准等；⑤Environments（环境），包括现场环境的温度、亮度、湿度、空气等。

"4M1E"五要素可概括成硬件和软件两大方面。

1. 硬件方面要素

硬件方面要素是指那些看得见、摸得着的设施和实物等要素。具体内容包括四个方面。

（1）场地空间：区域面积大小、现场通道设置。

（2）厂房车间：厂房建筑结构、功能车间组成。

（3）设备布局：生产设备、搬运设备、存储设施等及其布局。

（4）环境处理：照明和通风、噪声、空气污染、污水、辐射等处理设施。

2. 软件方面要素

软件方面要素主要是指现场管理规章制度、操作规程等。其作用是规范现场活动，建立良好的现场秩序。具体内容包括八个方面。

(1) 工作目标与计划：工作目标、作业计划、质量计划等。
(2) 工艺流程：生产作业工序组成及工艺顺序。
(3) 过程管理：制造过程的管理模式、要求和方法。
(4) 品质标准：产品质量标准、工作质量标准等。
(5) 生产秩序：计划指令和管理规程的执行状况、信息和物流的畅通情况。
(6) 劳动效率：员工劳动率、产能利用率等。
(7) 工作氛围：员工士气、积极性、精神面貌等。
(8) 安全措施：安全制度与安全保障措施。

13.1.3 现场管理的特点

现场管理主要有基础性、群众性、系统性、规范性和动态性五个方面的特点。

(1) 基础性。现场管理是企业管理的基础，现场管理决定了质量、效率、成本，决定企业各项指令和计划能否得到有效的贯彻落实。现场管理直接面对众多的一线员工、生产设备、原材料和产品，以及来自企业各个职能部门的指令和要求，因此，完善的现场管理包括设备供应、物料供应、控制产品质量、跟进生产进度、激励员工士气、规范员工行为、严格各项规程、完善信息管理等方面的管理。这是关系企业整体生存和发展的基础性工作。

(2) 群众性。现场管理的核心是人。人与人、人与物的组合是现场生产要素最基本的组合。各项工作必须由现场员工去完成，员工的能力和工作态度直接影响工作绩效。这就要求现场管理以人为中心，充分发挥员工的积极性和创造性。为此，要重点做好人力资源管理工作，根据员工队伍的结构、素质和需求，做好相应的激励工作，在强化纪律和规章的同时，鼓励现场员工主动提升自己的技术水平和能力，开展劳动竞赛，实行目视化管理，形成良好的学习和工作氛围。

(3) 系统性。企业管理是一个完整的系统，现场管理则是这一系统的重要组成部分。企业各职能部门的目标、计划和要求大多要下达到现场来实现。质量、成本、进度、安全、库存控制等多个职能领域的指标和要求均需通过现场来完成；现场执行的实际情况必须及时反馈到各部门。不同部门下达至现场一线的目标和要求可能会有矛盾和冲突，为了实现系统整体优化的目标，现场管理者必须从系统的角度，按轻重缓急对各项目标要求进行协调。

(4) 规范性。现场集中了大量的人员、物料、设备，为了保证运营过程高效、有序地进行，要求各项管理规章制度要严格、规范，如作业计划、工艺流程、操作规程、技术和质量标准，以及设备的使用、维护和保养等制度必须严格执行，现场劳动纪律、安全守则等必须严格遵守。岗位职责、激励措施要执行到位，信息的收集、传递和处理要及时、准确，实行目视化管理，尽可能让现场人员心中有数。现场区域划分、物品摆放、通道使用等应井然有序。

(5) 动态性。现场管理既讲求规范性和严格性，也强调灵活性和适应性。影响现场运行的环境因素有很多，这些因素都在不断地变化之中，包括客户需求、供应、工艺、人员、设备等因素状态的变化，企业战略调整、品种变化、产量变化、质量标准改变、工艺方法改变、原材料改变、交货期要求变化、员工结构和数量变化等。这些变化无不影响现场管理体系的运行。面对复杂多变的环境条件，现场管理的组织和管理模式需要适时地做相应的调整，从而适应新的条件和要求。

13.1.4 我国企业现场管理的常见问题

多年来，我国企业对现场管理的重视程度不断提高，积累了不少现场管理的经验，但与国外先进水平相比,我国企业的现场管理水平仍具有较大差距,特别是众多中小企业的现场管理水平差距更大。其中问题集中反映在以下几个方面。

(1) 对现场管理的重要性认识不足。从我国众多中小企业的情况来看,存在从管理人员到普通工人普遍对现场管理的重要性认识不足的问题。管理人员更侧重完成产量、质量和成本等指标任务,确保按时交货,而对现场管理的作用和必要性缺乏正确的认识。现场管理规章制度不完善、责任不清、秩序混乱,导致现场信息传递不及时和不准确、指令执行不力、延期交货现象严重、安全和质量事故频发等。

(2) 现场浪费现象严重。企业(特别是中小企业)经营者往往对员工的工资增长较为敏感,而对生产现场的浪费现象却习以为常。由于现场管理不善,生产现场的各种浪费较严重,如原材料消耗控制不力、物料混放导致损坏或丢失、不合格品率超标、过量生产而使现场在制品大量积压、现场物料反复装卸搬运、劳动力和设备使用率低等。现场浪费严重使得利润空间较小的中小企业成本更高、效益更低,难以生存和发展。

(3) 现场环境"脏、乱、差"。现场环境的好坏一方面直接影响生产效率、质量和成本,另一方面也影响员工的劳动情绪。此外,现场环境还会影响企业的品牌形象。很难想象一家现场环境脏、乱、差的企业会有高的管理水平和好的产品质量。现场管理水平差的企业,现场在制品和物料无序堆放,既阻塞通道也容易产生碰撞损坏,工具随意摆放难以寻找,缺乏设备维护和保养制度,"跑、冒、滴、漏"现象严重,现场布满污垢灰尘,照明、通风、温度等条件差。这些都是中小企业常见的现场状况。

(4) 现场人员素质亟待提高。人员素质是决定现场管理水平的关键要素。目前,我国中小企业员工工资水平偏低,工作环境条件相对较差,经营者缺乏正确的管理理念,导致企业缺乏凝聚力,现场难以留住高素质员工,现有的现场员工普遍文化水平和技术水平偏低,工作缺乏积极性和主动性。这些也是影响现场管理水平的主要因素。

13.1.5 加强现场管理的意义

现场管理水平是企业整体水平的综合反映,是企业向社会公众和市场客户展示实力、传递企业文化和经营理念的一个重要阵地。强化企业现场管理,对提高企业生产效率和质量、降低生产成本、提升企业整体竞争实力均具有重要意义。具体有如下几个方面。

(1) 有利于降低生产成本。生产现场使用大量的原材料、设备、人员等资源,据统计,一般中小制造企业60%~80%的产品成本产生于生产现场,可见降低成本的主要潜力在于现场。采取有效措施提升生产现场管理水平,堵住各类不合理消耗的漏洞,将对降低企业的生产成本起到关键的作用。

(2) 有利于保证产品质量。产品质量主要取决于研发、生产、使用三个阶段,生产阶段决定了产品的制造质量,产品质量、不合格品率等有赖于现场管理来保证。搞好现场管理包括形成良好的生产秩序、规范的工艺流程、严格的工艺纪律、完好的工艺装备、完善的质量控制标准等。有了这些良好的现场管理条件,产品质量就有了保证。

(3) 有利于提升员工队伍素质。企业现场员工所占比例最大,而现场管理水平主要取决于员工队伍的整体素质和水平,因此,提高现场管理水平,要先提高现场员工的素质和水平。具体包括进行员工培训、提升员工的技术水平和文化水平、实施员工激励措施等。提升现场管理水平有利于建立起高素质的员工队伍。

(4) 有利于提升企业竞争力。现场管理水平是反映企业整体管理水平和运营能力的一个窗口,是企业整体管理工作的基础。决定企业竞争力的关键要素,如质量、成本、交货期、适应性等，很大程度上取决于生产现场的管理水平。可见，提高现场管理水平对提升企业市场竞争力起着至关重要的作用。

13.2 现场 5S 管理

现场 5S 管理起源于日本企业的现场管理体系，是精益生产体系的重要组成部分。5S 管理是指整理（Seiri）、整顿（Seiton）、清扫（Seiso）、清洁（Seiketsu）、素养（Shitsuke），由于这五个词的日文罗马拼音首字母均为"S"，因而简称为"5S"。推行 5S 管理可以收到明显的优化现场环境、提高生产效率、减少现场浪费、提高员工素养、保障安全生产等效果，因而被广泛应用于各个行业。

13.2.1 现场 5S 管理的内容和要求

（1）整理（Seiri），即按物品的使用频率对其进行分类，发现不需要的物品，就把其清理出现场。其要点是对现场的各种物品进行分类，区分是现场需要的还是不需要的；对现场不需要的物品，诸如用剩的材料、多余的半成品、切屑、垃圾、废品等，要坚决清理出现场。整理的目的如下。

1）增加作业面积，优化面积使用。
2）消除现场杂物，疏通生产流程。
3）减少磕碰机会，减少废品损失。
4）消除物料混放，避免混料差错。
5）减少制品库存，加速工艺流程。

（2）整顿（Seiton），即把现场需要的物品进行合理定位和标示。通过第一步整理清除不需要的物品后，对现场需要的物品摆放位置进行合理规划，使其需要被使用时能够被快速取得，以提高工作效率，保障生产安全。整顿的原则如下。

1）物品按固定区域摆放，减少寻找时间，避免乱放带来的丢失和差错。
2）物品摆放科学、合理，根据物品的使用频率确定其距离操作地的位置。
3）物品摆放目视化，使用计数托盘以便于计数，对不同物品摆放区域采用不同的颜色和标记。

（3）清扫（Seiso），即把现场打扫干净，把灰尘、污垢、垃圾等清扫干净。运营过程会产生大量的灰尘、污垢、垃圾等，脏乱的生产现场将影响设备的正常运行，对产品质量、生产安全等带来负面影响，还会影响员工的工作情绪，因而需要创建一个明快、舒畅的工作环境，以保证员工优质、安全和高效地工作。清扫的原则如下。

1）员工自己实行清扫。工作地现场、墙壁、门窗、设备等的清扫均由员工自己完成，员工自己清扫有利于培养其责任心，形成良好的维持现场整洁的习惯。

2）明确清扫的目标。清扫不是为了应对突击检查，而是为了保持现场环境整洁、美观、明亮，从而为提高劳动效率、降低生产成本、保持产品质量提供环境条件支持。因此，清扫应该是彻底的和有效的。

（4）清洁（Seiketsu），即要保持现场环境的最佳状态。例如，规定现场清扫的时间和规范要求，如在时间上规定每天下班前 10min 进行工作现场的清扫，包括清除切屑、擦拭设备、地面打扫、工具入箱、在制品堆放等。清洁是对前三项活动的坚持与深入，其作用是消除安全事故，创造良好的工作环境，保持员工的劳动情绪。对清洁的要求如下。

1）做到现场环境整洁卫生，保持员工身心健康，提高员工的劳动热情。

2）物品堆放整洁有序，工作环境空气清洁、场地明亮、噪声受控、空气良好。

3）员工本身要清洁，如工作服要统一清洁、外表要整洁等，保持良好的形象。

（5）素养（Shitsuke），即养成良好的行为习惯。5S管理能否坚持下去，保持取得的成果，重点在于提高现场员工的素养。提高素养是实施5S管理的最高境界，也是实施5S管理的关键。提高员工的素养，就要形成具有遵守纪律、团结协作、认真负责、精益求精作风的现场员工队伍。

5S管理强调贯彻自我管理的原则。推行5S管理，不能指望由外部力量来代办，而要靠现场人员自身的力量来实施，要调动现场人员工作的主动性和积极性，创建一个整洁、美观、安全、有效的工作环境。5S管理的前四个步骤针对的是对物的优化，但这些工作要靠现场人员来完成。推行5S管理的过程也是提高员工自身素养的过程，而员工养成遵守纪律、认真负责、积极主动、精益求精的良好习惯，是成功实施5S管理的最大效果。

13.2.2　5S管理的组织管理

实践表明，5S管理开展起来比较容易，可以在短时间内取得明显的效果，但要坚持下去，持之以恒，不断优化，则困难重重。因此，5S管理的有效开展有赖于企业领导的高度重视，同时要加强组织和管理。

1. 将5S管理纳入岗位责任制

5S管理要使每个部门、每个员工都有明确的岗位责任和工作标准。下面以一个机械加工车间的清扫工作为例来说明。

（1）日清扫。

1）清扫时间：每班下班前15min。

2）清扫人员分工：操作人员负责机床上下及班组管理区域的清扫；清扫人员负责车间主、次干道的清扫及现场切屑的清扫；辅助人员负责其他车间地面的清扫。

3）清扫内容：如表13-1所示。

表13-1　机械加工车间员工日清扫内容

人员	项目				
	地面	机床	刀检工具	工位工具	铁屑
操作人员	清扫自己活动区的地面	按设备日清扫标准执行	处理无用刀具，定位放好使用的工、量、刀、夹具	小车按规定放好	将工作区的切屑扫入切屑箱
清扫人员	清扫各行走干道		把使用过的工具放在自己的工作室	运切屑的车辆放置在固定的位置	将切屑箱内的切屑清除干净
辅助人员	保证车间地面清洁		使用过的工具不得随意放在现场		

（2）周清扫。

1）清扫时间：周末白班下班前1h。

2）清扫人员分工：同"日清扫"。

3）清扫内容：如表13-2所示。

表13-2　机械加工车间员工周清扫内容

人员	项目				
	地面	机床	刀检工具	工位工具	铁屑
操作人员	清扫自己活动区的地面	按设备日清扫标准执行	做日清扫事项，擦洗管理点架，整理工具箱内部	擦洗小车滑道等，包括踏脚板，并定置放好	彻底清除设备周围的切屑
清扫人员	清扫各行走干道		同"日清扫"	同"日清扫"	同"日清扫"
辅助人员	清查现场有无自己负责的无用品，如有则清除	配合操作人员，帮助指导设备保养	同"日清扫"		

2. 严格执行检查、考核和评比制度

要巩固实施5S管理所取得的成果，确保5S管理持续开展，必须开展5S管理实施效果的检查和评比工作。检查和考评的方式、方法可根据各单位的实际情况和条件来决定。通常车间内部进行的是日常性的检查评比，一般与岗位责任制检查结合进行。下面以某汽车制造厂一个车间为例来说明。

检查方式为定期与随机检查相结合。

成立由车间主任以及各班组的5S委员或班长组成的检查组，日检查按规定时间对车间各个班组进行5S检查。检查项目以"日清扫"为标准进行，由检查组成员集体评议，分出等级。

（1）评比等级。评比分为以下五个等级。

1）5分为优秀，即金牌。

2）4分为良好，即银牌。

3）3分为中等，为蓝牌。

4）2分为及格，为黄牌（警告）。

5）1分为差，为红牌（停工整顿）。

（2）评比公布方式。评比结果每日公布。由5S推行小组填写"5S管理竞赛评比牌"，挂在车间现场。评比牌格式如表13-3所示。

表13-3　"5S管理竞赛评比牌"格式

班组	日期					备注
	1	2	…	30	31	
×××班	●	●		●	●	
×××班	●	●		●	●	
×××班	●	●		●	●	
⋮	⋮	⋮		⋮	⋮	

注：表中的●分为金、银、蓝、黄、红五种颜色评比牌。

除了车间内部的日检查和考评外，还有全厂的检查和考评，这种检查通常按周和月度进行。下面是某电器公司有关5S管理的检查考核办法。

（1）检查方式。对车间、科室每周定期检查1次；每月随机检查1~2次。

（2）检查内容及扣分标准。

1）没有制定定置管理总图的，扣5分。

2）车间缺少工具箱定置图、工序流程图、库房定置图的，每项扣 2 分。

3）各类定置图不完整的，每项扣 1~2 分。

4）考核定置率要求达到 100%。检查时为 96%~99% 的，扣 1~2 分；为 90%~95% 的，扣 3~5 分；为 85%~89% 的，扣 8~12 分。

5）经常使用的夹具、量具等没有处在即用即得状态的，每项扣 1 分。

6）物品混放的，扣 1~5 分。

7）与生产无关的物品没有被清除的，每处扣 2 分。

8）各类库房没有清晰标志的，每处扣 2 分。

9）各类物品没按定置图要求堆放，如堆放在通道、走廊等的，每处扣 2 分。

10）垃圾类没按定置图要求堆放，各种废料切屑混装的，扣 1~5 分。

11）办公室、工位、机台的工作椅没按规定要求放置的，扣 0.5 分。

（3）奖罚标准。

1）扣分小于 20 分的，相应单位每人奖励 10~50 元。

2）扣分为 20~30 分的，不奖不罚。

3）扣分超过 30 分的，相应单位每人扣罚 20~100 元。

3. 坚持 PDCA 循环[一]，不断提高现场的 5S 管理水平

5S 管理的目的是不断地改善现场，5S 管理不可能总在同一水平上徘徊，而是要通过检查不断发现问题、解决问题，不断提高 5S 管理的水平。因此，在检查考核后，还必须针对问题点提出改进措施和计划。表 13-4 是推行 5S 管理时的一种改进计划表。

表 13-4 5S 管理问题改进计划表

序号	改进项目	部门车间	负责人	日期							
				1	2	3	4	5	6	…	31
1				━━━	━━						
2						━━━	━━━	━━			
3								━━━	━━━		
⋮											

提高 5S 管理水平要按 PDCA 循环的步骤来开展，确立目标、分析问题、发现差异、确定改进目标和方案、组织实施和巩固提高。每经过一个循环，现场管理水平就会得到明显的提高。随着生产现场水平的不断提高，企业的各项指标必将得到明显的改善。

实施 5S 管理只有持之以恒才能见效，不能期望短期内就达到目标，更不能靠搞突击、应付检查的方式来推行。实施 5S 管理必须领导重视、全员参与，不能靠 5S 推行小组人员包办代替，而要现场员工自主实施。推行 5S 管理必须明确目标和方向，要追求效果和效益，不能搞形式，要明确 5S 管理追求优化现场环境条件，提高员工素养，实现质量、成本、效率等整体效果的提升。

㊀ PDCA 循环即计划（Plan）—执行（Do）—检查（Check）—处理（Action）的循环。

13.3 定置管理

定置管理是现场管理的一个重要组成部分。它由日本青木能率（工业工程）研究所的青木龟男始创，并被日本企业管理专家清水千里所发展。定置管理中的"定置"不等于字面上理解的"物品固定地放置"，它是指对现场中的人、物、场所三者在生产活动中的相互关系进行科学的分析研究，使之达到最佳结合状态的一种科学管理方法。它以物品在场所的科学定置为前提，以实现人和物的有效结合为目的，通过对运营现场的整理和整顿，使运营过程文明化、科学化、规范化和制度化，实现高效、优质、安全的生产运营。

13.3.1 定置管理的基本原理

1. 人与物结合的三种基本状态

根据人与物有效结合的程度，可将人与物的结合归纳为A、B、C三种基本状态。

（1）A状态，表现为人与物处于能够立即结合并发挥效能的状态。例如，操作者需要使用某种工具时，能立即取得。

（2）B状态，表现为人与物处于寻找状态。例如，操作者需要使用某种工具时，由于现场杂乱或忘记了这一工具放在何处，因寻找而浪费了时间；又如，由于待加工件堆放不合理，操作者需要时需弯腰一个个地捡起来，这既增加了工时消耗，又加大了劳动强度。

（3）C状态，表现为人与物处于无关联的状态。这类物品基本与生产无关。例如，现场中存在的已报废的设备、工具、模具，生产中产生的垃圾、废品、切屑等。这些物品放在现场，不仅占用场地面积，而且影响操作者的效率和安全。

定置管理通过科学的设计、改进和控制，消除C状态，改进B状态（使其转化为A状态），保持A状态。

2. 人与物的结合成本

生产活动中人与物的结合需要消耗劳动时间，支付劳动时间的工时费用。这种工时费用称为人与物的结合成本。

人与物的结合成本和人与物的结合状态直接相关。当人与物的结合处于A状态时，结合成本可以忽略不计；当人与物的结合处于B状态时，操作者因寻找物品的工时费用越多，结合成本就越高。人与物的结合成本与物品原成本、物品现成本的关系如下：

$$物品现成本 = 物品原成本 + 结合成本$$

例13-1 某操作者工作时需使用一套工装模具，模具的原成本为2000元。当模具处于A状态时，结合成本可以不考虑。如果模具处于B状态，假定寻找该模具花费了1h，单位工时费用为50元，则该模具的现成本=模具原成本+结合成本=（2000+50）元=2050元。

3. 物与场所的结合关系

生产中，人与物的结合是在一定场所里进行的。因此，实现人与物的最佳结合，必须先处理好物与场所的关系，实现物与场所的合理结合。研究物与场所的有效结合，就是对生产现场、人、物进行作业分析和动作研究，使物品按生产需要科学地确定在现场的特定位置上，以缩短人员获取物品的时间。

（1）物与场所的三种结合状态。实现物与场所的结合要先使场所本身处于良好的状态。场所本身的布置可以有以下三种状态：第一种是A状态，即良好状态，包括良好的工作环境，场所中的作业面积、通风状况、环境温度、照明条件、噪声和粉尘等符合人的生理、工作和安全要

求。第二种是 B 状态，即需要改善的状态。处于这种状态的场所布局不尽合理，只能满足人的生理要求，或只能满足生产要求，或两者都不能满足。第三种是 C 状态，即需要彻底改造的状态。这种状态是需要彻底改造的工作环境，对人的生理要求、工作、安全要求都不能满足。定置管理的任务是把物与场所的 B、C 状态改变为 A 状态。

（2）实现物与场所的合理结合。根据物品在运营过程流动的规律性，确定物品在场所的合理位置，即定置。定置方法有两种基本形式：固定位置和自由位置。

1）固定位置，即场所固定、物品存放位置固定、物品信息标志固定。这种"三固定"形式适用于在生产运营过程中周期性地重复使用的物品，主要是指用作加工手段的物品，如工、夹、量具，工艺装备，运输机械等物品。这类物品采用"三固定"方式，便于使用者需要时获取，减少获取时间。

2）自由位置，即相对固定物品存放的区域，而物品在区域内的具体放置位置则根据区域的实时情况及相应规则决定，与固定位置相比，物品放置有一定的自由度。这种形式适用于运营过程中不反复使用的物品，如原材料、毛坯、零部件和产成品等。由于这类物品的种类、规格、数量变化大，若为每种物品规定固定位置，不利于充分利用该区域的空间面积。例如，在制品停放区、零部件检验区等，这类区域存放的各种物品可根据充分利用面积和空间、便于收发、便于点数等规则来确定具体的存放点。

4. 信息标志与定置的关系

信息标志是在人与物、物与场所合理结合过程中起指导、控制、确认等作用的信息载体，是实现目视化管理的重要工具。由于生产过程中使用的物品品种多、规格复杂，需要借助信息标志来减少寻找时间，避免混放；生产运营过程不回归的物品，其流转也需要借助信息来指导和控制。在定置管理中，完善的信息标志是重要的条件之一。根据信息标志在定置管理中所起的作用，可将其分为两类：引导信息和确认信息。

（1）引导信息。引导信息告诉人们"该物在何处"。例如，车间里各种物品的台账就是一种引导信息。在台账中，每类物品都有自己的编号，这种编号按库、区、架、位"四号定位"原理编码，根据物品台账可以方便地确定物品的存放位置。

（2）确认信息。这是为了避免物品混放和场所误置所需的信息。例如，各个区域的标志线、标志牌和彩色标志，告诉人们"这是什么场所"。有了确认信息，就可以避免由于物品混放而造成的质量事故或物品丢失。

在定置管理中，必须重视各种信息标志的规范使用。信息标志应达到以下五个方面的要求：①场所标志清楚；②场所设有定置图；③物品台账齐全；④存放物的序号、编号齐备；⑤信息标准化（物品流动时间、数量和摆放标准等）。

13.3.2 定置管理的实施步骤

1. 流程研究

流程研究是确保定置管理合理化的基本工作，是指组织相关人员对生产现场的工艺流程、物料流转、设施工装使用状况等进行详细研究，分析现状存在的问题，以及改进现状的可行性。

（1）人和物结合状态的分析。定置管理的目的是实现人、物和场所的最佳结合，为此，首先要对生产现场人和物的结合状态进行分析，包括对现场在制品的存放和流转、工装和运输设施的放置和使用、现场通道的设置和使用等方面的分析，明确各种物品所处的结合状态，进而采取改进措施，消除 C 状态，转化 B 状态，稳定 A 状态。

（2）信息流的分析。实现现场管理的系统化、合理化，离不开信息系统的支持。随着运营过程的进行，现场的各种物品，无论是毛坯、半成品、成品还是工装、设施等都处在动态变化中。为了确保人、物、场所的有效结合，有效控制和引导各种物品的使用和流动，必须建立有效的现场信息收集、处理和反馈系统。为此，必须根据现场信息流的特点和要求，对其进行细致的分析，进而完善和改进现场管理信息系统。

2. 定置方案设计

定置方案设计是指对现场（包括厂区、车间、仓库）及物品（机台、货架、箱柜、工位器具等）的位置进行规划设计。定置方案设计主要包括定置图设计和标志设计。

（1）定置图设计。定置图是指用于表示现场各种物品、设施、通道等位置的图。定置图的类型包括厂区定置图、仓库定置图、车间定置图、班组定置图、工作地定置图、工具箱定置图等。定置图设计要依据有利于提高效率、降低成本、确保安全等原则，确定现场物品的合理位置。定置图设计通过优化现场物品布置方案，达到人、物和场所三者之间的最佳结合状态。定置图设计的基本原则如下。

1）单一物品流向和清晰的物流路线。
2）最大限度地利用现场面积和空间。
3）方便工人操作，减少体力消耗。
4）最短运输距离和最少装卸次数。
5）有效的安全防护措施。
6）最小的改进费用和时间。
7）最大的灵活性和协调性。

（2）标志设计。标志设计包括标志符号设计和标志牌设计。实施定置管理，对各类物品及其停放场所、位置都需要借助标志符号和标志牌来完成。企业应根据现场实际情况设计有效的标志，并纳入定置管理标准。标志符号和标志牌应简明、形象、美观，使现场人员一目了然，以起到警示的作用。

3. 定置管理实施

在前期设计过程对设计方案进行反复修改和优化的基础上，最终确定现场定置方案。而定置设计方案的实施则要从落实现场人员的责任着手，包括确保现场人员熟悉定置设计方案，落实执行定置设计方案的责任分工，明确定置管理的原则和要求，做到有物必有区、有区必有牌、按区存放、按图定置、图物相符，力求人、物和场所达到最佳结合状态。

4. 检查与考核

检查与考核是确保定置管理长期有效地开展下去，并取得预期成效的重要基础。定置管理的检查与考核工作包括：建立检查与考核制度，确定检查与考核办法，成立检查与考核小组，确立成果激励标准。

定置管理的检查与考核一般包括以下两方面：一是对定置设计方案实施结果验收，验收不合格的必须限期改进，直到合格为止，目的是保证现场定置结果严格符合设计方案要求；二是定期或随机对定置管理工作进行检查与考核，目的是确保定置管理始终处于良好状态。

定置管理考核的基本指标是定置率，它表明生产现场中必须定置的物品已经实现定置的程度。其计算公式为

$$定置率 = \frac{实际定置的物品个数(品种数)}{定置图规定的定置物品个数(品种数)} \times 100\%$$

13.4 目视化管理

目视化管理也称为"看得见的管理",是指把现场生产绩效和运行状态、计划指令、管理要求等通过各种图表、标志牌、信号灯、警示牌等显示出来,让现场员工和管理人员能随时了解到相关信息。实施目视化管理模式有利于强化员工的责任心,调动员工的主动性和积极性,促进文明生产和安全生产。实施目视化管理由于投入少、效果明显,被众多企业广泛采用。

13.4.1 目视化管理的作用

目视化管理充分发挥了视觉信号显示的特长,具有诸多优越性。其主要作用表现在以下几个方面。

1. 有利于暴露和解决现场问题

文字、图像、声音等是人类传递信息的有效手段,而目视化管理采用图表、标志牌、信号灯、色彩等视觉信号,使现场信息更为直观和有效。目视化管理把计划目标、标准、管理要求以及现场绩效和问题公开化,使现场员工都能心中有数,这使得现场诸如工具或设施随意摆放、在制品过量积压、设备出现故障等问题一目了然。这一方面有利于促进现场员工自觉地遵守各种纪律和规定,避免问题的发生;另一方面也有利于促进现场相关人员采取措施,尽快解决现场暴露出来的问题。

2. 有利于调动员工的主动性和积极性

根据人们的心理特征和行为习惯,实行目视化管理具有明显的激励作用。通过目视化管理,把目标和计划、标准和要求等通过形象化的图表、标志、信号灯等视觉信号体现出来,使员工明确自己的努力方向;把现场成果绩效公布出来,能进一步激励员工做出努力,强化员工的正向行为;而把现场存在的问题和差距公布出来,有利于员工自觉调整行为,解决问题、消除偏差。可见,目视化管理能调动员工的主动性和积极性,促进现场有序管理。

3. 有利于提高管理效率

传统上人们更注重从技术和物质角度来改善管理,而忽视了现场员工的主观能动性。这往往导致管理效果不理想,缺乏持久性。目视化管理把着眼点放在员工上,综合运用管理学、行为学与心理学等理论和方法,使现场信息除起到告知、督促作用外,更能起到激励作用,从而提高管理效率,改善管理效果。值得注意的是,目视化管理仅仅是现场管理的一种辅助手段,不能代替其他基本的管理功能,如作业计划与控制、质量与成本控制、人力资源管理等。要确保现场管理的水平与效果,还需扎扎实实地做好各项管理工作。

13.4.2 目视化管理的主要内容

1. 目标和计划任务目视化

目标和计划任务要通过生产现场来完成,目标和计划任务目视化有利于现场员工明确目标要求,了解生产实际与目标之间存在的差异,进而自觉调整行为,消除这种差异。为此,现场实际完成情况要采用图表、电子屏幕等方式动态地展示出来,使员工能随时掌握目标和计划任务以及实际执行的效果,辅之一定的激励措施,将使现场员工更主动地完成各自的任务。

2. 规章制度目视化

规章制度目视化能起到提醒和警示的作用。与现场员工密切相关的规章制度包括操作规程、行为规范、纪律要求等,都需要通过有效的媒介和形式做到目视化,确保现场员工能方便地接触到,保证规章制度能得到有效的贯彻和实施。

3. 定置管理标准目视化

为了保证定置管理设计方案得到有效实施，需要借助标志线、标志牌和标志色等。因此，目视化管理自然与定置管理融为一体。它应按定置设计的要求，采取清晰的、标准化的信息显示符号，将各种区域、通道、各种物品的摆放位置鲜明地显示出来。机器设备和各种辅助器具（如料架、工具箱、工位器具、生活柜等）均应使用标准颜色，不得任意用颜色涂抹。

4. 现场绩效和问题目视化

为了进行有效的生产作业控制，每个生产环节、每道工序都要严格按照期量标准进行生产，既要杜绝过量生产、过量储备，又要避免出现停工待料的情况。这就要求采用与现场工作状况相适应的、简便实用的信息传递方法，以便在后道工序发生故障或由于其他原因停止生产时，前道工序操作人员能及时看到信号并停止投入，将损失降到最小。"看板"（Kanban）就是一种简明直观的生产计划调度手段。同时，各生产环节和工种之间的联络需要设立便利实用的信息传递信号，以便尽量减少工时损失，提高生产的连续性。例如，在机器设备上安装红灯，在流水线上配置工位故障显示屏，一旦停机，即可发出信号，设备维护人员看到后就会及时前来修理。质量和成本控制也要贯彻目视化管理的要求。

5. 现场生产要素目视化

现场各种物品码放和运送实行标准化有助于过目知数。例如，各种物品实行"五五摆放"，各类工位器具包括箱、盒、盘、小车等，均应按规定的标准数量盛放。这样，操作、搬运和检查人员清点数量既方便又准确。

现场人员的着装起到劳动保护的作用，在设备生产条件下，也是正规化、标准化的内容之一。它可以体现员工的素养，显示不同单位、工种和职务之间的区别，因而具有一定的心理作用，使人产生归属感、荣誉感、责任心等，对组织指挥生产也可创造一定的条件。

6. 现场色彩运用标准化

色彩是现场管理常用的一种视觉信号。目视化管理要求科学、合理、巧妙地运用色彩，并实行统一的标准化管理，不允许随意涂抹。这是因为色彩的运用受到多种因素的制约。

（1）技术因素。不同色彩有不同的物理指标，如波长、反射系数等。强光照射的设备多涂成蓝灰色，是因为其反射系数适度，不会过分刺激眼睛；习惯上危险信号多为红色，因为其穿透力强，信号鲜明。

（2）生理和心理因素。不同色彩会给予人不同的重量感、空间感、冷暖感、软硬感、清洁感等情感效应。例如，热处理设备多用铅灰色，属冷色，能起到降低"心理温度"的作用；高温车间应涂饰浅蓝、蓝绿、白色等基调，给人清爽、舒心的感觉；低温车间则相反，适宜用红、橙、黄等暖色调，使人感觉温暖。又如，在木材加工厂，员工看到的基本都是暖色的木制颜色，因此，其加工设备则宜涂成浅绿色，可缓解员工被暖色包围所涌起的烦躁感。从生理上看，长时间受一种或几种杂乱的颜色刺激，会产生视觉疲劳，因此，要讲究工人休息室的颜色使用。例如，纺织工人的休息室宜用暖色，冶炼工人的休息室宜用冷色，这样有助于消除职业疲劳。

（3）社会因素。不同国家、地区和民族有不同的色彩偏好。

总之，色彩包含着丰富的内涵。现场中需要用到色彩的地方要有标准化的要求。

13.5 搬运管理

物料搬运是生产现场的一项重要活动，是指物料在生产工序、工段、车间、仓库之间进行运送转移的作业。为了有效地组织物料搬运，必须遵循搬运原则，采用科学合理的搬运方式和方法，并且不断地分析和改善搬运作业。

13.5.1 搬运原则

（1）便于搬运：①集中堆放；②搬运体积适中；③采用托盘式搬运。
（2）搬运自动化：①重力化；②机械化。
（3）减少等待和空载：①协同工作；②均衡搬运；③定时搬运。
（4）搬运路线方面：①合理配置；②工件不受损；③安全；④减轻自重。

13.5.2 搬运方式

1. 按搬运技术分类

（1）人力搬运，即依靠员工手搬肩扛。这种方式比较简单，但效率低，人工费用高，员工容易疲劳，一般只适用于物体小、数量少、重量轻、搬运距离短的情况。

（2）简单工具搬运，即利用手推车、工位器具搬运。这种方法简便，搬运效率较人力搬运高，员工不易疲劳，一般适用于件小量大、搬运距离短的情况。

（3）机械化搬运，即利用火车、轮船、汽车、叉车、电瓶车和起重机等设备进行搬运。这种搬运方式灵活、效率高、运输量大、节省人力、费用低且适用范围广，既可以运大件，也可以运小件；既可以长距离运输，也可以短距离搬运。

（4）自动化搬运，即利用机械手、传送带、悬挂链和滑道等进行搬运，一般不使用人力。这种搬运方式效率更高、费用更低，一般只适用于物件小、数量大、重量轻、距离短的情况。

2. 按在制品管理方式分类

（1）送货方式。按工艺顺序，上道工序加工完成后，要把在制品按时、按质、按量送往下道工序，在制品顺流而下，容易了解加工进度，但占用在制品量多。

（2）取货方式。这是指后道工序向前道工序提取必要的物料。这种方式可以严格控制在制品的数量，一般适用于产品质量比较稳定的大量生产类型。

3. 按搬运时间和搬运量分类

按搬运时间和搬运量的不同，搬运方式可以分为定量定时搬运、定时搬运、定量搬运。至于企业具体选择何种搬运方式，应根据实际情况，选用合适的搬运方式。

13.5.3 搬运分析

搬运分析是指以搬运距离、搬运数量及搬运方法为对象，分析加工对象在空间放置的合理性。其目的在于改进搬运工作，减轻搬运人员的劳动强度，提高作业效率。

1. 搬运方便系数分析

搬运方便系数分析以搬运工序为对象，对各道工序之间的搬运方式进行分析。物件在搬运前一般应集中存放，装入容器或车内，使之处于随时可运走的状态。搬运前后要有一段处理时间，处理时间的长短由物件的放置状态决定。

搬运方便系数体现了物品搬运的难易程度，用数字 0~4 表示。数字大，表示物品需要的处理时间短、搬运方便；数字小，表示物品需要的处理时间长、搬运不方便。利用搬运方便系数来分析物品的放置状态，从中发现问题，求得改善，这对提高搬运效率，减少搬运时间，节省人力，保证物品质量都很有好处。搬运方便系数的确定方法如表 13-5 所示。

表 13-5 搬运方便系数的确定方法

搬运方便系数	0	1	2	3	4
状态说明	散放在地上，需经装箱、抬起、装车才能运走	装入容器，需经抬起、装车才能运走	容器放在垫板上，可用叉车直接运走	装入车内，一推就可以运走	利用滑道或传送带，放上即能运走
搬运难易	难─────────────────────────────────────→易				

2. 无效搬运分析

无效搬运分析是指为了减少无效搬运，对空载运输所进行的一种分析，用无效搬运系数表示。其计算公式为

$$无效搬运系数 = \frac{总搬运距离 - 有效搬运距离}{有效搬运距离}$$

无效搬运系数越小越好，一般应为 1 或 1 以下。分析方法如图 13-1 和表 13-6 所示。

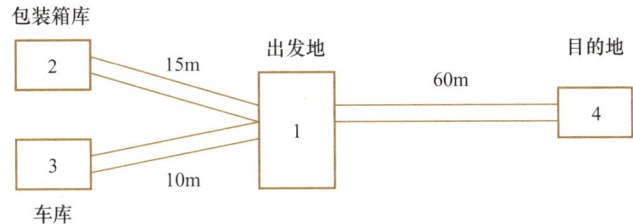

图 13-1 无效搬运系数分析图

表 13-6 无效搬运系数分析表

人和车的移动	说明	移动距离/m		
		无效搬运距离	有效搬运距离	总搬运距离
①→③→①	驾驶人到车库取车，空车回到出发地	10×2=20		20
①→②→①	驾驶人开车到仓库取包装箱，回到出发地装货	15×2=30		30
①→④	驾驶人开车送货到目的地		60×1=60	60
④→①	驾驶人开车回到出发地（空车）	60×1=60		60
①→③→①	驾驶人开车入车库，人回到出发地	10×2=20		20
合计		130	60	190

这个例子中，无效搬运系数 =(190-60)m/60m=2.17。可见其无效搬运系数太大，需要改善。改善方法为将车库和包装箱库移到出发地，从而减少无效搬运。

♻ 本章小结

本章主要阐述了现场及现场管理的基本原理，现场管理的要素和特点，企业现场管理常见的问题，以及加强现场管理的意义；重点介绍了现场 5S 管理的基本原理和内容，实施 5S 管理的

步骤和要求；还介绍了定置管理的基本原理、要求和步骤，目视化管理的原则和要求，以及搬运管理的原则和内容。

思考与练习题

1. 何谓现场管理的五要素？
2. 中小企业现场管理的常见问题有哪些？
3. 何谓 5S 管理？5S 管理对生产现场管理有什么作用？
4. 如何进行 5S 管理的组织管理？
5. 何谓定置管理？如何有效地实施定置管理？
6. 目视化管理在生产现场管理中有何重要意义？
7. 目视化管理的主要内容包括哪些？
8. 如何进行有效的搬运管理？

案例分析

生产现场 6S 管理

A 公司是一家印刷企业，主要做包装用瓦楞纸箱、丝网印刷和传统的胶印业务。2 年前，公司买了一套"印刷管理信息系统"，在竞争非常激烈的印刷市场上确实发挥了很大作用。此时的公司总经理侯先生开始把目光瞄准了全数字印刷领域。

1. 接受 6S 挑战

在筹备与香港某公司的合资项目中，A 公司计划引进先进的数字印刷设备与技术，并同步升级公司的印刷信息系统。然而，与港商的合资谈判进行得并不顺利。对方对 A 公司的工厂管理提出了诸多看似"挑剔"的要求，比如：仓库和车间里的纸张、油墨、工具的摆放不够整齐；地面不够清洁、印刷机上油污多得"无法忍受"；工人的工作服也"令人不满"……

后来，在合资条款里，投资者执意将"引入现代生产企业现场管理的 6S 方法"作为一个必要的条件，写进了合同文本。

起初，侯总经理和公司管理层觉得港商有点"小题大做"。"不就是做做卫生，把环境搞得优美一些"，侯总经理觉得这些事情太"小儿科"，与现代管理、信息化管理简直不沾边。不过，为了合资能顺利进行，侯总经理还是满口答应下来。

2. 接受 6S 挑战

从字面上说，6S 分别是指清理（Seiri）、整顿（Seiton）、清扫（Seiso）、整洁（Seiketsu）、素养（Shitsuke）、安全（Security）。

这 6 个词，以及所表达的意思听上去非常简单。刚开始的时候，大家很不以为然。几天后，港商派来指导 6S 实施的 Mak 先生，通过实地调查，用大量现场照片和调查资料，让 A 公司的领导和员工受到了一次强烈的震撼。

Mak 发现，印制车间的地面上总是堆放着不同类型的纸张，里面有现在用的，也有"不知道谁搬过来的"；废弃的油墨和拆下来的辊筒、丝网躺在车间的一个角落里，沾满了油污，工人使用的工具都没有醒目的标记，要找一件合适的工具要费很大的周折。

仓库里的情况也好不到哪里。存放纸张、油墨和配件的货架与成品的货架之间只有一个窄窄的、没有隔离的通道，货号和货品不相符合的情况司空见惯。有时候，车间返回来的剩余纸张与成令的新纸张混在一起，谁也说不清到底领用了多少。

Mak 先生还检查了侯总经理引以为荣的 MIS 系统，查看了摆放在计划科、销售科、采购科的几台计算机，发现硬盘上的文件同样混乱不堪。到处是随意建立的子目录，随意建立的文件。有些子目录和文件，除非打开看，否则不知道里面到底是什么。Mak 先生还发现，文件的版本种类繁多，过时的文件、临时文件、错误的文件或者一个文件多个副本的现象，数不胜数。

在 A 公司里，长久以来大家对这样一些现象习以为常：急需的物品常常遍寻不着，而不再需要的物品却迟迟未被清理，仿佛总在不经意间成为"绊脚石"；从车间到办公桌，从文件柜到计算机，处处充斥着这样的物品——无人知晓其归属，不清楚何时被放置在这里，不确定是否仍具价值，徘徊于是否该丢弃的边缘，更难以估算其确切数量……

在这种情况下，Mak 先生直率地问候总经理，"你如何确保产品的质量？如何确信计算机里的数据是真实的？如何鼓舞士气？如何增强员工的荣誉感和使命感？"最后一个问题，Mak 先生指的是墙上贴的一个落着灰尘的标语——"视用户为上帝，视质量为生命"。

3. 清理、整顿、清扫

Mak 先生把推进 6S 的工作分为两大步骤，首先推进前三个"S"，即清理、整顿、清扫。

清理，就是要明确每个人、每个生产现场（如工位、机器、场所、墙面、储物架等）、每张办公桌、每台计算机，哪些东西是有用的，哪些东西是没有用的、很少用的，或已经损坏的。即把混在好材料、好工具、好配件、好文件中的残次品、非必需品挑选出来，该处理的就地处理，该舍弃的毫不犹豫。特别是电子"垃圾"，Mak 先生告诫管理人员："这些'垃圾'会让你的工作效率大打折扣；不断冒出来的文件查找、确认、比较工作，会浪费大量的工作时间。"

整顿，就是要对每个清理出来的"有用"的物品、工具、材料、电子文件，有序地进行标识和区分，按照工作空间的合理布局，以及工作的实际需要摆放在伸手可及、醒目的地方，以保证随用随取。

听上去整顿很简单，从 Mak 先生的经验来看，其实是很仔细的工作。比如计算机文件目录就是最好的例子。

"一般来说，时间、版本、工作性质、文件所有者，都可以成为文件分类的关键因素"，Mak 先生结合自己的体会，向大家详细介绍了"什么是电子化的办公"。对一个逐步使用计算机、网络进行生产过程管理和日常事务处理的公司而言，处理好纸质文件和电子文件的关系是养成良好的"电子化办公"习惯的重要内容。

清扫，简单说就是做彻底的大扫除。发现问题，就及时纠正。但是，清扫与过去大家习惯说的"大扫除"还有一些不同。"大扫除"只是就事论事地解决环境卫生问题，而清扫的落脚点是"发现垃圾的源头"。用 Mak 先生的话说，就是"在进行清洁工作的同时进行检查、检点、检视"。

4. 心情爽朗

随着"3S"（清理、整顿、清扫）的逐步深入，车间和办公室的窗户擦干净了，卫生死角也清理出来了，库房、文件柜、计算机硬盘上的文件目录、各种表单台账等重点整治对象也有了全新的面貌。虽然起初包括侯总经理在内的员工并未觉得 Mak 先生引进的"灵丹妙药"有什么特别之处，但是侯总经理敏锐地察觉到大家的精神面貌有了一些微妙的变化：人们的心情似乎比过去好多了，一些人的散漫习惯多少有了收敛；报送上来的统计数据，不再是过去那种经不住问的"糊涂账"；工作台面和办公环境的确清爽多了。

这当然不是 6S 管理的全部。Mak 先生结合前一阶段整治的成果向侯总经理建议："6S 管理的要点，或者说难点，并非仅仅在于纠正某处错误，或者打扫某处垃圾；6S 管理的核心是通过持续有效的改善活动，塑造一丝不苟的敬业精神，培养勤奋、节俭、务实、守纪的职业素养。"

按 Mak 先生的建议，公司开始了推进 6S 管理的第二步：推行后三个 "S" ——整洁、素养、安全。

整洁的基本含义是"保持清洁状态"，即坚持下去，使清洁、有序的工作现场成为日常行为规范的标准；素养的基本含义是"陶冶情操，提高修养"，也就是说，使员工自觉自愿地在日常工作中贯彻非常基本的准则和规范，约束自己的行为，并形成一种风尚。

Mak 先生进一步说明道，后三个 "S" 其实是公司文化的集中体现。很难想象，客户会对一个到处是垃圾、灰尘的公司产生信任感；也很难想象，员工会在一个纪律松弛、环境不佳、浪费随处可见的工作环境中产生巨大的责任心，或在难以确保安全的情况下保证生产质量和劳动效率。

5. "零"报告

数月后，当侯总经理自豪地带领新客户参观焕然一新的数字印刷车间时，他深刻体会到了 6S 管理的巨大成效：车间布局整齐有序，货物码放井井有条，印刷设备光亮可鉴，各类标识完整、醒目。公司的计算机网络和 MIS 系统在没有增加新投资的情况下，好像"焕发了青春"，带给侯总经理的是一系列"零报告"：发货差错率为零，设备故障率为零，事故率为零，客户投诉率为零，浪费为零……

在客户的赞誉声中，侯总经理深刻意识到，先进设备的引入只是成功的一部分，而真正让企业焕发活力的，是那些看似浅显实则深奥的管理"功夫"，真应了那句老话——功夫在诗外。

思考：

1. 分析该印刷企业是如何进行 6S 现场管理的？
2. 你认为在 6S 管理中应注意哪些事项？
3. 假如你作为车间管理人员，你认为应如何开展 6S 管理？

第 14 章

精益生产

> **学习目标**
> （1）掌握精益生产的核心思想、基本特征及主要内容。
> （2）了解准时制的基本原则和实施条件。

◆【引导案例】

松下公司

松下公司成立于 1918 年，成立之初名为 Mastsushita Corporation。当时它主要生产灯具，现在松下公司已成长为世界上最大的电子产品制造商企业之一，拥有超过 38.4 万名员工，680 个附属公司，是日本最大的生产商。松下公司以 Panasonic、National、Ouasar 以及 Technics 等品牌生产超过 1.5 万种电子产品。松下公司在全球以注重效率和精益生产而闻名，其追求卓越的最好范例莫过于日本南部九州岛佐贺松下电器公司的工厂——在一尘不染的工厂里，机器以破纪录的时间生产无绳电话、传真机以及监控摄像机。

尽管工厂的效率在 4 年的时间里提高了 1 倍，但是管理者仍然觉得有进一步改进的机会。工厂的传送带被一群机器人替代，这些机器人可以无缝交接作业，灵活地替换出故障的机器人，并用软件使生产同步。因此，生产时间从 2.5 天缩短为 40min，这使得佐贺工厂每周生产的电话机翻倍，同时它降低了库存，因为芯片和电路板等元器件在公共仓停留的时间大大缩短。能够更快地生产产品意味着即使在顾客需求发生变化或者推出新产品的情况下，工厂也能够迅速地改变产品组合，这使得松下公司能够一直领先于韩国及其他亚洲国家的低成本竞争对手。

松下公司将从佐贺母工厂学习到的经验应用于中国、马来西亚、墨西哥和英国等其他 6 家工厂的布局改变和设置调整上。这些工厂同样削减了库存并提高了生产效率，并将每个工厂当地员工的想法融入了这些变革。下一步改进的重点是将装配线分解为生产单元以及更好地利用闲置机器人。此外，为了减少针对每种电路板的机器人改装量，公司对大量终端产品进行了通用的标准电路板设计。通过持续聚焦于减少浪费及持续提高效率，松下公司的利润增长创下了新纪录，成为其他电子企业的楷模。

精益生产（Lean Production）是美国麻省理工学院在一项名为"国际汽车计划"的研究项目中，基于对日本、美国、欧洲等国家和地区汽车企业的大量调查和对比后，于 1990 年总结出来的一种新的生产运作体系。其核心是消除或减少一切浪费，并围绕此目标而派生出来一系列新的生产运作理念、模式和方法。

20世纪后半期，市场需求进入了个性化、多样化、多变化的阶段，全球范围的市场竞争越来越激烈，消费者对产品质量的要求越来越高，如何解决多品种、小批量生产与高效率、高柔性、低成本之间的矛盾，是全球制造业面临的难题。精益生产就是顺应这种时代要求，在生产实践中摸索、创造出来的一种高效率、高柔性、低成本的生产运作体系。精益生产体系基于与传统生产运作管理不同的理念，是继标准化、专业化的大量生产方式之后，对全球经济发展影响最为深刻的一种生产运作体系。

14.1 精益生产概述

14.1.1 精益生产的产生及其优势

从20世纪初美国福特汽车公司创建了第一条汽车装配流水线以来，大规模、标准化、同期化的流水生产模式一直是现代工业生产的典范。通过大规模、标准化生产降低生产成本、提高生产效率后，汽车工业迅速成为美国的支柱产业之一，并带动了包括钢铁、玻璃、橡胶、机电乃至交通服务业等一大批产业的发展。

第二次世界大战后，市场供需关系发生了巨大变化，供过于求使市场竞争激烈化，需求多样化、个性化，市场需求变化莫测，经营环境日趋复杂，大批量、少品种的生产方式已不能适应环境的要求。1950年，日本的丰田英二考察了位于美国底特律的福特汽车公司轿车厂。当时这家工厂每天能生产7000辆轿车，比日本丰田汽车公司一年的产量还要多。但丰田英二认为："那里的生产方式还有改进的可能。"回到日本之后，丰田英二和大野耐一结合日本的国情，进行了一系列的创新和实践探索，提出了包括准时生产、看板管理、全面质量管理、5S管理等颇具特色的管理理念和技术，经过30多年的探索和完善，形成了完整的丰田生产体系。在该体系的推动下，以丰田汽车公司为代表的日本汽车产业竞争力快速上升，并很快超过了美国。到20世纪80年代末，日本企业的汽车年产量达到1300万辆，占世界汽车总量的30%以上。丰田生产方式是推动日本经济快速发展的重要力量，也是运营管理理论和实践模式发展的里程碑。

为了弄清日本企业获得竞争优势的奥秘，找到美国汽车产业落后的原因，美国麻省理工学院花了5年时间和3500万美元，组织日本、美国以及欧洲各国的专家对世界17个国家的90家汽车制造企业进行了广泛的调查，于1990年写出了实证性报告。该报告指出，相较传统的大量生产方式，丰田生产方式具有如下优势。

（1）所需人员可减少1/2。
（2）新产品开发周期可缩短1/2~2/3。
（3）在制品库存为大量生产方式的1/10。
（4）占用生产空间为大量生产方式的1/2。
（5）成品库存为大量生产方式的1/4。
（6）产品质量水平可提高3倍。

1989年，麻省理工学院发表了题为《改变世界的机器》的报告。该报告指出，日本效益最好的企业均具有如下特征：①适度的自动化技术；②对企业整体的和全面的科学管理；③充分发挥人的潜力、智慧和积极性。而相比之下，美国的多数企业机构臃肿、信息滞后、效率低下。为此，该报告提出了改变美国企业劣势的对策，即"精减、消肿"。此外，报告中称日本丰田生产方式为精益生产。

14.1.2 精益生产的理念及目标

精益生产是指以市场需要为依据，综合运用各种现代管理方法和手段，充分发挥人的主动性和积极性，有效配置和合理使用资源，以彻底消除无效劳动和浪费为目标，最大限度地谋取经济效益的生产方式。精益生产是一个完整的体系，是一种哲理的具体体现，"精"表示精益求精，"益"表示效益。它通过准时生产、全面质量管理、成组技术（GT）、看板管理、现场5S管理等一系列独具特色的手段和技术，实现高质量、零库存、零缺陷、低成本、高柔性等目标。

精益生产的目的是同时获得高生产率、高质量和高柔性。为此，要求充分发挥员工的主动性和创造性，要求员工掌握多种技能，以适应多品种、小批量生产的要求；在组织模式上，它强调集成跨部门人员组成综合工作小组，强调各部门之间的密切合作；在质量管理上，实行源头管理，追求精益求精和零缺陷；在生产过程中，实施看板管理，强调准时生产，消除过量生产，追求零库存；在新产品研发组织上，高度重视客户的意见和要求，实施并行工程，最大限度地减少返工修改，缩短研发周期。

14.1.3 精益生产方式的基本特征

1. 采用拉动式生产

精益生产采用拉动式生产。拉动力源于市场需求，把市场需求转化成计划指令后，发至生产终端（总装车间），由终端开始借助看板，从后道工序往前道工序传递生产指令，各环节根据看板信息指令进行生产，从而实现从后往前的拉动式生产机制，如图14-1所示。

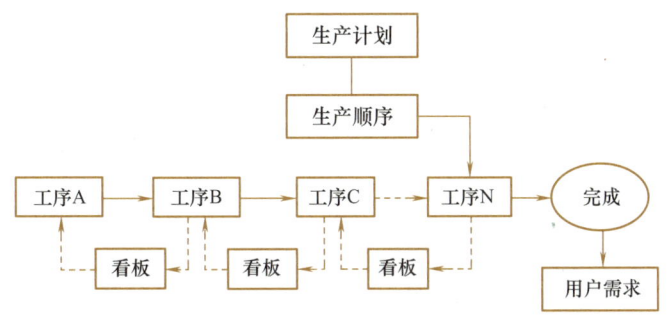

图14-1 拉动式生产机制

2. 发挥员工的主动性和积极性

精益生产高度重视发挥员工的主动性和积极性，通过培养多面手、实行轮岗制，成立质量管理小组，鼓励员工提合理化建议、参与各种改善活动等来达到激励目的。

3. 注重消除一切浪费

消除运营过程中的一切浪费，包括过量生产的浪费、不合格品的浪费、人员效率低的浪费等，其中尤为重视过量生产的浪费。以实现零库存、零缺陷为目标，通过推行准时生产、全面质量管理，达到消除浪费、降低成本的目的。

4. 注重部门之间的协调与合作

在组织结构上减少层次，构建扁平化组织，集成各部门人员，成立综合工作小组，要求部门之间充分沟通和紧密协作，完成研发、生产流程、质量改善等工作。上道工序把下道工序看成顾客，在时间、质量、数量上满足下道工序的要求，对下道工序高度负责。

5. 实行专业化协作

从战略和系统的角度考虑，自制涉及核心竞争力的关键业务（约占25%），而把不具优势的非核心业务部分外包出去由协作厂完成。这样既有利于集中资源和时间提升核心竞争力，也有利于提高对环境变化的响应速度，降低成本，提高质量。

6. 高柔性和精简

要求生产系统具有高柔性，能快速和低成本地适应品种的变化，各工序能快速转换和适应品种变化的要求。精简包括组织结构、生产设施和运作流程简化。倡导从客户价值角度来判断流程的必要性，凡不增加客户价值的流程，都应当尽量简化，以此追求高效率和低成本。

14.1.4 精益生产的主要内容

（1）在生产过程方面，作业现场以"多面手"员工和高柔性设备配置为基础，建立有效的质量保证体系，能敏捷地适应产品变换以及多品种混流生产的要求。

（2）在零部件供应方面，与供应商建立战略合作伙伴关系，通过技术研发、质量控制、人员培训等方面的合作，形成共赢的"命运共同体"。

（3）在产品研发方面，组成跨部门的综合研发团队，强调产品研发、工艺设计、生产制造等部门及人员之间的沟通和协作，包括邀请供应商参与产品研发。研发过程实行并行工程，以充分缩短研发周期，降低研发成本。

（4）在人力资源管理上，注重充分发挥员工的创造性和积极性，通过员工多技能培训、鼓励组织质量管理小组、实行提案奖励制度、目标管理等一系列激励措施，提高员工的工作热情和兴趣。

（5）在管理理念上，按精益求精的原则，总是把现有生产系统、管理方式看作改善的对象，按PDCA循环，不断消除缺陷，完善质量，减少库存，降低成本。

总之，与传统大量生产方式相比，精益生产方式具有如表14-1中所示的不同特征。

表14-1 精益生产方式与传统大量生产方式的特征比较

项目	精益生产方式	传统大量生产方式
生产目标	精益求精，尽善尽美	达到预定目标
分工方式	过程集成，综合工作组	分工明确，专业化
产品特征	面向客户，生产周期短	数量大，标准化
生产供应	准时生产和供应	设置在制品缓冲保证供应
产品质量	全面质量管理活动，不断改进	质检手段，事后检验
自动化	柔性自动化，精简化	刚性和复杂的自动化
生产组织	同步工程模式	顺序工程模式

14.2 准时生产

准时生产（Just In Time, JIT）是精益生产体系中的一个重要组成部分，是指在必要的时间生产必要品种和数量的产品。准时生产是消除过量生产浪费、实现零库存的前提条件。它认为库存为"万恶之源"，不仅占用了大量的资金、场地和人员，还掩盖了生产系统的缺陷和问题，导致问题的反复发生。而准时生产既可以消除过量生产浪费，也有利于促使相关部门和人员采取措施，不断完善生产系统。库存一方面是由生产系统各环节在时间和空间上存在的差异而产生的，另一方面则是为生产系统运行过程的可靠性问题而配置的。尽管在多数情况下绝对的"零库存"不可能实现，但准时生产以零库存为目标，持续地提高生产准时化水平，提高生产系统的可靠性，减小生产过程各环节的时间和空间差。

14.2.1 准时生产的基本原则

（1）在必要的时间生产必要品种和数量的产品。为了避免产生库存积压，企业必须按"只能生产能够卖得出去的产品"的原则来组织生产。过量生产会导致人员、设备、库存等一系列浪费。准时生产包含了时间、数量、品种和地点的概念，任何提前生产、过量生产、生产的品种和地点不对等，都是与准时生产相违背的。

（2）弹性配置作业人数。降低劳动力成本的重要前提是提高员工的劳动效率，而提高效率的前提是实现"少人化"和"一岗多能"，根据任务量的变动，弹性地增减各生产线的人数，用尽可能少的人员实现更多的产出。为此，人员组织、设备布置、员工激励、作业计划安排等都应做出相应的变革。

（3）提高生产系统的可靠性。具体通过如下措施实现：①提高设备运行的可靠性，尽量避免设备意外故障；②使设备或生产线能自动监测不合格品，即一旦发现异常或不合格产品，能自动停机；③设备操作人员发现产品质量问题或设备问题时，有权停止生产线，通过不断地暴露问题、分析原因、优化和改进生产系统，从而提高生产系统的可靠性。

14.2.2 准时生产的实施条件

准时生产是精益生产体系的重要组成部分。准时生产的实施条件包括：①全体员工要有认识并配合；②提升生产过程各环节的同步化和均衡化水平；③提高各环节工艺设备的可靠性；④尽量减少各工序的作业更换时间，以减小各品种的生产和流转批量；⑤实行看板管理，所有工序遵循"不见看板不运输、不见看板不生产"的原则，按拉动式生产机制运行生产系统。

14.2.3 JIT 与 MRP 的比较

MRP 和 JIT 是两种现代化的生产计划与作业控制系统，它们服务于共同的管理目标，即提高生产效率、降低成本和改善服务；同时，它们之间存在明显的差别，适用于不同的生产环境。主要区别可简单概括如下。

（1）适用于不同的生产环境。美国库存管理专家瓦尔特·哥达德（Walter Goddard）指出：JIT 适用于高度重复性产品的生产环境；MRP 则适用于批量生产、按客户订单生产、产品多变的生产环境。在 MRP 基础上发展起来的 MRP Ⅱ 以计算机为工具，需要一定的硬件和软件，投资费用高；而 JIT 的物料计划、能力计划、车间控制都可以由人工系统完成。

（2）管理的范围不同。MRP 管理的范围比 JIT 广，它能用于计划工具、维修等其他活动的物料需求，辅助财务计划。MRP Ⅱ 集成了一个企业生产管理的许多功能，它既能作为一个经营计划系统，也可作为一个生产控制系统使用。

（3）管理思想的差异。JIT 起源于日本，MRP 起源于美国，体现了两国不同的管理思想。日本企业认为库存是一种浪费，因此竭尽全力降低库存，以降低生产成本。美国企业也很重视库存控制，防止产生不必要的多余库存，但认为必要的库存量是一种保护措施，是维持生产稳定的一个因素。JIT 利用看板管理的拉动式生产机制，不断促进操作者降低在制品库存，缩短生产提前期；而 MRP Ⅱ 系统则假定提前期是一个已知的定值，系统根据设定的提前期计算和制订作业计划。

随着信息技术的飞速发展，当前的看板方式呈现出逐渐被计算机所取代的趋势。如将 JIT 工序之间的看板用计算机来代替，工序之间通过计算机联网，生产指令的下达、工序之间的信息沟通等都通过计算机来完成。

目前，国内有很多企业都在推行由 MRP Ⅱ 发展而来的 ERP 系统。虽然理论上 ERP 能够大大提高管理效率，但真正实现预期效果、获得成功的企业却不多。这是由于企业对 ERP 计算机管理系统存在误解。事实上，企业运用 ERP 系统必须建立在良好的运营管理基础上，企业决策者要给予高度重视，且拥有一支高素质的员工队伍，要有规范且有效的运营业务流程。任何想通过引入 ERP 系统短期内大幅提升管理水平的想法都是不切实际的。

14.3 看板管理

看板（Kanban）管理是精益生产体系中的一个重要组成部分。日本丰田汽车公司前副社长大野耐一从美国超市运行方式中受到启发，进而提出了通过看板来控制物流、实现准时生产的方法。超市相当于生产线的前道工序，顾客相当于生产线的后道工序。顾客（后道工序）到超市（前道工序）里，在必要的时间可以买到必要数量的必要商品（零部件）。超市可以及时地满足顾客对商品的需要，而且可以及时地把顾客买走的商品补充到货架。1953 年，丰田汽车公司在其机械厂试行了看板管理，取得了预期的效果，并于 1962 年在整个公司推行实施看板管理。经过不断完善和发展，看板管理的作用和效果非常明显，受到了世界各国制造业和学术界的高度认可和推崇。目前，看板管理已成为精益生产体系中的一个重要组成部分，在各行各业得到了广泛应用。

14.3.1 看板管理的基本原理

1. 推进式生产运作体系

推进式生产运作体系是传统的生产运作体系。该体系根据主生产计划的要求，确定产品零部件的投入产出计划，然后把生产计划同时发至各部门和车间。各部门和车间均按计划指令进行生产，工件在本道工序完工后则送到下一道工序，而不管后道工序此时是否需要，如图 14-2 所示。推进式生产运作体系不可避免地使工序之间产生在制品等待。

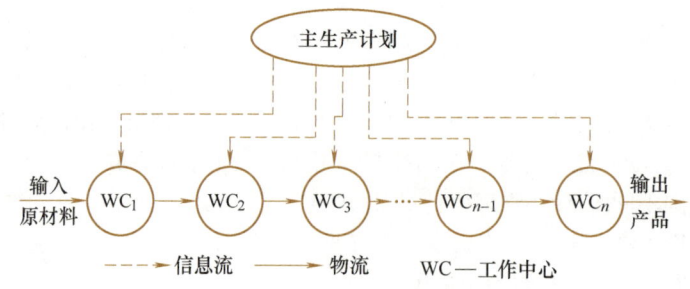

图 14-2 推进式生产运作体系

2. 拉动式生产运作体系

精益生产采用拉动式生产运作体系。该体系由客户订单开始，制订主生产计划和总装配计划并下达到各相关车间和部门，作为其生产计划准备的依据。具体的作业计划指令则仅下达到总装配线。总装配线按计划从前道工序领取零部件，各工序按后道工序传递的看板信息（作业指令）进行生产，没有看板就不能生产。这样反工艺顺序地逐级"拉动"前道工序，直至协作厂。"拉动式"系统以看板为手段传递生产指令信息，据此严格地控制生产的品种、数量和时间，从而实现准时生产。拉动式生产运作体系如图14-3所示。

图14-3 拉动式生产运作体系

3. 看板的种类

生产现场采用的看板主要有生产看板、运输看板和外协看板三种。为了满足准时生产的要求，每个看板对应的品种和产量、看板本身的数量均有严格的要求。

（1）生产看板。生产看板是指用于传递生产指令的看板。每一块生产看板对应单位数量的产品，每道工序加工好的在制品必须挂上相应的看板。下道工序来领取在制品时，必须把相应的生产看板摘下来，然后挂上相应的运输看板后运走。前道工序则按照被摘下的生产看板数量以及每一看板上的信息进行生产，没有被摘下的生产看板不能生产。

（2）运输看板。运输看板是指后道工序到前道工序领取在制品时所使用的看板。本工序待加工的工件均挂有运输看板，当本工序取出待加工件进行加工时，则取下相应的运输看板，然后凭该运输看板到前道工序领取在制品。没有运输看板则不允许到前道工序领取在制品。

（3）外协看板。外协看板是指针对外协厂家所使用的看板。外协看板上必须记载进货单位的名称、工件规格、数量等信息。外协看板与生产看板类似，只是"前道工序"不是内部工序而是供应商。通过外协看板，供应商也成为准时生产体系的一个组成部分。外协看板的摘下和回收与工序间看板基本相同，回收的看板按各协作厂家分开，各协作厂家下次送货时再带回去，作为相应协作厂家新的生产指令。

14.3.2 看板管理的功能

看板管理是精益生产系统用于控制生产物流、实现准时生产的管理技术。它以看板作为作业计划指令的载体，通过看板管理的相关原则，达到严格控制物流、消除过量生产的目的。准时生产计划的特征之一是：它仅向最终环节下达生产指令，而其他环节则由其下道工序通过看板来传递生产指令信息。看板形式上只是一张卡片，卡片的形式随企业的不同而有差别。看板上的主要信息包括产品名称、零件编码、生产批量、送达地点等。

看板管理具有以下功能。

1. 产量调节功能

看板中记载着生产量、时间、方法、顺序以及运送量、运送时间、运送目的地、放置场所、搬运工具等信息，从装配工序逐级向前道工序传递。由于生产过程要求严格执行"不见看板不生产、不见看板不运输"的规定，因而通过控制看板的数量以及单位看板对应的产量，就可以有效控制整个生产过程的产量和进度。

2. 改善生产功能

实行看板管理要求各环节、各工序都按新的运作理念和要求运行。首先，生产过程要实现高度的平准化和均衡化，要求各环节尽量缩短转换时间，以适应多品种、小批量、多批次的生产模式；同时，要提高各环节运行的可靠性，做好源头质量管理，最终实现零库存。而按这样的体系运作，势必不断地暴露生产中的问题，并且要不断地从根源上解决问题。

3. 目视化管理的工具

看板的另一条运用规则是：看板与工件同在，看板上应清晰地标注产品的生产、技术和管理信息。现场生产及管理人员只要通过看板信息，就可以弄清楚作业任务的内容、数量、时间等要求，而管理人员通过现场看板，可以弄清楚并掌握作业任务的进度情况等。

14.3.3 看板管理的基本规则

在准时生产体系中，企业计划部门集中制订月度生产计划，同时传达到各个工厂以及协作企业中。而与此相应的作业计划指令只下达到最后一道工序或总装配线，对其他工序的作业指令通过看板来实现。后道工序"在需要时"通过看板向前道工序领取"所需量"，就等效于向前道工序发出生产指令。为使看板系统有效运行，必须严格遵循使用规则，具体规则如下。

1. 不合格品不能流转至后道工序

准时生产体系认为制造不合格品是最大的浪费，如果不合格品继续往后道工序流动，导致的损失就会越来越大。因而要求各工序把后道工序当成顾客，上道工序对下道工序负责，不合格品不往后道工序传送。一旦发现质量或安全问题，立即停止生产，甚至中断整条生产线的运行，直至问题得到有效解决。

2. 后道工序从前道工序领取在制品

后道工序凭运输看板规定的品种和数量从前道工序领取在制品，即"不见看板不运输"。领取的工件与看板一一对应，看板系在工件上或放在装工件的托盘上。

3. 只生产看板上规定的数量

各工序严格按看板规定的品种和数量生产，即"不见看板不生产"。同时，完全按看板提交的顺序生产。

4. 均衡化生产

后道工序领取工件的时间和数量应保持均衡。各工序应尽量减少品种转换时间，以满足小批量、多批次的需求，理想的生产和流转批量为一件，即"逐件"流转。

14.3.4 看板数的确定

实施看板管理需要确定合理的看板（容器）数。如前所述，看板包括生产看板和运输看板，看板数的多少决定了上下道工序之间流转的容器数量的多少，每个看板（容器）代表的数量决定了工序最小的生产批量。因而，工序之间的看板数决定了生产系统中的在制品数量。在实践中，确定工序之间所需看板数的公式为

$$k = \frac{dL(1+S)}{C}$$

式中 k——看板数；

d——单位时间平均需求量；

L——订货提前期，即从提交生产看板到生产出看板规定数量的工件所需时间；

S——安全库存百分比；
C——单位看板产品数。

可见，通过调节看板数，可以有效地控制工序之间的在制品库存数。同时，在一定条件下，看板数的确定还要考虑安全库存问题，这主要是工序时间的随机不确定特征所要求的。

14.3.5　看板管理下的生产线运作方式

看板管理下的生产线运作方式如图14-4所示。

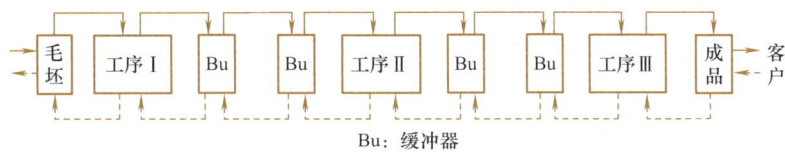

图14-4　看板管理下生产线运作方式

本章小结

本章重点介绍了起源于日本丰田汽车公司的精益生产体系的基本理论，讨论了精益生产体系的目标、理念、特征和主要内容，把精益生产体系与传统生产体系进行了对比分析，列举出精益生产的不同特征和优势；介绍了精益生产体系中准时生产的原理、原则和实施要求，对JIT和MRP的特点和原理做了对比分析，还介绍了看板管理的原理、功能、规则，看板的种类及其运行方式。

思考与练习题

1. 精益生产有哪些基本的管理思想？
2. 在什么样的生产环境下，精益生产方式可以得到更好的运用？
3. 零库存管理在精益生产方式中起到什么作用？
4. 什么是准时生产？为什么丰田生产方式后来被称为准时生产方式，再后来又被称为精益生产方式？从其名称的变化上可以看出什么？
5. 准时生产有哪些基本原则？
6. 通过实施看板管理可以实现哪些功能？
7. 试比较JIT与MRP的异同。
8. 实现准时生产和看板管理有何意义？

案例分析

A公司的精益生产该如何深入

A公司是南方一家工程机械制造型公司，到现在已拥有20多年的发展历史，年销售收入增长率达50%~60%，2009年销售收入突破300亿元，2010年突破500亿元，业绩在全球工程机械行业排名第11位。

A公司的产品普遍存在生产成本过高、交货期限较长、产品质量相对较低的问题，从而造成

其产品市场竞争力不强,难以在激烈的市场竞争中更好地发展。为此,2006年年底,A公司提出学习丰田生产方式(TPS),在全公司推进精益生产方式,以提高企业的竞争力。

A公司经过几年的实施,在制造管理方面取得了一些成效,如在生产车间6S管理、泵送事业部装配生产线的优化、流程优化、数字化管理、厂区物流、库存控制等方面改善不小。尽管如此,A公司却没有实现最初的实施目标,降低成本的预期目标也没有实现,生产成本依然较高,质量水平提升不大。

为了深化精益生产方式,2010年9月,A公司成立了以各部门主管组成的工作组,进行了全面调查,要求1个月后各部门主管在会上汇报。1个月很快就过去了,10月8日公司总经理主持了调查工作汇报会。下面是各部门主管通过调查了解到的公司在实施精益生产方式过程中存在的一些问题。

汇报会上制造部经理就一线员工的积极性和报酬体制谈了他的看法。他说:"目前,一线员工的工作学习积极性不高。一线员工实施计件工资制,底薪较低,干得越多,收入越多,因而许多员工只能无奈采用加班的方法增加收入。由于给予下层的激励不够,许多先进操作方法只能流于形式,没法实施。工人将每个工作都当作任务完成,没有带着兴趣投入工作。"

公司精益生产方式推进部主管从执行力和高层管理的参与度方面谈了他的看法。他认为公司中层管理人员执行力不强,没有严格按照规章制度去实施规划方案,在实施中有些偏离,人为主观因素比较强,造成实施结果不佳,在生产加工过程中浪费现象仍然存在,难以短时间消灭,影响整个精益生产方式的推广进程。

接着,设备动力部经理谈了以下看法。

(1)厨房车间条件差影响了精益生产实施的效果。厂房车间条件相对简陋,一些防护设施没有安装,到处透风,尤其在冬天,工人上班时天气很冷,影响工人的作业效率,工人工作时间推迟,影响产量。同时,工厂的照明设施陈旧,光照度不好,造成厂房车间不明亮,影响工人的视觉,影响操作的准确性。

(2)生产工具落后,机床保养不够。一些车间自造的大部件要靠工人人工翻转,浪费时间,降低了作业效率;下料后的废料需要人工切割搬运,浪费人力,效率较低;缺乏专门的器具工装,造成部件随处摆放,拿取时需要"选择"这个动作过程,浪费时间;机床保养维修不及时、缺少维护,造成机床经常停工检修,耽误作业。

(3)作业器具工位布局不合理。一些事业部在搬进新厂房之前并没有对厂房进行详细的规划,没有系统地分配厂房、安排工序,造成某些工序间布局不合理,搬运距离增加,浪费严重。

质量部经理说:"一些外协厂家供应的零部件存在质量问题,造成某些型号的产品不能按时交付,影响工程进度,造成一定程度的损失;外协厂家的原材料供应不及时,致使一些工位缺少材料,造成作业延误。"

质量部经理刚说完,制造部经理接着说:"某些事业部担心不能准时交货,生产过多产成品,造成库存过多,占用了大量空间,没有严格地按照订单生产;同时,在一些部件的生产中,各道工序之间没有达到生产的同步平衡,某些工位待制品较多,流转不畅,从而影响整机的生产量;各个部件的生产报完工形式不同,没有统一,有的采取工序报完工,有的采用整机台套报完工或者在部件最后一道工序实行报完工。"

市场部经理也谈了他调查的结果。他说:"公司实施了3年多的精益生产方式,但迄今为止,各个事业部仍然缺乏完整的看板管理、严格的拉动式生产;虽然按照订单生产,但仍然使用推动式生产模式,从上一道工序到下一道工序连续生产;没有实施严格的节拍化生产,一些部件的生产严重超过节拍时间,浪费了大量时间,造成产能难以满足计划。"

轮到人力资源部主管发言时，他说："在公司的大力提倡、实施合理化建议月以来，工厂的一线工人工业工程意识不断增强，大家注重改善，这点很好。但是，由于工人劳动负荷过大，身心疲惫，缺乏活力，有改善意识的工人很少。"

最后，总经理充分肯定了各位员工1个月来的工作成果，并就会上报告的这些问题指示精益生产方式推进部主管整理成调查报告，并要求精益生产方式推进部提出下一步公司深化精益生产的方案。

思考：
1. 你认为A公司精益生产方式推进效果不理想的主要原因是什么？
2. 对于A公司推进精益生产的下一步工作，你有什么好的建议？

第 15 章

供应链管理

> **学习目标**
> （1）掌握供应链管理的概念及基本特征。
> （2）了解基于供应链的采购管理、供应商管理和客户关系管理的主要内容。

◆【引导案例】

> 作为中国最大的 IT 分销商，神州数码在中国的供应链管理领域处于领先地位，在 IT 分销模式普遍被质疑的环境下，神州数码依然保持了良好的发展势头，与 CISCO、SUN、AMD、NEC、IBM 等国际知名品牌保持着良好的合作关系。e-Bridge 交易系统于 2000 年 9 月开通，截至 2003 年 3 月底，实现 64 亿元的交易额。这其实就是神州数码从传统分销向供应链服务转变的最好体现。本着"分销是一种服务"的理念，神州数码通过实施渠道变革、产品扩张、服务运营，不断增加自身在供应链中的价值，实现规模化、专业化经营，在满足上下游客户需求的过程中，使供应链系统能提供更多的增值服务，具备越来越多的"IT 服务"色彩。

传统的企业运营管理对象是单个企业，企业追求的主要是自身利益，上下游企业之间信息相互保密，产品研发、生产技术、计划安排、质量保证、运营策略等方面相互独立，很少考虑与企业紧密相关的上下游合作伙伴利益和要求，因而常导致供应链运行过程中信息传递滞后和扭曲、资源浪费、效率低下、反应迟钝，整体竞争力低下。随着科技和经济的快速发展以及国际市场竞争的进一步加剧，靠单一企业单打独斗的运营方式已难以适应要求。实践证明，要取得最终产品的竞争优势，则要求从完成产品研发、原材料和零部件供应、产品生产到物流服务的各相关企业，以提升供应链整体竞争力为目标，从供应链整体目标和利益出发，相互配合、密切合作，使最终产品更具竞争力。为此，必须从系统整体角度，把供应链上各相关企业有效地组织起来，以利益共享、风险共担为原则，建立长期的战略合作伙伴关系，按统一的目标和要求进行管理。

15.1 供应链管理概述

15.1.1 供应链的概念

早期的观点把供应链看成企业的一个内部过程，是指从采购、生产制造到产品分销的业务过程。传统的供应链管理局限于企业的内部操作，主要追求企业自身的利益，忽视了外部合作伙伴的利益和关系。这样一方面合作伙伴企业之间容易产生矛盾，另一方面常常损害供应链的整体利益，从而削弱供应链的整体竞争力。

随着全球化竞争的发展，市场需求不断变化，市场竞争日趋激烈，企业认识到靠单一企业单打独斗的运营模式已不能适应环境的要求，因此，必须从提升供应链整体竞争力的角度，把相关企业组成一个供应链整体，并以实现供应链整体效益为目标，建立有利于供应链整体高效率运作的合作伙伴关系，只有这样才能突破传统运作模式的制约。

基于新环境下对供应链的新认识，国内外学者和业界对供应链有了新的定义："通过链中不同企业的制造、组装、分销、零售，再到最终用户的整个转换过程。"美国的史迪文斯（Stevens）把供应链定义为："通过增值过程和分销渠道控制从供应商到用户的产品流，它开始于供应的源点，结束于消费的终点。"伊文斯（Evens）对供应链的定义是："通过前馈的信息流和反馈的物料流及信息流，将供应商、制造商、分销商、零售商，直到最终用户连成一个整体的结构模式。"这些定义强调了供应链的整体性，考虑供应链所有成员运作的一致性。

现代供应链的概念更加注重核心企业的作用，如核心企业与供应商、供应商的供应商以及一切前向的关系，与用户、用户的用户及一切后向的关系，如图 15-1 所示，把供应链看成一个网链结构。例如，丰田、耐克、日产、麦当劳和苹果等公司的供应链管理都是从网链的角度来实施的。现代供应链运营管理强调建立战略伙伴关系，通过建立和维护战略伙伴关系，达到提升供应链效率和竞争力的目的。

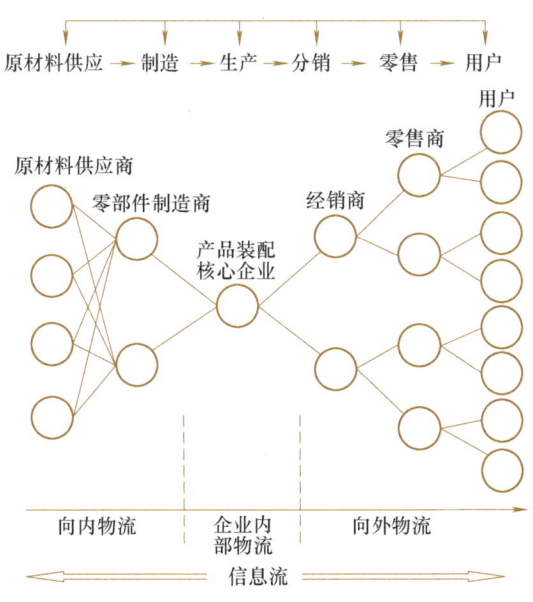

图 15-1 供应链网链结构模型

从图 15-1 中可以看到，供应链由所有合作伙伴企业组成，它涵盖了从供应商的供应商到用户的用户之间有关最终产品或服务的形成和交付的一切业务活动。在需求信息的驱动下，供应链中的节点企业通过职能分工与协同合作，以物流、信息流和资金流为媒介实现整个供应链的不断增值。

国家标准《物流术语》（GB/T 18354—2021）对供应链的定义为："生产及流通过程中，围绕核心企业的核心产品或服务，由所涉及的供应商、制造商、分销商、零售商直至最终用户等形成的网链结构。"供应链的定义反映了供应链构成的形式与活动内容。这种功能关系、流程关系、企业关系等所形成的网链结构，不仅反映了供应链的形式，更重要的是反映了供应链管理所要研究的对象和内容。

15.1.2 供应链管理的概念及其基本特征

1. 供应链管理的概念

国家标准《物流术语》（GB/T 18354—2021）对供应链管理（Supply Chain Management，SCM）的定义为："从供应链整体目标出发，对供应链中采购、生产、销售各环节的商流、物流、信息流及资金流进行统一的计划、组织、协调与控制的活动和过程。"供应链管理运用系统集成的思想，从供应链系统整体优化入手，寻求企业间优势资源的互补性组合，将供应链上的制造商、供应商、销售商、服务提供商的活动形成有机整体，优化整体业务流程，最大限度地减少或消除过剩库存与缺货损失，加快产品研发与供货速度，实现敏捷柔性的生产、供应过程。供应链管理的目标在于提高用户的服务水平，降低总的交易成本，并且寻求两者之间的平衡。供应链管理的基本思想可归纳为以下几点。

（1）系统集成的理念。这是供应链管理最关键之处，不是仅由节点企业、技术方法和资源的简单连接，而是应用系统集成和协同的理念，通过优势资源的集成和互补，达到"1+1>2"的效果。

（2）系统整体优化思想。传统上，企业是独立法人单位，注重自身的利益，这是由企业的性质决定的。现代供应链管理强调供应链的整体目标和利益，整体利益决定了各节点企业的利益，离开整体利益追求单个企业的利益是难以为继的。因此，必须在整体优化的前提下，寻求企业自身的优化。

（3）信息与知识共享思想。供应链管理要求改变以往企业之间信息封闭的状态，建立高度互信的关系，实行生产、技术、市场等信息的共享，最大限度地减少供应链中的信息扭曲现象，以此为基础构筑企业之间的有效合作。

（4）竞争与合作并存理念。供应链管理强调节点企业的协同合作，在技术研发、物料供应、加工制造、市场营销、经营管理等方面既竞争又合作，通过优势互补，形成一种竞争力更强的运作系统。

2. 供应链管理的基本特征

供应链管理最突出的特点是多个相互独立的、作为利益主体的企业之间的联盟，这种联盟不是通过资金结合而成的，而是通过各企业在管理、技术、市场等方面的竞争优势组合实现的。与传统的管理模式相比，供应链管理具有以下特征。

（1）虚拟企业的组织形式。供应链并不是某种正式的组织，如企业集团等，而是依据企业的特长，在信息技术的基础上结成的一种合作伙伴关系。这种关系不是固定不变的，而是随合作项目的变化动态地变化。因此，供应链组织是一种动态的联盟，是在一定时间内，基于一定的共同目标、利益而结成的虚拟组织，这种组织也称为虚拟企业。虚拟企业具有较高的柔性，能随着市场的变化而迅速地做出调整，使产品能快速地满足市场需求。

（2）企业间的流程组合与优化。供应链管理依据价值（成本）分析原理，对供应链流程进行整合与优化。具体表现为：①在时间上，采用延迟制造技术；②在生产数量上，按订单生产；③在空间优化上，采用敏捷制造的概念，主要特点为产品的研发、生产周期短、制造、运输及库存成本低，供货及时等。

（3）具有适时处理功能的计划、控制系统。供应链管理的核心在于计划和协同功能。它是一种建立在市场需求拉动基础上的生产运作方式，因此，必须更精确地掌握需求信息和快速地推算交货期。供应链管理的计划系统是以约束理论为基础，综合现代运筹学和人工智能技术来解决生产日程计划和交货期决策问题的。

15.2 供应链的不确定性与牛鞭效应

15.2.1 供应链的不确定因素分析

供应链强调以产品终端市场需求为中心，根据市场需求预测并确定运作计划。谁能把握最终用户的需求，谁就能掌握市场竞争的主动权。在供应链竞争中，不论是供应链中紧邻终端用户的下游企业，还是远离终端用户的上游企业，其利益是一致的，都是以最终用户的需求作为自身生存和发展的基础。然而，在实际运作中，供应链中各节点企业的决策和运营行为与终端市场不协调的情况屡见不鲜。这主要是因为在供应链中存在下列不确定因素。

（1）市场需求的波动性。由于受多种因素的影响，市场需求是随机变化的，这种变化表现在需求的品种、款式、数量等方面，这些不确定因素会给供应链带来冲击。

（2）需求预测的困难性。准确的预测能保证供应链以最快的速度为用户提供最佳的服务。但实际上，由于客观环境的复杂性和人们认识能力的局限性，市场需求预测难以做到精确化。

（3）市场需求信息失真。供应链节点企业之间的信息不能实现共享，上下游企业之间仅以订单方式传递的需求信息存在失真和滞后，一些随机性因素导致的订单变化会被误认为是趋势性变化，需求信息的变化在从供应链下游企业到上游企业的传递过程中会被逐级放大。

（4）节点企业之间难以有效协作。节点企业之间缺乏足够的信任，导致企业之间的协作欠佳，在时间、质量、进度等方面的整体控制难以到位，因而导致供应链运行在时间、质量、进度等方面具有不确定性。

15.2.2 牛鞭效应

供应链强调对终端市场需求保持高度的敏感性，根据终端市场需求组织产品的研发和生产。然而，市场需求信息以订单形式在供应链中传递，订单是购买方在对直接用户需求预测的基础上所做的决策结果，而不是依据终端市场需求做出的决策。这就容易导致市场实际需求信息被扭曲：把一些随机需求变化误认为是趋势需求变化，导致订单变化大于实际销售变化。这种需求被放大的现象越往上游传递失真会越严重。这种现象被称为"牛鞭效应"（Bullwhip Effect），表示实际需求数据被放大，与在挥动牛鞭时手轻微摆动，在鞭梢就会出现大幅度摆动的现象类似，如图 15-2 所示。图 15-2 表明，订单数据的夸大会误导上游企业，使它们误认为是市场需求变大的预测结果，进而做出错误的决策。牛鞭效应在供应链运行中增加了不确定因素，使企业和供应链运行成本增加，影响供应链的运行效率和效益。

牛鞭效应的产生主要有以下几方面的原因。

（1）需求信息扭曲。在供应链运作中，常见供应商实行允许零售商将积压商品退货的政策，此时，零售商的商品积压损失几乎为零，因而倾向于加大订货量，以求通过多销售商品获取利益。此外，市场常常出现随机需求，产生这种随机需求的原因包括下游企业的促销优惠活动、竞争者的促销措施、商品涨价预期、发生突发事件等。下游企业的订单与这种随机需求直接相关，而各级供应商根据订单进行市场预测，就可能导致终端市场的随机波动被当成系统需求变化而被逐级放大。

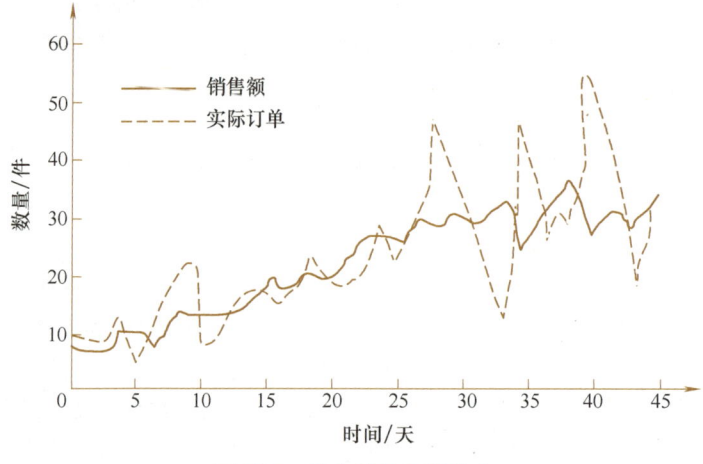

图 15-2　供应链的牛鞭效应

（2）短缺配给博弈。在市场经济环境下，由于种种原因，一些货物或商品会出现短缺，商品短缺会导致用户进行恐慌性购买，或为了应对短缺而进行储存性购买。在这种形势下，卖方常常会根据买方订货量按比例配给货物，而买方为了多得到配给购货，会增加订单上的订货量，造成一种大量需求的表象。商品供求关系一旦恢复正常，订单需求也将恢复正常，导致商品大量积压。

（3）批量订货。需求方在采购商品时考虑采购时间、运输成本等因素，常采取批量采购的模式。此外，为了应对一些不确定因素对生产的影响，还需设置一定量的安全库存。因而，买方订单需求量比实际需求大，且呈现出离散和波动的特征。

（4）价格波动。供应方为了扩大市场占有率，常常实施价格优惠、数量折扣等促销活动。受这些优惠条件的吸引，需求方常加大订单量。这种促销导致的订单量扩大会误导供应商的预测，导致供应商扩大生产量和采购量。随着优惠促销结束，需求方已有过量库存而停止正常订货，会导致市场需求大幅波动。

15.3　供应链合作伙伴关系

15.3.1　供应链合作伙伴关系概述

1. 供应链合作伙伴关系的定义

供应链管理的关键在于从系统整体利益角度考虑，强调战略合作伙伴关系，从而实现合作伙伴之间高效率的协同合作，以获得强大的竞争优势。例如，通用汽车（GM）、雀巢（Nestle）等制造商，沃尔玛（Wal-Mart）等零售商，均是通过新的合作模式取得成功的典范。建立供应链合作伙伴关系的作用在于提高供应链整体运行效率，降低供应链运行成本，从而获得竞争优势。

建立和维护供应链合作伙伴关系有赖于合作伙伴之间的信息共享、风险共担、利益合理分享。供应链管理要求链内各节点企业改变传统的生产运营管理理念和模式，要从供应链整体利益考虑，建立长期的、稳定的、高度互信的合作关系，在这种关系的支配下，实现供应链的高效率运作。

2. 建立供应链合作伙伴关系的驱动力

企业运营环境复杂多变，竞争日趋激烈，而单一企业的能力和资源有限，如何更有效地适应市场竞争，求得生存和发展？供应链运营模式提供了一个突破传统运营模式制约的有效途径。供应链管理者通过合作伙伴的选择和组织，实现优势资源的集成和互补，从而获得单一企业难以获得的竞争优势。建立合作伙伴关系有利于提升供应链整体效率，降低运营成本，缩短产品研发周期，加快市场响应速度。其主要的驱动力包括构建核心竞争力、满足用户期望、实施外包战略。其中，构建核心竞争力是企业保持和发展自身优势的内在驱动力，满足用户期望是伙伴关系得以产生的外部压力，实施外包战略是优势继承和互补的重要模式。

（1）构建核心竞争力。核心竞争力是企业的技术、产品、管理、文化的综合优势在市场上的反映。它建立在企业核心资源的基础之上，是一个组织内部在自己所从事的生产和服务过程中具有的一系列互补的技能和知识的结合。供应链最大的特点是实现资源共享、优势互补，从而增强整个供应链的竞争力。供应链中各节点企业通过建立合作伙伴关系，在非优势领域取得优势地位，在核心领域可以专心致志，以取得更大的竞争优势。所以，供应链合作伙伴关系既是保持和增强自身核心竞争力的需要，也是企业在其他领域利用其他企业核心竞争力获取优势地位的手段。

（2）满足用户期望。用户需求是企业生产的驱动力，企业生产的产品只有到达用户手中，才真正实现了其价值。对终端市场需求的关注是供应链所有成员的首要任务。随着市场需求的个性化、多样化发展，要求企业对用户期望具有更快速响应的能力，包括个性化的产品设计、更多的产品选择范围、优异的质量和可靠性、快速满足用户期望和高水平的客户服务等。单一企业难以满足快速变化和发展的用户期望，而建立供应链合作伙伴关系有利于提升这种满足用户变化期望的能力。

（3）实施外包战略。任何一家企业都不可能全方位占据优势，在企业资源有限的条件下，为保持企业核心竞争力，必须集中企业资源，专注于发展自身的优势，而把企业非优势业务外包出去，交由在相应领域具有更大优势的企业来完成。通过业务外包取得本企业难以实现的优势，前提是与承包企业建立起高度互信的战略合作伙伴关系，只有这样才能达到优势互补、协同合作的效果。外包可使企业集中资源发展自身的核心竞争力，同时取得合作伙伴的优势，从而使企业取得单一企业难以实现的绝对优势。

15.3.2 影响供应链内企业合作伙伴关系的因素

1. 企业高层的合作意愿

良好的供应链关系首先必须得到最高管理层的支持。企业高层领导只有充分认识到建立供应链内合作伙伴关系的必要性和重要性，才能产生建立合作伙伴关系的意愿，企业之间才能建立和保持良好的互信关系，进而才能实现密切有效的合作。必须指出，这里所说的合作并非仅仅指短期的商业买卖关系，而是放眼未来的、长期的战略合作伙伴关系。若高层领导缺乏战略眼光，过分注重短期利益，则基于供应链的有效合作伙伴关系就很难建立起来。

2. 企业战略和企业文化

在战略分析阶段，企业之间需要相互了解企业结构和企业文化，在此基础上，按照整体供应链竞争的要求，明确供应链整体运作目标和战略，解决经营理念和合作期望之间的差异和障碍，调整企业文化、优化组织结构和业务流程，进而在合作伙伴之间建立有利于开展合作的运作模式，以构建高效率的供应链运作体系。

3. 合作伙伴的能力和兼容性

在合作伙伴的评价和选择阶段，必须根据供应链运作的特点和要求，明确选择和评价合作伙伴的相关指标，从中确定评价指标最优的合作伙伴。这些指标包括产能水平、研发能力、质量水平、管理能力、地理位置、成本和利润等。兼容性主要体现在经营理念和价值观、运作模式、信息系统、财务体系、发展战略等方面。这些要素是影响建立合作伙伴关系成功与否的关键。

4. 合作双方的相互信任关系

在供应链合作伙伴关系建立的实质阶段，需要进行期望和需求分析，只有目标一致，才可能开展供应链运行的有效合作。而相互信任的前提是加强信息沟通，按照利益共享、风险共担的原则，开展各项有效的合作。缺乏相互信任的合作伙伴关系是导致供应链运作效率低下、竞争力不强的主要原因。

15.3.3 供应链合作伙伴的选择

供应链合作伙伴的选择是决定供应链运作能否取得成功的第一步。合作伙伴的评价与选择是供应链合作关系运行的基础。传统的企业之间是短期的、不稳定的买卖关系，关注的是自身利益。而按供应链运作的要求，节点企业之间要建立战略合作伙伴关系，关注的重点是供应链的整体效益，在追求并取得整体效益的基础上，进行利益的合理共享。因此，在合作伙伴的选择上，评价标准必须从构建供应链整体优势和竞争力的角度，分别从研发能力、生产和技术能力、管理能力、竞争地位、发展潜力、合作意愿等多个方面进行综合评价。

选择合作伙伴的方法较多，以选择供应商为例，目前较常用的方法如下。

1. 经验判断法

经验判断法是指通过征询和调查供应商在技术、生产、信誉等方面的资料和数据，对其进行分析、评价，进而做出判断和选择的一种方法。该过程可以由生产、技术、管理人员组成一个评价小组，评价小组成员在对资料和数据进行详细分析的基础上做出决策。

2. 招标投标选择法

当采购数量大、潜在选择对象较多时，可采用招标投标选择法。它首先由需求方提出招标条件，并发出投标邀请函，进而组织各潜在供应商进行竞标，最后由企业选择综合条件最优的竞标者作为合作伙伴。

3. 综合评价法

首先确定合作伙伴，选择评价指标体系，并确定各项指标的重要性权重；然后对备选对象的各项指标状况进行分析和评分，根据各指标得分结果计算加权分；最后选择加权评分最高的企业作为合作伙伴。

15.4 基于供应链的采购管理

采购是需求方为满足其业务运营需要，向供应商购买各种物料或服务的过程。有效的物料或服务采购对供应链竞争优势的形成具有重要的作用。在不少行业中，物料成本占总成本的比例很大，物料质量决定了产成品质量，并由此影响用户满意度和企业效益。因此，加强采购管理越来越受到企业的重视。

15.4.1 自制与外购决策

随着全球竞争日益加剧，企业对构建和提升自身的核心竞争力日益关注，对自制与外购决策问题的看法最近几年发生了明显变化。多年来，为了拥有更多的支配权，许多企业追求"大而全""小而全"的组织形式，尽管在有些业务上缺乏自制的技术和管理优势，但不少企业出于"肥水不流外人田"的考虑，仍倾向于采取自制的策略。随着近年来供应链管理理论的发展和实践的成功，以及构建和提升企业核心竞争力的重要性被企业界广泛认识，业务外包战略开始被企业广泛认可和运用。企业采取自制策略的业务应该是在生产、技术、管理等方面具有明显优势的业务，也是构成企业核心竞争力的业务；而对那些非优势的业务，则外包给在产能、技术、质量、成本等方面更具优势的企业经营，这样就能保证企业集中精力和资源专注于核心竞争力的提升，从而使产品获得整体竞争力优势。

15.4.2 采购流程

采购流程一般包括明确物料或服务的需求，选择合适的供应商，商谈价格、质量和交货期条件，签订采购合同，验货入库，付款结算等。以下是采购流程的关键步骤。

（1）明确需求。企业各部门根据生产运作过程对物料或服务的需要，向物料采购部门提出需求物料的品种、数量、时间，将物料采购申请表提交给采购部门，经相关领导审批后进入采购流程。

（2）寻求和选择供应商。分别对潜在供应商的质量、价格、交货期、服务水平等方面进行分析和比较，确保选择结果的合理性和准确性。

（3）确定质量、规格、价格、交货期等条件，并发出采购订单。通过供需双方的协商和谈判，确定采购物料或服务的具体条件，并签订订货合同。

（4）接收并检验货物。供应方根据订单合同规定的条款组织相应物料的生产并按时交货，需求方按订单合同规定的条款和标准验货入库，满足订单要求则支付货款。

（5）采购结果评价。对采购订单的实施效果进行评价，包括质量、价格、交货期、售后服务、使用效果等，以作为进一步开展合作的决策依据。

15.4.3 准时采购

准时采购是指按适当的时间、适当的地点、适当的数量、适当的品种和质量采购和提供物料。准时采购是降低库存量、实现准时生产的重要保证，通过准时采购保证准时供应，可以大幅降低保险库存。同时，准时采购还可以采用小批量、多批次的采购模式，进而大幅降低周转库存。实行小批量、多批次的采购模式，要求供需双方密切合作，在必要的时间供应必要的数量。与传统的大批量采购模式相比，准时采购模式能够更好地适应市场需求的变化，特别是适应多品种、个性化、多变化的需求。同时，准时采购能有效减少资金积压，降低库存成本。

实施准时采购策略，必须改变传统供需双方的一般买卖关系，取而代之的是与供应商建立稳定的战略合作伙伴关系，其结果是大幅减少供应商的数量。通过减少供应商数量企业可以获得以下好处。

（1）加速产品研发进程，保持质量的一致性。建立战略合作伙伴关系可以保证供应商在产品研发阶段就参与进来，发挥其相应领域的优势，一方面有利于加快产品的研发进度，另一方面有利于保证供应商提供高质量的产品。

（2）提高采购管理效率。减少供应商数量，一方面可以简化对供应商的管理工作，大大减少时间、人力、出差等方面的费用；另一方面则扩大了向每个供应商采购的数量，可以提高供应商合作的积极性，激励供应商进行相关设备、技术等方面的投资，提升其产品质量和供应水平。

（3）稳定供应，降低成本。与少数几家供应商建立稳定的战略合作伙伴关系，有利于通过共同努力改进设计和工艺、管理等措施，提升效率、降低成本，进而分享成果。当供应商提供的物料出现供应紧张时，也可以保证优先供应，减少物料供应中断的风险。

基于供应链管理的准时采购与传统采购的主要区别如表 15-1 所示。

表15-1 准时采购与传统采购的主要区别

项目	准时采购	传统采购
采购批量	小批量、多批次	大批量、少批次
供应商关系	长期合作，少数供应商	短期合作，多家供应商
供应商评价	质量、交货期、价格	价格、质量、交货期
检验工作	逐渐减少，最终消除（免检）	收货、点货、质量验收
协商内容	合作伙伴关系、质量和合理的价格	最低价格
运输	准时送货、多频率送货	较低的成本、大批量送货
文件处理	文件处理工作少、电子化、标准化程度高	文书工作量大，内容变化大
包装	小、标准化包装	普通包装、随机性高
信息交流	快速、可靠	一般要求

15.5 供应商管理

15.5.1 传统与现代供应商管理模式的比较

供应商管理的主要内容包括供应商选择和供应商关系管理。从传统供应商管理发展到现代供应商管理，企业的供应商管理模式有了很大的发展。供应商管理被提升到企业战略高度，并且在实践中不断创新。两种管理模式的比较如表15-2所示。

表15-2 传统与现代供应商管理模式的比较

项目	传统供应商管理	现代供应商管理
供应商数目	多数	少数
供应商关系	短期、买卖关系	长期、合作伙伴关系
企业与供应商的沟通	仅限于采购部与供应商销售部之间	双方多个部门沟通
信息交流	仅限于订货、收货信息	多项信息共享
价格谈判	尽可能低的价格	互惠的价格、双赢
供应商选择	凭采购员经验	完善的程序
供应商对企业的支持	无	提出建议
企业对供应商的支持	无	技术支持

15.5.2 有效的供应商管理条件

实现双赢是供应链企业之间合作的基本原则。因此，要在采购管理中体现供应链管理的思想，对供应商的管理就应集中在与供应商建立双赢关系以及维护和保持双赢关系上。供应商管理体系包括供应商的管理方法、供应商的竞争机制、供应商的选择机制、供应商与用户之间的合作机制、供应商激励机制和双赢关系的建立。

1. 保持供应商之间的适度竞争

供应商选择模式既可以选择独家或少数几家，也可以选择多家。选择少数供应商供货的模式易于简化管理，提高供应商合作的积极性，总订货量大有利于享受较大的优惠，但供应商少会缺乏竞争压力，且容易出现缺货。而多供应商模式有利于通过竞争促使供应商改进产品质量、服务质量和价格水平等，但在多供应商竞争的条件下，由于供需双方合作处于一种短期的、不稳定的状态，供应商不愿为合作项目进行长期投资。

在实践中，可选择和确定两类供应商：一类为主供应商（承担主要的订货），另一类为辅供应商（承担少量的订货）。运行一段时间后，按一定的指标体系分别对其进行评价，如果主供应商中出现评价分较低者，就把其转为辅供应商。

在需求方掌握主动权的条件下，保持供应商的相对稳定有利于调动供应商的积极性。同时，根据供应实效对供应商进行动态管理，在建立相互信任关系的基础上，建立一套行之有效的考核监控体系，有利于供应链运行效率的提升。

2. 建立供需双方的新型合作关系

采购方和供应商是供应链中的上下两个节点企业。满足产品终端市场的需求和要求是供应链上所有成员企业共同追求的目标；而为了使终端市场产品具有较强的竞争力，则要求供应链上所有成员企业必须目标一致，在追求自身利益的同时，兼顾其他成员的利益，才能确保取得较好的供应链整体效益。为此，必须建立一种与传统的合作关系模式不同的合作关系模式，即经营者的理念要改变，要充分理解供应链运营管理的原理和要求，按利益共享、风险共担、充分互信的原则，建立新型合作关系和合作模式。

3. 建立信息交流与共享机制

信息交流有利于减少供应链运行的不确定性，提升供应链对市场变化的反应能力。在传统的企业运营模式中，上下游企业之间缺乏有效的沟通和交流，横向各部门之间也不能保证信息的共享。而供应链管理要求彻底改变这种现状，实现企业之间充分沟通、信息共享，特别是终端市场需求信息的共享——这是避免或减小牛鞭效应影响的前提条件。在组织模式上，要改变分工细致、高度专业化的模式，建立一种基于综合团队的项目小组，在产品研发和设计阶段就吸收供应商参与进来共同开发。供应链的高效率运营有赖于各环节上下游企业之间的充分沟通和信息共享。

15.6 客户关系管理

15.6.1 客户关系管理的内涵

这里所说的客户是指本企业的下游企业。建立和维护良好的客户关系是企业生存和发展的重要一环。客户关系管理（Customer Relationship Management，CRM）的产生是市场竞争与科技发展的结果。在以经济全球化和网络信息化为特征的新经济条件下，企业面临着范围更广、更激烈的竞争，企业运营管理的重点从以生产为核心转移到以产品质量为核心，再到现在的以客户为中心。要想在全球化竞争环境下求得生存和发展，关键在于开发市场客户资源和保持相对稳定的客户队伍。CRM为解决这些问题提供了有效的支持，已逐步成为企业经营策略的核心。

CRM是指从企业战略角度出发，以提升竞争力为目标，通过企业客户关系的交互式管理，提升客户满意度，建立长期的良好客户关系，为企业的业务流程提供有效的决策信息依据，进而为企业获取有利的市场定位和持续的竞争优势提供保证。

供应链核心企业处于供应商、分销商、零售商以及最终用户的链条之中，它的客户包括分销商、零售商、最终用户。在企业众多的市场客户中，并非所有客户都能为企业带来利益。借助

CRM,可以对客户进行合理的分类,进而实施有效的管理,将企业有限的资源应用于关键的客户上,取得事半功倍的效果。

15.6.2 客户关系管理的核心

CRM 是企业经营战略的重要组成部分,其核心包括:①进行深入的市场调查,据此细分市场并进行 CRM 的正确定位;②组建由高层领导负责的实施 CRM 项目的领导小组;③企业业务流程重组,调整组织机构,贯彻以客户为中心的理念和要求,建设相应的企业文化;④选择适当的 CRM 软件,为实施 CRM 提供信息支持平台。

CRM 作为一种旨在改善企业与客户之间关系的新型管理机制,其重点已从传统的开发新客户转为设法留住现有客户,从取得市场份额转为取得客户份额,从追求短期交易业务转为开发客户的终生价值。开发新客户固然重要,然而,维持老客户对企业的生存和发展更加关键。

15.6.3 客户关系管理软件

CRM 软件是一套基于互联网和电子商务的技术集成系统。CRM 软件是实施 CRM 的重要技术保证。它将最佳商业实践与数据仓库、数据挖掘、人工智能、销售自动化及其他信息技术紧密结合在一起,通过收集、分析客户信息,动态地跟踪客户的消费行为,实时地对客户需求做出反应,智能地分析客户的消费信息,充分挖掘和利用客户关系资料,为企业的销售、客户服务和决策支持等领域提供一个业务自动化的解决方案,使企业有一个基于电子商务的 CRM,从而顺利实现由传统企业模式向以电子商务为基础的现代企业模式的转化。其主要模块如表 15-3 所示。

表 15-3 CRM 的主要模块

主要模块	目标	主要功能
销售模块	提高销售过程的自动化和销售效果	帮助决策者管理销售业务,主要功能有额度管理、销售力量管理、地域管理
营销模块	对直接市场营销活动进行计划、执行、监视和分析	使营销部门能实时地跟踪活动的效果,执行和管理多样的、多渠道的营销活动
客户服务模块	提高客户支持、现场服务和仓库修理业务流程的自动化并加以优化	完成现场服务分配、现有客户管理、客户产品全生命周期管理、服务技术人员档案、地域管理等
呼叫中心模块	利用电话来促进销售、营销和服务	包括呼入呼出电话处理、互联网回呼、呼叫中心运营管理、图形用户界面软件电话、路由选择等
电子商务模块	建立电子商店、电子支付和电子支持	建立和维护基于互联网的店面,从而在网上销售产品和服务

15.7 供应链整合

15.7.1 供应链整合类型

供应链管理应当能有效地将供应商、制造商、仓库和商店整合起来。进行供应链整合的最大挑战就是将贯穿供应链的所有活动联系起来,从而使企业获得绩效的提升,如降低成本,提高服务水平,减少牛鞭效应,提高资源利用率,以及有效地对市场变化做出反应。应对这些挑战不仅需要对产品、运输和库存决策进行统一管理,还要涉及更广泛的范围,对供应链的前端即客户需求,和供应链的后端即供应链上的设计、采购、制造、物流和销售等各业务活动进行组织协调,以实现供应链上下游各行为主体的业务活动的融合与协同。

供应链运营模式常被划分为推式和拉式两种。这种划分来自制造系统,即面向库存的制造和面向订单的制造。但相当一部分企业集成了这两种供应链,形成了第三种供应链系统:推-拉混合式供应链。

1. 推式供应链

在市场供给能力小于市场需求时,供应链整合是指通过面向生产库存的推式驱动来整合上下游的业务活动,采取推式供应链(Push Supply Chain)可实现大批量生产与运输等,获得规模经济,以节约成本。在一个推式供应链中,生产和分销的决策都是根据长期预测的结果做出的。通常,制造商利用从零售商处获得的历史需求信息,对下一个计划周期的需求进行预测。推式供应链对市场变化做出反应需要较长的时间。

推式供应链的模式如图 15-3 所示。从图 15-3 中可以看到,它是以产品为导向的推式管理,供应链上各企业之间只存在交易关系,原材料采购、零部件制造、成品组装、分销、零售等功能性活动相互分割,节点企业的供应链系统都有各自的预测方法和标准。在这种推式供应链管理模式下,制造企业通过利用下级用户的历史需求信息进行预测来安排其生产计划,并将产品通过其分销渠道,如分销商、零售商等,逐级向供应链的下游推移,而用户处于被动接受的末端。推式供应链侧重于供应链的效率,强调供应链各成员企业按基于预测的计划运行。

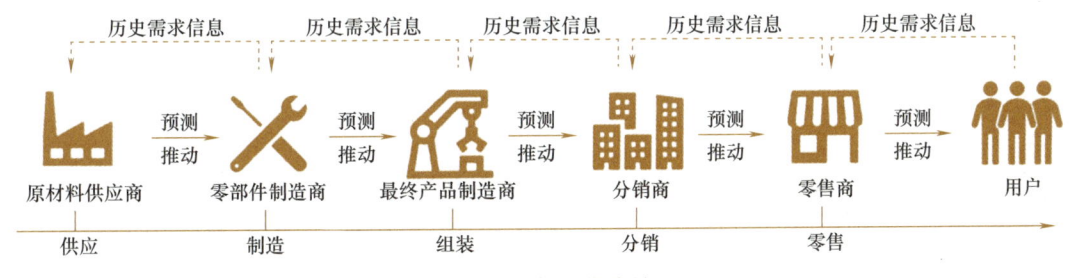

图 15-3 推式供应链

在这种由供应商、制造商、分销商、零售商和用户依次连接的供应链中,牛鞭效应可能导致服务水平低、产品过时、生产批量更大和更容易变动,同时整条供应链的响应周期长导致制造商和零售商必须备有大量缓冲库存。牛鞭效应将导致资源无效利用,因为在这种情况下计划和管理工作变得很困难。例如,制造商不清楚应当如何确定它的生产能力:如果根据最大需求确定生产能力,意味着大多数时间里制造商必须承担高昂的资源闲置成本;如果根据历史平均需求确定生产能力,就需要在需求高峰时期寻找昂贵的补充资源。同样,对运输能力的确定也面临这样的问题:以最大需求还是以平均需求为准。通常可以发现运输成本提高、库存水平上升或制造成本提高,都是由紧急的生产转换所导致的。

2. 拉式供应链

当市场供给能力远大于市场需求时,市场环境的变化要求供应链上下游业务的整合由面向生产库存的推式驱动转变为面向需求的拉式驱动。拉式供应链(Pull Supply Chain)强调对用户需求的敏捷响应,通过对用户需求尤其是个性化需求的满足实现价值的增值,以用户需求为驱动来组织供应链上的各业务活动。拉式供应链是在接到确定的订单后再组织相应的生产、采购、运输等活动的,是以订单驱动为导向,而非基于历史需求数据的,以下一个计划周期的预测值为依据组织生产、采购、运输等活动。拉式供应链的模式如图 15-4 所示。

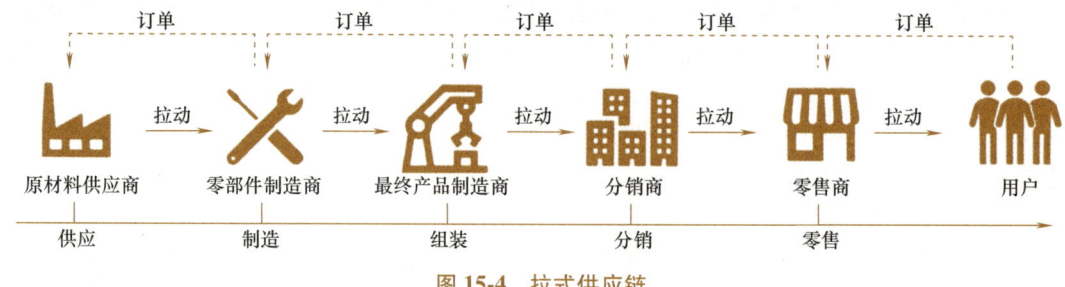

图 15-4 拉式供应链

在拉式供应链中，产品生产和交货是根据当期订单而不是基于历史需求信息预测值进行协调的，这样生产和销售就能基于真正的市场需求而不是预测需求进行协调。拉式供应链以消费端的用户需求为起点，通过尽可能提高生产和市场需求的协调一致性来减少供应链上的库存积压，实现对用户需求的精准敏捷响应，从而获利。在拉式供应链管理模式下，依据消费市场或消费者的当期实际需求，沿供应链向上游来组织采购、制造、组装以及分销等业务活动。为达到上述目的，供应链需要采用快速信息流动机制来将用户需求传输给供应链中的不同成员（如 POS 资料）。拉式供应链策略可缩短提前期，降低零售商和制造商的库存水平，降低系统变动性，以及提升市场响应水平。

在一个拉式供应链中，与一个对等的推式系统相比，通常存在系统库存水平的大幅下降、管理资源能力的增强以及系统成本的下降等现象。但是当提前期（在接到订单后，从组织采购、制造、组装、运输等活动到最后完成交货的时间）大于用户愿意等待的时间时，拉式供应链则很难实现。此外，在拉式供应链中，企业比较难以利用生产和运输的规模优势。

3. 推-拉混合式供应链

虽然单纯的推式或拉式供应链各自具有优势，但也存在着种种局限，因此，在现实中许多企业采用推-拉混合式供应链，供应链上的某些活动采用推式运营方式，其余的活动采用拉式运营方式，如图 15-5 所示。

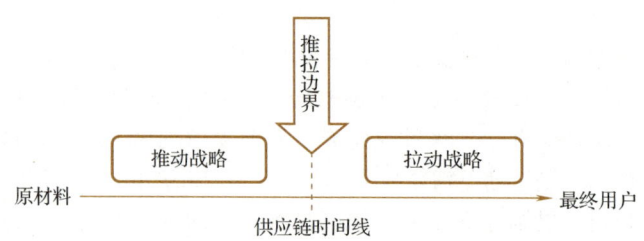

图 15-5 推-拉混合式供应链

在推-拉混合式供应链运营模式中，供应链的某些层次，如上游的几层以推动的形式运营，而其余的层次采用拉式模式。根据预测生产的模式（推式）向根据订单生产的模式（拉式）转换的邻接点称为"推拉边界"，如图 15-5 所示。为了更好地理解这一战略，我们进一步观察供应链的时间线，即从采购原材料开始，到将订单货物送至用户手中的这一段时间。推拉边界必定在这条时间线上的某个地方。在这个边界上，企业的运营策略会从推式转换为拉式。图 15-6 总结了几种不同生产模式下的推拉边界。

以个人计算机设备生产为例，传统的运营方式采取按库存生产（Build to Stock）策略组织供应链上的各业务活动，即先根据历史订单数据预测进行生产的品种和数量决策，再以较长订货提前期进行分销配送，将生产的产品不断补充其成品库存，然后根据对市场需求的反应进行分

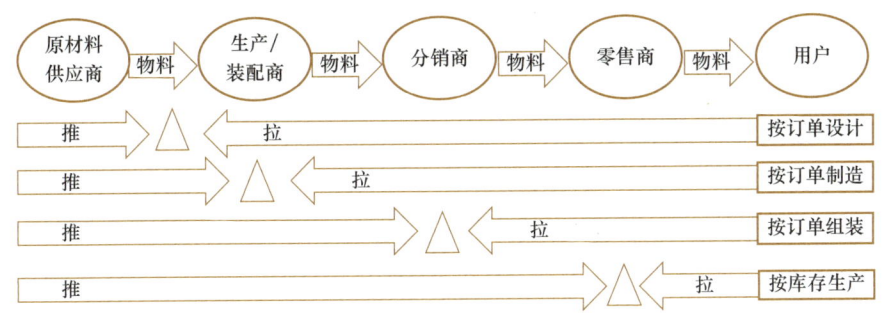

图 15-6 不同生产模式下的推拉边界（一）

销配送。在激烈竞争的市场环境下，单位产品的市场盈利率不断下滑，但市场的个性化需求却越来越强烈，导致交货成本居高不下，部分制造商采取了按订单生产（Build to Order）与按库存生产两者融合的运营模式。组件库存水平依据预测数据进行管理，之后再依据用户的特定要求进行装配作业。制造商在装配作业前的供应链系统属于推式策略，根据用户实际需求进行装配作业则属于供应链的拉式策略，所以推拉边界就在装配的起始点。

虽然计算机的配置、规格、型号不同，但都是由一些共用的零部件和少量的个性化组件组装而成的，生产商充分利用共用零部件的总体需求更为准确的特点，降低了库存成本。戴尔计算机非常成功地运用了推-拉混合式供应链。图 15-7 展示了传统计算机生产模式和戴尔计算机生产模式的区别。戴尔计算机制造商对所有产品都会用到的中间件、零部件进行汇总预测，其预测更为全面、准确，对这一部分的生产采用按库存生产的模式，通过大批量生产获得规模经济，节约生产成本；同时由于其预测准确程度高，具有通用性、标准化等特征，故其库存风险较低。而对于最终产品，由于消费者具有个性化偏好，其预测准确性低，通过多样化来满足消费者个性化偏好会增加库存成本和无效库存，同时也很难实现标准化生产而获得规模经济，故采用按订单生产的模式来整合相应的业务活动，这样可以解决个性化需求带来的不确定性与库存成本之间的悖论，通过灵活满足个性化需求来实现增值。

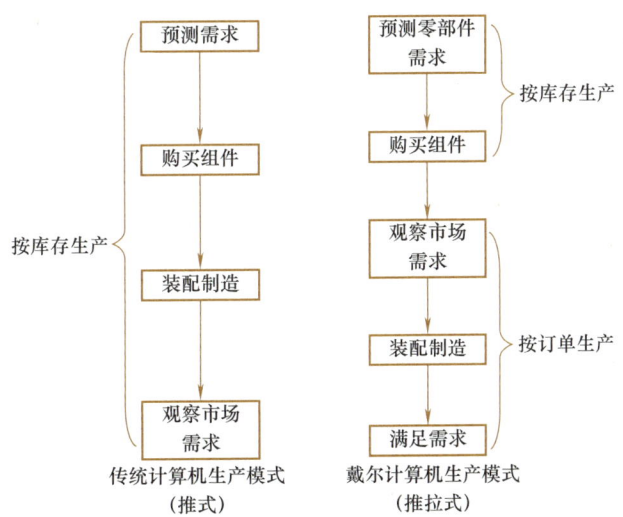

图 15-7 不同生产模式下的推拉边界（二）

延迟制造、延迟产品设计或延迟差异化是推-拉混合式供应链具体的实现路径。在延迟策略中，企业延迟产品设计与制造作业的程序，以便尽可能延迟产品特定差异化部分的制造。生产中性产品或族系产品的制造流程采用推式的模式，之后当最终产品的需求订单产生时，再采用拉式的模式生产差异化的特定最终产品。在制造产品差异化之前的供应链作业是基于推式策略的，通用产品的生产和运输是依据长期的预测进行的。因为对通用产品的需求相当于对所有终端产品的组合需求，能使预测更加准确从而降低库存水平，与此对应的是，用户对不同的最终产品的需求具有相当高的不确定性，所以应当在实际需求发生即用户下了订单后再进行相应的制造、组装和运输等活动，这样供应链中差异化时间点以后的阶段则以拉式为基础。

15.7.2 供应链整合战略的选择

对一个特定产品而言，应当采用什么样的供应链整合战略呢？图15-8提供了将供应链整合战略与产品和行业相匹配的框架，其中纵轴提供关于用户需求不确定性的信息，而横轴表示生产或分销中规模经济的重要性。

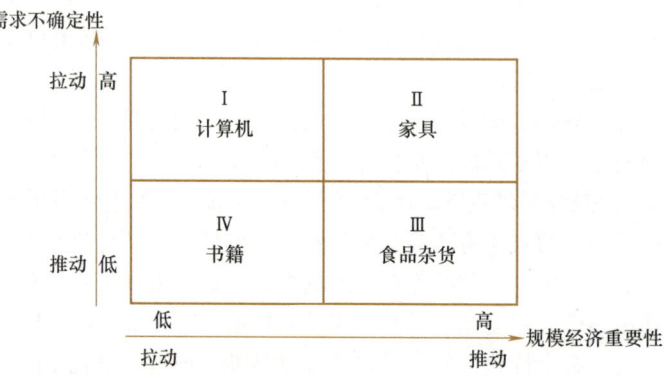

图 15-8 与产品和行业相匹配的供应链整合战略

在其他条件相同的情况下，需求不确定性越高，就越应当采用拉式供应链来整合业务活动；相反，需求不确定性越低，就越应该采用根据长期需求预测管理供应链的模式即推式供应链来整合业务活动。同样，在其他条件相同的情况下，规模经济对降低成本越重要，意味着市场端更强调的是标准化产品和服务，而不是个性化产品和服务，因此可以通过设计、采购、制造等环节的标准化实现规模化，故越应当采用推式供应链来整合业务活动，根据长期需求预测管理供应链。如果规模经济不那么重要，那么就应当采用拉式供应链来整合业务活动。

在图15-8中，二维变量把一个区域划分为四个部分，区域Ⅰ表示该行业（或者产品）的特点是具有较高的需求不确定性，同时生产、装配或分销的规模经济并不十分重要，如计算机行业，应对这种行业或产品采用拉式供应链。区域Ⅲ表示的是需求不确定性较低而且规模经济较重要的产品，例如啤酒、粮食、调料等食品杂货行业的产品。由于对这类产品的需求相当稳定，所以通过满载运输来降低运输成本，对整个供应链成本控制而言十分重要。在这种情况下，采用拉式供应链就不太合适，而推式供应链更有利。

区域Ⅰ和区域Ⅲ表示的情况比较容易选择有效的整合供应链的模式。然而在其他两个区域，用需求不确定性和规模经济重要性这两个维度提出的整合供应链业务活动存在一定的矛盾。在这两个区域内，需求不确定性将供应链"拉"向一个战略，而规模经济重要性则将供应链"推"向另一个战略。区域Ⅳ表示的产品具有较低的需求不确定性，表明应采用推式供应链，但同时它的规模经济重要性也低，表明应采用拉式供应链。图书就属于这一类，企业需要考虑更多的因素来确定其供应链整合的模式，如考虑采用二八法则，对头部产品即畅销图书采用推式供应链模式,而对尾部的产品则强调长尾效应,即采用拉式供应链模式。

区域Ⅱ表示的是需求不确定性高而且在生产和运输过程中规模经济十分明显的产品和行业。家具行业是这种情况中最典型的例子,此时需要考虑更多的因素,比如产品的价值:对于产品价值高的家具如红木家具,更多采取拉式供应链,当顾客确定品种、款式、花色之后,即顾客订单确定后,供应链上的各环节才开始制造;对于产品价值低的家具,则更多采取推式供应链,通过运输和生产成本的规模经济来实现成本的节约。

上述讨论的框架更倾向于为不同的产品确定更合适的推动或拉动水平,要利用推式、拉式或推-拉混合式供应链系统来整合业务活动,还需要考虑许多因素,包括产品的复杂程度、生产提前期,以及与供应商的关系等。同样,要实施一个推-拉混合式供应链系统,首先应确定推拉边界的位置。例如,戴尔将推拉边界放在了装配点上,而家具制造商则把推拉边界放在生产甚至是设计环节上。一般来说,用推式供应链的模式来整合业务活动比较适合供应链中需求不确定性相对较低,能用长期需求预测进行管理的产品、中间产品或零部件。用拉式供应链模式来整合业务活动比较适合供应链中需求不确定性高,需要按实际订单进行管理的产品。

因为供应链推动部分的需求不确定性相对较低,服务水平不是最主要的问题,所以重点应当放到成本最小化上。另外,供应链的这个部分除了具备需求不确定性低、生产或运输过程中能实现规模经济的特点,还有较长的提前期和复杂的供应链结构,如产品装配层次较多等。这样,通过对诸如生产和分销能力的有效管理,实现库存、运输和生产成本的最小化,就能达到总成本最小化的目标。

供应链拉动部分面对的需求具有较高的不确定性、简单的供应链结构和较短的循环周期。因此,这部分的重点是提高服务水平。一般要达到高的服务水平,需要使供应链更加灵活和敏捷,供应链要能对用户需求的变化做出快速响应。服务水平是供应链拉动部分的核心目标,其重点是订单满足及完美履约。成本和资源利用率是推动部分的核心,要用供应链计划流程来为后面几周或几个月制定高效率的策略。表15-4总结了供应链的推、拉部分的一些特点,并对其进行了比较。

表 15-4 供应链的推、拉部分比较

阶段	推动部分	拉动部分
目标	最小化成本	最大化服务水平
复杂程度	高	低
重点	资源配置	快速反应
提前期	长	短
流程	供应链计划	订单满足

供应链的推动部分和拉动部分只在推拉边界才会相交。这就是说在整个供应链时间线上需要协调两种战略的节点,一般会通过设置缓冲库存的方法来解决这个问题。这种库存在不同的部分扮演着不同的角色。在推动部分,推拉边界的缓冲库存是实施计划产出的一部分,而在拉动部分,这是生产流程的一项输入。所以,供应链推动和拉动部分的接口就是需求预测点。这个预测是根据拉动部分的历史数据做出的,通常被用来驱动供应链计划流程和确定缓冲库存。

15.7.3 供应链整合的影响因素

1. 提前期的影响

提前期越长,用推式供应链模式来整合业务活动就显得越重要,因为提前期长,企业很难对用户的订单做出及时响应，所以用拉式供应链模式来整合业务活动必然很困难——没有办法在用户愿意等待的时间内为用户提供其所需要的产品和服务。提前期与需求不确定性对供应链整合模式选择的影响如图 15-9 所示。

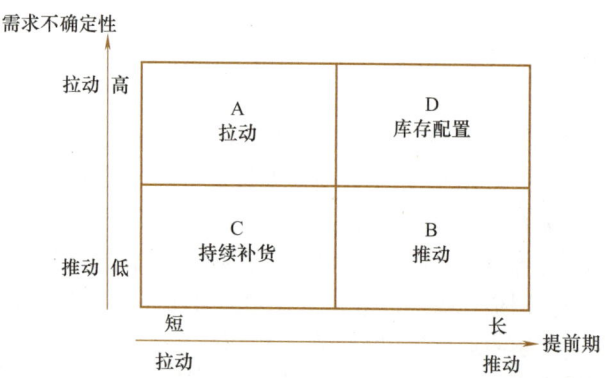

图 15-9　提前期与需求不确定性对供应链整合模式选择的影响

A 区域代表具有短提前期和高需求不确定性的产品，例如个人计算机等产品。建议对该区域尽可能采用拉式供应链模式来整合业务活动。

B 区域代表具有较长提前期和低需求不确定性的产品，例如日用品。在该情况下，采用推式供应链模式来整合业务活动比较合适。

C 区域代表的产品具有较短提前期和较高需求可预测性，例如面包、牛奶等食品行业产品。实践中，零售店和超市采用的就是"持续补货"的战略，供应商从销售点获取数据，并且利用这些数据决定为维持特定库存水平而需采购的产品数量。在这条供应链中，由于用户需求驱动生产和分销决策，因此在生产和分销阶段采取拉式供应链模式来整合业务活动，在零售阶段则是用推式供应链模式来整合业务活动。

D 区域的产品提前期长，需求难以预测。在这种情况下，库存策略尤为关键，企业运营中需要进行合理的库存配置。例如，在汽车制造中，区域配送中心通过将很多下一级配送中心的需求进行整合，实现了风险分担，并且由于正确地配置了库存，因而能提高供应链的库存周转率。

2. 需求驱动的影响

推式、拉式或推-拉混合式供应链都需要将需求信息整合到供应链计划流程中。这需要经过两个步骤：首先是需求预测，即用历史数据对未来需求进行估计或预测；其次是需求调节，即企业确定促销、价格折扣、新品发布与产品召回等不同营销计划对需求的影响。

在任何情况下，预测都不会完全准确，因此需求预测和流程调整的重要结果是对预测准确度的估计，即所谓的预测偏差，一般用标准差来衡量。较高的需求预测偏差会对供应链绩效产生不好的影响，如库存过少会错过销售机会，库存过多则会使库存成本过高或库存因卖不出去而失去价值。利用供应链整合战略来提高预测准确性并降低预测误差主要有以下几种方法：①选择推拉边界，使需求能按照产品、地理区域、时间等不同层次进行组合；②使用市场分析、人口统计学及经济学工具改善预测的准确性；③决定各商店最佳产品组合，以便减少在同一市场竞争的商品种类；④与用户协作制订计划与预测程序，以便更了解市场需求，以及促销、定价与广告产生的影响。

在需求计划过程的最后，企业应该能得到按地域和单品库存单位完成的需求预测结果。下一步应分析供应链运营是否能够支持这个预测结果。这个流程叫作供需管理，目的是确定一个能实现供需平衡的战略，使总的生产、运输和库存成本最小化或者利润最大化。与此同时，企业还要确定在供应链范围内控制需求不确定性和其他风险的最佳方式。

15.8 供应链契约与协调

15.8.1 供应链协调问题

在前面几章曾经讲过,供应链竞争力的来源之一就是对供应链的管理水平,其中主要就是协调管理。传统上,自发运行的供应链往往会出于多方面原因而处于失调状态:首先,供应链成员之间的目标不一致会造成供应链失调;其次,供应链与外部环境之间、供应链内部成员之间的信息往往是不对称的,会由于缺乏系统外部信息或系统内部信息而产生外生风险,同时还会由于成员隐藏行动或隐藏信息而产生内生风险;最后,各成员为了实现自己的利润最大化目标,采取的决策往往与供应链整体利益最大化不一致。以上情况都会使供应链的运作不能协调一致,由此产生了种种不协调现象。很显然,如果没有合理解决供应链的协调运作问题,就不可能实现供应链管理的终极目标。因此,分析供应链运作失调现象及其产生的原因,给出供应链运作失调的解决方法,对供应链管理者来说具有重要价值。下面,对几种常见的供应链运作失调现象做简要介绍。

1. 供应链中的需求变异放大现象

需求变异放大现象被很多人称为"牛鞭效应"。需求变异放大现象是对需求信息在供应链传递过程中被扭曲的现象的一种形象描述。其基本含义是:当供应链的各节点企业只根据来自其相邻的下级企业的需求信息做出生产或供给决策时,需求信息的不真实性会沿着供应链逆流而上,使订货量逐级放大。当订单信息传递到源头供应商时,其获得的需求信息和实际消费市场中的用户需求信息发生了很大的偏差:需求变异效应将实际需求量放大了。由于存在订单需求放大效应,因此上游供应商往往会比下游供应商维持更高的库存水平。这种现象反映了供应链成员之间在需求上缺乏同步性。

需求变异放大现象产生的原因主要有以下几个方面。

(1) 需求预测修正。需求预测修正是指当供应链的成员采用将其直接下游的订货数据作为市场需求信号时,就会产生需求变异放大现象。举一个简单的例子,当库存管理人员需要决定向供应商的订货量时,可以采用一些简单的需求预测方法,如指数平滑法。在指数平滑法中,未来的需求被连续修正,这样,送到供应商手中的需求订单反映的是经过修正的未来库存补给量,为保险起见,经过修正的订货量都是比较大的。

(2) 产品定价策略导致订单规模的变动性。产品的定价策略可以分为两种情况:①批量折扣。批量折扣极有可能扩大供应链内订单的批量规模,进而引起供应链上各阶段库存尤其是安全库存的增加。②由于批发、预购、促销等因素引起的价格波动。如果库存成本低于由于价格折扣所获得的利益,那么销售人员当然愿意预先多买,这样订货就不能真实反映需求的变化,从而产生需求变异放大现象。

(3) 分摊订货成本。由于订货成本及运输的固定成本很高,同时供应商提供批量折扣的优惠,因此下游企业可能大批量订购产品以分摊订货成本。当大批量订购的产品大大超出需求扩张量时,订单的变动性就会在供应链内被放大,使订单量的变动比需求量的变动更加不稳定。

(4) 补货供给提前期太长。因为补货企业发出订单时,会将两次供货期间的需求计算在内,如果需求的偶然性变动被误认为是一种增长(减少)趋势,订单的变动性将更大。补货供给期越长,被计算在内的预测的需求将越多,变动也将更大,需求变异放大现象就越强。

(5) 短缺博弈。高需求产品在供应链内往往处于短缺供应状态。这样，制造商就会在各分销商或零售商之间调配这些产品的供给。通用的做法是：当需求大于供应量时，理性的决策是按照用户的订货量比例分配现有的库存供应量。比如，当总的供应量只有订货量的50%时，合理的配给办法就是使所有的用户获得其订货量的50%。此时，用户为了获得更大份额的配给量，会故意夸大其订货需求。当需求下降时，订货会突然消失。这种由于个体参与的组织的完全理性经济决策导致的需求信息扭曲最终使需求变异放大。

2. 曲棍球棒现象

(1) 曲棍球棒现象实例。某国际著名食品企业在中国的生产厂年产饮料20多万吨，产值约为5亿元。与其他快速消费品一样，该企业采用备货型生产方式组织生产，其生产的产品主要在湖北省销售。产品按不同的品牌和包装计算。该企业共有20多种规格的产品，不同的包装规格可以按照统一的容量标准换算为标准箱。该企业将销售区域按地理位置进行了划分，并指定不同销售人员负责特定区域，每个区域一般有几个到十几个经销商。该企业与行业内的其他企业一样，为了激励经销商多从本企业进货，出台了根据经销商每月累计订货量向其提供一定返利的政策。双方事先通过销售契约约定了一个目标订货量，经销商的累计订货量必须达到或超过这个数量，才能拿到相应的返利。企业采用4-4-5的统计方式（即每季前2个月按4周计，第3个月按5周计）。

为了便于分析，这里将该企业2018年和2019年日销售出库量按时间序列绘制成了曲线图，如图15-10所示。

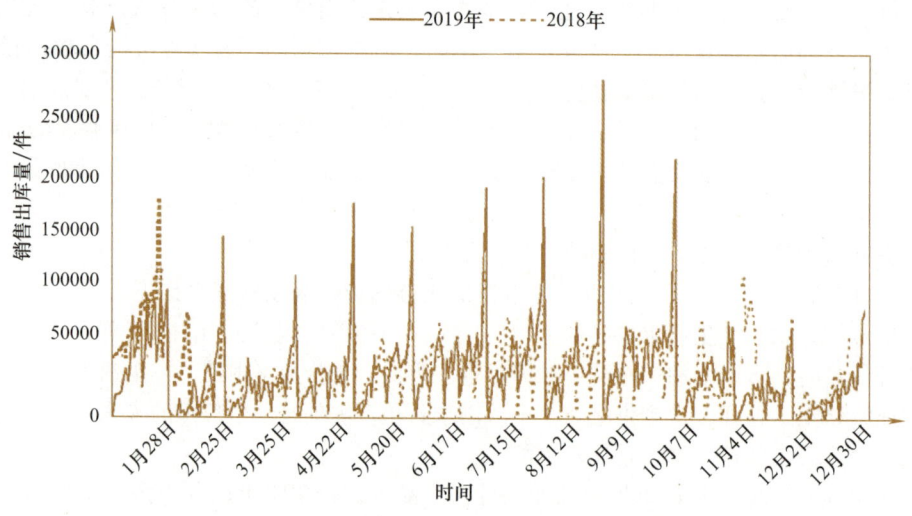

图15-10　2018年和2019年某公司全年日销售出库量变化趋势

从图15-10可以看出，每月月初产品的出库量很低，月中逐步增加并达到相对均匀，月底的出库量则急剧增加。因为图15-10中出库量的图形就像曲棍球运动中击球杆的形状，所以被形象地称为曲棍球棒现象（Hockey Stick Effect）。

(2) 曲棍球棒现象对企业运营的影响。曲棍球棒现象的存在给企业的生产和物流运作带来了很多负面影响。首先，在这种情况下，企业在每个考核周期的期初几乎都收不到经销商的订单，而在临近期末的时候订货量大幅增加。对运用备货型生产模式的企业来说，为了平衡生产能力，必须按每期的最大库存量而非平均库存量建设或租用仓库，从而使企业的库存费用比需求均衡时高很多。其次，这种现象的存在使企业的订单处理能力、物流作业人员和相关设施车辆在每个考核周期的期初因订单太少而处于闲置状态，造成能力浪费。而到了期末因为订单出库量剧增，甚至超出正常工作能力的限度，所以厂内搬运和运输的车辆只能不停运转。但有时还会出现缺货，即使拼命加班也处理不完订单。这时，企业为了按单出货，不得不向外部寻求支援。无论出现哪一种情况，企业都必须付出额外的加班费和物流外援费用。不仅费用上升，由于订单太多，工作人员的差错率也大幅增加，送货延误的情况时有发生，企业的服务水平显著降低。对运用按订单生产和准时制生产模式的企业而言，曲棍球棒现象的危害更大，甚至会影响部分经销商对某些产品的正常需求，从而导致部分终端用户的流失。

（3）曲棍球棒现象产生的原因。站在供应链整体运作的视角来分析产生曲棍球棒现象的原因，可以发现有以下两种主要因素。

1）企业内部对销售人员的激励机制导致的曲棍球棒现象。较早研究这种现象的是以李效良教授等人为代表的一批学者。在考察产生曲棍球棒现象的原因时，他们认为企业对销售人员的周期性考评及激励政策造成了这种需求扭曲的现象。在企业的营销系统中，为了激励销售人员努力工作，通常会对他们规定一个固定工资和销量目标，如果销量超过了这个目标，就能够拿到奖励的佣金，超出目标越多，拿的佣金也越多。如果销量在目标以下，就只能拿固定工资。销售人员在快到期末的时候，就会冲业绩，订单就会增多。

2）除企业对销售人员的激励机制外（这属于企业内部管理问题），曲棍球棒现象的产生还有更为重要的影响因素。企业管理者为了促使经销商长期购买本企业的产品，在与经销商合作的方式上，普遍采用总量折扣（volume discounts）的价格政策，即经销商在一个月内的订货总量达到或超过双方事先约定的数量（通常这个量比较高），企业可以给经销商额外的返点奖励。实证研究和案例分析发现，这种促销政策是造成曲棍球棒现象的一个重要原因，甚至可以认为是产生曲棍球棒现象的根源。比如，在一个月的交易中，在月初和月中这段时间，经销商的订单都比较正常，基本上可以根据其所在区域的市场销售情况向企业下达采购订单。但是，经销商也清楚，如果将每日的出货量在月末累加，其订单总量一般是很难达到能够获得企业返利的水平的。因此，经销商为了能够拿到总量折扣，就会在月底那一两天增加订货量，直到达到总量折扣要求的水平。这就是在图15-10中月底的出库量远高于月内其他时间的原因。特别是在近10年，基于买方在某一固定周期（月、季、年）的累计购买量的折扣方式越来越流行。在快速消费品行业，这种价格政策更为普遍。

实际上，基于总量折扣的价格政策并不能增加终端用户的实际需求。经销商增加的订货量大部分被积压在渠道中，延长了终端用户购买产品的货龄，从而使消费者的福利受损，并增加了供应链的总成本及供应链成员的经营风险。另外，如果经销商的库存太多，或者产品临近失效期，通常会采取两种措施：一是折价销售，这种方式会对市场造成冲击；二是迫使企业退货或换货，从而形成逆向物流，增加企业与经销商处置产品的费用。从长远来看，这两种措施的结果对企业和经销商的正常经营与利润都不利。

由于曲棍球棒现象出现在企业与经销商之间的业务交易过程中，因此可以认为这也是一种供应链不协调的现象。

3. 双重边际效应

在影响供应链协调运作的问题中，更隐蔽的一种是双重边际效应（Double Marginalization）。

双重边际效应是指供应链上下游企业为了谋求各自收益最大化，在分散的、各自独立决策的过程中确定的产品价格高于其生产边际成本的现象。与前面介绍的两种很明显的不协调现象不同，双重边际效应是一种更加隐蔽的供应链不协调现象。如果供应链上的每家企业都从自身利益出发开展供应链业务进程，会影响供应链总体收益。例如，如果下游企业（如零售商）的定价过高，必然会造成市场需求萎缩，供应链总体收益下降，致使供应链达不到整体协调。事实上，早就有学者发现了双重边际效应。1950年，斯彭格勒（Spengler）发表了一份研究报告，指出零售商在制定库存订货决策时并不考虑供应商的边际利润，因此批量很小，达不到优化的水平。

企业个体利益最大化的目标与整体利益最大化的目标不一致，是造成双重边际效应的根本原因。从另外一种意义上讲，分散决策、风险单边转移也会导致双重边际效应，如图15-11所示。

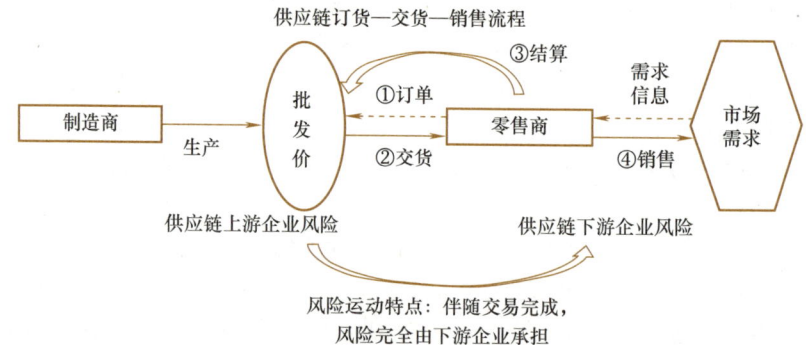

图 15-11 供应链分散决策及风险特点

图15-11描述的传统供应链决策过程是：首先，供应链上的零售商根据市场需求情况做出订货决策并向制造商发出订单；其次，制造商生产出产品并按批发价交货，同时与零售商进行结算，此时物权就转移到了零售商处；最后，零售商努力将产品卖出去，因为若到了销售周期期末仍没将产品卖出去，则只能当作废品处理掉，这将给零售商带来超储损失。上述供应链运作流程表明，当制造商根据零售商的订单按期交货并结算，以后自己的收益就得到了保证，至于零售商的订货量是多了还是少了、是缺货还是积压过多，则是零售商要承担的风险。零售商为了自己的利益，在下订单时是按照自身风险最小的原则行事的，绝不会为了整个供应链利益最大化而承担全部的风险。

15.8.2 提高供应链协调性的方法

1. 缓解"牛鞭效应"的方法

（1）提高供应链企业对需求信息的共享性。需求扭曲来源于多级供应链需求信息的传递，每个节点企业的预测需求均成为上游节点企业订货决策的放大因子，并且具有累积效应。消除需求信息扭曲的方法是供应链上的每个节点企业必须在自身的需求中排除下游节点企业订货决策对上游企业的影响，这就要求供应链上的每个节点企业只能根据最终产品市场的实际需求进行自身的需求预测，此时消费者市场的实际需求信息必须被供应链的每个环节所共享。

（2）科学确定定价策略。解决由价格折扣导致的"牛鞭效应"，要求供应商采取每天低价策略和分期供应链契约策略，前者通过价格的持续性，后者通过供货的阶段性来抑制市场价格的波动，减少"牛鞭效应"对上游企业的影响。

（3）提高运营管理水平，缩短提前期。企业在传统运作方式下通过确定经济订货量来降低成本，而订货提前期对库存相关成本的影响是很大的。缓解因批量订购而出现的"牛鞭效应"的影响，缩短订货提前期是关键。这对供应链管理提出了新的要求：一是要求需求方增加订货次数，以最低的订货成本快速地将需求传递给供应商。通常可以通过EDI技术或订货看板技术来实现，但应用这些技术的前提条件是组成供应链系统的企业具有基于网络信息的伙伴关系，供应链是稳定的战略联盟。二是要求小批量的物流传递通过低成本来完成，只能通过第三方物流的配送优化系统来实现。在引入第三方物流企业后，存储成本是可以减少甚至消除的。第三方物流企业通过供应链及时、准确、高效的配送体制，使供应链节点企业实现最低库存，从而大大降低成本。

（4）提高供应能力的透明度。现代供应链企业应通过共享生产能力与库存信息，采取风险共担、利益共享的策略来应对供应短缺所导致的"牛鞭效应"。实际上，这种策略最终会导致联合管理库存的出现。联合管理库存强调多方同时参与，共同制订库存控制计划，使供需双方能相互协调，使库存管理成为供需双方连接的桥梁和纽带，从而缓解"牛鞭效应"。

（5）建立战略合作伙伴关系。通过实施供应链战略合作伙伴关系可以消除"牛鞭效应"。供需双方在战略联盟中相互信任，公开业务数据，共享信息和业务集成。这样，相互都能了解对方的供需情况和能力，避免短缺情况下的博弈行为，从而减少产生"牛鞭效应"的机会。

2. 缓解曲棍球棒现象的方法

为了消除价格折扣导致的曲棍球棒现象，李效良教授等人认为最好的办法就是采取宝洁公司的天天低价政策。然而，由于商业模式的惯性和市场不成熟，目前在快速消费品行业基于总量的价格折扣方式仍然盛行，很少有企业运用天天低价的政策。为了解决这个困扰许多企业的难题，这里结合某些企业的实践，提出了一种可行的解决方案。在快速消费品行业，企业通常会经营不同品牌和不同包装规格的多种产品。为了消除曲棍球棒现象，平衡物流，企业可以采用总量折扣和定期对部分产品降价相结合的方式。假定企业向经销商提供两种规格的产品，当经销商的两种产品月累计进货量达到一定的数量以后，企业根据该数量向经销商提供一定的返利，即总量折扣的价格政策。在具体运用这个政策时，企业可以适当降低返利率，然后在考核周期的初期降低其中一种产品的转让价格，在期中再将其价格调高。在这种政策下，经销商为了投机，会在期初多订降价产品，而在期末为了拿到返利增加另一种产品的进货，期中则进行正常补货，其订货量将变得相对均衡，从而缓和企业出库中的周期性曲棍球棒现象，使销售物流更为平稳，以减轻企业库存和物流的压力，提高物流运作的效率和效益。这种方式能够使经销商在不同时期的订货比较单一，可以减少双方处理订单的工作量，增加企业单品的生产批量，从而提高生产的规模效益，减少转产的频次。

除了以上方法之外，企业还可以对不同的经销商采用不同的统计和考核周期，从而让经销商的这种进货行为产生对冲，以缓和企业出货中的曲棍球棒现象。企业通过延长考核周期可以减少曲棍球棒现象出现的频率，通过缩短考核周期可以降低出库波动的幅度。此外，通过与经销商共享需求信息和改进预测方法，企业能够更准确地了解经销商的外部实际需求，从而在设计折扣方案时，尽可能让折扣点与经销商的外部需求一致或略高，这样做也能够缓和曲棍球棒现象。当然，最好的方法是企业能够根据每期经销商的实际销量提供折扣方案，但由于信息不对称，企业很难了解经销商的实际销售情况或需要付出很大的人力和物力去调查及统计数据，可能会得不偿失。

15.8.3 供应链协调运作的激励机制

1. 供应链激励问题

上一节提出了缓解牛鞭效应、曲棍球棒现象等对供应链的不良影响的主要措施，这些措施对提高供应链运作的协调性具有重要意义。但是，供应链管理的理论与实践研究证明，即使减少了牛鞭效应或曲棍球棒现象对供应链的不利影响，也并不能保证供应链整体绩效实现最佳收益。在大多数情况下，供应链成员总是先关心如何优化企业自身的绩效，然后才考虑供应链的整体绩效，这种自我优化意识导致了供应链的低效率与不协调。双重边际效应就是这一现象的表现。

因此，如何消除双重边际效应的影响就成了在解决牛鞭效应和曲棍球棒现象基础上的另一项重要任务。解决双重边际效应需要供应链企业间的合作和信息共享。但是，由于在供应链成员之间缺乏组织机构进行有效的监督，因此传统的控制机制无法在供应链管理中发挥作用，不能通过行政手段解决双重边际效应问题。在这种情况下，只能通过在供应链企业间建立激励机制，以保证成员企业间形成更紧密的战略合作伙伴联盟，合作伙伴共担风险、共享收益，企业利益与供应链的整体目标协调一致，从而提高供应链的整体竞争优势。

下面考虑一个简单的单周期库存下的供应链。该供应链由一个制造商和一个零售商组成，如图 15-12 所示。制造商生产的产品按 122 元/件批发给零售商，该产品的市场零售价格为 200 元/件。如果零售商订货过多，在销售期期末每一件没有卖出去的产品只能按 18 元/件的残值价格处理掉。制造商的生产成本为 40 元/件。市场对该产品的需求概率分布如表 15-5 所示。

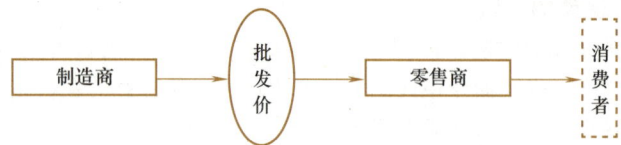

图 15-12　由一个制造商和一个零售商组成的供应链

表 15-5　市场需求概率分布

需求量/件	概率	需求量/件	概率
300	0.00	900	0.22
400	0.01	1000	0.12
500	0.04	1100	0.05
600	0.10	1200	0.01
700	0.20	1300	0.00
800	0.25	—	—

熟悉库存控制模型的读者很容易发现，这实际上就是一个报童模型决策问题。在这里，先考虑在传统的批发价交易模式下（也有人称其为批发价契约）供应链的决策模式。传统的模式是一种分散决策过程：①零售商根据市场需求确定一个订货量；②零售商向制造商下达订单；③制造商按批发价交付；④零售商按零售价销售，最后计算各自的利润。批发量交易模式中的符号设定[⊖]见表 15-6。

表 15-6　符号设定

符号	含义	符号	含义
p	单位产品零售价格	Q	订购量
w	制造商的单位产品批发价，即零售商的进货价格	C_u	订货不足（缺货）成本
		C_o	订货过量（超储）成本
c	制造商的单位生产成本	$F(Q)$	分布函数
s	剩余库存单位产品残值，设定 $p>w>c>s\geq 0$	$\Phi(Q)$	标准正态分布函数
μ	需求期望值	$L(Q)$	损失函数
σ	需求标准差	$L(z)$	标准正态损失函数

⊖ 详细内容可参考杰拉德·卡桑和克里斯蒂安·特维施所著的《运营管理：供需匹配的视角》（原书第 2 版）。

对零售商:
当需求预测为期望值 μ、标准差 σ 的正态分布时,其期望利润最大化的订货量为 Q。

$$\Phi(Q) = \frac{C_u}{C_O + C_u}$$

根据 $\Phi(Q)$ 查找标准正态分布表对应的 z 值:

$$z = \frac{Q - \mu}{\sigma}$$

$$Q = \mu + \sigma z$$

然后计算:

$$期望销售损失 = \sigma L(z)^{\ominus}$$
$$期望销售量 = \mu - 期望销售损失$$
$$期望售后剩余库存 = Q - 期望销售量$$

最后可得:

$$期望利润 = (p-w) \times 期望销售量 - (w-s) \times 期望售后剩余库存$$

本例计算结果如下:

根据表 15-5 的数据,计算出市场需求的期望值 μ 为 809 件,标准差约为 155.6 件。对于零售商而言,每多订购 1 件产品就存在超储风险,第 Q 件产品的期望损失为 $C_O \Phi(Q)$,其中,$\Phi(Q)$ 为需求的标准正态分布函数,即需求小于等于 Q 的概率。

当制造商与零售商之间按批发价模式交易时,零售商的超储成本与缺货成本如下:

$$C_O = w - s = (122 - 18) 元/件 = 104 元/件$$
$$C_u = p - w = (200 - 122) 元/件 = 78 元/件$$

从而可得:

$$\Phi(Q) = \frac{C_u}{C_O + C_u} = \frac{78}{78 + 104} = 0.4286$$

得

$$z = -0.18$$

所以零售商最优订货量为

$$Q = \mu + \sigma z = [809 + 155.6 \times (-0.18)] 件 \approx 781 件$$

查标准正态损失函数 $L(z) \approx 0.495$,则

$$期望销售损失 = \sigma L(z) \approx 77 件$$
$$期望销售量 = \mu - 期望销售损失 = (809 - 77) 件 = 732 件$$
$$期望售后剩余库存 = Q - 期望销售量 = (781 - 732) 件 = 49 件$$

最后可得:

$$零售商期望利润 = (p-w) \times 期望销售量 - (w-s) \times 期望售后剩余库存$$
$$= [(200-122) \times 732 - (122-18) \times 49] 元 = 52000 元$$
$$制造商利润 = (w-c)Q = [(122-40) \times 781] 元 = 64042 元$$
$$供应链总利润 = 零售商期望利润 + 制造商利润 = (52000 + 64042) 元 = 116042 元$$

批发价契约的特征是,当制造商以一定的批发价将产品交付给零售商后,制造商的收益就得到了保证,因为一旦产品出厂,所有权就属于零售商,至于能否销售出去与制造商无关。由于

$\ominus$ 在标准正态损失函数表中查找该 z 统计值。

这种批发价交易机制只能保证供应链上游企业的利益，风险都集中到了零售环节，因此，零售商为了保证自己的利益，在向制造商订货时，就会按照最有利于自己的订货策略发出订单。如本例，根据以上数据不难看出，在零商订货决策的临界状态，如果零售商多订1件产品并卖出去了，他的收益是78元；但如果多订1件产品且没有卖出去，他的损失是104元。如果假定销售出去与否的概率相同，零售商的期望风险将大于期望收益。于是，零售商就会把订货的数量向减少1件的方向移动，那么整个供应链就会减少1件产品带来的收益。

站在制造商的角度，它一定希望零售商尽可能多地订货，但是，在传统合作机制下零售商没有任何动力使自己冒着承担整个供应链的风险增加订货量。制造商应该如何说服零售商尽可能多地增加订货量呢？就需要有一个对零售商进行激励的机制，这就是供应链协调运作的激励问题。

2. 基于回购契约的激励模式

仍以上面的例子为讨论对象。现在，制造商向零售商提出了一个激励机制。它向零售商承诺，如果零售商增加了订货量但没有销售出去，制造商会以78元/件的价格将未销售出去的产品回购。这时，零售商的考虑是什么呢？它会分析，如果多订购1件产品并且销售出去了，那么他的收益为78(=200-122)元，而如果多订购1件产品但没有销售出去，他的损失是44(=122-78)元。假定销售出去与否的概率仍然相同，显然此时零售商的期望收益大于期望损失，它就会把订货的数量向增加1件的方向倾斜。这就是回购契约的基本思想。

当制造商与零售商之间建立了基于回购契约的交易机制时，供应链的收益情况为

$$C_o = w - 78 = (122-78) 元/件 = 44 元/件$$
$$C_u = p - w = (200-122) 元/件 = 78 元/件$$
$$\Phi(Q) = \frac{C_u}{C_o + C_u} = 0.6393$$

得：
$$z = 0.36$$

同理可得，最优订货量为
$$Q = \mu + \sigma z = (809 + 155.6 \times 0.36) 件 \approx 865 件$$

查询标准正态损失函数 $L(z) = 0.2445$，则

$$期望销售损失 = \sigma L(z) \approx 38 件$$
$$期望销售量 = \mu - 期望销售损失 = (809-38) 件 = 771 件$$
$$期望售后剩余库存 = Q - 期望销售量 = (865-771) 件 = 94 件$$
$$零售商期望利润 = [(200-122) \times 771 - (122-78) \times 94] 元 = 56002 元$$
$$制造商利润 = 期望销售量 \times (w-c) + 期望售后剩余库存 \times (w-c-78+s)$$
$$= [771 \times (122-40) + 94 \times (122-40-78+18)] 元 = 65290 元$$
$$供应链总利润 = 零售商期望利润 + 制造商利润 = (56002+65290) 元 = 121292 元$$

因此相较于传统的批发价契约，回购契约零售商通过努力将产品销售出去了，不仅它的收益增加了，制造商的收益也随之增加，整个供应链的收益增加了。这就是能够使供应链运行达到协调的回购契约。

为何回购契约具有这样的效果？实质上，制造商提出的回购策略（回购价<批发价）本质上是一种分担风险的行为。过去，按批发价完成交易后，产品不能完全销售出去的风险是由零售商承担的，如有未销售出去的产品形成存货，损失由零售商一方承担。而采用回购的合作方式后，期末如有未出售的产品，制造商通过回购的方式承担了一部分风险。在这种情况下，零售商就愿

意增加订货量。这也是供应链基本理念的体现——风险共担、收益共享。

需要指出的是，采用回购契约时要注意科学合理地确定回购价格。回购价格设置得过高或过低都会影响回购契约的实施效果。

15.8.4 供应链契约

为了减弱双重边际效应，就要努力提高供应链的协调性，尽可能消除不协调因素的影响，使整个供应链的收益达到最大化，使每个参与者都能获得更大的收益。

实现供应链的协调运作是供应链成功的关键。供应链的协调并不是以牺牲某一个体的利益来提高其他个体或系统的利益，而是以实现双赢乃至多赢为目标，至少要使改变合作模式后的个体或系统的利益不低于之前合作模式下的利益，也就是要实现帕累托改进。

作为一种能够实现供应链协调的有效机制，供应链契约（Supply Contract）得到了广泛的研究。帕斯特纳克（Pasternack）比较早地提出了契约的概念，他使用单周期报童模型研究了回购契约，指出当供应商允许零售商获得部分退款并返回过剩产品时，可以在一定程度上实现渠道的协调。随着对契约关注的日益增加，越来越多的学者以帕斯特纳克的研究为基础，希望在供应链上下游之间通过协商达成最佳（或满意）的契约参数，设计合理的供应链契约形式，以实现供应链的协调，从而有效地解决"双重边际效应"和"牛鞭效应"等，在最大化供应链的整体利润的同时，优化供应链绩效。

供应链运作不协调的现象还有很多，如供应链上的供应物流不能协同配套供应、零售商不能提高最终用户的体验等，这里就不一一阐述了。从上述三种现象可以看出，如果不能很好地解决这些问题，供应链管理的绩效水平会大打折扣，进而影响人们实施供应链管理的信心。

1. 供应链契约的参数

随着对供应链契约研究的日益重视，人们不断建立新的契约模型，深挖原有契约模型的潜在意义，并致力于将供应链契约应用到实际管理中。

究其本质，对供应链契约的研究离不开契约参数。通过设置不同的参数，可以构建出多种不同的供应链契约模型。例如，在契约中研究超储库存的退货问题，就形成了回购契约；在契约中研究供应链利润的分配问题，即利润共享契约。因此，以不同的契约参数为出发点，就能够以不同类型的供应链契约为对象展开研究。此外，契约参数的具体设定会影响供应链契约的作用。例如，数量折扣契约中折扣百分比的设计，最低购买数量契约中最低购买数量的确定，以及收益共享契约中利润分享参数大小的设定等，都会影响供应链契约的效果。在供应链合作中，缔结供应链契约的目标是优化供应链绩效，提高供应链竞争力，并确保契约双方共同获利。为了实现上述目标，必须在供应链合作双方的谈判过程中设计合理的契约参数，从而影响双方的行为和动机。供应链契约的参数设定必须对供应链节点企业起到激励和约束作用，以影响节点企业的行为，促进企业之间建立更紧密的合作，使节点企业通过致力于增加整个供应链的利润来提高自身的收益。契约参数问题是管理供应链契约时要解决的主要问题，参数的设计已经成为供应链契约中最为重要的一个环节。

一般而言，供应链契约的参数有以下几种。

（1）决策权的确定。在传统合作模式下，契约决策权的确定并不是一个非常重要的因素，几乎每个企业都有自己的一套契约模式，并且按照该模式进行日常的交易活动。但在供应链管理环境下，供应链契约决策权的确定发挥着相当重要的作用，因为在供应链契约模式下，合作双方要进行风险共担以及收益共享。

（2）价格。价格是契约双方最关心的参数之一，可以表现为线性的形式（按比例增长或下降）或者非线性的形式。合理的价格使得双方都能获利。卖方在不同时期、不同阶段会有不同的价目表，一般都会随着订货量的增大和合作时间的延长而降低，以激励买方重复订货。

（3）订货承诺。买方一般根据卖方的生产能力和自身的需求量提出数量承诺。订货承诺大体有两种方式：一是最小数量承诺，二是分期承诺。对于单个产品，最小数量承诺意味着买方承诺其累计购买量必须超过某特定数量，即最低购买数量；对于多品种产品，最小数量承诺则要求买方购买金额超过某最低量，即最低购买价值。使用分期承诺时，买方会在每个周期开始之前提出该期的需求量。

两种最小数量承诺方式有明显的区别。从一定意义上说，前者给出总需求量，有利于卖方做好整个契约周期内的生产计划，然而一旦市场发生变化，绝大部分市场风险便转移到卖方身上。后者则要求买方在各个周期的期初给出当期的预计订货量承诺，进行风险共担，使得卖方的风险有所降低，同时迫使买方加强市场决策的有效性。

（4）订货柔性。任何时候买方提出数量承诺，卖方一般都会提供一些柔性，以调整供应数量。契约会细化调整幅度和频率。这种柔性包括价格、数量以及期权等量化指标。这样，一方面，卖方在完成初始承诺后提供（或不提供）柔性决定的服务补偿；另一方面，买方也从中获得收益，当市场变动影响其销售时，就可以使用柔性机制来避免更大的损失。同时柔性也提供了强有力的约束，使合作双方在契约执行过程中更多地考虑自身利益，改善经营，从而使两者长期都受益。

（5）利润分配原则。所有企业生产最根本的目的都是实现自身利润的最大化，因此在设定契约参数时，利润分配原则通常是企业协商的重点。因此，在高度合作的情况下，如何维护合作双方自身的经济利益不受侵害，同时尽可能扩大渠道利润，就成了利润分配所要考虑的问题。

供应链契约往往以企业的利润作为建模的基础，在合作双方之间划分供应链的整体渠道收益就是利润分配问题。供应链契约包括按什么原则进行分配，分配的形式是怎样的以及如何设计利润分配的模型等。

供应链利润分配原则主要体现为收益共享和风险共担原则。在实际利润的分配过程中，供应链的核心企业起着决定性的影响，它在供应链成本、交易方式、利润激励等方面都起举足轻重的作用。此外，核心企业对利润分配的态度还会影响其他企业对合作的积极性以及对供应链利润增值的贡献。

（6）退货方式。从传统意义上讲，退货似乎对卖方很不利，因为它要承担销售产品带来的风险和成本。但事实上，实施退货政策能有效激励买方增加订货，从而扩大销售额，增加双方收入。从某种意义上讲，如果提高产品销售量带来的收入远大于滞销产品带来的固定成本，或者买方有意扩大市场占有率，那么退货政策给卖方带来的好处就会远远大于其将要承担的风险。

（7）提前期。在质量、价格可比的情况下，提前期是买方关注的重要因素之一。提前期导致需求信息放大，产生"牛鞭效应"，这对卖方而言也很不利。因此，有效地缩短提前期，不仅可以降低安全库存水平，节约库存投资，提高客户服务水平，很好地满足供应链时间竞争的要求，还可以减少"牛鞭效应"的影响。

在传统的库存模型中，提前期或被设置为固定值，或用随机变量来表示。其实，将提前期作为变量来调整供应链契约，能够为供应链带来收益。

（8）质量控制。在基于供应链的采购管理中，质量控制主要是由供应商进行的，企业只在必要时对质量进行抽查。因此，关于质量控制的条款应明确职责，还应激励供应商提高其质量控制水平。对供应商实行免检是对供应商质量控制水平的最高评价。契约中应指出实行免检的标准和对免检供应商的额外奖励，以激励供应商提高其质量控制水平。

质量问题是买卖双方谈判的矛盾所在。对卖方而言，提高原材料或零部件的质量，则意味着成本的增加；对买方而言，只有在价格不变的前提下保障原材料或零部件的质量，才能提高成品的合格率，进而增加收益。为此，买方需要在契约设计中针对质量条款采取某些激励措施，如进行质量方面的奖励或惩罚等，以达到双赢的目的。

（9）激励方式。对节点企业的激励是使节点企业参与供应链的一个重要条件。为节点企业提供只有参与此供应链才能得到的利益是激励条款所必须体现的。此外，激励条款应包含激励节点企业提高质量控制水平、供货准时水平和供货成本水平等内容，因为节点企业业务水平的提高意味着业务过程更加稳定可靠，同时费用也会随之降低。

一般而言，有以下几种激励模式可供参考。

1）价格激励。高价格能增强企业的积极性，不合理的低价会挫伤企业的积极性。供应链利润的合理分配有利于供应链企业间的合作稳定和运行顺畅。

2）订单激励。供应链获得更多的订单是一种极大的激励，在供应链内的企业需要更多的订单激励。一般来说，一个制造商拥有多个供应商。多个供应商竞争来自制造商的订单，获得较多订单对供应商是一种激励。

3）商誉激励。商誉是企业的无形资产，对于企业极其重要。商誉来自供应链内其他企业的评价，在公众中的声誉反映了企业的社会地位（包括经济地位、政治地位和文化地位）。

4）信息激励。信息对供应链的激励实质上属于一种间接的激励模式，如果能够很快捷地获得合作企业的需求信息，企业就能够主动采取措施提供优质服务，必然会使供应链合作各方的满意度大大提高。这对在合作方建立信任起着非常重要的作用。

5）淘汰激励。为了使供应链的整体竞争力保持在一个较高的水平，供应链必须建立对成员企业的淘汰机制，同时供应链自身也面临着被淘汰的风险。

6）信息共享机制。供应链企业之间任何有意隐瞒信息的行为都是有害的，充分的信息交流是对供应链的采购管理良好运作的保证。因此，契约应对信息交流提出保障措施，例如规定双方互派通信员和每月举行信息交流会议等，防止信息交流出现问题。

综上所述，契约需要考虑的因素非常多。此外，在契约的签订过程中，还需要考虑众多复杂因素的一些动态的、不断重复的博弈过程。

2. 几种常见的供应链契约

如前所述，供应链契约中有许多参数，将这些参数单独列出或者进行组合，就可以形成多种不同类型的供应链契约。一般而言，较常见的供应链契约包括以下几类。

（1）回购契约（Buyback Contract）。回购契约规定，在销售季末，零售商可以一定的价格把未售出的产品全部退还给供应商。回购契约是一种在不确定性需求系统协调中常见的契约方式，它既是一种风险分担机制，又能起到激励订购的作用。回购契约的最大特点在于它能够较灵活地消除随机需求下系统的双重边际效应。通过缔结回购契约，供应商与零售商共同分担市场风险，而刺激零售商订货的措施则能够提高其期望利润。

回购契约往往应用于生产周期较长而销售季节较短的商品交易中，它在时令商品（如服装、图书等）市场中得到了广泛使用。

（2）收益共享契约（Revenue Sharing Contract）。在这种契约中，供应商拥有货物的所有权，决定批发价格，而收益共享的比例则由零售商决定。对于每一件卖出的产品，零售商根据事先确定的收益共享百分比，从销售收入中扣除自身应当享有的份额，然后将剩余部分收益交给供应商。

（3）数量折扣契约（Quantity Discount Contract）。该契约规定，在一定时期内，供应商根据零售商承诺购买的数量，按照一定的比例对价格进行调整。数量折扣契约在实际交易中非常普遍，通常使用的方式有两种：全部单位数量折扣和边际单位数量折扣。当使用前者时，供应商按照零售商的购买数量，对所有产品都给予一定的价格折扣；而后者只对超过规定数量的部分给予价格折扣。研究发现，在确定性需求或者不确定性需求下，数量折扣适用于风险中性和风险偏好型的零售商。

（4）最小购买数量契约（Minimum Purchase Contract）。在最小购买数量契约下，零售商在期初做出承诺，将在一段时间内向供应商购买至少一定数量的产品。通常供应商根据这个数量给予一定的价格折扣，购买产品的单位价格将随着数量的增加而降低。这种契约在电子产品行业尤为普遍。

最小购买数量契约与数量折扣契约有些类似，但不同的是，前者需要做出购买数量承诺，这种承诺并非一次性的，也可以是一段时间或者一个年度内的购买数量总和。

（5）数量柔性契约（Quantity Flexibility Contract）。交易双方拟定契约，规定每一期内零售商订货量的波动比率。使用这种契约时，零售商承诺一个最小购买数量，然后可以根据市场实际情况，在最低和最高订货范围内选择实际的订货量。按照契约规定，供应商有义务提供低于最高采购数量的产品数量。这种方式能够有效地遏制零售商故意高估市场需求，从而导致供应链库存增多的不利现象。

（6）带有期权的数量柔性契约（Flexibility Quantity Contract with Option）。在这种契约模式下，零售商承诺在未来各期购买一定数量的产品，同时它还向供应商购买了期权。这种期权允许零售商可以在未来以规定的价格购买一定数量的产品，从而获得了调整未来订单数量的权利。

（7）削价契约（Markdown Contract）。这是一种经过改进的回购契约，供应商为了避免零售商将未售出的产品返还给自己，会采取一定的价格补贴措施，激励零售商继续保留那些未售出的产品。价格补贴虽然对供应商来说实施起来比较方便，但可能给了零售商套利的机会，因此必须建立在买卖双方充分信任的基础之上。目前，价格补贴已经被广泛应用于IT产品的销售中。

价格补贴实质上是一种价格保护策略，是供应商分担零售商过剩库存风险的另外一种方式。它通过对期末未售出产品进行价格补差来实现，并经常应用价格递减方式实现短生命周期产品的协调。研究表明，价格补贴与回购有很大的相似性，也可实现供应链系统的协调，但针对多零售商时，会出现不能确保各零售商均参与契约的情况，主要原因在于价格补贴实现协调的条件与客户需求信息无关，仅与买卖双方的成本结构有关。

（8）备货契约（Backup Contract）。零售商和供应商经过谈判后，双方拟定契约为零售商提供一定的采购灵活性。备货契约的流程为：零售商承诺在销售旺季采购一定数量的产品，供应商按零售商承诺数量的某一比例为其保留产品存货，并在销售旺季到来之前发出所预存的产品。在备货契约中，零售商可以按原始的采购价格购买供应商为其保留的产品并及时得到货物，但要为没有购买的部分支付罚金。

（9）质量担保契约（Quality Warranty Contract）。质量问题构成了零售商和供应商谈判的矛盾。供应商知道自己的生产质量水平，拥有信息优势，而零售商却处于信息劣势。由于信息不对称，会产生两个问题：第一，供应商由于不具备提供某种质量水平的能力可能会做出错误的质量承诺，零售商不能正确辨认供应商的能力，于是产生了错误选择；第二，供应商可能存在恶意的欺骗行为，导致了严重的道德问题。为了保证零售商和供应商自身的利益不受侵犯，并保证供应链绩效最优，签订契约的谈判双方必须在一定程度上实现信息共享，运用合作激励机制，设计质量惩罚措施，当供应商提供不合格产品时对其进行惩罚。

3. 供应链契约的作用

如前所述,供应链契约的类型多种多样,尽管不少契约的理论模型与实际情况存在一定的距离,但其仍然能够为管理者提供审视供应链的决策依据,因而具有极大的管理意义。

在实际运作中,企业使用较为普遍的契约方式有回购契约、收益共享契约和数量折扣契约等。供应链契约的使用能给企业带来相当可观的收益。例如,通过使用收益共享契约,百视达(Blockbuster)的业务额曾提高了75%,市场份额也从25%上升到了31%。使用供应链契约,既能克服"牛鞭效应"和"双重边际效应"等多种不利影响,有效地实现供应链的协调运作,又可以保障供应链企业之间的合作关系。其作用主要表现在以下几个方面。

(1) 降低"牛鞭效应"的影响。供应链的信息失真导致了"牛鞭效应",对于供应链企业具有非常大的危害。供应链契约可以很好地降低"牛鞭效应"的影响,主要表现为供应链契约的签订降低了供应链中的库存。供应链契约同时具有柔性和相对稳定的优点,在供应链中,每个企业不必像以前那样维持较高的安全库存水平。

一般而言,企业通常致力于实现自身利益的最大化,当需求信息在供应链中逐级放大时,便导致了"牛鞭效应"。供应链企业之间的合作将原来的局部优化转化为整体利益最大化,而供应链契约的特性可以使这种合作具体化,防止这种合作行为成为"纸上谈兵"。

供应链企业通常在确定合作关系之后签订契约,使各节点企业明确各自的职责。以前供应链的上游总是将下游的需求信息作为自己需求预测的依据,当下游企业订购时,上游企业的经理就会把这条信息作为将来产品需求的信号来处理。基于这个信号,上游企业调整需求预测,向供应链增加或减少订购,使其供应商也做出相应的调整。这是导致"牛鞭效应"的主要原因。企业之间签订供应链契约有如下好处:一方面,下游企业对上游企业的需求数量趋于固定,即使有变动也在供应链契约的柔性范围内,对供应和需求的影响不大。这样上游企业不必对下游企业的需求进行预测,从而避免了信息在整条链上产生滞后,防止了"牛鞭效应"的产生。另一方面,供应链契约可以使供应链上的信息共享程度得到提高,基本上供应链上的每个节点都可以共享所有的信息,这就避免了一些不必要的预测,避免了"牛鞭效应"的产生。

(2) 实现供应链系统的协调,消除双重边际效应。如前所述,供应链的双重边际效应是指当供应链各节点企业都试图使自己的利润最优时,不可避免地会损害供应链的整体利润。供应链契约就是为了尽量减少这种损害而出现的一种解决办法。

供应链契约通过调整供应链的成员关系来协调供应链,使分散决策下供应链的整体利润与集中系统下的利润尽可能相等。即使无法实现最好的协调(与集中系统下的利润完全相等),也可能存在帕累托最优解,使得每一方的利润至少不低于原来的利润值。供应链各节点企业可以通过签订不同类型的供应链契约来克服双重边际效应所导致的供应链效率降低以及渠道利润减少等问题,使供应链达到最佳协调。

(3) 增强了供应链成员的合作关系。建立协调的供应链的好处是有目共睹的,但这种协调要基于企业之间的相互信任。供应链是由多个企业组成的联合体,彼此之间没有任何产权上的联系,仅仅是动态的合作关系。然而供应链契约可以以书面的形式保证合作企业的权利和义务,使这种权利和义务具有法律效应,这样即使信任机制不健全,也可以实现供应链合作企业的紧密合作,加强信息共享,使企业相互进行技术交流和提供技术支持。

供应链合作关系产生了新的利润,新增利润如何在供应链中进行分配,是决定供应链企业能否继续保持合作关系的一个重要因素。供应链契约模型研究了利润的分配模式,通过企业之间的协商,将利润在供应链各个节点企业中进行了分配。契约的特性要体现收益共享和风险共担原则,从而使供应链成员企业达到帕累托最优。

随着契约参数的改变，供应链承担的风险在供应链上不同阶段之间发生了转移，从而影响了零售商和供应商的决策，稳固了它们之间的长期合作伙伴关系，同时提高了供应链的总体收益。

此外，还可以通过修改契约的激励模式，为合作企业创造更好的优惠条件，减少彼此之间的不信任感，实现双赢，进一步增强供应链节点企业的合作关系。

15.9 供应链绩效评价

15.9.1 供应链绩效评价的作用

供应链绩效评价是指对供应链的运行状况进行必要的测评，并根据测评结果对供应链的运行绩效进行评价，针对所出现的问题提出改进方案，不断提高绩效水平。供应链绩效评价主要有以下三个方面的作用。

（1）掌握整个供应链的运行效果。市场竞争早已不仅仅是在企业之间展开的，更多的是在不同供应链之间开展的。所以，必须通过绩效评价来掌握整个供应链的运行状况，找出供应链运行方面的不足，及时采取措施予以纠正。

（2）奖优罚劣。通过评价节点企业，培植、扶持优良企业，剔除不良企业。

（3）促进节点企业之间的合作。以客户满意度为出发点，发布评价结果，公示产品和服务质量，以此来促进上下游企业之间的合作。

15.9.2 供应链绩效评价应遵循的原则

为客观地反映供应链的运营情况，在评价供应链的绩效时应坚持以下三个基本原则。

（1）评价指标的全局性原则。所设计的评价指标应能反映供应链的整体运营状况、节点企业之间的运营关系以及业务流程的改进。

（2）重点突出原则。对关联绩效指标进行重点分析，把重点放在整个供应链的突出问题上。

（3）动态性原则。尽可能做到对供应链进行实时分析与评价，针对所发现的问题及时采取措施，提高供应链的整体效率。

15.9.3 供应链运营参考模型与绩效评价指标

供应链运营参考模型（Supply Chain Operation Reference Model，SCOR）是由美国供应链协会在总结多数500强企业的供应链管理实践和经验教训的基础上提出的，是唯一的供应链管理的国际标准。SCOR将组织最高层的四个基本商业流程（计划、资源获取、制造、交付）逐层分解下去，采用流程参考模式，通过分析企业目标和流程现状，量化作业绩效，对照目标数据，寻求改进机会。SCOR6.0版给出了供应链绩效评价的关键指标（KPI），共有13个。这些指标反映了供应链交货的可靠性、供应链的响应性、供应链的柔性、供应链的成本和供应链的资产管理效率。SCOR评价指标如表15-7所示。

表15-7 SCOR评价指标

类别	指标
供应链交货的可靠性	交货能力、订货满足率、订货提前期、订单完全执行率
供应链的响应性	供应链响应时间

（续）

类别	指标
供应链的柔性	生产柔性
供应链的成本	供应链管理总成本、产品销售成本、增值生产率、担保成本或退货处理成本、可供应存货天数
供应链的资产管理效率	现金周转期、资产周转率

表15-7中各指标的含义如下。

（1）交货能力（Delivery Performance）：按照客户要求的日期，或在客户要求的日期之前，或在原计划的交货日期之前执行订单的百分比。

（2）订货满足率（Fill Rate）：在收到订单的24h内用库存发货的订单百分比。

（3）订货提前期（Order Fulfillment Lead Time）：从客户放单到收到订货实际所需的平均时间。

（4）订单完全执行率（Perfect Order Fulfillment）：满足全部交货要求的订单完成百分比。按时、全部交货要求是指按质、按量，具有完整的和准确的单证并且没有发生货损。

（5）供应链响应时间（Supply Chain Response Time）：供应链系统对需求的非正常或显著变化的响应时间。

（6）生产柔性（Production Flexibility）：对上游企业，是指达到所能承受的非计划的20%增产能力所需要的天数；对下游企业，是指在没有存货或成本损失的情况下，在交货期30天之前企业所能承受的订货减少百分比。

（7）供应链管理总成本（Total Supply Chain Management Cost）：供应链相关成本总和，包括管理信息系统、财务、计划、存货、物料采购和订单管理等成本。

（8）产品销售成本（Cost of Good Sold）：购买原材料和加工制造成本，包括直接成本和间接成本。

（9）增值生产率（Value-Added Productivity）：也叫人均增值率，用产品销售总额减去物料采购总成本除以用工总人数。

（10）担保成本或退货处理成本（Warranty Cost or Returns Processing Cost）：物料、劳动力和产品缺陷的问题诊断成本，或退货处理成本。

（11）可供应存货天数（Inventory Days of Supply）：以计提超储和过期损失之前的标准成本计算的存货总值。其计算公式为

$$可供应存货天数 = \frac{(原材料和在制品+厂内制成品+厂外制成品和样品+其他) \times 365 天}{产品销售成本}$$

（12）现金周转期（Cash-to-Cash Cycle Time）：存货供应天数加上销售未付款天数再减去采购原料的平均付款天数。

（13）资产周转率（Asset Turns）：产品销售总额除以净资产总额。

15.9.4 供应链激励模式

激励是提高供应链绩效的有效途径。常用的激励模式主要有以下六种。

1. 价格激励

价格激励是指通过价格调整来调动节点企业的积极性。在供应链环境下，节点企业在战略上是相互合作的关系，但是不能忽视各个企业的自身利益。供应链各个企业间的利益分配主要体现在价格上。但是，价格激励本身也隐藏着一定的风险。例如，如果制造商在谈判中过分强调

价格，往往会选中报价较低的供应商，而将一些整体素质较好的供应商排除在外，导致影响产品质量、交货期等。

2. 订单激励

能够获得更多的订单是一种极大的激励。制造商拥有不止一个供应商，制造商能够给出更多的订单是对供应商的一种激励。当然，订单激励也存在风险，供应商在接受订单之前一定要调查和评估制造商的持续经营能力。如果下游企业缺乏持续经营能力，上游企业盲目接受一时到来的大订单，那么带来的可能不是商机，而是风险。

3. 商誉激励

商誉是企业极其重要的无形资产。来自供应链内合作伙伴的评价和在公众中的声誉反映了企业的社会与经济地位。声誉越好，订单越多，收益越大。

4. 信息激励

在信息时代，企业获得更多的信息意味着企业拥有更多的资源和机会，企业因此而获得激励。信息激励虽然是间接的，但其作用不可低估。如果能够获得合作企业的供需信息，就能主动采取措施提供优质服务，结果会大大提高合作方的满意度。

5. 淘汰"激励"

淘汰"激励"即淘汰机制，是一种负激励。优胜劣汰是生存的自然法则。为了使供应链的整体竞争力保持在一个较高的水平，必须在供应链中建立起对成员企业的淘汰机制。淘汰机制是供应链系统形成的一种危机制度，目的是让所有合作者都有一种危机感，防止短期行为，减少供应链群体风险。

6. 共同投资和开发新产品或新技术

共同投资和开发新产品或新技术也是一种激励机制。共同开发可以使合作企业全面掌握新产品的开发信息，有利于新产品或新技术的推广和应用。供应链管理实施得好的企业会将供应商、制造商、经销商甚至用户整合到产品的研究和开发中来，按照团队的工作方式展开全面的合作。

本章小结

本章主要阐述了供应链、供应链管理的概念；介绍了供应链管理的基本特征，供应链运营过程中"牛鞭效应"的产生机理及应对途径，供应链合作伙伴的选择与评价，合作伙伴关系的建立与维护；阐述了基于供应链的采购管理理论，包括自制与外购决策、采购流程以及准时采购；针对供应商管理、客户关系管理等问题展开了讨论，介绍了供应商评价指标及有效的供应商管理；介绍了供应链整合的类型及整合战略的选择，其中重点阐述了推-拉混合式供应链；讲述了供应链运作失调现象以及缓解失调现象的主要方法，针对提高供应链运作的协调性详细阐述了基于供应链契约的协调机制，并详细介绍了常见的供应链契约及其在供应链中的作用；最后阐述了供应链绩效评价的作用及遵循的原则，并介绍了主要的供应链激励机制。

思考与练习题

1. 什么是供应链管理？供应链管理具有哪些基本特征？
2. 供应链中存在哪些不确定因素？
3. 什么是"牛鞭效应"？产生"牛鞭效应"的原因有哪些？

4. 建立供应链合作伙伴关系需要注意哪些问题？
5. 企业在做自制与外购决策时应考虑哪些因素？
6. 企业实施战略采购的原因有哪些？
7. 准时采购与传统采购有什么不同？
8. 企业与供应商之间的关系有哪几种？
9. 企业潜在的合格供应商应具备哪些条件？如何选择供应商？
10. 如何进行有效的供应商管理？
11. 什么是客户关系管理？其核心是什么？
12. 客户关系管理软件由哪些模块构成？
13. 在推-拉混合式供应链中，确定推拉边界时需要考虑哪些因素？
14. 简述供应链绩效评价的作用。
15. 评价供应链绩效应坚持哪些原则？
16. 简述 SCOR 模型下供应链绩效评价指标。
17. 常用的供应链激励模式有哪些？

案例分析

揭开戴尔公司供应链的秘密

戴尔（DELL）公司的供应链管理一直被视为全球的典范之一。从 1984 年成立以来，DELL 公司一直致力于为用户提供量身定制的产品及服务，并在全球高技术行业以及个人计算机制造业普遍不景气的大环境下，仍然占据全球个人计算机销售额第一的位置。

关于 DELL 公司成功的原因，可以分为以下两大方面。

1. DELL 公司通过供应链管理平台整合外部资源

DELL 公司的高层负责人将 DELL 公司的成功归功于独特的直接运营模式及其背后支撑的基于现代化的高效供应链，认为这个供应链管理平台使 DELL 公司在供应商、用户之间构筑了一个"虚拟整合的平台"，保证整个供应链的无缝集成。DELL 公司前期本希望通过实施 ERP 来达到这一目的；在投入了 2 亿美元巨资，经历了 2 年努力之后，发现 ERP 项目并不能帮助 DELL 公司实现外部资源整合的目标，于是毅然决定中止 ERP 项目，转而投巨资建设了全球著名的供应链管理平台。目前超过 50%的用户订单是通过互联网发出的，在用户发出订单 50s 内，供应链管理平台控制中心就 DELL 公司将渠道流程优化作为供应链管理的实现策略。

2. DELL 公司将渠道流程优化作为供应链管理的实现策略

DELL 公司的供应链管理成功的根本原因在于其供应链管理始终以渠道流程优化为核心实现策略。具体表现在以下三个方面。

（1）直销原则。直销（Direct Business Model）在 DELL 公司具体体现为基于最终用户需求的模式，就是由 DELL 公司建立一套与用户联系的渠道，由用户直接向 DELL 公司发订单。订单中可以详细列出所需的配置，然后公司"按单生产"。这是 DELL 公司供应链管理的第一个特点，实质上就是基于用户需求的渠道扁平化。虽然大多数人把 DELL 公司的直接模式简单地理解成"直销"，但实际上 DELL 公司的真正成功绝不仅仅是直销，其真正的优势和独特之处在于整个管理上的先进性，而这种先进的管理思想和方法就是基于供应链管理平台的渠道流程优化。"虚拟整合"了供应商和用户，使得企业的效率大大高于竞争对手，这才是 DELL 公司真正的制胜之道。

（2）以信息代替存货。DELL公司为什么敢提出"零库存"这个大胆的理念？主要原因就是公司可以基于其强大的渠道流程优化能力，通过处理信息资源创造价值。传统分销代理渠道中，厂商的库存是积压在分销渠道中的，这样一来很难做到"零库存"。DELL公司通过供应链流程的简化和优化，信息反馈速度的提高，库存管理能力及与零件供应商协作关系的加强，达到了"以信息代替存货"的目标。目前，DELL公司与全球170多个国家和地区、5万多家供应商和配件生产厂保持着联系，并掌握它们的库存和生产信息，保证按时、按质送货到位。因此，DELL公司能够在竞争对手的库存周期大都徘徊在30~40天时，就将自己的库存周期降至4~5天，极大地降低了库存和物料成本。DELL公司在销售和采购环节保持零库存的效益显而易见。

（3）价值整体创造。价值整体创造在DELL公司被具体化为"与用户结盟"的战略，DELL公司打破了传统意义上"厂家"与"供应商"之间的供需配给，始终保持与用户的实时互动，及时得到第一手的用户反馈和需求，然后根据用户需求接受订单，再进行以用户需求为导向的产品制造。这样就能保证按照用户需求提供产品。这是一个良性循环的过程。

正是通过基于供应链管理平台的渠道流程优化，DELL公司能够实现在合适的时间把合适的产品以最优的价格送到合适的地点，从而使公司的生产成本大大降低，而效益大幅度提高。

思考：
1. DELL公司的供应链管理为什么会成功？它做出了怎样的战略、规划和运营决策？
2. DELL公司的供应链如何为公司提高效率？

第 16 章

工作设计与员工组织

> **学习目标**
> （1）掌握工作组织与工作设计的定义及思路；掌握工作测量的定义及方法。
> （2）了解工作组织与工作设计的作用及重要性。

◆【引导案例】

这究竟是谁的工作？

同平常一样，张老师提前 10min 来到多媒体大教室（可容纳 150 人），准备上第 3、4 节课。他一进门就发现地上有一大堆饮料瓶；走到讲台前，看见台面和地上居然还有废纸和空食品袋之类的杂物——这可是从未有过的事情。张老师相当不满，于是到教室管理室提意见。管理员李师傅态度挺好，但表示爱莫能助。一则他现在正忙着收发多媒体讲台的钥匙，二则清洁是保洁员的工作。张老师也觉得道理，就回到教室，一边自己拿出纸巾擦讲台，一边让一个学生找来拖布把地上的水拖了，至于地上的垃圾，只好视而不见。

课后，张老师碰巧遇到了分管教学保障的王处长，顺便提起了这件事。当天下午，所有的课都结束后，王处长来到教学楼的管理室召集相关人员开会。他先通报了从张老师那里听来的情况，管理员李师傅证实确有此事，而且他上午工作结束后到那间大教室看了，门口地上的水痕还很明显，教室的地面上有废纸等垃圾。王处长立刻与众人到了那间教室，果然如此。王处长生气了，责问李师傅："虽然张老师反映情况时你在忙，脱不开身，课后你都过来看了，为什么不打扫？下午上课的老师和学生会是什么样的感受？"李师傅一听，马上委屈地申辩："我只负责管理多媒体教室的使用、登记和收发钥匙，清洁是保洁员的事情。"王处长于是转向几个保洁员："谁负责这间教室？"周大姐怯生生地答道："是我"，然后立刻为自己开脱："这么多教室，就我们几个人，每个人都分了好大一片区域。我们的工作都是在老师下班后才开始的。我中午只能打扫完小教室，吃晚饭这段时间再打扫大教室，又忙又累，咋可能每个教室都一天打扫几遍嘛。而且我前脚打扫好后脚就有人乱扔垃圾，我哪里管得了。"其他几个保洁员立刻附和，而保安和设备维修员在一旁幸灾乐祸地看着。王处长于是有些恼怒地说："你们大家的职责就是保证教学环境和教学设施的良好，出现脏乱和湿滑的现象，说明是你们这个集体的工作没有做到位。你们每个人都应该主动、积极地把工作做好，不要推来推去。好了，大家赶紧去干活吧。"

散会后，员工们的心里都在抱怨："这事完全不是我的责任，挨顿训，倒霉！"王处长也明白自己最后的那番训话产生不了多大的正面效果，心里很是困惑：如果没有今天上午的事件，教学楼里的管理维护工作还真的没有可指责的。但例外总是会发生的，假如发生更严重的意外，会怎么样？问题究竟出在了哪里？又如何解决呢？

生产过程是指输入生产资料，经生产的转化，实现产品输出的过程。为确保高效率、高质量、低成本地完成产品生产，企业需对工作岗位、工作方法、时间定额、激励机制等进行科学的分析和设计。要运用科学的方法，分析和确定有效的操作方法，设定合理的定额标准，设计有效的岗位绩效管理体系和激励工资模式，以提高员工的积极性和主动性。本章从工作系统的三个方面阐述了如何提高员工的生产率：一是设计科学合理的工作内容和方法；二是确定每项工作的时间标准；三是确定有效的劳动组织和激励方法。这些决定了运营系统的效率、成本乃至竞争力。

16.1 工作组织与工作设计

16.1.1 工作设计概述

工作是指一个员工承担的一组任务（Tasks）或活动（Activities）的总称。工作设计是指确定具体的任务和责任、工作环境以及完成任务的方法，它表明每个岗位、每个职务的工作内容，决定企业内部的工作分配。

工作设计要先满足两个目标：一是要满足生产率和产品质量的目标；二是要使工作安全、有激励性，能使员工有满意感。设计良好的工作可以使员工在工作中心情愉快，降低疲劳感，同时有利于实现企业目标。通过科学的工作设计，可以达到提高生产率和产品质量、降低成本、缩短生产周期的目的。

科学合理的工作设计也是节约劳动力、挖掘企业内部潜力的一项重要措施。它可以使分工更加合理，协作更加密切，工作轮班的排定、工作地的布置更加科学，因而可以更充分地利用工时，为企业节约劳动力提供条件。

岗位工作设计是一项复杂的工作，有许多因素影响岗位工作结构的设计。这些因素可以归纳为"5W1H"，如图16-1所示。

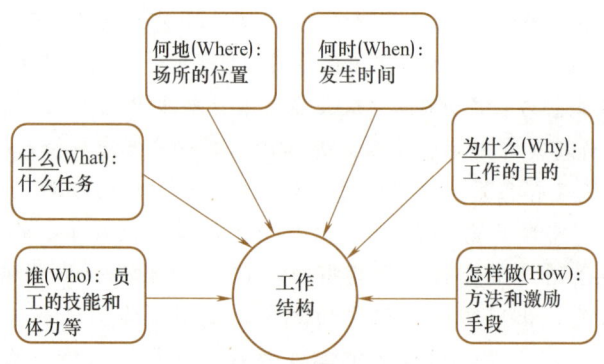

图16-1 影响岗位工作设计的因素

16.1.2 基于专业化的工作设计

工作专业化程度是指一个人工作任务范围的宽窄，所需技能的多少。工作专业化程度越高，所包含工作任务的范围越窄，重复性越强，效率也就越高，但是工作技能范围也会比较窄，要求也不高；反过来，工作专业化程度低，就意味着工作任务的范围宽，从而需要有多种技能来完成这些工作。

1. 工作专业化的优点

（1）员工容易掌握工作方法。
（2）工作熟练程度高、速度快、效率高。
（3）对员工素质和技能要求不高。

2. 工作专业化的缺点

（1）员工缺少对工作的控制，难以提高激励效果，可能导致员工缺勤、跳槽等。
（2）由于工作环节增多，不同环节之间要求有更多的协作，物流、信息流都较复杂。
（3）工作简单、单调和乏味，容易导致员工疲劳，产生厌恶感，影响效率和质量。

16.1.3 基于行为方法的工作设计

专业化程度高、重复性大的工作往往容易使人感觉单调、枯燥，容易疲劳，从而影响工作的效率和质量。其具体结果是员工流失率高，缺勤率高，效率下降，甚至故意制造生产障碍。由于这些问题直接影响一个生产系统产出的质量，因此，需要在工作设计中解决这些问题。以下是三种可以考虑的方法。

1. 工作内容扩大化

工作内容扩大化是指增加员工工作任务的内容，尽量使他们能够独立完成一项完整的工作。这有利于增加员工对工作的新鲜感和责任心。工作内容扩大化通常需要对员工增加培训，使其掌握更多的技能。工作内容扩大化也有利于提高员工学习业务技能的积极性，使其从中获得精神上的满足。

2. 工作岗位轮换

工作岗位轮换是指对员工从事的岗位定期进行轮换。轮换周期可以是小时、天或月。采用岗位定期轮换方式对解决工作内容单调、枯燥问题很有效。这种方式需通过在岗培训来确保员工掌握多种技能，但轮岗也会对熟练程度带来影响。工作岗位轮换还可以增加工作任务分配的灵活性，如派人顶替缺勤的员工，在瓶颈环节增派人员等。

3. 工作责任扩大化

工作责任扩大化是指给予员工更多的责任，更多地参与决策和管理。例如，可让一线员工负责若干台机器的操作，检验产品，自己确定设备的维护时间，自己负责机器的保养等。工作责任扩大化可给员工带来成就感、责任感和得到认可的满足感。

16.1.4 基于团队的工作方式

传统的完成任务的方式大多从专业化分工考虑，按任务的流程要求，由多个部门按部就班地顺序执行任务。但近年来，完成任务的方式更倾向于把各种技能的人员集中组成一个综合团队，由综合团队负责完成任务，责任由综合团队成员共同承担。泰勒式工作方式（专业化分工、按部就班地顺序执行任务、责任分散）与团队工作方式（技能人员集中、团队负责完成任务、责任共同承担）的对比如表16-1所示。在团队工作方式中，小组内每个成员的工作任务、工作方法以及产出速度等都可以自行决定。在有些情况下，小组成员的收入还与小组的产出挂钩。团队工作方式的基本思想是全员参与，从而调动每个成员的积极性和创造性，使工作效果尽可能好。这里的工作效果是指效率、质量和成本等的综合结果。

表 16-1 泰勒式工作方式与团队工作方式的对比

泰勒式工作方式	团队工作方式
最大分工和简单工作	员工素质高，技能全面
最少的职能工作内容	较多的职能工作内容
众多的从属关系	管理层次少，基层自主性强

团队工作方式具体可以采取以下三种方法。

1. 解决问题式

这种团队实际上是一种非正式组织，团队成员可以来自一个部门内的不同班组。成员每周有一次或几次碰头机会，研究和解决工作中遇到的一些问题，如质量问题、生产率问题、操作方法问题和设备工具的小改进问题等，然后提出具体的建议，提交给管理决策部门。这种团队的最大特点是团队成员只能提出建议和方案，而没有权力决定是否实施。

2. 特定目标式

这种团队是为了解决某个具体问题，为达到一个具体目标而建立的，也称为项目式团队。例如，一个新产品的研发、一项新技术的引进等。在这种团队中，成员包括该任务所需的各类人员，如普通员工、工程技术人员、研发人员和管理人员等。团队中的管理人员拥有决策权，也可直接向更高决策层报告。他们的工作建议或方案可以得到实施。

3. 自我管理式

自我管理式团队由数人（几人至十几人）组成一个小组，共同完成一项相对完整的工作，小组成员自己决定任务分配方式和任务轮换，自己承担管理责任，诸如制订工作进度计划（人员安排、轮休等）、采购计划甚至临时工雇用计划，决定工作方法等。自我管理式团队是为了提高协同工作水平和达到更多员工参与的目的而设计的。它所强调的是，最接近工作流程、对流程最为了解的员工，应比管理人员更能做出有效的改变以提高效率。同时，由于流程改变与成员自身利益挂钩，且要亲自参与，因此，他们会更加努力，以确保达到预期结果。

16.2 工作测量

工作测量是指对完成工作实际所需时间的测量，它是工作研究的一项主要内容。工作测量的目的是确定完成某项工作所需的时间。工作时间是制订能力规划、规划人力资源、估计劳动成本、安排工作进程、预算和设计员工报酬等决策的关键因素。

工作测量的作用包括：①运用工作测量的方法，对实际工作时间进行统计，找出一般规律，建立工作标准；②将实际工作时间与标准工作时间进行对比，寻找改善的方向；③测定员工的空闲时间、等待物料时间等非有效时间占整个工作时间的百分比，以决定对策等。

16.2.1 工作时间构成

产品在加工过程中的作业总时间包括工作时间和无效时间，工作时间包括标准工作时间和由于产品设计或工艺过程缺陷产生的工时消耗，如图 16-2 所示。

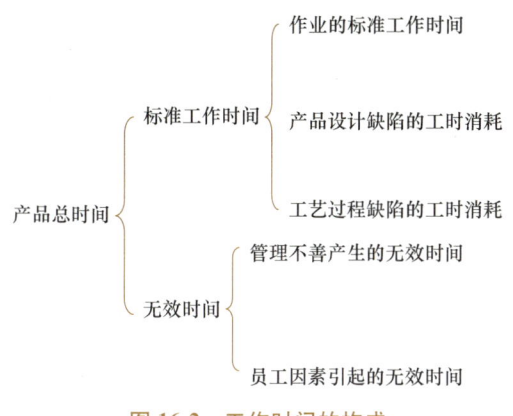

图 16-2　工作时间的构成

1. 标准工作时间（工时定额、定额时间）

标准工作时间即工时定额、定额时间，是指在标准的工作条件下，操作人员完成单位工作所需的时间。标准工作条件是指在合适的工作场所和工作环境下，合格的操作人员按照标准的工作方法，通过正常努力去完成工作所需要的时间。定额时间由作业时间和宽放时间组成。作业时间是指直接改变加工对象的尺寸、形状、性质、外表等所耗用的时间。宽放时间是指劳动者在工作过程中，因工作需要、休息或者生理需要而给予补偿的时间。

工时定额是企业管理的一项基础工作，其作用如下。

（1）工时定额是计划管理和生产控制的重要依据。生产计划编制的重要依据之一就是工时定额，如进行产能计划平衡、确定任务交货期、确定任务投入和产出时间、合理安排设备和人员负荷等，都以工时定额为基础。

（2）工时定额是控制成本和费用的重要依据。随着社会经济的发展，企业生产成本中人工成本所占比重日益增大。降低人工成本必须提高工作效率，即降低工时消耗，而工时定额是确定工时消耗的依据，也是制订成本计划和控制成本的依据。

（3）工时定额是提高劳动生产率的有力手段。提高劳动生产率意味着减少生产单位产品所需的劳动时间。而要减少和节约劳动时间，必须制定合理的工时定额，据以衡量实际的劳动时间，找到差距，进而采取改进措施。

（4）工时定额是制定计件工资和奖金的标准。在实行计件工资的条件下，工时定额是计算员工工资的重要依据；在实行奖金制度的条件下，工时定额是核定标准工作量、计算超额工作、计算奖金和进行赏罚的主要依据。

工作测量法是制定工时定额的一种有效方法。工作测量法包括秒表测时法、标准时间法和工作抽样法等。

2. 无效时间

无效时间是指由于管理不善或者员工因素造成的闲置时间。这些闲置时间的产生通常可归纳为以下几个方面：①生产过剩的浪费；②停工待料的浪费；③搬运的浪费；④加工的浪费；⑤动作的浪费；⑥制造过程的废品浪费。

16.2.2　工作测量法

1. 秒表测时法

秒表测时法是指以秒表为工具，对特定条件下的某项作业进行时间测定的方法。

(1) 时间观测方法。

1) 连续测时法。它是指从作业开始计时，测量并记录整个过程消耗的时间，时间从头至尾是连续的，各操作单元结束时，迅速读出时刻，做好记录。连续测时法的优点是对整个操作过程都做了详细记录，有助于分析和研究。其缺点是观测记录难度较大。

2) 分段测时法。它将作业过程划分成多个操作单元，分别对各单元进行测时处理。这种方法所记录的时间为各操作单元消耗的时间，将各操作单元的测时结果相加就得到整个作业消耗的时间。

秒表测时法对延续时间较短的操作单元测时的误差较大。

(2) 时间观测步骤。

1) 确定观测对象。被观测的操作者应是有代表性的一般熟练员工，应避免选择不熟练或非常熟练的员工。

2) 划分作业操作单元。为了便于观测和分析，应将某一作业细分成若干个操作单元。秒表计时是以操作单元为单位进行观测记录的，并非其操作的总时间。所有操作单元的时间之和等于整个操作时间。操作单元还可细分为"伸手""抓取""移物""放手"等动作单元。

3) 确定观测次数。员工的每次操作过程并不是完全确定的，因而时间消耗也会有所差别，所以观测次数应足够多，然后取其平均值，才具代表性。但观测次数过多，会增加观测工作量和费用成本。因此，一般可根据操作时间的长短确定相应的观测次数，如表16-2所示。

表16-2 观测次数确定标准

作业时间/min	0.10	0.25	0.50	0.75	1.00	2.00	5.00	10.00	20.00	40.00	40.00以上
观测次数/次	200	100	60	40	30	20	15	10	8	5	3

4) 测时记录。将划分的操作单元记入准备好的时间观测表，观测者在表上记录各操作单元开始和结束的时刻及操作单元的消耗时间。

5) 消除异常值。所谓异常值，是指观测的某一操作单元由于例外因素的影响而使其读数超出正常范围的值。消除异常值的常用方法是三倍标准差法，即 $\overline{X} \pm 3\sigma$ 之内的数值，超过者即异常值。

6) 计算测时平均值。测时平均值可以作为改进作业的依据，也是制定标准工作时间（工时定额）的基础资料。

例16-1 观测某车床加工零件的标准工作时间，根据秒表测时法的基本要求，将该工作分解为5个作业单元进行观测，然后求出各作业单元的平均时间，如表16-3所示。

表16-3 各作业单元的平均时间

作业单元	平均时间/s
置零件于卡盘并压紧	13.20
开车与进刀	3.00
车削	27.00
关车与退刀	12.00
卸下零件	12.80
汇总	68.00

2. 标准时间法

(1) 正常时间。秒表测时法得到的是操作者完成某单元的实际时间，该时间仅为操作者完成操作所需要的平均时间，操作者的操作速度可能比标准动作快，也可能比标准动作慢。所以，不能直接将上述时间认为是操作者以正常速度操作所需要的时间，而必须对操作者的作业进行评定，并以此对观测时间进行修正，使其变成正常时间。1916年，比德（C. E. Bedaux）首先倡导用评定系数对观测时间予以修正。其计算公式为

$$正常时间 = \frac{\sum_{i=1}^{n} X_i}{n} K$$

式中　X_i——某单元第i次观测值；
　　　K——对整个作业进行评定的评定系数；
　　　n——观测系数。

若研究时间较长（大于30min），且大多数操作单元的持续时间较长（超过0.20min），则应对作业中的每个操作单元进行评定。其计算公式为

$$正常时间 = \frac{\sum_{i=1}^{n} X_i K_i}{n}$$

式中　K_i——某单元第i次评定值。

以操作单元进行评定时，不同单元的评定系数可能不同。

（2）宽放时间及其确定方法。正常时间并未考虑宽放时间，即并未考虑操作者个人需要和各种不可避免的延迟因素所耽误的时间。宽放时间主要由三部分组成：布置工作地时间、准备与结束时间、休息与生理时间。

布置工作地时间是指工人照管工作地，使之保持正常工作状态所消耗的时间，如更换工具、清扫工作地、收拾工具等消耗的时间。

准备与结束时间是指在工作班内，工人为生产一批产品或完成一次任务，进行事前准备和事后结束工作而消耗的时间。这部分时间与产品的批量大小无关，而与加工的批数有关，每加工一批产品就消耗一次准备与结束时间。

休息与生理时间是指工人在工作时间内用以恢复体力而需要中断的时间，如喝水、工间操等消耗的时间。

确定宽放时间有两种方法，即连续观测法与工作抽样法。

连续观测法是工作日写实的方法，时间研究人员通常要对一个工作小组的成员在一个整班内的活动做连续观测，将生产中的任何中断，如个人的需要、工具修理、非工人原因造成的停机等统统记录下来，然后进行分析。

连续观测法的工作量相当大，时间研究人员要整班观测，非常疲劳，即使观察数日，样本容量仍不够大，偏差在所难免。因此，对于宽放时间的确定常常采用工作抽样法。

在时间研究中，宽放时间通常用宽放率来表示。宽放率的表示方法有两种，一种为宽放时间与正常时间的比率，另一种为宽放时间与标准时间的比率，即

$$宽放率 = \frac{宽放时间}{正常时间} \times 100\%$$

或

$$宽放率 = \frac{宽放时间}{标准工作时间} \times 100\%$$

（3）标准工作时间。标准工作时间的计算公式为

标准工作时间 = 作业时间 + 宽放时间 = 作业时间 × (1+宽放率)

例 16-2 通过调查研究发现：个人生理需要时间占作业时间的 4%，疲劳时间占作业时间的 5%，不可避免的耽搁时间占作业时间的 3%。若作业时间为 80s/件，则标准工作时间是多少？

解：
宽放率 = 4% + 5% + 3% = 12%

标准工作时间 = [80×(1+0.12)]s = 89.60s

3. 工作抽样法

（1）工作抽样法的概念。工作抽样法（Work Sampling Method）是在工作测量中使用很广泛的一种方法。工作抽样法是指通过大量的随机观察，确认操作者处于何种状态，分类记录各种状态的次数，不记录事件的延续时间，通过对随机观察得到的记录结果计算观察对象各种状态所占的百分比，进而确定相应的时间标准的方法。这种方法并不关心具体活动所耗费的时间，而是关注各种活动所占的时间比例。例如，加工产品、提供服务、处理事务、等候指示、等候检修、空闲，这些都可被看成某种活动。根据抽样观察中记录的各项活动次数所占的比例，估计这些活动所占的时间比例。

（2）工作抽样法的用途。

1）作业改善。工作抽样法可以测定操作者或者机器的空闲比率以及工作比率，在此基础上对其可能出现的空闲原因进行项目细分，加以观测、记录，并针对问题查找原因，采取相应措施改进作业，提高工作效率。空闲比率与工作比率的计算公式为

$$空闲比率 = \frac{空闲次数}{总观测次数} \times 100\%$$

$$工作比率 = \frac{工作次数}{总观测次数} \times 100\%$$

2）制定标准工作时间。可以通过下面的公式计算标准工作时间，也可以通过工作抽样法确定宽放时间。

$$单位产品标准工作时间 = \frac{观测总时间}{生产总数量} \times 工作比率 \times 评定系数 \times (1+宽放率)$$

（3）工作抽样法的优缺点。

1）工作抽样法的优点。

①观测对象范围广泛，适用性强。因为是随机且瞬时的观测，所以抽样过程中对观察对象的正常行为影响较小，观察结果更接近真实情况。

②效率高而且经济。抽样观察延续时间较长，但每次观察到的只是瞬间状况，不记录具体时间，因而观察工作量较小。一名观测者一次可对多名作业者和相应设备进行抽样观测。

2）工作抽样法的缺点。尤其针对员工的工作抽样，要加强与被观察人员的沟通和理解，以取得相关人员的支持和配合。而且，由于工作抽样法的理论基础是数理统计理论，因此要求工作抽样的样本数、随机抽样方法、观察路线和顺序等要预先进行周密设计，以确保所得结果的可靠性。

（4）工作抽样法的精确度。由于工作抽样法是基于随机抽样理论的方法，其准确度与观察次数成正比。观察次数少，观测误差大，结果就会无实际价值；而观察次数太多，又会耗费不必要的人力和时间。

设某观测事件发生概率为 p，观测总次数为 n，事件实际发生的次数为 m，则 p 的估计值为

$$\bar{p} = \frac{m}{n}$$

标准偏差为

$$\sigma_p = \sqrt{\frac{\bar{p}(1-\bar{p})}{n}}$$

根据抽样统计理论，取观测结果的置信度为95%，设用工作抽样法观察的对象接近正态分布，当置信度为95%时，工作抽样的分布范围在±2σ。

定义抽样的绝对精度为ε，则

$$\varepsilon = 2\sigma_p = 2\sqrt{\frac{\bar{p}(1-\bar{p})}{n}}$$

定义抽样的相对精度为θ，则

$$\theta = \frac{\varepsilon}{\bar{p}} = 2\sqrt{\frac{(1-\bar{p})}{n\bar{p}}}$$

当抽样开始之前规定了抽样精度，则可以确定相应的观测总次数n。其计算公式为

$$n = \frac{4\bar{p}(1-\bar{p})}{\varepsilon^2}$$

或

$$n = \frac{4(1-\bar{p})}{\theta^2 \bar{p}}$$

例 16-3 某车间有车床若干台，任意抽查了140次，观测到在工作的有54次。该车间车床利用率估计值 $\bar{p}$ 和绝对精度 ε（置信度为95%）是多少？

由题意，n=140次，m=54次，则

$$\bar{p} = \frac{m}{n} = \frac{54 次}{140 次} = 38.57\%$$

$$\varepsilon = 2\sigma_p = 2\sqrt{\frac{\bar{p}(1-\bar{p})}{n}} = 2 \times \sqrt{\frac{0.3875 \times (1-0.3875)}{140}} = 0.0823$$

所以，车床的利用率在 38.57%-8.23% 和 38.57%+8.23% 之间，即在 30.34% 和 46.80% 之间。

例 16-4 某种活动占规定的工作时间百分比为25%左右，要求对实际百分比p做出比较准确的估计，估计的相对精度为10%。大体要观测多少次？

由题意，$\bar{p} = 25\%$，$\theta = \varepsilon/\bar{p} = 10\%$，则观测次数为

$$n = \frac{4(1-\bar{p})}{\theta^2 \bar{p}} = \frac{4 \times (1-0.25)}{0.10^2 \times 0.25} 次 = 1200 次$$

例 16-5 对某操作者的作业观测100h，共1000次。其中，观测到在工作的有800次，其余均为空闲。其间产量为500件，设效率评定系数为0.8825，宽放率为15%。试确定单件产品标准工作时间。

（1）计算观测的实际工作时间。

$$实际工作时间 = 总工作时间 \times \frac{实际作业次数}{总观测次数} = \left(100 \times \frac{800}{1000}\right) h = 80 h$$

（2）计算正常时间。

$$正常时间 = 实际工作时间 \times 效率评定系数 = (80 \times 0.8825) h = 70.60 h$$

（3）计算单件产品作业时间。

$$单件产品作业时间 = \frac{正常时间}{总件数} = \frac{70.60}{500} h/件 = 0.1412 h/件 = 8.472 min/件$$

(4) 计算单件产品标准工作时间。

单件产品标准工作时间 = 单件产品作业时间×(1+宽放率)
= [8.472×(1+0.15)]min = 9.74min

4. 预定时间标准设定法

预定时间标准设定（Predetermined Time Standards，PTS）法将构成工作单元的动作分解成若干个基本动作要素，并对这些基本动作要素进行详细观测，然后制成基本动作的标准时间表。当要确定实际作业的时间标准时，只要把工作任务分解成这些基本动作要素，从基本动作要素的标准工作时间表上查出相应的标准时间，将其累加就可以得到正常时间，然后再加上宽放时间，就可以得到标准工作时间。

(1) PTS 法概述。PTS 法有多种，其中使用最广泛的一种是时间测量法（Methods of Time Measurement，MTM）。在 MTM 中，将基本动作分为 8 种，如表 16-4 所示。

表 16-4　MTM 的基本动作分类

动作名称	动作名称
1. 伸手（Reach）	5. 移动（Move）
2. 施压（Apply Pressure）	6. 抓取（Grasp）
3. 放置（定位、对准）（Position）	7. 解开（Disengage）
4. 放手（Release）	8. 转动（Turn）

这些基本动作的标准时间是用微动作研究方法，对一个样本人员在各种工作中的动作加以详细观测，并考虑了不同工作的变异系数得出的。表 16-5 是美国 MTM 标准研究协会制作的其中一个动作"移动"的标准时间。

表 16-5　美国 MTM 标准研究协会制作的一个动作"移动"的标准时间

移动距离/in[①]	时间/TMU			重量允许值			不同移动情况
	A	B	C	重量/kg	移动因子	静态常数/TMU	
0	2.00	2.00	2.00	2.50	1.00	0	
1	2.50	2.90	3.40				
2	3.60	4.60	5.20	7.50	1.06	2.20	
3	4.90	5.70	6.70				
4	6.10	6.90	8.00	12.50	1.11	3.90	A 移动物体至另一只手
5	7.30	8.00	9.20				
6	8.10	8.90	10.30	17.50	1.17	5.60	
7	8.90	9.70	11.10				
8	9.70	10.60	11.80	22.50	1.22	7.40	
9	10.50	11.50	12.70				
10	11.30	12.20	13.50	27.50	1.28	9.10	
12	12.90	13.40	15.20				
14	14.40	14.60	16.90	32.50	1.33	10.80	B 移动物体至另一大致位置
16	16.00	15.80	18.70				
18	17.50	17.00	20.40	37.50	1.39	12.50	
20	19.20	18.20	22.10				

(续)

移动距离/in[①]	时间/TMU			重量允许值			不同移动情况
	A	B	C	重量/kg	移动因子	静态常数/TMU	
22	20.80	19.40	23.80	42.50	1.44	14.30	
24	22.40	20.60	25.50				
26	24.00	21.80	27.30	47.50	1.50	16.00	C 移动物体至另一精确位置
28	25.50	23.10	29.00				
30	27.10	24.30	30.70				

① 1in = 0.0254m。

这里所用的时间测量单位是 TMU（Time Measurement Unit），1TMU = 0.0007min。这个表中的标准时间考虑了移动距离、移动重量以及移动情况三个因素，每个因素不同，所需的标准时间也不同。例如，有这样一个动作，需要用双手将一个 18kg 的物体移动 20in，移到一个确切的位置上，在该动作发生前两手无动作。为了得到这个动作的标准时间，首先，应该根据对移动情况的描述确定该动作属于哪种情况。从表 16-5 中对三种情况的描述可知，该动作属于 C。然后，根据移动距离为 20in，在 20in 的行和 C 列的交叉处，找到该动作所需时间为 22.10TMU。接着，还需要进一步考虑，根据重量对刚才所查出的时间做一些调整。因为该动作中是用双手移动 18kg 的物体，每只手为 9kg，在表中的重量允许值中，处于 7.50 与 12.50 之间，因此，移动因子为 1.11，静态常数为 3.90。这样，该动作的标准时间可按下列公式计算：

$$\text{标准时间} = \text{TMU 表格值} \times \text{移动因子} + \text{静态常数}$$
$$= (22.10 \times 1.11 + 3.90)\text{TMU} \approx 28\text{TMU}$$

每个基本动作都有这样的类似表格。这些标准数据是经严格测定、反复试验后确定的，其科学性、严密性都很高，而且有专门的组织制定相应的数据。

(2) 使用 PTS 法制定工作标准的步骤。

1) 将工作或工作单元分解成基本动作。

2) 决定调节因素，以便选择合适的表格值，调节因素包括重量、距离、物体尺寸以及动作的难度等。

3) 合计动作的标准时间，得出工作的正常时间。

4) 在正常时间上加上宽放时间，得出标准工作时间。

(3) PTS 法的优劣分析。从上述对 PTS 法特点的描述中可以看出 PTS 法具有一些优越性。

1) 它可以用来为新工作设定工作标准，而这种新工作是无法使用时间研究方法的。

2) 它不用经过时间研究就可以对不同的新方法进行比较。

3) 用这种方法设定的时间标准的一致性很高，因为它大大减少了时间研究中常见的读数错误等引起不正确结果的可能。

这种方法主要有以下局限。

1) 必须将任务分解成基本动作，不适合任务不确定的多品种、小批量生产的企业。在这样的企业中，工作任务多变，工作种类繁多，重复性较低。

2) 影响因素多，标准变化大。在某些情况下，移动物体所需的时间与物体的形状有关，但表 16-5 中并没有考虑这个因素。

3) 这种方法是建立在假设作业时间可用基本动作时间累加得到的基础上的，但忽略了实际工作时间可能与各个动作的顺序有关。

16.3 员工报酬模式

尽管工作设计、定额制定等为提高生产效率、降低生产成本等提供了有效的条件，但是员工才是执行生产改进、实现生产目标的关键。因此，如何激励员工积极努力地工作，是运营管理者必须解决的重要问题。事实上，在设计和实施工作改进的过程中，员工更关心他们从中可以得到什么利益。实践中常见的是，员工会认为工作研究和改进将让他们付出更多，受到的管制和约束更严格，提高生产率必然会使他们中的部分人失去工作。因此，方法研究和工作测量不应以牺牲部分员工的利益作为提高生产率的代价，而应该以减轻员工劳动强度，以同样的付出获取更多的报酬，即以实现劳资双赢为目标。在组织和成员之间公平地分配工作改进的成果，既是工作研究和改进的目标，也是工作研究和改进取得成功的保证。

16.3.1 基于时间的报酬和基于产出的报酬

企业有两种基本的员工报酬模式，即基于时间的报酬和基于产出的报酬。基于时间的报酬模式是按照员工带薪期间工作的时间长短来计酬的模式；基于产出的报酬模式是根据员工在带薪期间产出的数量多少来计酬的模式。两种模式均为直接根据工作绩效计酬的方式，其优缺点如表 16-6 所示。

表 16-6 基于时间的报酬模式和基于产出的报酬模式的比较

项目		管理层	员工
基于时间的报酬模式	优点	1. 费用稳定 2. 易于管理 3. 简化报酬的计算 4. 产出稳定	1. 报酬稳定 2. 生产的压力小于定产机制下的压力
	缺点	没有提高产出的激励	对于额外的付出无报酬
基于产出的报酬模式	优点	1. 低单位成本 2. 更高产出	1. 报酬与付出相关 2. 有更多的挣钱机会
	缺点	1. 工资计算复杂 2. 需要计算产出 3. 质量可能受影响而被罚款 4. 难以考虑工资的上涨因素 5. 与进度安排有关的问题增多	1. 报酬波动 2. 员工会因不可控因素（如机器故障）而遭受损失

为使计酬模式获得更好的激励效果，计酬模式应做到准确、公平、易操作、易于理解、一致。

16.3.2 个人激励与群体激励工资计划

1. 个人激励工资计划

个人激励工资计划最简单的就是计件工资，这种工资方案曾经相当普遍，后来最低工资法律规定的出现使得这种方案要做出调整。员工实际的个人工资可能同时含有基于时间与基于产出两种计酬模式。常见的报酬形式有计时工资、计件工资或佣金。计时工资方案是基于作业的时间消耗，个人绩效按一种基本比例的提高而获得报酬。计件工资方案直接基于每天的产量而付酬。有时，计件工资方案中包括基本报酬，不管其生产的产量如何，员工都将获得这种基本报酬，再加上按计件工资率计算的奖金。佣金可以认为是基于销售量的计件工资策略，它们以同样的方式计算所得。

2. 群体激励工资计划

群体激励工资计划强调的是群体的团队绩效，而不是单个员工的绩效。例如，按生产线或小组完成的产量给予小组计酬和奖励，然后再在小组内部根据各成员的贡献大小进行二次分配。群体激励工资计划有利于组内成员的更好合作。对于职能部门的激励工资，可以确定若干绩效目标，根据职能部门完成的绩效指标情况，给予相应的绩效工资奖励；部门内部的二次奖励分配，由各部门自行确定，力求做到公平、公正、有效。

16.3.3 基于知识的激励工资计划

随着企业管理水平的提高，组织向扁平化发展，管理人员减少了，却更加强调质量、生产率和柔性，能够执行多种工作的员工变得特别有用武之地，所以，企业制订新的报酬方案来奖励那些参加培训以提高技术水平的员工，就是基于知识的激励工资计划。它以员工的技能为基础，是员工工资的一部分。换句话说，它是因为员工具备某种技能，而要支付相应的工资。这些技能包括以下三个方面。

（1）能从事不同工作任务的横向技能。

（2）能从事管理任务的纵向技能。

（3）能提升质量和生产效果的技能。

个人激励和群体激励工资计划传统上所表现的付酬方式都是通过产量或质量检查来确认报酬。质量是用一个质量调整系数来评定的，如返修率［激励工资＝总报酬×(1-返修率)］。近年来，企业开始对技术改进做出的贡献进行付酬，这意味着员工能因学习和掌握知识技能，从事革新和创造而得到报酬和奖励。

16.3.4 组织激励工资计划

组织激励工资计划是面向整个组织所有员工的计划，而非针对某个人或某个部门。利润分配和收益分配是组织激励的主要类型。利润分配是指简单地将企业全部利润的一定百分比在劳动力之间进行分配。在美国，至少有1/3的组织进行利润分配。在日本，大部分企业会每年两次将基于利润的奖金发放给员工。这样的奖金依据当年企业的经营情况而定，其额度一般为员工工资的0~50%。

收益分配也涉及组织范围内的奖金分配，但它与利润分配存在以下两个方面的主要差异：①计算奖金时，收益分配通常依据可控成本或单位产量而不是依据利润；②收益分配总会与选用的管理方法结合在一起。

20世纪30年代后期，Lapointe机床工具公司濒临破产，但是通过集团总裁斯坎伦（Scanlon）和公司管理人员的努力，设计了一种通过减少劳动力成本来拯救公司的斯坎伦策略。实质上，这种策略是从公司内部制定标准劳动力成本开始的。团队中的每个员工只要对成本降低做出一定的贡献都将获得报酬。该策略成败的关键依赖于公司的员工委员会，其职责是寻找能够降低成本的地方，并设计出改进方案。在该策略的激励下，员工委员会提出了许多改进方案。该策略事实上真的拯救了该公司。

斯坎伦策略的基本要素包括以下几个。

（1）比率。比率是用来测定业务表现的标准，比率＝总劳动力成本/产品销售价值。

（2）奖金。奖金的数额取决于成本相对于现有比率的降低程度。

（3）生产管理委员会。生产管理委员会负责激励员工提出增加产量、改进产量、降低浪费等方面的建议。

（4）监控委员会。监控委员会由高层管理人员和员工代表组成。这个委员会负责评价月薪、讨论生产问题及改进建议。

该策略最开始被一些小公司（如 Lapointe 公司、Lincoln Electric 公司和 Herman Miller 公司）采用，后来逐渐被一些大公司（如 TRW 公司、通用电气公司、摩托罗拉公司和 Firestone 公司）采用。因为这种策略不仅是报酬激励策略，而且是参与管理的途径，可以被用来作为设立参与管理项目的方法。

本章小结

企业的所有运营业务最终都必须经由相应的员工来完成，员工执行工作任务的方法、员工的工作态度和积极性直接影响效率与成本。本章从员工工作角度考虑，介绍了运营系统工作设计的三种方式，即基于专业化的方式、基于行为方法的方式和基于团队的方式的基本原理及特点；从节省员工工作时间的角度，讨论了工作时间消耗结构，介绍了工作测量方法，包括秒表测时法、标准时间法、工作抽样法，这些是确定工时定额的常用方法；从员工激励的角度，讨论了员工的计酬方式，包括计件工资、计时工资、个人计件工资、小组计件工资等工资激励方式。这些内容决定了运营系统的效率、成本，从而影响企业的竞争力。

思考与练习题

1. 什么是工作设计？它的重要意义是什么？
2. 什么是标准工作时间？标准工作时间真的标准吗？它有什么作用？
3. 基于时间的报酬模式和基于产出的报酬模式有什么不同？
4. 一个管理人员想要制定一个金属切削作业的时间定额，共对此操作观测了 50 次，每次的平均时间为 10.40min，标准偏差为 1.20min，操作工人的工作效率评定为 125%。假设宽放率为 16%，请确定该项作业的标准工作时间。
5. 观测一项作业，共观测了 60 次，平均每次观测到的作业时间为 1.20min。对操作者的工作效率评定为 95%，宽放率为 10%。在每天工作 8h 的条件下，确定以下各种时间值：①观测到的时间；②正常时间；③标准工作时间。
6. 保险公司办公室的工作之一是通过电话与客户交谈。办公室的经理估计其中一位员工将一半的时间花在了打电话上。为了证实这一点，该经理打算做一次工作抽样研究，他希望绝对精度在 6% 以内，置信度为 98%。他至少要观测多少次？

案例分析

生产电炉

工厂派 10 人小组负责组装用于医院和药物实验的电炉（一种将溶液加热到指定温度的装置），他们生产的电炉有许多不同的类型：有的带有振动装置，以便加热时溶液能混合均匀；有的仅用于加热试管；还有的用于加热不同容器里的溶液。

工厂每个工人都运用一些恰当的小工具组装电炉的一部分。完成的电炉部件由传送带送至下一道工序。当电炉完全组装好后，由一名质检人员检查整个电炉以确保产品合格。检查完的电炉由工人放到早已准备好的特制纸盒箱中以备装运。

整条组装线由进行时间和动作研究的工业工程师来协调平衡。他将整个组装工作分解成若干个恰好3min能够完成的子任务，这些子任务都是经过精心计算平衡的，以便每个工人完成组装任务所用的时间几乎相等。

这些工人的工资直接用其工作时间来计量。然而，这种组装工作方式出现了许多问题：工人的士气很低，质检人员检查出来的不合格电炉的比例很高，由于操作原因而不是配件原因引起的可控废品率高达23%。经过讨论，管理人员决定对生产采取某些革新措施。管理人员将工人召集起来，询问他们是否愿意自己单独组装电炉。工人同意尝试这种新方法，条件是如果这种方法不能奏效，他们可以回到原来的工作方式。

经过数天的培训，每个工人都能开始独立组装整个电炉了。到了年中，情况开始有了改观，工人的劳动生产率迅速上升，生产率超出上半年84%；尽管没有任何人事或其他方面的改变，期间可控废品率从原来的23%降低到1%；工人的缺勤率从8%降低到不足1%。工人对工作变化反应积极，士气很高，正如其中一个工人所说"现在可以说这是由我生产的电炉了"。最终，由于废品率已经很低，以至于原先由质检人员所担任的质检工作改成由组装工人自己来承担，全职质检员工转到企业的其他部门去了。

思考：

1. 工作状况发生什么改变导致了生产率的增加和可控废品率的降低？
2. 什么原因导致了员工缺勤的减少和士气的增加？
3. 工作状况发生了哪些主要改变？哪些改变是在管理人员控制之下发生的，哪些是由工人所控制的？
4. 如果工人回到原来的工作方式会发生什么情况？

第 17 章

质 量 管 理

> **学习目标**
> （1）掌握全面质量管理的定义及内容。
> （2）了解质量保证体系的构建步骤，了解质量检验的常用方法。

◆【引导案例】

　　A公司主要进行半导体的封装与测试，在晶片切割工艺中，一片载有上千个集成电路芯片的硅片被高速转动的石英刀轮切割成具有独立功能的芯片。这道工序是非常关键的工序，如果工序的控制出现问题，可能会产生大批的不良品。在这道工序中，主要的控制点是切口的质量控制。其中，切口宽度是最重要的可衡量参数，即关键质量特性，如果切口过宽，可能会破坏有效电路，或者由于过于接近电路边缘而引起可靠性问题，因此在检验标准中应规定其最小值。企业质量部门选择以均值-标准差控制图为工具，间隔相等时间选取数片硅片，测量切口宽度，连续选取25组数据后，绘制控制图，以判断工艺稳定性，预防大批量缺陷发生。

17.1 质量管理原理

17.1.1 质量及相关术语

1. 质量

　　人类社会的安全与质量有着密切的关系。最早，质量的概念仅仅是"不出错"。加工出来的产品只要不出错，只要没有大的毛病就是好的。质量概念的进一步发展是在第二次世界大战期间，是从军需产品开始的。由于军需产品的直接顾客是政府或军方，最终顾客是军队或士兵，因此军需产品一旦"出错"就可能导致相当严重的后果。在这种情况下，质量概念发展为符合性。所谓符合性，就是对规范或要求的符合程度。美国的质量管理专家克劳斯比（Crosby）是其代表人物之一，他认为质量并不意味着好、卓越、优秀等，谈论质量只有相对于特定的规范或要求才是有意义的，合乎规范即意味着具有了质量，而不合规范自然就是缺乏质量。

　　这种"合格即质量"的认识对于质量管理的具体做法显然是很实用的，但其局限性也是显而易见的。仅仅强调规范、强调合格，难免会忽略顾客的需求，忽略企业存在的真正目的和使命，从而犯下本末倒置的错误。这种观点显然是站在生产厂家的角度来看质量的。

随着生产力的发展,后来又形成了另外一种与克劳斯比的观点相对应的观点,著名质量管理专家朱兰博士从顾客的角度出发,提出了著名的适用性观点。朱兰(J. M. Juran)指出,适用性是指产品使用过程中满足顾客要求的程度,适用性概念普遍适用于一切产品或服务,对顾客来说,质量就是适用性,而不仅仅是符合规范。最终用户很少知道"规范"是什么,质量对于最终用户而言意味着产品在交货时或使用中的适用性。以上是分别从生产厂家和顾客的角度给出的两种质量概念。

另外还有一种从经济学的角度出发的比较经典的质量概念,是由日本的质量管理专家田口玄一给出的。田口认为:"质量是指产品出厂以后给社会带来的损失。"这里所指的社会是指生产厂家以外的所有人,损失是指使用费用、故障损失、重新购置损失,不包括产品功能本身所产生的损失。

正是在这些概念的基础上,才形成了目前得到共识的 ISO 9000 标准中的质量概念。1994 版 ISO 9000 标准对质量的定义是:"反映实体满足明确和隐含需要能力的特性之总和。"2000 版 ISO 9000 标准将质量的定义改为:"客体的一组固有特性满足要求的程度。"2015 版 ISO 9000 标准使用的仍是这一定义。

(1) 特性。特性是指可区分的特征,如物理方面的特性(机械、电学、化学、生物特性)、感官上的特性(嗅觉、触觉、味觉)、行为方面的特性(礼貌、诚实)、时间方面的特性(准时性、可靠性、可用性)、人体功效方面的特性(生理的特性、人身安全特性)、功能方面的特性(飞机的最高速度)等。

特性可以是固有的或赋予的。所谓固有特性,是指某事或某物中本来就有的,尤其是那种永久的特性,它是通过产品、过程或体系设计和开发以及其后的实现过程形成的属性。例如产品的尺寸、体积、重量,机械产品的机械性能、可靠性、可维修性,化工产品的化学性能、安全性等。而赋予特性是指完成产品后因不同的要求而对产品所增加的特性。例如产品的价格、交货期、保修时间、运输方式等。

固有特性与赋予特性是相对的。某些产品的赋予特性可能是另一些产品的固有特性。例如,交货期及运输方式对硬件产品而言,属于赋予特性,但对于运输服务而言就属于固有特性。

(2) 要求。要求是指明示的、通常隐含的或必须履行的需求或期望。

"明示的"可以理解为规定的要求,如在销售合同中或技术文件中阐明的要求或顾客明确提出的要求。

"通常隐含的"是指组织、顾客和其他相关方的惯例或一般做法,所考虑的需求或期望是不言而喻,如化妆品对顾客皮肤的保护性等。一般情况下,顾客或相关方的文件中不会对这类要求给出明确的规定,供方应根据自身产品的用途和特性进行识别,并做出规定。

"必须履行的"是指法律法规要求的或有强制性标准要求的,如环境保护等。供方在产品实现的过程中,必须满足这类要求。

质量的要求除考虑满足顾客的需要外,还应考虑组织自身利益、提供原材料和零部件等供方的利益和社会的利益等多种需求,例如要考虑安全性、环境保护、节约能源等外部的强制要求。因而,组织在确定产品的要求时,应兼顾各相关方的要求。同时,随着技术的发展、生活水平的提高,人们对产品、过程或体系会提出新的质量要求。因此,应定期评定质量要求,修订规范,不断开发新产品、改进老产品,以满足已经变化的质量要求。

2. 过程

ISO 9000:2015 标准对过程的定义是:"利用输入实现预期结果的相互关联或相互作用的一组活动。"

"过程"是个很重要的概念。ISO/TC176制定的所有国际标准都是建立在"所有工作是通过过程来完成的"这样一种认识基础上的。任何一个过程都有输入和输出。输入是实施过程的基础或依据,输出是过程的结果。输出可以是有形产品,如一台电视机,也可以是无形产品,如一项服务。完成一个过程就是利用输入实现可预测的结果。

过程本身是一种增值转换,完成过程必须投入适当的资源。资源包括人员、资金、设施、设备、技术和方法。过程又表现为一系列活动及活动间的相互关系。在过程的输入端、过程的各个阶段或不同位置、过程的输出端存在着监测和控制的切入点。

3. 产品

ISO 9000:2015标准对产品的定义是:"在组织和顾客之间未发生任何交易的情况下,组织能够产生的输出。"

产品是一个广义的概念,包括了服务(如运输)、软件(如计算机程序、字典)、硬件(如发动机机械零件)、流程性材料(如润滑油)。

硬件产品是指由制作的零件和部件组成或由其组装成的产品,如发动机机械零件。

软件是指"由承载在媒体上的信息组成的智力产品。"软件能以概念、记录或程序的形式存在。计算机程序是软件产品的一个实例。

流程性材料是指由固体、液体、气体或其他组合体构成的产品,包括粒状材料、块状、丝状或薄板状结构的最终或中间产品。它常用容器包装或以管线或成卷交付。

服务是指"至少有一项活动必须在组织和顾客进行的组织的输出。"服务的提供可涉及以下方面。

(1)在顾客提供的有形产品(如维修的汽车)上所完成的活动。
(2)在顾客提供的无形产品(如为准备纳税申报单所需的损益表)上所完成的活动。
(3)无形产品的交付(如知识传授方面的信息提供)。
(4)为顾客创造氛围(如在宾馆和饭店)。

产品可以是有形的,如机床、水泥等,也可以是无形的,如服务、知识等。通常,硬件或流程性材料是有形产品,而服务或软件是无形产品。

产品是过程产生的结果,没有过程就不会有产品。但是这种结果可以是人们所期望的结果,即满足顾客某种特定需要的东西,也可以是人们所不期望的结果,如污染等。

4. 质量特性

质量特性是指"与要求有关的、客体的固有特性。"

质量概念的关键是"满足要求"。这些"要求"必须转化为有指标的特性,作为评价、检验和考核的依据。由于顾客的需求是多种多样的,所以反映质量的特性也应该是多种多样的。另外,不同类别的产品,质量特性的具体表现形式也不尽相同。

17.1.2 质量形成的过程

1. 朱兰质量螺旋曲线

产品质量有一个产生、形成和实现的过程。美国质量管理专家朱兰于20世纪60年代用一条螺旋曲线来表示质量的形成过程,称之为朱兰质量螺旋曲线。朱兰质量螺旋曲线阐述了五个重要的理念:①产品质量的形成由市场研究、开发(研制)、设计、制定产品规格、制定工艺、采购、仪器仪表以及设备装置、生产、工序控制、检验、测试、销售、服务十三个环节组成;②产品质量形成的十三个环节一环扣一环,周而复始,但不是简单的重复,而是不断上升、不断提高的过程；③产品质量形成是全过程的，对质量要进行全过程的管理；④产品质量形成的全过程中供方、销售商和顾客都有影响，即涉及组织之外的因素，所以质量管理是一个社会系统工程；⑤所有的活动都由人来完成，质量管理应该以人为主体。

2. 朱兰质量管理三部曲

第二次世界大战以后，日本从美国引进了统计质量管理的思想和方法，一举改变了日本产品质量低劣的状况。20世纪70年代末期，日本产品开始大量进入美国市场，不断蚕食着美国企业的市场份额。对于美国企业来说，传统的质量控制方法面对这种状况已经显得力不从心，迫切希望有新的管理思想来指点迷津。朱兰博士便是担当这一使命的先驱者之一。他主张要想解决质量危机，就需要破除传统观念，从根本上改造传统的质量管理，按照新的行动路线来行事，这一路线便是朱兰所提出的三部曲。朱兰认为，质量管理是由质量策划、质量控制和质量改进三个互相联系的阶段所构成的一个逻辑过程，每个阶段都有其关注的目标和实现目标的相应手段。

质量策划是指明确企业的产品和服务所要达到的质量目标，并为实现这些目标所必需的各种活动进行规划和部署的过程。通过质量策划活动，企业应当明确谁是自己的顾客，顾客的需要是什么，产品必须具备哪些特性才能满足顾客的需要；在此基础上，还必须设定符合顾客和供应商双方要求的质量目标，开发实现质量目标所必需的过程和工艺，确保过程在给定的作业条件下具有达到目标的能力，为最终生产出符合顾客要求的产品和服务奠定坚实的基础。

控制就其一般含义而言，是指制定控制标准、衡量实绩、找出偏差并采取措施纠正偏差的过程。控制应用于质量领域便成为质量控制。质量控制就是为实现质量目标，采取措施满足质量要求的过程。广泛应用统计方法来解决质量问题是质量控制的主要特征之一。

质量改进是指突破原有计划从而实现前所未有的质量水平的过程。实现质量改进有三个方面的途径：通过排除导致过程偏离标准的偶发性质量故障，使过程恢复到初始的控制状态；通过排除长期性的质量故障，使当前的质量提高到一个新的水平；在引入新产品、新工艺时，从计划开始就力求消除可能会导致新的慢性故障和偶发性故障的各种可能性。

在质量管理的三部曲中，质量策划明确了质量管理所要达到的目标以及实现这些目标的途径，是质量管理的前提和基础；质量控制确保事物按照计划的方式进行，是实现质量目标的保障；质量改进则意味着质量水平的飞跃，标志着质量活动是以一种螺旋式上升的方式在不断攀登和提高。

17.1.3 质量管理发展史

质量管理是随着生产的发展和科学技术的进步而逐渐形成和发展起来的，它发展到今天大致经历了三个阶段。

1. 质量检验阶段

第二次世界大战之前，人们对质量管理的理解只限于质量的检验。也就是说，通过严格的检验来控制和保证出厂或转入下一道工序的产品质量。检验工作是这一阶段执行质量职能的主要内容。在由谁来检验把关方面，也有一个逐步发展的过程：①在20世纪以前，生产方式主要是小作坊形式，那时的工人既是操作者又是检验者，制造和检验的职能都集中在操作者身上，因此被称为"操作者质量管理"。②20世纪初，科学管理的奠基人泰勒提出了在生产中应该将计划与执行、生产与检验分开的主张。于是，在一些工厂中建立了"工长制"，将质量检验的职能从操作者身上分离出来，由工长行使对产品质量的检验。这一变化强化了质量检验的职能，称为"工长质量管理"。③随着科学技术和生产力的发展，企业的生产规模不断扩大，管理分工的概念被提出了。在管理分工概念的影响下，一些工厂便设立了专职的检验部门并配备专职的检验人员来对产品质量进行检验。质量检验的职能从工长身上转移给了质量检验员，称为"检验员质量管理"。

专门的质量检验部门和专职的质量检验员使用专门的检验工具，业务比较专精，对保证产品质量起到了把关的作用。然而，它也存在着许多不足，主要表现在：①产品质量的检验只有检验部门负责，没有其他管理部门和全体员工的参与，尤其是直接操作者不参与质量检验和管理，就容易与检验人员产生矛盾，不利于产品质量的提高；②主要采取全数检验，不仅检验工作量大，检验周期长，而且检验费用高；③由于是事后检验，没有在制造过程中起到预防和控制作用，即使检验出废品，也已是"既成事实"，质量问题造成的损失已难以挽回；④全数检验在技术上有时变得不可能，如破坏性检验，判断质量与保留产品之间发生了矛盾。这种质量管理方式逐渐不能适应经济发展的要求，需要改进和发展。

2. 统计质量控制阶段

"事后检验"存在的不足，促使人们进行进一步研究。1926 年美国贝尔电话研究室工程师休哈特（W. A. Shewhart）提出了"事先控制，预防废品"的观念，并且应用概率论和数理统计理论发明了具有可操作性的"质量控制图"，用于解决事后把关的不足。随后，美国人道奇（H. F. Dodge）和罗米格（H. G. Romig）提出了抽样检验法，并设计了可以运用的"抽样检验表"，解决了全数检验和破坏性检验所带来的麻烦。但是，由于当时受经济危机的影响，这些方法没有得到足够的重视和应用。

第二次世界大战爆发后，由于战争对高可靠性军需品的大量需求，质量检验的弱点严重影响了军需品的供应。为此，美国政府和国防部组织了一批统计专家和技术人员，研究军需品的质量和可靠性问题，促使数理统计在质量管理中的应用，先后制定了三个战时质量控制标准：AWSZ 1.1—1941《质量控制指南》、AWSZ 1.2—1941《数据分析用控制图法》、AWSZ 1.3—1941《工序控制图法》。这些标准的提出和应用，标志着质量管理进入了统计质量控制阶段。

从质量检验阶段发展到统计质量控制阶段，质量管理的理论和实践都发生了一次飞跃，从"事后把关"变为预先控制，并很好地解决了全数检验和破坏性检验的问题，但也存在许多不足之处：①它仍然以满足产品标准为目的，而不是以满足用户的需求为目的；②它仅偏重于工序管理，而没有对产品质量形成的整个过程进行管理；③统计技术难度较大，主要靠专家和技术人员，难以调动广大工人参与质量管理的积极性；④质量管理与组织管理未密切结合起来，质量管理仅限于数学方法，常被领导忽略。由于上述问题，统计质量控制无法适应现代工业生产发展的需要。自 20 世纪 60 年代以后，质量管理便进入了全面质量管理阶段。

3. 全面质量管理阶段

这一阶段是从 20 世纪 60 年代开始的。促使统计质量控制向全面质量管理过渡的原因主要有以下几个方面：①随着科学技术的进步，出现了许多高、精、尖的产品，这些产品对安全性、可靠性等方面的要求越来越高，统计质量控制的方法已不能满足这些高质量产品的要求；②随着生活水平的提高，人们对产品的品种和质量有了更高的要求，而且保护消费者利益的运动也向企业提出了"质量责任"问题，这就要求质量管理进一步发展；③系统理论和行为科学理论等管理理论的出现和发展，对企业组织管理提出了变革要求，并促进了质量管理的发展；④激烈的市场竞争要求企业深入研究市场需求情况，制定合适的质量标准，不断研制新产品，同时还要做出质量、成本、交货期、用户服务等方面的经营决策。而这些均需要科学管理做指导，现代管理科学因而得到迅速发展。正是在这样的历史背景和社会经济条件下，美国的费根堡姆（A. V. Feigenbaum）和朱兰提出了"全面质量管理"的概念。1961 年，费根堡姆出版了《全面质量管理》一书，其主要见解是：①质量管理仅仅靠数理统计方法是不够的，还需要一整套的组织管理工作；②质量管理必须综合考虑质量、价格、交货期和服务，而不能只考虑狭义的产品质量；③产品质量有一个产生、形成和实现的过程，因此质量管理必须对质量形成的全过程进行综合管理，而不应只对制造过程进行管理；④质量涉及企业的各个部门和全体人员，因此企业的全体人员都应具有质量意识和承担质量责任。

从统计质量控制发展到全面质量管理，是质量管理工作的一个质的飞跃，全面质量管理活动的兴起标志着质量管理进入了一个新的阶段，它使质量管理更加完善，成为一种新的科学化管理技术。随着对全面质量管理认识的不断深化，人们认识到全面质量管理实质上是一种以质量为核心的经营管理，可以称为质量经营。实际上日本人已经把全面质量管理同企业的经营联系在了一起。日本著名的质量管理专家石川馨（Kaoru Ishikawa）教授在其《质量管理入门》一书中高度概括地指出："全面质量管理是经营的一种思想革命，是新的经营哲学。"

随着全面质量管理的发展，20 世纪 80 年代世界标准化组织（ISO）发布了第一个质量管理的国际标准——ISO 9000 标准；20 世纪 90 年代国际上掀起了六西格玛管理的高潮。前者将质量管理形成标准，后者追求卓越的质量管理。

17.2 质量管理方法与工具

17.2.1 调查表

1. 调查表概述

调查表又称检查表、统计分析表，是一种收集整理数据和粗略分析质量原因的工具，是为了调查客观事物、产品和工作质量，或为了分层收集数据而设计的图表，即把产品可能出现的情况及其分类预先列成统计调查表，在检查产品时只需在相应分类中进行统计，并可对调查表进行粗略的整理和简单的原因分析，为下一步的统计分析与判断质量状况创造良好条件。

2. 调查表的类型

为了获得良好的效果、可比性和准确性，调查表的设计应简单明了，突出重点；应填写方便，符号好记；填写好的调查表要定时、准时更换并保存，数据要便于加工整理，分析整理后应及时反馈。常用的调查表有以下三类。

（1）不良品调查表。不良品是指产品生产过程中不符合图样、工艺规程和技术标准的不合格品和缺陷品的总称，它包括废品、返修品和次品。不良品检查表有三种：第一种是不良品原因调查表，第二种是不良品项目调查表，第三种是不良品类型调查表。

1）不良品原因调查表。为了调查不良品原因，通常把有关原因的数据与有关其结果的数据一一对应地收集起来。记录前应明确检验内容和抽查间隔，由操作者、检查员、班组长共同执行抽检的标准和规定。表 17-1 是某车间机械零件不良品原因调查表。

表 17-1 某车间机械零件不良品原因调查表　　　　　　　　　　（单位：件）

序号	抽样数	不良品数	批不良品率（%）	不良品原因					
				操作不慎	机床原因	刀具影响	工艺	材料	其他
1	1000	3	0.3	1	1			1	
2	1000	2	0.2	1		1			

(续)

序号	抽样数	不良品数	批不良品率（%）	不良品原因					
				操作不慎	机床原因	刀具影响	工艺	材料	其他
3	1000	3	0.3		2			1	
4	1000	4	0.4	1			2		1
5	1000	2	0.2	1				1	
6	1000	1	0.1			1			
7	1000	2	0.2		1	1			
合计	7000	17	——	4	4	3	2	3	1

2）不良品项目调查表。一个工序或一种产品不能满足标准要求的质量项目叫作不良品项目。为了减少生产中出现的各种不良品，需要了解发生了哪些项目不合格以及各种不合格项目所占的比例有多大。为此，可采用不良品项目调查表。不良品项目调查表主要用来调查生产现场不良品项目频数和不良品率，以便用于排列图等的分析研究。

表17-2 是某合成树脂成型工序的不良品项目调查表，对114 件不良品进行了调查，调查结果如表所示。当发生不良品项目时，操作人员就在相应栏内画上一个调查符号。发生不良品较多的项目应予以优先进行改进。

表17-2　某合成树脂成型工序的不良品项目调查表　　（单位：件）

不良品项目	不良品个数	合计
表面缺陷	正正正正正丁	32
砂眼	正正正正	20
加工不合格	正正正正正正正正正正	50
形状不合格	正	5
其他	正丁	7
合计		114

3）不良品类型调查表。为了调查生产过程中出现了哪些不良品以及各种不良品的比例，可采用不良品类型调查表，如表17-3 所示。

表17-3　不良品类型调查表　　（单位：件）

序号	成品数	不良品数	不良品类型		
			废品数	次品数	返修品数
1	1000	8	3	4	1
2	1000	9	2	3	4
3	1000	7	2	2	3
4	1000	8	1	3	4
5	1000	7	1	2	4
合计	5000	39	9	14	16

（2）缺陷位置调查表。很多产品中都会存在"气孔""疵点""碰伤""砂眼""脏污""色斑"等外观质量缺陷，一般采用缺陷位置调查表来记录，这种调查表多画成示意图或展开图。

每当发生缺陷时,将其发生位置标记在图上。这种调查分析的做法是:画出产品示意图或展开图,并规定不同的外观质量缺陷的表示符号。然后逐一检查样本,把发现的缺陷按规定的符号在同一张示意图中的相应位置上标识出来。这样,这张缺陷位置调查表就记录了这一阶段样本的所有缺陷的分布位置、数量和集中部位,便于进一步发现问题,分析原因,采取改进措施。

缺陷位置调查表可用来记录、统计、分析不同类型的外观质量缺陷所发生的部位和密集程度,进而从中找出规律性,为进一步调查或找出解决问题的办法提供事实依据。缺陷位置调查表是工序质量分析中常用的方法。掌握缺陷发生之处的规律,可以进一步分析为什么缺陷会集中在某个区域,从而追寻原因,采取对策,能更好地解决出现的质量问题。

(3)质量分布调查表。质量分布调查表是对计量值数据进行现场调查的有效工具。了解工序某质量指标的分布状态以及与标准的关系,可用质量分布调查表。这是根据以往的资料,将某一质量特性项目的数据分布范围分成若干区间而制成的表格,用以记录和统计每一质量特性数据在某一区间的频数。从表格形式看,质量分布调查表与直方图的频数分布表相似。不同的是,质量分布调查表根据以往的资料,首先划分区间范围,然后制成表格,以供现场调查记录数据;而频数分布表则首先收集数据,适当划分区间,然后制成图表,以供分析现场质量分布状况之用。画完调查表就可以开始研究工序质量分布状态,如果分布不是所期望的类型或出现了异常状态,就要查明原因,采取必要的措施以便求得改进。

17.2.2 数据分层法

1. 分层法的概念

引起质量波动的原因是多种多样的,因此收集到的质量数据往往带有综合性。为了能真实地反映产品质量波动的实质原因和变化规律,必须对质量数据进行适当归类和整理。分层法是分析产品质量原因的一种常用的统计方法,它能使杂乱无章的数据和错综复杂的因素系统化和条理化,有利于找出主要的质量原因和采取相应的技术措施。

质量管理中的数据分层是指将数据根据使用目的,按其性质、来源、影响因素等进行分类的方法,即把不同材料、不同加工方法、不同加工时间、不同操作人员、不同设备等各种数据加以分类,也就是把性质相同、在同一生产条件下收集到的质量特性数据归为一类。

分层法经常同质量管理中的其他方法一起使用,如将数据分层之后再进行加工,整理成分层排列图、分层直方图、分层控制图和分层散布图等。

2. 常用的分层方法

分层法有一个重要的原则,就是使同一层内的数据波动幅度尽可能小,而层与层之间的差别尽可能大,否则就起不到归类汇总的作用。分层的目的不同,分层的标志也不一样。一般说来,分层可采用以下标志。

(1)操作人员。可按年龄、工级和性别等分层。
(2)机器。可按不同的工艺设备类型、新旧程度、不同的生产线等分层。
(3)材料。可按产地、批号、制造厂、规范、成分等分层。
(4)方法。可按不同的工艺要求、操作参数、操作方法和生产速度等分类。
(5)时间。可按不同的班次、日期等分层。

例 17-1 某焊接工序由于焊接缺陷而漏气,从现场抽取 100 件产品,发现有 80 件的焊点因漏气需要返修,单位产品缺陷率(DPU)等于 0.80。质量分析人员认为,造成缺陷的原因有两个:①焊环供应厂家有 A、B、C 三个厂家;②铜管类型有光管和螺纹管两种。现分别按焊环供应厂家和铜管类型对数据进行分层，结果如表 17-4 和表 17-5 所示。

表 17-4　按焊环供应厂家进行分层

焊环供应厂家	产品数/件	缺陷数/件	DPU
A	25	23	0.92
B	35	30	0.86
C	40	27	0.68
总计	100	80	0.80

表 17-5　按铜管类型进行分层

铜管类型	产品数/件	缺陷数/件	DPU
光管	40	45	1.13
螺纹管	60	35	0.58
总计	100	80	0.80

上述为单因素分层，结果判定为应采用 C 厂家的焊环和螺纹管。但实际结果表现为 DPU 反而增加，这是因为本例的两个因素之间相互关联。因此，需要进行复合分层，如表 17-6 所示。

表 17-6　按焊环供应厂家和铜管类型复合分层

焊环供应厂家	铜管类型					
	光管			螺纹管		
	产品数/件	缺陷数/件	DPU	产品数/件	缺陷数/件	DPU
A	10	19	1.90	15	4	0.27
B	15	25	1.67	20	5	0.25
C	15	1	0.07	25	26	1.04
总计	40	45	1.13	60	35	0.58

由表 17-6 可以得出结论：对于螺纹管，应采用 B 厂家或 A 厂家的焊环；对于光管，应采用 C 厂家的焊环。

17.2.3　排列图

1. 排列图的概念

排列图又叫帕累托（Pareto）图，是将质量改进项目从最重要到最次要进行排列而采用的一种简单的图示技术。排列图建立在帕累托原理的基础上，帕累托原理是 19 世纪意大利经济学家在分析社会财富的分布状况时发现的：国家财富的 80% 掌握在 20% 的人的手中，这种 80%、20% 的关系，即帕累托原理。人们可以从生活中的许多事件中得到印证：生产线上 80% 的故障发生在 20% 的机器上；企业中由员工引起的问题当中 80% 是由 20% 的员工所引起的；80% 的结果归结于 20% 的原因。如果能够知道产生 80% 收获的究竟是哪 20% 的关键付出，那么就能事半功倍了。这就是所谓的"关键的少数和次要的多数"之间的关系。

后来，美国质量管理专家朱兰把帕累托的这种关系应用到质量管理中，发现尽管影响产品质量的因素有许多，但关键的因素往往只是少数几项，它们造成的不合格品占总数的绝大多数。在质量管理中运用排列图就是根据"关键的少数和次要的多数"的原理，对有关产品质量的数据进行分类排列,用图形表明影响产品质量的关键所在,从而便可以知道哪个因素对质量的影响最大,改善质量工作应从哪里入手最为有效,经济效果最好。

2. 排列图的作图方法

排列图由两个纵坐标、一个横坐标、几个直方图和一条曲线组成。如图17-1所示,左边的纵坐标表示频数,右边的纵坐标表示累计百分数,横坐标表示影响产品质量的各个因素,按影响程度的大小从左至右排列;直方形的高度表示某个因素影响的大小;曲线表示各因素影响大小的累计百分数,这条曲线称为帕累托曲线。通常将累计百分数分为三个等级:累计百分数在0~80%的因素为A类,显然它是主要因素;累计百分数在80%~90%的因素为B类,是次要因素;累计百分数在90%~100%的为C类,在这一区间的因素为一般因素。集中资源解决A类问题,可起到事半功倍的效果。

例17-2 某厂铸造车间生产某一铸件,缺陷项目有气孔、未充满、偏心、形状不佳、裂纹、其他等。记录一周内某班所生产的产品不良情况数据,并分别对缺陷项目进行统计和处理,如表17-7所示,排列图如图17-1所示。

表17-7 缺陷频率

缺陷项目	缺陷频数/件	缺陷频率(%)	累计缺陷频率(%)
气孔	48	50.53	50.53
未充满	28	29.47	80.00
偏心	10	10.53	90.53
形状不佳	4	4.21	94.74
裂纹	3	3.16	97.90
其他	2	2.10	100.00
合计	95	100	

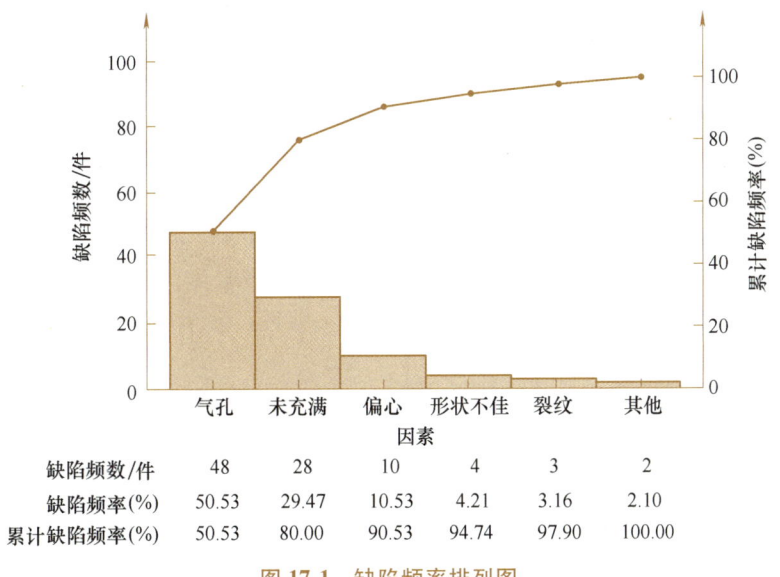

图17-1 缺陷频率排列图

17.2.4 因果图

1. 因果图的概念

质量管理的目的在于减少不合格品,保证和提高产品质量,降低成本和提高效率,控制产品质量和工作质量的波动以提高经济效益。但是在实际设计、生产和各项工作中,常常出现质量问题,为了解决这些问题,就需要查找原因,考察对策,采取措施,解决问题。影响产品质量的原因有时是多种多样、错综复杂的,概括起来,有两种互为依存的关系,即平行关系和因果关系。如能找到质量问题的主要原因,便可针对这种原因采取措施,使质量问题迅速得到解决。假如这些问题能用排列图定量地加以分析,这当然很好。但是有时存在困难,例如很难把引起质量问题的各种原因的单独影响区分开来,因为它们的作用往往是交织在一起的。

因果图是用来分析影响产品质量各种原因的一种有效的定性分析方法。因果图是以结果为特性,以原因作为因素,把它们用箭头联系起来,表示因果关系的图形,又叫特性要因图,或形象地称为树枝图或鱼刺图,是由日本著名的质量管理专家石川馨在1943年提出的,所以也称为石川图。

因果图利用头脑风暴法的原理,集思广益,寻找影响质量、时间、成本等问题的潜在因素,从产生问题的结果出发,首先找出产生问题的大原因,其次通过大原因找出中原因,然后进一步找出小原因,依次类推下去,步步深入,一直找到能够采取措施为止。

2. 因果图的作图步骤

第一步,确定待分析的质量问题,将其写在右侧的方框内,画出主干,箭头指向右端。

第二步,确定该问题中影响质量原因的分类方法。一般分析工序质量问题常按其影响因素——人、机、料、法、环五大因素,用中箭头表示。

第三步,将各分类项目分别展开,每个中枝表示各项目中造成质量问题的一个原因。作图时,中枝平行于主干,箭头指向大枝,将原因记在中枝上下方。

第四步,对于每个中枝的箭头所代表的一类因素进一步分析,找出导致它们质量不好的原因,逐类细分,用粗细不同,长短不一的箭头表示,直到能具体采取措施为止。

每五步,分析图上标出的原因是否有遗漏,找出主要原因,画上方框,作为质量改进的重点。

第六步,注明因果图的名称、绘图者、绘图时间、参与分析人员等。

3. 画因果图应注意的事项

(1)画因果图时应开"诸葛亮会",充分发扬民主精神,畅所欲言,各抒己见,集思广益,把每个人的意见都一一记录在图上。

(2)确定要分析的主要质量问题(特性),不能笼统,要具体,不宜在一张图上分析若干个主要质量问题。也就是说,一个主要质量问题只能画一张图,多个质量问题则应画多张因果图。总之,因果图只能用于单一目的研究分析。

(3)因果关系的层次要分明。最高层次的原因应分析到可以直接采取措施为止。

(4)主要原因一定要确定在末端因素上,而不应确定在中间过程上。

(5)主要原因可用排列图、投票或试验验证等方法确定,然后加以标记。

(6)画出因果图后,就要针对主要原因列出对策表。包括原因、改进项目、措施、负责人、进度要求、效果检查和存在问题等。

因果分析图中考虑影响产品质量的因素包括人、机、料、法、环五个方面。例如,图17-2所示就是针对某企业制造的复印机复印效果不清晰的因果分析图。

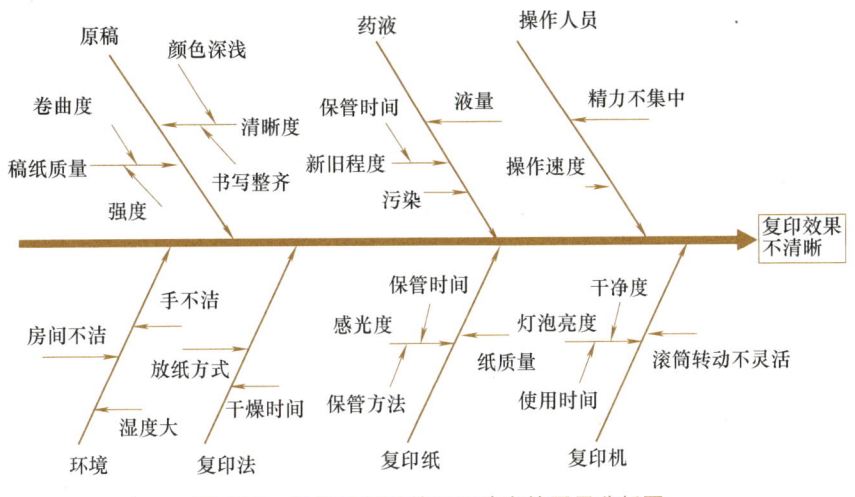

图 17-2　复印机复印效果不清晰的因果分析图

17.2.5　直方图

1. 直方图的概念

直方图又称质量分布图，是指通过对测定或收集来的数据加以整理，来判断和预测生产过程质量和不合格品率的一种常用工具。直方图法适用于对大量计量值数据进行整理加工，找出其统计规律，分析数据分布的形态，以便对其总体的分布特征进行分析。

在生产实践中，尽管收集到的各种数据含义不同、种类有别，但都具有这样一个基本特征：它们毫无例外地都具有分散性，即它们之间参差不齐。例如：同一批机器加工零件的几何尺寸不可能完全相等，同一批材料的力学性能各有差异，同一根金属软管各段的疲劳寿命互不相同，等等。数据的分散性乃产品质量本身的差异所致，是由生产过程中条件的变化和各种误差造成的，即使条件相同、原料均匀、操作谨慎，生产出来的产品质量数据也不会完全一致。但是这仅是数据特征的一个方面。如果收集数据的方法恰当，收集的数据足够多，经过仔细观察或适当整理，可以看出这些数据并不是杂乱无章的，而是呈现出一定的规律性。要找出数据的这种规律性，最好的办法就是通过对数据的整理作出直方图，通过直方图可以了解产品质量的分布状况、平均水平和分散程度。这有助于判断生产过程是否稳定正常，分析产生产品质量问题的原因，预测产品的不合格品率，提出提高质量的改进措施。

2. 直方图的作图步骤

（1）收集数据。一般以 100 个样本为宜。

例 17-3　某厂测量钢板厚度，尺寸按标准要求为 6mm，现从生产批量中抽取 100 个样本进行测量，测出的尺寸如表 17-8 所示。试画出直方图。

表 17-8　钢板厚度测量值

组号	尺寸/mm					组号	尺寸/mm				
1	5.77	6.27	5.93	6.08	6.03	6	5.92	5.92	5.75	6.05	5.94
2	6.01	6.04	5.88	5.92	6.15	7	5.87	5.63	5.80	6.12	6.32
3	5.71	5.75	5.96	6.19	5.70	8	5.89	5.91	6.00	6.21	6.08
4	6.19	6.11	5.74	5.96	6.17	9	5.96	6.06	6.25	5.89	5.83
5	6.42	6.13	5.71	5.96	5.78	10	5.95	5.94	6.07	6.02	5.75

(续)

组号	尺寸/mm	组号	尺寸/mm
11	6.12 6.18 6.10 5.95 5.95	16	6.13 5.80 5.90 5.93 5.78
12	5.95 5.94 6.07 6.00 5.75	17	5.86 5.84 6.08 6.24 5.97
13	5.86 5.84 6.08 6.24 5.61	18	5.95 5.94 6.07 6.00 5.85
14	6.13 5.80 5.90 5.93 5.78	19	6.12 6.18 6.10 5.95 5.95
15	5.80 6.14 5.56 6.17 5.97	20	6.03 5.89 5.97 6.05 6.45

（2）找出数据的最大值与最小值，计算极差 R。极差 R 为最大值和最小值之差。本例中，最大值为 6.45mm，最小值为 5.56mm，则 $R=(6.45-5.56)\text{mm}=0.89\text{mm}$。

（3）确定组数 K 与组距 h。组数 K 的确定可根据表 17-9 选择。本例中，$K=10$，组距 $h=R/K=0.89/10\approx0.09$。

表 17-9 组数 K 的参考值

数据个数（N）	组数（K）	一般使用 K
50~100	6~10	10
100~250	7~12	10
250 以上	10~20	10

分组的组界值要比抽取的数据多一位小数，以使边界值不致落入两个组内。因此，先取最小值减去测定单位的 1/2，作为第一组的下界值；再加上组距，作为第一组的上界值，依次加到最大一组的上界值。本例中测量单位为 0.01mm，所以第一组的下界值为 $(5.56-0.005)\text{mm}=5.555\text{mm}$；第一组的上界值为 $(5.555+0.09)\text{mm}=5.645\text{mm}$；第二组的上界值为 $(5.645+0.09)\text{mm}=5.735\text{mm}$，以此类推。

（4）记录各组中的数据，计算各组的中心值，整理成频数表，如表 17-10 所示。

表 17-10 频数表

组号	组界值	组中值（x_i）	频数（f_i）	坐标平移后的组中值（u_i）	$f_i u_i$	$f_i u_i^2$
1	5.555~5.645	5.60	2	-4	-8	32
2	5.645~5.735	5.69	3	-3	-9	27
3	5.735~5.825	5.78	13	-2	-26	52
4	5.825~5.915	5.87	15	-1	-15	15
5	5.915~6.005	5.96	26	0	0	0
6	6.005~6.095	6.05	15	1	15	15
7	6.095~6.185	6.14	15	2	30	60
8	6.185~6.275	6.23	7	3	21	63
9	6.275~6.365	6.32	2	4	8	32
10	6.365~6.455	6.41	2	5	10	50
合计			100		26	346

（5）根据频数表画出直方图。如图 17-3 所示，图中每个直方形面积为数据落到这个范围内的个数（或频率），故所有直方形面积之和就是频数的总和（或频率的总和），为 1 或 100%。图中要标出平均值和标准差。

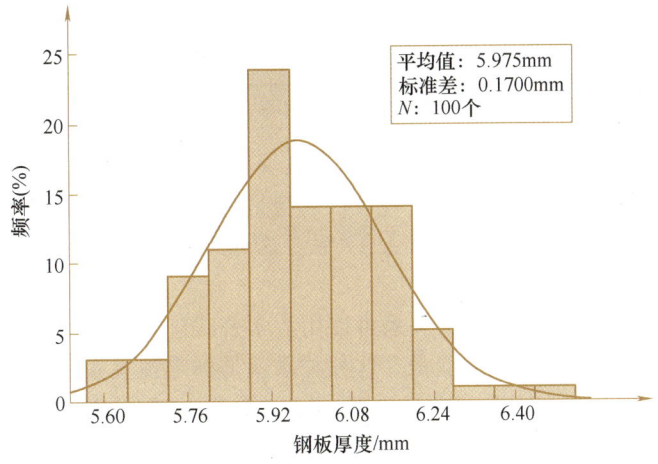

图 17-3　钢板厚度直方图

直方图从形态的角度，通过产品质量的分布反映工序的精度状况。通常要看图形本身的形状是否正常，再与公差（标准）对比后进行大致判断。

3. 常见直方图的形状

常见的直方图形状有以下几种，如图 17-4 所示。

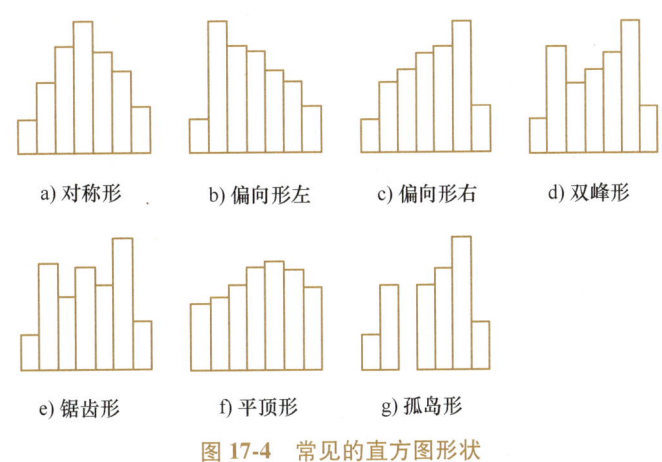

a) 对称形　　b) 偏向形左　　c) 偏向形右　　d) 双峰形

e) 锯齿形　　f) 平顶形　　g) 孤岛形

图 17-4　常见的直方图形状

（1）对称形（见图 17-4a）：直方图中的直方形以中间为顶峰，向左右两侧大体呈对称排列，是正常的典型分布图形。

（2）偏向形（见图 17-4b、c）：其高峰偏向于一侧。通常原因是产品公差是单侧标准，或由某种加工习惯等原因造成的。

（3）双峰形（见图 17-4d）：往往是由于两个不同的分布混在一起造成的，如将有一定差别的两台机床或两种原材料所生产的产品混在一起。

（4）锯齿形（见图 17-4e）：高峰的变化呈参差不齐的锯齿状。这往往是由于作直方图的过程中分组过多或测量读数有误等原因造成的。

（5）平顶形（见图 17-4f）：顶部平直，峰谷不明。这往往是由于生产过程中某种缓慢的带有变动倾向的因素在起作用造成的，如工具的磨损、操作者的疲劳等。

（6）孤岛形（见图 17-4g）：在远离主分布中心的地方出现一些小直方形。这表明工序质量有异常,往往是原材料有变化、短时期内由不熟练的工人替班操作或测量有误等原因造成的。

17.2.6 散布图

1. 相关关系

一切客观事物总是相互联系的,每个事物都与它周围的其他事物相互联系,互相影响。产品质量特性与影响质量特性的诸因素之间、一种特性与另一种特性之间都是相互联系,相互制约的。反映到数量上,就是变量之间存在一定的关系。这种关系一般说来可分为确定性关系和非确定性关系。

所谓确定性关系,是指变量之间的关系可以用数学公式确切地表示出来,也就是由一个自变量可以确切地计算出唯一的一个因变量,这种关系就是确定性关系。比如电学中欧姆定律就是确定性关系:$V=IR$(V——电压,R——电阻,I——电流),如果电路中电阻值 R 一定,要求该电路必须保证电压在一定范围内。此时,可以不直接测量电压 V,只要测量电流 I,并加以控制就可以达到目的。

但是,在另外一些情况下,变量之间的关系并没有这么简单。例如,人的体重与身高之间有一定的关系。不同身高的人有不同的体重,但即使是相同身高的人,体重也不尽相同。这是因为体重还受年龄、性别、体质等因素的制约。它们之间不存在确定性的函数关系。质量特性与因素之间的关系几乎都有类似的情形。

在实际中,由于影响一个量的因素通常有很多,其中有些是人们一时还没有认识或掌握的,再加上随机误差的存在,所有这些因素的综合作用造成了变量之间关系的不确定性。通常,产品特性与工艺条件之间、试验结果与试验条件之间都存在非确定性关系。变量之间的这种既有关但又不能由一个或几个变量去完全或唯一确定另一个变量的关系称为相关关系。

2. 散布图的概念

两种对应数据之间有无相关性、相关关系是一种什么状态,只从数据表中观察很难得出正确的结论。如果借助于图形就能直观地反映数据之间的关系,散布图就有这种功能。

散布图又称相关图,是描绘两种质量特性值之间相关关系的分布状态的图形,即将一对数据看成直角坐标系中的一个点,多对数据得到多个点组成的图形。

3. 散布图的作图步骤

(1)选定对象。可以选择分析质量特性值与因素之间的关系,质量特性与质量特性值之间的关系,或者因素与因素之间的关系。

(2)收集数据。一般需要收集 30 组以上成对的数据。数据必须是一一对应的,没有对应关系的数据不能用来作相关图。

(3)画出横坐标 x 与纵坐标 y,填上特性值标度。一般横坐标表示原因特性,纵坐标表示结果特性。进行坐标轴的分计标度时,应先求出数据 x 与 y 各自的最大值与最小值。划分间距的原则是:应使 x 最小值至最大值(在 x 轴上的)的距离,大致等于 y 最小值至最大值(在 y 轴上的)的距离。其目的是防止判断错误。

(4)根据每一对数据的数值逐个画出各组数据的坐标点。

4. 散布图的类型

散布图的类型主要根据点的分布状态,判断自变量 x 与因变量 y 有无相关性。两个变量之间的散布图的图形形状多种多样,归纳起来有六种类型。

(1)强正相关的散布图。其特点是 x 增大,导致 y 明显增大。说明 x 是影响 y 的显著因素,x、y 相关关系明显。

(2) 弱正相关的散布图。其特点是 x 增大，导致 y 增大，但不显著。说明 x 是影响 y 的因素，但不是唯一因素，x、y 之间有一定的相关关系。

(3) 不相关的散布图。其特点是 x、y 之间不存在相关关系，说明 x 不是影响 y 的因素，应寻求其他因素。

(4) 强负相关的散布图。其特点是 x 增大，导致 y 减小，说明 x 是影响 y 的显著因素，x、y 之间相关关系明显。

(5) 弱负相关的散布图。其特点是 x 增大，导致 y 减小，但不显著。说明 x 是影响 y 的因素，但不是唯一因素，x、y 之间有一定的相关关系。

(6) 非线性相关的散布图。其特点是 x、y 之间虽然没有通常所指的线性关系，却存在某种非线性关系。说明 x 仍是影响 y 的显著因素。

例 17-4 某厂加工某种机械零件，客户要求该零件有较高的硬度。产品加工过程的淬火温度与硬度存在非确定的关系，现利用散布图分析硬度与淬火温度之间的关系，以确定质量改进点。收集生产相对稳定状态下的淬火温度值 30 个，并收集与淬火温度相对应的产品硬度 30 个，如表 17-11 所示。

表 17-11 淬火温度与硬度数据表

序号	淬火温度 (X)/℃	硬度 (Y)(HRC)	序号	淬火温度 (X)/℃	硬度 (Y)(HRC)	序号	淬火温度 (X)/℃	硬度 (Y)(HRC)
1	810	47	11	840	52	21	810	44
2	890	56	12	870	51	22	850	53
3	850	48	13	830	53	23	880	54
4	840	45	14	830	45	24	880	57
5	850	54	15	820	46	25	840	50
6	890	59	16	820	48	26	880	54
7	870	50	17	860	55	27	830	46
8	860	51	18	870	55	28	860	52
9	810	42	19	830	49	29	860	50
10	820	53	20	820	44	30	840	49

图 17-5 是表明淬火温度与硬度关系的散布图。这种关系虽然存在，但难以用精确的公式或函数关系表示，因此适合用散布图来分析。

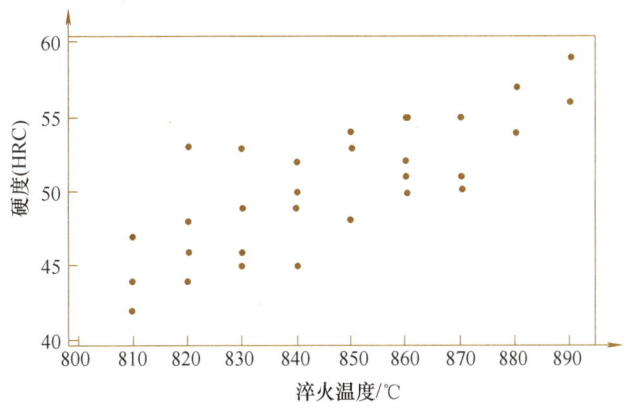

图 17-5 淬火温度与硬度的关系

17.3 统计过程控制与过程能力分析

17.3.1 统计过程控制

17.3.1.1 控制图概述

SPC 是英文 Statistical Process Control 的字首简称，即统计过程控制。SPC 是指应用统计技术对过程中的各个阶段进行监控，从而达到改进与保证质量的目的。其中控制图理论是 SPC 最主要的统计技术。

控制图是判别生产过程是否处于控制状态的一种手段，利用它可以区分质量波动究竟是由随机因素还是由系统因素造成的。

1924 年，美国的休哈特提出了过程控制的概念与实施过程监控的方法，并首先提出用控制图进行生产控制，稳定生产过程的质量，达到以预防为主的目的。控制图的种类有很多，本节主要介绍常规控制图，也称休哈特控制图。

常规控制图要求从过程中获取以近似等间隔抽取的数据，此间隔可以用时间来定义（如每小时）或者用数量来定义（如每批）。通常，这样抽取的数据在过程控制中称为子组，每个子组由具有相同可测量单位和相同子组大小的同一产品或服务组成。从每一子组得到一个或多个子组特性，如子组平均值、子组极差 R 或标准差 s。常规控制图是给定的子组特性值与子组号对应的一种图形，它的基本格式包括两个部分。

一是标题部分。主要包括企业、车间、班组的名称，机床设备的名称、编号，零件的名称、编号，检验部位、要求、测量器具、操作工、调试工、检验工、绘图者的名称，以及控制图的名称编号等。

二是控制图部分。控制图部分是指根据概率统计的原理，在普通坐标纸上画出两条控制限和一条中心线，然后把时间顺序抽样所得的质量特性值（或样本统计量）以点子的形式依次描在图上，从点子的动态分布情况来分析生产过程质量及其趋势的图形。横坐标是以时间先后排列的样本组号（子组号），纵坐标为质量特性值或样本统计量。两条控制限一般用虚线表示，上面一条称为上控制限（Upper Control Limit, UCL），下面一条称为下控制限（Lower Control Limit, LCL），中心线用实线表示（Central Line, CL）。

在生产过程中，应定时抽取样本，把测得的点子按时间先后一一描在图上。如果点子落在两控制限之间，且点子排列是随机的，则表明生产过程仅有随机误差存在，生产基本正常，处于统计控制状态，此时对生产过程可不必干预；如果点子落在两控制限之外，或点子在两控制限内的排列是非随机的，则表明生产过程中有系统性原因导致的系统误差存在，生产已处于非统计控制状态，此时必须采取措施使生产恢复正常。这样可用控制图对生产过程不断地进行监控，能够对系统性原因的出现及时进行警告，起到预防作用。

17.3.1.2 控制图的分类

控制图根据数据的种类不同，基本上可以分为两大类：计量控制图和计数控制图。计量控制图一般适用于以长度、强度、纯度等为控制对象的场合，属于这类的控制图有单值-移动极差控制图、均值-极差控制图、中位数-极差控制图等。

计数控制图表示通过记录所考察的子组中每个个体是否具有某种特性（或特征），计算具有该特性的个体的数量，或记录一个单位产品、一组产品，或一定面积内此种事件发生的次数所获得的观测值。通常，测量数据的获得快速而经济，并且常常不需要专门的收集技术。常用的计数控制图有不合格品率控制图（p 控制图）和不合格品数控制图（np 控制图）、不合格数控制图（c 控制图）和单位产品不合格数控制图（u 控制图）等。

在计量控制图情形下，按通常惯例采用一对控制图，其中一张用于控制平均值，另一张用于控制离散程度。上述做法是必要的，因为计量控制图基于正态分布，而正态分布取决于上述两个参数。在计数控制图情形下则不同，所假定的分布只有一个独立参数，即平均值水平，故用一张控制图就足够了。p 控制图和 np 控制图基于二项分布，而 c 控制图和 u 控制图则基于泊松分布。

17.3.1.3 控制图的统计学原理

1. 3σ 原理

在生产过程中，仅有随机性因素存在时，产品质量特性值 X 会形成某种确定的典型分布，例如正态分布。当出现系统性原因时，X 就偏离原来的典型分布了。可以通过统计学中假设检验的方法来及时地发现这种分布的偏离，从而据以判断系统性原因是否存在。下面以 X 服从正态分布为例加以说明。

设当生产不存在系统性原因时，$X \sim N(\mu, \sigma^2)$，则 $p(\mu-3\sigma < X < \mu+3\sigma) = 0.9973$。$X$ 落在两条虚线外的概率之和只有 0.27%。即 1000 个样品（数据）中，平均约有 3 个数据超出分布范围，有 997 个落在 $(\mu-3\sigma, \mu+3\sigma)$ 之中。如果从处于统计控制状态的生产中任抽一个样品 X，可以认为 X 一定在分布范围 $\mu \pm 3\sigma$ 之中，而认为出现在分布范围之外是不可能的，这就是 3σ 原理。

一般来说，根据 3σ 原理，在一次试验中，如果样品出现在分布范围 $\mu \pm 3\sigma$ 的外面，则认为生产处于非控制状态。习惯上，把 $\mu-3\sigma$ 定为 LCL，把 $\mu+3\sigma$ 定为 UCL，μ 定为 CL，这样得到的控制图称为 3σ 原理的控制图，也称为休哈特控制图，如图 17-6 所示。

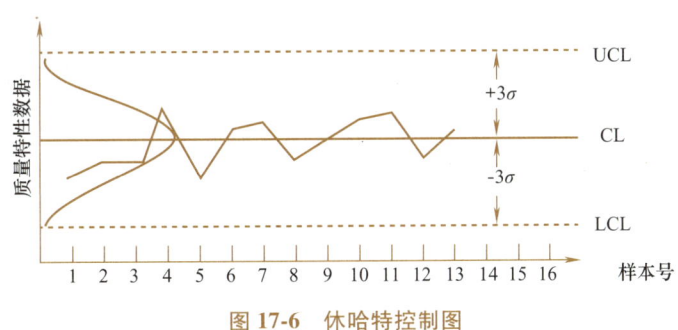

图 17-6 休哈特控制图

现在按加工次序每隔一定时间抽取一个样品，如果生产仍然只受到随机性因素的影响，那么被抽取的产品质量特性仍服从原来的正态分布，该产品质量特性值落在图 17-6 两条虚线外几乎是不可能的。如果某个产品质量特性值落在了两条虚线外，由于这种可能性只有 0.27%，这是个很小的概率，出现这种概率的事件称为小概率事件。概率统计理论认为，小概率事件在一次试验中是不会发生的，现在发生了，说明原来的分布出现了较大的变化，超出上控制限不是偶然的现象，它是分布逐渐变化的结果。分布之所以变化，是由于生产过程出现了系统性原因。系统性原因不只影响超出上限的点，也会影响其他点，只不过超出上限的点较为突出。这时超过上下控制限的面积不再是 0.27%，可能是百分之几或者更大，点子落在虚线外的可能性大大增加了。因此可以认为，当点子落在上下限外时，表明生产过程出现了系统性问题，已处于失控状态，必须追查具体的技术原因，采取措施，使生产恢复到控制状态。

2. 两类错误

控制图之所以规定 3σ 限，主要是出于经济上的考虑。这可以从两个方面加以说明。

应用控制图判断生产是否稳定，实际上是进行统计推断。既然是统计推断，就可能出现两类错误：第一类错误是将正常判为异常，既生产仍处于统计控制状态，但由于随机性原因的影响，使得点子超出控制限，虚发警报而将生产误判为出现了异常。例如上述处于控制状态的样品有可能落在 3σ 限以外，其概率为 0.27%，即犯错误的可能性在 1000 次中约有 3 次。犯这类错误的概率称为第Ⅰ类风险，记作 α。第二类错误是将异常判为正常，生产已经变化为非统计控制状态，但点子没有超出控制限，而将生产误判为正常，这是漏发警报。把犯这类错误的概率称为第Ⅱ类风险，记作 β。孤立地看，哪类错误都可以缩小，甚至避免，但是要同时避免两类错误是不可能的。显然，放宽控制限可以减少第Ⅰ类风险，例如将范围从 $\mu\pm3\sigma$ 扩展到 $\mu\pm5\sigma$，则有

$$P(|X-\mu|\leq 5\sigma)=99.9999\%$$
$$P(|X-\mu|>5\sigma)=0.0001\%$$

此时 $\alpha=0.0001\%$，即一百万次约有一次犯第一类错误。但是，由于将限从 3σ 扩展到 5σ，因而使第Ⅱ类风险增大，即 β 增大。如果压缩控制限，则可以减少犯第二类错误的概率 β，但会增加犯第一类错误的概率 α。一般来说，当样本大小为定数时，α 越小则 β 越大，反之亦然。因此，控制图控制限的合理确定，应以两类错误所造成的总损失最小为原则。实践证明，能使两类错误总损失最小的控制限幅度大致为 3σ。因此选取 $\mu\pm3\sigma$ 作为上下控制限是经济合理的。

17.3.1.4 控制图的观测分析

常规控制图的设计思想是先确定第一类错误的概率 α，然后根据第二类错误的概率 β 的大小来考虑是否需要采取必要的措施。通常 α 取 1%、5%、10%。为了提高使用者的信心，当初休哈特将 α 取得特别小，为 $2.7\%\approx3\%$。这样，对于"点子出界就判异"这条判异准则来讲，虽不是百发百中，也足够精确了。但 α 小，β 就大。为了减少第二类错误，对于控制图中的界内点子增添了第二类判异准则，即"界内点子排列不随机判异"。于是判断异常的准则分为两大类：一是点子出界就判断异常；二是界内点子排列不随机就判断异常。其中，第二类判异准则用于防止 β 太大。

当初休哈特图的设计并未根据两类错误所造成的总损失最小来进行。后来，经济质量管理（EQC）兴起，学术代表人物是德国乌尔茨堡（Wurzburg）大学 EQC 中心的冯·考拉尼（Elart von Collani）教授。EQC 强调经济上最优，所以控制图设计的发展趋势之一就是根据两类错误所造成的总损失最小这点来确定控制限。

1. 判断稳态的准则

稳态是生产过程追求的目标。那么如何用控制图判断过程是否处于稳态呢？为此，需要制定判断稳态的准则。

在统计量为正态分布的情况下，由于第一类错误的概率 $\alpha=0.27\%$，取得很小，因此只要有一个点在界外就可以判断有异常，很可靠。既然 α 很小，第二类错误的概率 β 就很大，只根据一个点在界内远不能判断生产过程处于稳态。如果连续有许多点，如 25 个点，全部都在控制限内，情况就大不相同了。这时，根据概率乘法定理，$\beta_{总}=\beta^{25}$，相对小很多。如果连续在控制限内的点更多，即使有个别点出界，过程仍可看作是稳态的，这就是判稳准则。

判稳准则是指在点随机排列的情况下，符合下列情况之一就认为过程处于稳态。

1）连续 25 个点都在控制限内。
2）连续 35 个点中至多 1 个点落在控制限外。
3）连续 100 个点中至多 2 个点落在控制限外。

2. 判断异常的准则

什么是异常？大家知道 SPC 的基准是稳态，若过程显著偏离稳态就称为异常，所以异常可以有异常好与异常坏两类。

(1) 判异准则有两类：

①点出界就判异；②界内点排列不随机就判异。

由于对点的数目未加限制，故上述的第二种模式原则上可以有无穷多种，但现场能够保留下来继续使用的只有具有明显物理意义的若干种，在控制图的判断中要注意对这些模式加以识别。

(2) 常规控制图的国家标准。常规控制图的国家标准为 GB/T 17989.2—2020，该标准引用了西方电气公司统计质量控制手册，列出了 8 种判异准则。准则 1 "1 点落在 A 区以外（点出界就判异）"是休哈特亲自提出来的，应用最为广泛。

准则 1（1 点落在 A 区以外）：本准则由休哈特在 1931 年提出，在许多应用中，它甚至是唯一的判异准则。准则 1 可对参数 μ 的变化或参数 σ 的变化给出信号，变化越大，则给出信号越快。准则 1 还可对过程中的单个失控做出反应，如计算错误、测量误差、原材料不合格、设备故障等。

准则 2（连续 9 点落在中心线同一侧）：本准则通常是为了补充准则 1 而设计的，以便改进控制图的灵敏度。选择 9 点是为了使其犯第一种错误的概率 α 与准则 1 的 $\alpha_0 = 0.0027$ 大体相仿。

准则 3（连续 6 点递增或递减）：本准则是针对过程平均值的趋势进行设计的，它判定过程平均值的较小趋势要比准则 2 更为灵敏。产生趋势的原因可能是工具逐渐磨损、维修水平逐渐降低、操作人员技能的逐渐提高等，从而使得参数 μ 随着时间而变化。

准则 4（连续 14 点中相邻点交替上下）：出现本准则的现象是由于轮流使用两台设备或由两位操作人员轮流进行操作而引起的系统效应。实际上，这就是一个数据分层不够的问题。选择 14 点是通过统计模拟试验而得出的。

准则 5（连续 3 点中有 2 点落在中心线同一侧的 B 区以外）：过程平均值的变化通常可由本准则判定，它对于变异的增加也较灵敏。这里需要说明：3 点中的 2 点可以是任何 2 点，至于这第 3 点可以在任何处，甚至可以根本不存在。

准则 6（连续 5 点中有 4 点落在中心线同一侧的 C 区以外）：与准则 5 类似，这第 5 点可在任何处。本准则对于过程平均值的偏移也是较灵敏的。出现本准则的现象是由于参数 μ 发生了变化。

准则 7（连续 15 点落在中心线两侧的 C 区）：出现本准则的现象是由于参数 σ 变小。对于本准则不要被它的良好"外貌"所迷惑，而应该注意到它的非随机性。造成本准则现象的原因可能是：数据虚假或数据分层不够等。

准则 8（连续 8 点落在中心线两侧且无一在 C 区内）：造成本准则现象的主要原因是数据分层不够，本准则即为此而设计。

例 17-5 某轧钢厂生产 (6±0.4)mm 厚度的钢板，均值-极差控制图（$\overline{X}$-R 控制图）的绘制和应用如下。

(1) 收集数据。该厂生产的钢板厚度数据见前面介绍直方图时所用到的表 17-8 中的数据。

(2) 数据分组。一般取组数 $K=20$，每组样品量 n 取 4~5，本例 $n=5$。

(3) 计算 $\overline{X}$ 和 R，将结果填入表 17-12 中。

表 17-12 钢板厚度数据与平均值、极差　　　　　（单位：mm）

组号	X_1	X_2	X_3	X_4	X_5	$\overline{X}$	R
1	5.77	6.27	5.93	6.08	6.03	6.02	0.50
2	6.01	6.04	5.88	5.92	6.15	6.00	0.27
3	5.71	5.75	5.96	6.19	5.70	5.86	0.49
4	6.19	6.11	5.74	5.96	6.17	6.03	0.45
5	6.42	6.13	5.71	5.96	5.78	6.00	0.71

(续)

组号	X_1	X_2	X_3	X_4	X_5	$\overline{X}$	R
6	5.92	5.92	5.75	6.05	5.94	5.92	0.30
7	5.87	5.63	5.80	6.12	6.32	5.95	0.69
8	5.89	5.91	6.00	6.21	6.08	6.02	0.32
9	5.96	6.06	6.25	5.89	5.83	6.00	0.42
10	5.95	5.94	6.07	6.02	5.75	5.95	0.32
11	6.12	6.18	6.10	5.95	5.95	6.00	0.23
12	5.95	5.94	6.07	6.00	5.75	5.94	0.32
13	5.86	5.84	6.08	6.24	5.61	5.93	0.63
14	6.13	5.80	5.90	5.93	5.78	5.91	0.35
15	5.80	6.14	5.56	6.17	5.97	5.93	0.61
16	6.13	5.80	5.90	5.93	5.78	5.91	0.35
17	5.86	5.84	6.08	6.24	5.97	6.00	0.40
18	5.95	5.94	6.07	6.00	5.85	5.96	0.22
19	6.12	6.18	6.10	5.95	5.95	6.06	0.23
20	6.03	5.89	5.97	6.05	6.45	6.08	0.56

（4）计算 $\overline{X}$-R 控制图的控制限。$\overline{X}$ 控制图的控制限的计算公式为

$$\begin{cases} \mathrm{UCL} = \mu + 3\dfrac{\sigma}{\sqrt{n}} = \overline{\overline{X}} + A_2\overline{R} \\ \mathrm{LCL} = \mu - 3\dfrac{\sigma}{\sqrt{n}} = \overline{\overline{X}} - A_2\overline{R} \\ \mathrm{CL} = \overline{\overline{X}} \end{cases} \quad (17\text{-}1)$$

R 控制图的控制限的计算公式为

$$\begin{cases} \mathrm{UCL} = \overline{R} + 3\sigma_R = d_2\sigma + 3d_3 = \left(1 + \dfrac{3d_3}{d_2}\right)\overline{R} = D_4\overline{R} \\ \mathrm{LCL} = \overline{R} - 3\sigma_R = d_2\sigma - 3d_3 = \left(1 - \dfrac{3d_3}{d_2}\right)\overline{R} = D_3\overline{R} \\ \mathrm{CL} = \overline{R} \end{cases} \quad (17\text{-}2)$$

式中的系数 A_2、d_2、d_3、D_3、D_4 可由表 17-13 查出。

表 17-13 控制图界限系数表

n	A_2	D_4	D_3	E_2	A_4	d_2	d_3
2	1.88	3.267	—	2.659	1.88	1.128	0.853
3	1.023	2.575	—	1.772	1.187	1.603	0.888
4	0.729	2.282	—	1.457	0.796	2.059	0.88
5	0.577	2.115	—	1.29	0.691	2.326	0.864
6	0.483	2.004	—	1.184	0.549	2.534	0.848
7	0.41	1.924	0.076	1.109	0.509	2.704	0.833
8	0.373	1.864	0.136	1.054	0.432	2.847	0.82
9	0.337	1.816	0.184	1.01	0.412	2.97	0.808
10	0.308	1.777	0.223	0.975	0.363	3.173	0.797

本例中 $\bar{\bar{X}}$ 控制图的控制限为

$$\begin{cases} UCL = \bar{\bar{X}} + A_2\bar{R} = (5.975 + 0.577 \times 0.419) \text{mm} = 6.217 \text{mm} \\ LCL = \bar{\bar{X}} - A_2\bar{R} = (5.975 - 0.577 \times 0.419) \text{mm} = 5.733 \text{mm} \\ CL = \bar{\bar{X}} = 5.975 \text{mm} \end{cases}$$

R 控制图的控制限为

$$\begin{cases} UCL = D_4\bar{R} = (2.115 \times 0.419) \text{mm} = 0.886 \text{mm} \\ LCL = D_3\bar{R} = 0 \\ CL = \bar{R} = 0.419 \text{mm} \end{cases}$$

（5）画出控制图，如图17-7所示。根据控制图的判定准则可知，该生产过程正常受控。

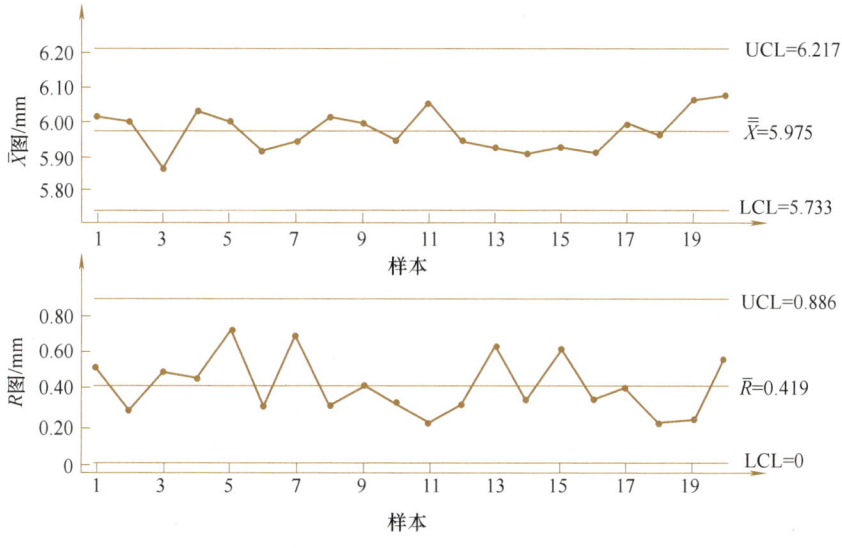

图 17-7　钢板厚度的 $\bar{X}$-R 控制图

17.3.2　过程能力分析

1. 过程能力和过程能力指数的概念

过程能力（Process Capability）或称为工序能力，是指处于稳定状态下的过程（或工序）实际的加工能力，它是衡量过程加工内在一致性的标准。

过程能力的测定一般是在成批生产状态下进行的，过程满足产品质量要求的能力主要表现在以下两个方面：①产品质量是否稳定；②产品质量精度是否足够。因此，在确认过程能力可以满足精度要求的条件下，它以该过程产品质量特性值的变异或波动来表示。产品质量的变异可以用频数分布表、直方图、分布的定量值以及分布曲线来描述。在稳定生产状态下，影响过程能力的偶然因素的综合结果近似地服从正态分布。为了便于过程能力的量化，可以用 3σ 原理来确定其分布范围：当分布范围取为 $\mu \pm 3\sigma$ 时，产品质量合格的概率可达 99.73%，接近于 1。因此以 $\pm 3\sigma$，即以 6σ 为标准来衡量过程能力是具有足够的精确度和良好经济特性的。所以在实际计算中用 6σ 的波动范围来定量描述过程能力。

记过程能力为 B，则

$$B = 6\sigma$$

过程能力指数表示过程能力满足产品技术标准的程度。技术标准是指加工过程中产品必须达到的质量要求，通常用标准、公差（容差）、允许范围等来衡量，一般用符号 T 表示。质量标准（T）与过程能力（B）之比值，称为过程能力指数，记为 C_p。

过程能力指数 C_p 值是衡量过程能力满足产品技术要求程度的指标，过程能力指数越大，说明过程能力越能满足技术要求，甚至有一定的能力储备。但是不能认为过程能力指数越大，加工精度就越高，或者技术要求越低。

2. 影响过程能力的因素

在加工过程中影响过程能力的因素主要有以下几个方面。

（1）设备方面。如设备精度的稳定性、性能的可靠性、定位装置和传动装置的准确性、设备的冷却润滑的保护情况、动力供应的稳定程度等。

（2）工艺方面。如工艺流程的安排，过程之间的衔接，工艺方法、工艺装备、工艺参数、测量方法的选择，过程加工的指导文件，工艺卡，操作规范，作业指导书，过程质量分析表等。

（3）材料方面。如材料的成分、物理性能、化学性能、处理方法、配套元器件的质量等。

（4）操作者方面。如操作人员的技术水平、熟练程度、质量意识、责任心等。

（5）环境方面。如生产现场的温度、湿度、噪声干扰、振动、照明、室内净化情况、现场污染程度等。

过程能力是上述五个方面因素的综合反映，但是在实际生产中，这五个因素对不同行业、不同企业、不同过程，及对质量的影响程度有着明显的差别，起主要作用的因素称为主导因素。如对化工企业来说，一般设备、装置、工艺是主导因素。又如机械加工的铸造过程的主导因素一般是工艺过程和操作人员的技术水平，手工操作较多的冷加工、热处理及装配调试中的操作人员是重要因素。这些因素对产品质量起着主导作用，因而是主导因素。

在生产过程中，随着企业的技术改造和管理的改善，以及产品质量要求的变化，主导因素会随之而变化。如当设备问题解决了，可能工艺管理或其他方面成了主导因素；当工艺问题解决了，可能操作人员的水平、环境条件的要求上升到了主导因素。进行过程能力分析，就要抓住影响过程能力的主导因素，采取措施，提高过程质量，保证产品质量达到要求。

3. 进行过程能力分析的意义

（1）过程能力的测定和分析是保证产品质量的基础工作。只有掌握了过程能力，才能控制制造过程的符合性质量。如果过程能力不能满足产品设计的要求，那么质量控制就无从谈起，所以说过程能力调查、测试分析是现场质量管理的基础工作，是保证产品质量的首要条件。

（2）过程能力的测试分析是提高过程能力的有效手段。因为过程能力是由各种因素造成的，所以通过过程能力的测试分析，可以找到影响过程能力的主导因素，从而通过改进工艺，改进设备，提高操作水平，改善环境条件，制定有效的工艺方法和操作规程，严格工艺纪律等来提高过程能力。

（3）过程能力的测试分析可以为质量改进找出方向。因为过程能力是过程加工的实际质量状态，它是产品质量保证的客观依据，通过过程能力的测试分析，可以为设计人员和工艺人员提供关键的过程能力数据，可以为产品设计提供参考。同时通过过程能力分析，找出影响过程能力的主要问题，为提高加工能力和改进产品质量找到努力的方向。

4. 计量值过程能力指数的计算

（1）计量值为双公差而且分布中心和标准中心重合的情况，其计算公式为

$$C_p = \frac{T}{6\sigma}$$

式中　T——工序公差；

　　　σ——总体标准差。

过程能力指数 C_p 与过程能力 6σ 是不同的。过程能力在一定工序条件下是一个相对稳定的数值，而过程能力指数则是一个相对的概念。过程能力相同的两个工序，若工序质量要求范围不同，则会有不同的过程能力指数。

计算过程能力指数应假设工序质量特性值服从正态分布，即 $x \sim N(\mu, \sigma^2)$，且工序是在处于受控状态下进行的。具体的计算公式为

$$C_p = \frac{T}{6\sigma} = \frac{T_U - T_L}{6s}$$

σ 可以用抽取样本的实测值计算出样本标准偏差 s 来估计。式中 T_U 为质量标准上限，T_L 为质量标准下限。即 $T = T_U - T_L$。

（2）分布中心和标准中心不重合的情况下 C_{pk} 值的计算。

令 $\varepsilon = |M - \mu|$，这里 ε 为分布中心对标准中心 M 的绝对偏移量。把 ε 对 $T/2$ 的比值称为相对偏移量或偏移系数，记作 K：

$$K = \frac{\varepsilon}{T/2} = \frac{2|T_m - \bar{x}|}{T}$$

则有

$$C_{pk} = (1-K)C_p = \frac{T - 2\varepsilon}{6s}$$

（3）计量值为单侧公差情况下 C_p 值的计算。技术要求以不大于或不小于某一标准值的形式表示，这种质量标准就是单侧公差，如对强度、寿命等只规定下限的质量特性界限。又如对机械加工的形状位置公差、材料中的有害杂质含量只规定上限标准，而对下限标准却不做规定。

在只给定单侧标准的情况下，特性值的分布中心与标准的距离决定了过程能力的大小。为了经济地利用过程能力，并把不合格品率控制在 0.3% 左右，按 3σ 分布的原理，在单侧标准的情况下就可用 3σ 作为计算 C_p 值的基础。

只规定上限标准时，过程能力指数为

$$C_{pU} = \frac{T_U - \mu}{3\sigma} = \frac{T_U - \bar{x}}{3s}$$

当 $\mu \geq T_U$ 时，则认为 $C_p = 0$，这时可能出现的不合格率高达 50% ~ 100%。

只规定下限标准时，过程能力指数为

$$C_{pL} = \frac{\mu - T_L}{3\sigma} = \frac{\bar{x} - T_L}{3s}$$

当 $\mu \leq T_L$ 时，则认为 $C_p = 0$，这时可能出现的不合格率同样为 50% ~ 100%。

5. 过程能力的判定

当求出过程能力指数后，就可以对过程能力是否充分做出分析和判定。即判断 C_p 值在多少时，才能满足设计要求。

（1）根据过程能力的计算公式，如果质量特性分布中心与标准中心重合，这时 $K = 0$，则标

准界限范围是±3σ（即6σ），这时的过程能力指数$C_p=1$，可能出现的不合格品率为0.27%，过程能力基本满足设计质量要求。

（2）如果标准界限范围是±4σ（即8σ）时，$K=0$，则过程能力指数$C_p=1.33$。这时的过程能力不仅能满足设计质量要求，而且有一定的富裕能力。这种过程能力状态是理想的状态。

（3）如果标准界限范围是±5σ（即10σ）时，$K=0$，则过程能力指数$C_p=1.67$，这时过程能力有更多的富裕，也就是说过程能力非常充分。

（4）当过程能力指数$C_p<1$时，就认为过程能力不足，应采取措施提高过程能力。

6. 提高过程能力的对策

（1）$C_p>1.33$。当$C_p>1.33$时，表明过程能力充分，这时需要控制过程的稳定性，以保持过程能力不发生显著变化。如果认为过程能力过大时，应对标准要求和工艺条件加以分析，一方面可以降低要求，避免设备精度的浪费；另一方面可以考虑修订标准，提高产品质量水平。

（2）$1.0 \leq C_p \leq 1.33$。当过程能力处于1.0~1.33之间时，表明过程能力满足要求，但不充分。当C_p值很接近1时，则有产生超差的危险，应采取措施加强对过程的控制。

（3）$C_p<1.0$。当过程能力小于1时，表明过程能力不足，不能满足标准的需要，应采取改进措施，改变工艺条件，修订标准，或严格进行全数检验等。

7. 提高过程能力指数的途径

在实际的过程能力调查中，过程能力分布中心与标准中心完全重合的情况是很少的，大多数情况下都存在一定量的偏差，所以在进行过程能力分析时，计算的过程能力指数一般都是修正的过程能力指数。从修正过程能力指数的计算公式可以看出，式中有三个影响过程能力指数的变量，即质量标准T，偏移量ε和过程质量特性分布的标准差σ。那么要提高过程能力指数就有三个途径：减小偏移量、降低标准差和扩大精度范围。

（1）调整过程加工的分布中心，减少偏移量。偏移量是过程分布中心和技术标准中心偏移的绝对值，即$\varepsilon=|M-\mu|$。当过程存在偏移量时，会严重影响过程能力指数。假设在两个中心重合时过程能力指数是充足的，但由于存在偏移量，过程能力指数会下降，造成过程能力严重不足。

（2）提高过程能力，降低分散程度。由公式$B=6\sigma$可知，过程能力是由人、机、料、法、环、测六个因素决定的，这是过程固有的分布宽度。当技术标准固定，过程能力对过程能力指数的影响是十分显著的，由此看出，减少标准差σ就可以降低分散程度，从而提高过程能力，以满足技术标准的要求。一般来说可以通过以下一些措施降低分散程度。

①修订操作规程，优化工艺参数；补充增添中间过程，推广应用新工艺、新技术。

②改造更新与产品质量标准要求相适应的设备，对设备进行周期性检查，按计划进行维护，从而保证设备的精度。

③提高工具、工艺装备的精度，对大型工艺装备进行周期性检查，加强维护保养，以保证工装的精度。

④按产品质量要求和设备精度要求来保证环境条件。

⑤加强人员培训，提高操作者的技术水平和质量意识。

⑥加强现场质量控制，设置关键、重点过程的过程管理点，开展QC小组活动，使过程处于控制状态。

（3）修订标准范围。标准范围的大小直接影响对过程能力的要求，当确信若降低标准要求或放宽公差范围不会影响产品质量时，就可以修订现有公差的要求。这样既可以提高过程能力指数，又可以提高劳动生产率。但必须以切实不影响产品质量、不影响用户使用效果为依据。

17.4 质量检验与抽样技术

17.4.1 质量检验概述

1. 质量检验的定义

质量检验是指通过观察和判断,必要时结合测量、试验或度量所进行的符合性评价。从这个定义可以看出,质量检验过程实质上是观察、测量并获得数据,将数据与标准要求进行比较,然后做出符合性判断以及实施处理的过程。

2. 质量检验的作用

(1) 把关。通过对检验对象的检验,鉴别、分选、剔除不合格品,确定每个对象或对象批是否合格接收,严格做到"不合格原材料不投产,不合格半成品不转工序,不合格产品不出厂",从而起到源头管理的把关作用。

(2) 预防。通过工序能力的测定和质量控制图的运用,监督工序状态的变化,及时发现问题,采取措施消除问题,使工序回归稳定状态,从而预防不合格品的产生。

(3) 反馈。通过对检验资料的分析整理,掌握产品质量情况和变化规律,为改进设计、提高质量、加强管理提供重要的信息依据。

3. 质量检验的类型

质量检验的分类如表 17-14 所示。

表 17-14 质量检验的分类

分类标准	方式
按工作过程的顺序划分	进货检验、生产过程检验、最终检验
按检验的地点划分	定点检验、巡回检验
按检验的数量划分	全数检验、抽样检验
按检验的预防性划分	首件检验、统计检验
按检验体制划分	自检、互检、专检

(1) 进货检验、生产过程检验和最终检验。按工作过程的顺序划分,质量检验有进货检验、生产过程检验和最终检验三种方式。进货检验是生产前对投入的原材料、毛坯、半成品等的检验。生产过程检验是对加工过程中的各环节/工序或批工件的检验。最终检验是对产品对象的完工检验。

(2) 定点检验和巡回检验。按检验的地点划分,质量检验有定点检验和巡回检验两种方式。定点检验是在固定的地点进行的检验,这种方式适合检验批量大,需装备专用检测仪器、测试手段进行关键工序和部件的检验,以及成品装配后的检验。巡回检验是检验人员和生产工人密切协作,共同搞好质量的一种检验方式。

(3) 全数检验和抽样检验。按检验的数量划分,质量检验有全数检验和抽样检验两种方式。全数检验即对检验对象逐件检验,它往往会增加检验成本。一般对关键的、质量要求必须百分之百合格的、不是破坏性检验的产品等实行全数检验;而对大批量的产品或在检测手段受到一定限制的情况下,一般采取抽样检验的方法。抽样检验是根据事先制订的抽样方案,对检验对象批按规定的数量进行抽查,通过检验结果来判断整批产品质量的一种检验方式。

(4) 首件检验和统计检验。按检验的预防性划分,质量检验有首件检验和统计检验等方式。首件检验是对加工对象、生产条件以及操作者变动以后的头几件产品进行的检验。统计检验是指运用数理统计方法对产品进行抽查,通过对抽查结果的分析,了解产品质量的波动状况,找出生产过程的异常情况和原因,及时采取措施,使生产过程恢复正常,以防止不合格品的产生。

(5)三检制度。按检验体制划分,质量检验有自检、互检和专检三种方式,即三检制度。自检是指生产工人对自己加工的产品或完成的工作进行的检查,即"自我把关"。互检是指生产工人之间对加工的产品、零部件和完成的工作进行的相互检查。专检是指专职质量检验员对产品质量进行的检查。

17.4.2 抽样检验

1. 抽样检验的基本术语

(1)交验批/批量(N)。在相同条件下制造出来的作为检验对象汇集起来的产品数量即交验批/批量。

(2)单位产品。单位产品有些可以自然划分,如一件产品、一台产品;有些需要人为划分,如连续生产的产品,可以用1m钢板、1t煤、1L酒等来表示。

(3)合格判定数(Ac)。它是指在抽样方案中,预先规定的判定批产品合格的样本中最大允许的不合格数。

(4)不合格判定数(Re)。它是指在抽样方案中,预先规定的判定批产品不合格的样本中最小不合格数。

(5)过程平均不合格率($\bar{p}$)。它是指数批产品抽样检验得到的平均不合格率。例如,k批产品,批量分别为$N_1, N_2, \cdots, N_k$,从各批产品中依次抽取$n_1, n_2, \cdots, n_k$个样本,分别检验得到各样本中的不合格品数为$d_1, d_2, \cdots, d_k$,则过程平均不合格率为

$$\bar{p} = \frac{d_1 + d_2 + \cdots + d_k}{n_1 + n_2 + \cdots + n_k} \tag{17-3}$$

(6)可接收质量水平(Acceptable Quality Level,AQL)。它是指可接收的连续交检批的过程平均不合格率上限。

(7)抽样检验方案。它是指为实施抽样检验而确定的一组规则,包括样本大小(n),对样本检验结果判定批量是否合格的规则。例如,(N, n, Ac)为一个抽样方案,表示从一个检验批N中抽取n个样品,若不合格品数小于或等于Ac,则该批产品可被接收;若不合格品数大于Re,则该产品批被拒收。

2. 抽样方案分类

(1)常用的抽样方案。

1)计数抽样方案。这种方案是指根据规定,用计数方法衡量产品质量特性,把样本中的单位产品仅区分为合格品或不合格品(计件),或计算单位产品的缺陷数(计点),依据其测定结果与判定标准进行比较,最后确定接收或拒收而制订的抽样方案。计数抽样方案具有如下优点:仅仅把产品区分为合格与否,手续简便,且无须预先假定分布律。

2)计量抽样方案。这种方案是指对样本中的单位产品的质量特性进行直接定量计测,并用计量值作为判定标准的抽样方案。其具有如下优点:计算检验提供的信息多,判定明确,一般适用于对关键质量特性的检验。

对一般的成批产品抽检,常采用计数抽样方案;对需要做破坏性检验以及检验费用极高的项目,一般采用计量抽样方案。

(2)根据抽样方案是抽取一个还是抽取多个样本,可分为:一次抽样、二次抽样、多次抽样、序贯抽样等几种。

一次抽样是指从批中只抽取一个样本的抽样方式。二次抽样是指最多从批中抽取两个样本、最终对批做出接受与否判定的一种抽样方式。此类型必须根据第一个样本提供的信息，决定是否抽取第二个样本。

（3）按是否调整抽样方案分类，分为以下两类。

1）调整型抽样方案，是指有转移规则的一组抽样方案，充分利用产品的质量历史信息来调整，可降低检验的成本。

2）非调整型方案，只有一个方案，没有转移规则。

3. 产品批质量的验收判断

对产品批规定一个不合格品率（p），如果批不合格品率超过这个规定值，则该批产品将被拒收。抽样检验就是从批量为 N 的产品中抽取样本量为 n 的样本进行检验。样本中的不合格品数用 d 表示，样本的不合格品率为 d/n，用 d/n 与 p 比较而做出是接收还是拒收的判断。

计数型抽样检验实际上不直接用 d/n 与 p 做比较，而是规定一个合格判定数 Ac 和一个不合格判定数 Re，如图 17-8 所示。

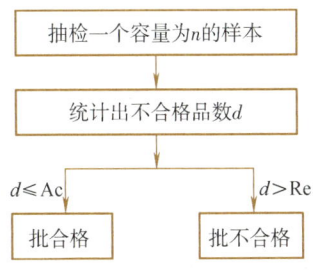

图 17-8　一次抽样批合格判断流程

17.4.3　抽样检验原理

1. 产品批接收概率

用给定的抽样方案（N, n, Ac）验收批量 N 与批质量 p，把交验批判断为合格而接收的概率记为 $L(p)$。接收概率是一批产品的不合格率 p 的函数，$L(p)$ 反映出既定方案（n, c）的操作特性，故命其为抽样方案的操作特性函数（Operating Characteristic Function），简记为 OC 函数。这条曲线在 $p=0$ 时取值为 1，随着 p 的增加下降，在 $p=1$ 时其取值为 0。

一次计件抽样方案给出接收概率的计算方法：设产品批的不合格品率为 p，从批量为 N 的一批产品中随机抽取 n 件，设其中的不合格品数为 X，X 为随机变量，接收概率为

$$L(p) = P(X \leq c) = P(X=0) + P(X=1) + \cdots + P(X=c)$$

关键在于计算 $P(X=d)$ 的值，其计算方法如下。

（1）超几何分布计算法（有限总体计件抽检时的接收概率计算公式）。

$$L(p) = \sum_{d=0}^{\text{Ac}} \frac{C_{Np}^{d} C_{N-Np}^{n-d}}{C_N^n} \tag{17-4}$$

（2）二项分布计算法（无限总体计件抽检时的接收概率计算公式）。

$$L(p) = \sum_{d=0}^{\text{Ac}} C_n^d P^d (1-P)^{n-d} \tag{17-5}$$

当有限总体 $n/N \leq 0.10$ 时，可用二项分布概率近似代替超几何分布概率。当 $n \leq 30$，$p \leq 0.50$ 时，可查二项分布累积概率值表求出概率。

（3）泊松分布计算法（计点抽检时的接收概率计算公式）。

$$L(p) = \sum_{d=0}^{\text{Ac}} \frac{(np)^d}{d!} e^{-np} \tag{17-6}$$

2. 产品批接收特性曲线（OC 曲线）

表示批产品接收概率 $L(p)$ 和不合格率 p 变化之间关系的曲线称为 OC 曲线。它表明一个抽样方案对产品批质量的判别能力。每一个抽样方案（N, n, Ac）都对应着一条 OC 曲线，理想的抽样方案接收特性曲线如图 17-9 所示，即产品批不合格率小于或等于规定的 p_0 时，应以 100%的

概率接收；而若产品批不合格率大于 p_0 时，则应以 0 概率接收。然而，由于抽样方案不可避免地存在两类判定误差，因而实际的抽样方案接收特性曲线如图 17-10 所示。

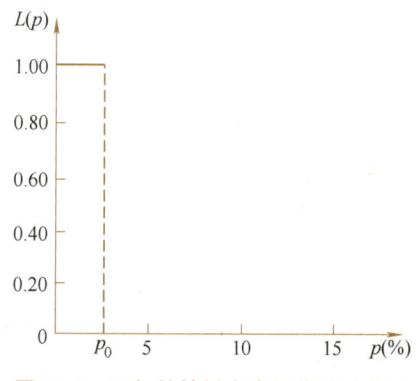

图 17-9　理想的抽样方案接收特性曲线

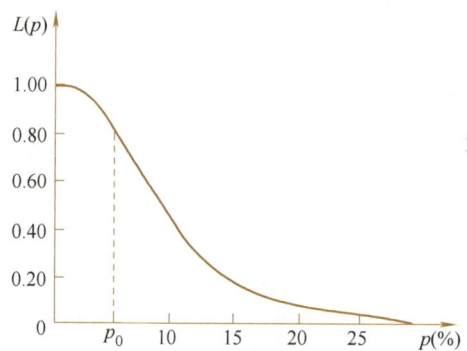

图 17-10　实际的抽样方案接收特性曲线

3. 抽样检验的两类风险

抽样检验通过样本检测结果来推断总体是否合格，在实践中难免会出现如下两类判断错误：第一类错误是将合格批判为不合格批而拒收，这对生产者不利；第二类错误是将不合格批判为合格批接收，这对使用者不利。如图 17-11 所示，假定 p_0 是合格质量水平的上限 AQL，即不合格品率 $p \leqslant p_0$ 时，说明质量是合格的，应 100% 接收。然而实际上当 $p=p_0$ 时，检验批只能以 $1-\alpha$ 的概率被接收，即被拒收的概率为 α，这种错判会使生产者蒙受损失。所以，α 又被称为生产者风险。其计算公式为

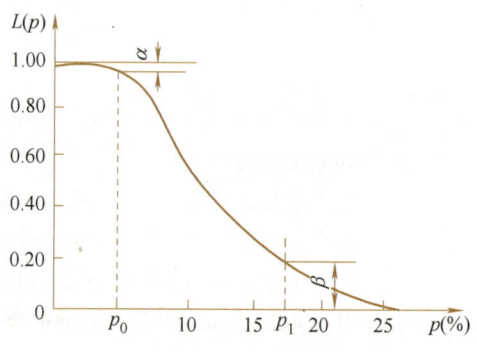

图 17-11　抽样检验的两类判断错误

$$\alpha = 1 - L(p_0) \tag{17-7}$$

设 p_1 为可接受的极限不合格品率，即如果批不合格品率 $p \geqslant p_1$ 时，则应该 100% 拒收。实际上，当 $p=p_1$ 时，产品批仍有可能以 β 的概率被接收，这种错判则会使使用者蒙受损失。所以，β 又被称为使用者风险。其计算公式为

$$\beta = L(p_1) \tag{17-8}$$

显然，对生产者而言，α 越小越好；而对使用者来说，β 越小越好。在选择抽样方案时，应选择一条合理的 OC 曲线，以保护双方的利益。

17.4.4　计数标准型一次抽样检验方案

计数标准型一次抽样检验方案是指根据双方共同商定的 OC 曲线对单批产品进行一次抽样检验，并根据抽样中不合格品的个数来判定这批产品是否合格。

（1）对于高质量产品（p 较小），使用方应以高概率接受，这可以保护厂方的利益。

双方商定一个 p_0，称为合格质量水平（Acceptable Quality Level），有时也记为 AQL，对计件产品来讲，当不合格率 $p \leqslant p_0$ 时，认为是高质量的产品，这时接收概率要大，譬如可要求 $L(p) \geqslant 1-\alpha$，其中 α 也要双方商定，一般取为 0.01、0.05、0.1。

（2）对于低质量产品（p 较大），使用方应以低概率接收，这可以保护使用方的利益。

双方商定一个 p_1（$p_1 > p_0$），称为极限质量水平（Limiting Quality Level）。

综上，制订一个计数型一次抽样检验方案，应该事先给出四个值：生产方风险 α，使用方风险 β，双方可以接受的质量水平 p_0 与极限质量水平 p_1，按接收概率的要求，从下面两个式子中解出 (n,c)：

$$\begin{cases} L(p_0) = 1-\alpha \\ L(p_1) = \beta \end{cases}$$

例 17-6 某公司从标准件厂临时订购一批弹性挡圈，直径 $D = \phi 16.20\text{mm}$，厚度 $A = 2.50^{\ 0}_{-0.12}\text{mm}$，批量 $N = 2000$ 件。双方商定用计数标准型一次抽样检验方案进行验收。试确定抽样方案及检验程序。

（1）确定单位产品的质量要求。质量要求明确区分单位产品合格与不合格的标准。产品质量要求一般在产品图样、技术条件或订货合同里做出明确的规定。弹性挡圈的质量特性检测标准为其厚度，规定厚度尺寸为 $2.38 \sim 2.50\text{mm}$ 的是合格品，超出该范围的是不合格品。

（2）确定 p_0、p_1、α、β。经双方商定，$p_0 = 1.50\%$，$p_1 = 8.00\%$，$\alpha = 0.05$，$\beta = 0.10$。

（3）组成检验批。标准件厂提供在同样制造条件下生产的弹性挡圈 2000 件。

（4）确定抽样方案。查计数标准型一次抽样检查表，得 $n = 80$，$Ac = 3$，即抽样方案为 $(2000, 80, 3)$。

（5）随机抽取样本。在交验批 2000 件挡圈中随机抽取 80 件样品。

（6）检验样本。对 80 件挡圈样品进行检验，发现 1 件不合格品。

（7）产品批质量判定。由 $d = 1 < Ac = 3$，判定该产品交验批合格。

17.4.5 计数调整型一次抽样检验方案

计数调整型一次抽样检验方案是指根据过去的检验结果，按相应规则动态调整检验严格程度，即调整抽样检验方案。计数调整型一次抽样检验方案是由一组严格程度不同的抽样检验方案和相应转移规则组成的抽样体系。

所谓宽严程度的调整方案，是指对批质量相同且质量要求一定的检验批进行连续接受性检验时，可以根据检验批的历史资料和以往的检验结果按照预先规定的规则对方案进行调整的一种抽样方案。方案的调整方式有如下三种：宽严程度的调整、检验水平的调整和检验方式的调整。其中以前者最为常用。

1. 调整型抽样方案的转移规则

对于一个确定的质量要求，调整型抽样检验方案由三个 AQL 抽样检验方案组成，并用一组转换规则把它们有机地联系起来。三个抽样方案如下。

（1）正常抽样方案。这是在产品质量正常的情况下采用的检验方案。

（2）加严抽样方案。这是在产品质量变坏或生产不稳定时采用的检验方案，以减少第二种错判的概率，保护使用方的利益。

（3）放宽抽样方案。这是当产品质量比所要求的质量稳定时所采用的抽样方案，它可使第一种错判的概率小一些。

不同的抽样方案可以有不同的转移规则。

2. 检查水平

（1）反映批量（N）与样本大小（n）之间的关系，由"样本大小字码表"规定。

（2）特殊检查水平和一般检查水平。除非特别规定，通常采用检查水平Ⅱ。

以 GB/T 2828.1—2012 为代表的计数调整型抽样检验主要适用于连续批检验。连续批是指由相同条件下连续生产的一系列的产品批。如果一个连续批在生产的同时提交验收，前面批的检验结果在一定程度上可以反映后续生产批的质量。若前面批的检验结果表明过程已经变坏，就有理由使用转移规则来执行一个更为严格的抽样程序；反之，若前面的检验结果表明过程稳定或有所好转，则有理由维持或放宽抽样程序。

例 17-7 甲厂长期需要一种规格为 $\phi 20_{-0.02}^{0}$ mm、长 50mm 的圆柱销，由乙厂供货。乙厂长期生产该产品，每天按时分两次送 1000 件给甲厂，甲厂对每天送来的圆柱销进行抽样检验。试设计抽样检验方案。

（1）选择抽样标准。选择 GB/T 2828.1—2012 逐批计数抽样检验计划。

（2）规定产品的质量标准。圆柱销外径尺寸为 19.98~20mm 的是合格品。

（3）确定批量 N。乙厂每天分两次送 1000 件，故批量为 500 件。

（4）规定检验水平。检验水平规定了批量与样本量之间的关系。

GB/T 2828.1—2012 给出了三个一般检验水平 Ⅰ、Ⅱ、Ⅲ，四个特殊检验水平 S-1、S-2、S-3、S-4。检验水平 Ⅱ 是最常用的。辨别能力为 S-1<S-2<S-3<S-4<Ⅰ<Ⅱ<Ⅲ。本例选检验水平 Ⅱ。

（5）确定合格质量水平 AQL。由于抽样方案的严格程度主要取决于 AQL 的大小，因此 AQL 的确定很关键，应在保证产品主要性能的前提下，根据产品的重要程度、实际价值、生产方的质量保证能力、产品成本等各种因素合理确定。本例采用过程平均法来规定 AQL。对连续 10 个班生产的圆柱销进行全数检验后，求得 10 个班的过程平均不合格率 $\bar{p}=2.43\%$。查 GB/T 2828.1—2012，$\bar{p}=2.43\%$，取 AQL=2.50%。

（6）确定抽样方案。GB/T 2828.1—2012 给出了一次抽样、二次抽样和五次抽样。本例选择一次抽样。另外，抽样检验的严格度分为正常检验、放宽检验和加严检验等。这些检验严格度的转换规则如下。

1）正常转加严：连续 5 批中有 2 批不合格。

2）加严转正常：连续 5 批合格，且过程处于受控状态。

3）正常转放宽：连续 10 批合格，10 批中不合格品总数小于等于限制数，过程受控。

4）放宽转正常：有 1 批不合格，或过程不正常，或管理者认为有必要。

5）加严转暂停：加严检查开始后，不合格品批累计达到 5 批。

在本例中，$N=500$ 件，检验水平为 Ⅱ，AQL=2.50%，检索样本量字码表如表 17-15 所示。

表 17-15 样本量字码表

批量/件	特殊检验水平				一般检验水平		
	S-1	S-2	S-3	S-4	Ⅰ	Ⅱ	Ⅲ
2~8	A	A	A	A	A	A	B
9~15	A	A	A	A	A	B	C
16~25	A	A	B	B	B	C	D
26~50	A	B	B	C	C	D	E
51~90	B	B	C	C	C	E	F
91~150	B	B	C	D	D	F	G
151~280	B	C	D	E	E	G	H
281~500	B	C	D	E	F	H	J

从表 17-15 中查得 $N=500$ 件，检验水平为 Ⅱ 的对应代码为 H。

由表 17-16 查得正常抽样方案为 $N=50$ 件，Ac=3 件，Re=4 件；加严抽样方案为 $N=50$ 件，Ac=2 件，Re=3 件；放宽抽样方案为 $N=20$ 件，Ac=1 件，Re=2 件。

表 17-16 抽样方案查询表

样本量字码	样本量	接收质量水平 (AQL)																										
		0.010	0.015	0.025	0.040	0.065	0.10	0.15	0.25	0.40	0.65	1	1.50	2.50	4	6.50	10	15	25	40	65	100	150	250	400	650	1000
		Ac Re	Ac Re	Ac Re	Ac Re	Ac Re	Ac Re	Ac Re	Ac Re	Ac Re	Ac Re	Ac Re	Ac Re	Ac Re	Ac Re	Ac Re	Ac Re	Ac Re	Ac Re	Ac Re	Ac Re	Ac Re	Ac Re	Ac Re	Ac Re	Ac Re	Ac Re
A	2															0 1	↓	↑	1 2	2 3	3 4	5 6	7 8	10 11	14 15	21 22	30 31	44 45
B	3														0 1	↓	↑	1 2	2 3	3 4	5 6	7 8	10 11	14 15	21 22	30 31	44 45	←
C	5													0 1	↓	↑	1 2	2 3	3 4	5 6	7 8	10 11	14 15	21 22	30 31	44 45	←	
D	8												0 1	↓	↑	1 2	2 3	3 4	5 6	7 8	10 11	14 15	21 22	30 31	44 45	←		
E	13											0 1	↓	↑	1 2	2 3	3 4	5 6	7 8	10 11	14 15	21 22	30 31	44 45	←			
F	20										0 1	↓	↑	1 2	2 3	3 4	5 6	7 8	10 11	14 15	21 22	←						
G	32									0 1	↓	↑	1 2	2 3	3 4	5 6	7 8	10 11	14 15	21 22	←							
H	50								0 1	↓	↑	1 2	2 3	3 4	5 6	7 8	10 11	14 15	21 22	←								
J	80							0 1	↓	↑	1 2	2 3	3 4	5 6	7 8	10 11	14 15	21 22	←									
K	125						0 1	↓	↑	1 2	2 3	3 4	5 6	7 8	10 11	14 15	21 22	←										
L	200					0 1	↓	↑	1 2	2 3	3 4	5 6	7 8	10 11	14 15	21 22	←											
M	315				0 1	↓	↑	1 2	2 3	3 4	5 6	7 8	10 11	14 15	21 22	←												
N	500			0 1	↓	↑	1 2	2 3	3 4	5 6	7 8	10 11	14 15	21 22	←													
P	800		0 1	↓	↑	1 2	2 3	3 4	5 6	7 8	10 11	14 15	21 22	←														
Q	1250	0 1	↓	↑	1 2	2 3	3 4	5 6	7 8	10 11	14 15	21 22	←															
R	2000	↓	↑	1 2	2 3	3 4	5 6	7 8	10 11	14 15	21 22	←																

注：
↓——使用箭头下面的第一个抽样方案，当样本量大于或等于批量时，执行100%的检验。
↑——使用箭头上面的第一个抽样方案。
Ac——接收数。
Re——拒收数。

(7) 抽样检验与记录。本例从待检批 $N=500$ 件中随机抽取 50 件产品,逐个测量质量特性值(外径尺寸)。若不合格品数量 $d \leq Ac$,则判定产品批合格;否则,判定产品批不合格。对产品逐批检验,并按照标准中规定的严格转换规则实施转移,实际检验结果记录如表 17-17 所示。

表 17-17　圆柱销检验记录表

日期	批号	批量/件	严格度	样本/件	Ac/件	Re/件	不合格品数/件	批质量	备注
1月13日	1	500	正常	50	3	4	0	合格	
1月13日	2	500	正常	50	3	4	0	合格	
1月14日	3	500	正常	50	3	4	1	合格	
1月14日	4	500	正常	50	3	4	0	合格	
1月15日	5	500	正常	50	3	4	0	合格	
1月15日	6	500	正常	50	3	4	0	合格	
1月16日	7	500	正常	50	3	4	1	合格	
1月16日	8	500	正常	50	3	4	0	合格	
1月17日	9	500	正常	50	3	4	1	合格	
1月17日	10	500	正常	50	3	4	0	合格	转放宽
1月18日	11	500	放宽	20	1	2	1	合格	
1月18日	12	500	放宽	20	1	2	2	不合格	转正常
1月19日	13	500	正常	50	3	4	2	合格	
1月19日	14	500	正常	50	3	4	4	不合格	
1月20日	15	500	正常	50	3	4	4	不合格	转加严
1月20日	16	500	加严	50	2	3	2	合格	
1月21日	17	500	加严	50	2	3	2	合格	
1月21日	18	500	加严	50	2	3	1	合格	
1月22日	19	500	加严	50	2	3	1	合格	
1月22日	20	500	加严	50	2	3	2	合格	转正常
1月23日	21	500	正常	50	3	4	3	合格	

(8) 不合格批的处理。对判定合格的批,整批接收;对判定不合格的批,全数退回生产者,由其全数检验,剔除不合格品或返修并自检合格后,再次提交检验。

17.5　ISO 9000 质量体系

17.5.1　质量管理体系定义

为便于理解和掌握什么是质量管理体系以及为什么要在企业建立健全质量管理体系,让我们首先分析一下"体系"的概念。一般地,"体系"是指若干有关事物或某些意识互相联系而构成的一个整体。在 2015 年版 ISO 9000 标准中,"体系"被定义为:"相互关联或相互作用的一组要素。"

客观世界存在各种各样的体系,如国家的金融体系、教育体系、政法体系;学校的教学体系;地球上的生态体系、矿物体系以及一个组织的各种管理体系等。2015 年版 ISO 9000 标准将组织的管理体系定义为:"组织建立方针和目标以及实现这些目标的过程的相互关联或相互作用的一组要素。"组织的质量管理体系是组织管理体系的一种。

组织的质量管理必须通过制定质量方针和目标,建立健全质量管理体系并使之有效运行来付诸实施。质量管理体系要把影响质量的技术、管理、人员和设备等因素综合在一起,使之在质量方针的指导下,为达到质量目标而互相配合、努力工作。质量管理体系强调质量管理工作的系统性和协调性,它要求在质量方针的指导下,面向组织的质量目标,建立质量管理系统。

2015 年版 ISO 9000 将质量管理体系定义为:"管理体系中关于质量的部分。"

国际标准化组织(ISO)于 1987 年发布了 ISO 9000 系列标准,它标志着质量体系走向规范化、系列化和程序化的世界高度。ISO 9000 系列标准是国际公认的标准,目前世界上已有 150 多个国家和地区采用 ISO 9000 系列标准。我国是国际标准化组织的成员,在 1992 年决定采用 ISO 9000 系列标准,并以双编号的形式(GB/T 19000/ISO 9000)发布了系列标准。我国国家标准 GB/T 19001—2016《质量管理体系 要求》已于 2016 年 12 月 30 日发布,并于 2017 年 7 月 1 日实施。

17.5.2 ISO 9000 系列标准的构成

ISO 9000 系列标准是指由国际标准化组织质量管理和质量保证技术委员会(ISO/TC 176)制定的所有国际标准。目前 ISO 9000 系列标准的构成如表 17-18 所示。

表 17-18 ISO 9000 系列标准的构成

技术委员会机构	标准号	标准名称
ISO/TC 176/SC 1	ISO 9000	质量管理体系 基础和术语
ISO/TC 176/SC 2	ISO 9001	质量管理体系 要求
	ISO/TS 9002	质量管理体系 ISO 9001:2015 应用指南
	ISO 9004	质量管理 组织的质量 实现持续成功指南
	ISO 10005	质量管理 质量计划指南
	ISO 10006	质量管理 项目质量管理指南
	ISO 10007	质量管理 技术状态管理指南
ISO/TC 176/SC 3	ISO 10001	质量管理 顾客满意 组织行为规范指南
	ISO 10002	质量管理 顾客满意 组织投诉处理指南
	ISO 10003	质量管理 顾客满意 组织外部争议解决指南
	ISO 10004	质量管理 顾客满意 监视和测量指南
	ISO 10008	质量管理 顾客满意 企业-消费者电子商务交易指南
	ISO 10010	质量管理 理解、评价和改进组织质量文化指南
	ISO 10012	测量管理体系 测量过程和测量设备的要求
	ISO 10013	质量管理体系 文件化信息指南
	ISO 10014	质量管理体系 为质量结果管理组织 实现财务与经济效益的指南
	ISO 10015	质量管理 能力管理和人员发展指南
	ISO 10017	ISO 9001:2015 的统计技术指南
	ISO 10018	质量管理 人员参与和能力指南
	ISO 10019	质量管理体系咨询师的选择及其服务使用的指南
	ISO/TS 10020	质量管理体系 组织变更管理 过程
ISO/TC 176	ISO 18091	质量管理体系 地方政府 ISO 9001 应用指南
	ISO/TS 54001	质量管理体系 各级政府选举组织应用 ISO 9001 的特殊要求

注:编号中"TS"表示该文件是技术规范。

17.5.3　质量管理体系的组成和结构

组织的质量管理通过建立健全质量管理体系并使之有效运作来实现。质量管理体系是组织管理体系的一部分，它致力于使组织的产品质量满足要求。为达到保证产品质量并在此基础上持续改进产品质量的目的，在组织内部，必须从质量管理的角度出发，对组织存在的三要素即组织机构及管理工作、资源、产品形成的过程进行有效的运作，使它们都处于受控状态。

针对产品的形成，从保证产品质量及在此基础上持续改进产品质量的角度出发，要求必须对产品形成的三要素即管理、资源及过程进行有效的运作，使它们都处于受控状态。

产品形成的三要素和组织存在的三要素相互对应、相互依存。只有站在质量管理的角度，实现对它们的有效运作，才能达到组织质量管理的目的，才能实现组织的质量目标。对产品形成三要素的运作和对组织存在三要素的运作是一致的。这些运作具体表现为：①管理职责；②资源管理；③产品的实现；④为实施质量改进，必须对运作情况进行测量、监控、分析并指导其进一步改进。因此，作为建立质量方针和质量目标并实现这些目标相互关联、相互作用的一组要素，质量管理体系整体上应分为四大部分，即管理职责、资源管理、产品的实现，以及为实施质量改进所需的测量、分析和改进。它们构成了质量管理体系的四大整体要素。

（1）管理职责。管理职责作为质量管理体系的一大要素，从一个组织及组织机构的设置、领导者的职责和权限、质量方针和质量目标的制定以及如何有效地在一个组织实施质量管理进行了规定。目的是通过组织机构的合理设置、领导者职责和权限的有效分配和控制、制定切实可行的质量方针和质量目标，并在方针和目标的指导下开展各项质量管理活动，以及通过使质量管理科学化、规范化，使组织的质量管理达到要求并获得持续改进。

制定质量方针，确定质量目标，并积极进行质量的策划，是管理职责的基本内容。管理职责还涉及文件和质量记录的有效控制。对质量管理体系进行评审，以确保质量管理体系的适宜性、充分性和有效性是管理职责的另一项必不可少的内容。通常，管理职责的实施和运作通过组织机构的设置和运作来实现。

组织机构的设置应根据产品的特点、生产规模、工艺性质等方面的因素，并应考虑质量职能的实施和监督两个方面。建立强有力的质量管理和质量检验部门，以负责质量活动的计划、组织、协调、指导、监督和检查，是质量管理体系组织机构中的重要方面，应予以足够的重视，并使其能独立、客观地行使职权。

职责和权限是质量管理体系结构中的重要组成部分，以落实各级职能部门和各类人员的质量职能为中心任务。显然，组织的最高管理者要对产品质量全面负责。各职能部门和各类人员的质量责任也要落实。在落实质量责任时，首先确定组织所有与质量有关的活动，然后，通过协调把这些质量活动的责任落实到各职能部门，并明确规定领导和各职能部门的质量责任。各职能部门通过制定岗位责任制和各项质量活动的控制程序（标准、制度、规程），明确规定从事各项质量活动人员的责任和权限，以及各项活动之间的关系。

（2）资源管理。产品的形成过程是利用资源实施增值转换的过程。离开资源，形不成产品。资源是产品形成的必要条件。对于一个组织，资源通常指明以下一些方面的内容：①一定素质的人员；②基础设施，如制造型企业中具有特定能力的加工和检测设备等；③工作环境；④信息资源；⑤一个组织长期建立起来的合作伙伴，包括供方和合作者；⑥财力和其他自然资源。

资源的优劣程度以及资源管理水平的高低对产品质量的形成有着十分密切的关系。为了实施质量方针并达到质量目标，组织的领导者应保证必需的各类资源，并实施积极、高效的资源管理。资源管理是质量管理体系的主要内容。

（3）产品的实现。2015 年版 ISO 9000 标准对产品的定义是："在组织和顾客之间未发生任何交易的情况下，组织能够产生的输出。"产品实现过程的任何一个阶段和环节，都对产品的质量产生着直接的和至关重要的影响，必须对直接影响产品质量的产品实现过程进行策划和控制。

过程通常用活动流程来表示，并分解为一系列子过程或活动。这些子过程或活动间的相互影响是错综和复杂的，它们形成了一个过程网络。为了确保所有的子过程或活动都为着一个共同的目标（即组织的质量目标）作为一个有效的整体运行，组织应分析各子过程的相互联系，对形成产品的这一过程网络进行策划、优化、控制和管理。

过程的基本概念包含三个要素：输入、活动和输出。这种概念对实施产品实现过程的管理提供了有效的帮助，也为实施产品实现过程的管理指明了方向。产品实现过程的管理应从确定输入、明确资源和活动并实现预期的输出出发，通过对产品实现所需过程的识别，对产品实现过程的期望输出、过程的步骤、活动、流程、控制方法、培训需求、设备、方法、信息、材料和其他资源等进行策划、运作、控制和优化改进。也就是说，为实施质量的持续改进和追求卓越，应对过程识别、确认、测量和审核，并在此基础上，实施过程的分析与改进，达到过程持续改进的目的。

产品整个实现过程，从市场调研开始到售后技术服务止，整体上分为以下四大类子过程：①与顾客或其他相关方有关的过程，如市场调查和客户的参与过程等；②设计和/或开发；③采购；④生产和服务的运作，如产品的搬运、包装、贮存、防护和交付过程等。不同类别的子过程，过程管理方法和策略也不尽相同，应针对不同的子过程、子子过程，实施有的放矢的过程管理。

（4）测量、分析和改进。质量改进是全面质量管理的精髓。为了做好质量改进工作，组织首先应对产品质量、过程能力、质量管理体系以及顾客满意度等进行测量和评价，并依据测量结果分析产品质量、过程能力、组织的质量管理水平等的演变趋势和变化情况，同时，对演变趋势和变化的原因进行识别和确定。在分析和识别演变趋势和变化时，要用到数据分析统计技术。组织应对统计技术的应用进行监控。

寻找和发现演变趋势和变化原因不是最终目的，最终目的是优化和改进。也就是说，发现问题是为了纠正问题和实施改进。为了对过程进行改进，组织应鼓励使用具有创造性的革新方法。组织应对改进措施的实施进行策划并提供充分的资源。

测量、分析和改进不单是产品的测量、分析和改进，也包括产品实现过程的测量、分析和改进，质量管理体系业绩的测量、分析和改进，以及顾客或其他相关方满意度的测量、分析和改进。内部审核、自我评价、不合格控制、纠正和预防措施等内容都是测量、分析和改进这一大类质量管理体系要素的主要内容和方面。

17.5.4 ISO 9000 系列标准认证

1. 质量认证的概念

质量认证是指由可以充分信任的第三方证实某个经鉴定的产品或服务符合特定标准和规范的活动，即由第三方来判定供应方是否有能力生产和供应品质稳定且可靠的产品。作为第三方的认定机构，既要对第一方负责，又要对第二方负责，出具的证明要能获得双方的信任，因而必须独立于第一方和第二方，认证过程必须公正、公平、可信。

根据合格评定（认证）制度的总体方案，我国组成了由政府代表、部门和地方专家参加的中国认证机构认可委员会，下设四个分委员会，经授权后，按照统一的认可办法，分别对产品认证机构、体系认证机构、检验和检定机构、人员培训及注册机构进行认可和管理。

2. 质量管理体系认证的意义

企业通过 ISO 9000 质量管理体系认证具有以下意义。

（1）有利于提升企业整体管理水平。ISO 9000 质量管理体系认证要求企业建立高效率的管理体系、规范的规章制度和业务流程，形成有效的质量保证体系，使质量管理工作制度化、体系化和法制化，从而确保稳定地生产和供应高质量的产品。

（2）有利于保护消费者权益。ISO 9000 质量管理体系标准要求高、认证过程严格，结果公正可信，确保通过认证的企业可以可靠地生产和提供质量可信的产品，用户可以放心购买和使用。同时，通过认证的企业提高了其产品市场竞争力，有利于打开国际和国内市场，有利于企业的发展。

（3）有利于寻求和确定合作伙伴。随着全球化供应链的发展，寻求优秀的供应链合作伙伴并建立高效的合作关系，已成为供应链管理者最为关注的问题。而 ISO 9000 质量管理体系认证结果为这一过程提供了重要的依据，使得寻求和确定供应链合作伙伴的工作变得更为科学、准确。

3. 质量管理体系认证的步骤

企业 ISO 9000 认证过程包括：知识准备—立法—宣传—执行—监督、改进。企业可以根据自身的具体情况，对上述过程或步骤进行规划和实施，从而通过 ISO 9000 质量管理体系认证。

企业实施 ISO 9000 质量管理体系认证的典型步骤包括：①企业原有质量体系的识别、诊断；②任命管理者代表，组建 ISO 9000 系列标准推行组织；③制定目标及激励措施；④管理意识和质量意识培训；⑤ISO 9000 系列标准知识培训；⑥质量体系文件编写（立法）；⑦质量体系文件大面积宣传、培训、发布、试运行；⑧内审员接受训练；⑨若干次内部质量体系审核；⑩在内审基础上的管理者评审；⑪质量管理体系的完善和改进；⑫申请认证。

17.6　全面质量管理与六西格玛管理

17.6.1　全面质量管理的概念

全面质量管理的定义是：一个组织以质量为中心，以全员参与为基础，目的在于通过让顾客满意和本组织所有成员及社会受益而达到长期成功的管理途径。其实际就是企业全体员工、所有部门同心协力，综合运用现代管理技术、专业技术和数理统计方法，经济合理地开发、研制、生产和销售用户满意的产品的管理活动过程的总称。它包括以下几个方面。

（1）全面质量管理的内容的全面性，主要表现在不仅要管好产品质量，还要管好产品质量赖以形成的工程质量、工作质量。

（2）全面质量管理的管理范围的全面性，主要表现在包括产品研究、开发、设计、制造、辅助生产、供应、销售（售前、售中、售后）服务等全过程的质量管理。它指明了质量管理的宗旨是经济地开发、研制、生产和销售用户满意的产品。

（3）全面质量管理的参加管理的人员的全面性，主要表现在这项管理是由企业全体人员参与的全员质量管理。它阐明了质量管理的基础是由企业全体员工牢固的质量意识、责任感、积极性所构成的。

（4）全面质量管理的管理方法的全面性，主要表现在根据不同情况和影响因素，采取多种多样的管理技术和方法，包括科学的组织工作、数理统计方法的应用、先进的科学技术手段和技术措施等。它强调了全面质量管理的手段是综合运用管理技术、专业技术和科学方法，而不是单纯只靠检测技术或统计技术。

全面质量管理所指的全面性，具体表现在管理内容的全面性、管理范围的全面性、参加管理人员的全面性以及管理方法的全面性等。它是全方位的质量管理，全员参与的质量管理，全过程的质量管理，管理的方法是多种多样的。因此，全面质量管理简称"三全一多样"。

17.6.2 全面质量管理的特点

传统质量管理认为，质量管理是企业生产部门和质量检验部门的工作，重点应放在生产过程的管理，特别是工艺管理以及产品质量检验上，把质量管理委托给质量经理去管理。全面质量管理要在"全"字上做文章，要树立"三全一多样"的管理理念。

1. 全方位的质量管理

既然质量管理的目标是满足用户要求，用户不但要求物美，而且要求价廉、按期交货和服务及时周到等。"质量"的概念突破了原先只局限于产品质量的框框，提出了全方位质量的概念，所以全面质量管理中的"质量"是一个广义的质量概念。它不仅包括一般的质量特性，而且包括工作质量和服务质量；它不仅包括产品质量，还包括企业的服务质量。所以全面质量管理就是对产品质量、工程质量、工作质量和服务质量的管理。要保证产品质量、工程质量、服务质量，则必须保证工作质量，以达到预防和减少不合格品、不合格工程及提高服务水平的目的，即做到价格便宜、供货及时、服务优良等，以满足用户各方面的合理要求。

2. 全过程的质量管理

全过程主要是指产品的设计过程、制造过程、辅助过程和使用过程。全过程的质量管理是指对上述各个过程的有关质量进行管理。

设计过程中的质量管理包括从市场调查开始，经过研制（或选型）、设计、试制、一直到正式投入生产时为止这一段时间内有关质量的所有管理工作。这一过程对于产品质量具有方针性的、决定性的和先天性的重要意义。

制造过程中的质量管理，包括从原材料进厂，一直到成品出厂以前整个生产过程中的质量把关和质量控制，工人要用最经济的方法达到设计所规定的质量要求。其中主要工作内容有：建立合理检查审核制度，严格工艺纪律，保证各工序有足够的工序能力，加强对不合格品的管理，对工序实施质量控制，做好质量信息的反馈，建立现场的质量保证体系等。

辅助过程的质量管理包括保质、保量和按期提供生产所需要的原材料、设备、工具工装（如模具、夹具等）和技术文件，保证足够的动力供应，保证良好的运输和存储条件，保证良好的环境和各项有关的组织工作。

使用过程的质量管理，一方面要做好使用过程中的技术服务工作，另一方面要了解使用过程中的问题，收集用户的意见，做好信息反馈工作，以利于及时改进设计和改进制造方法。

质量管理全过程中的各个环节是一环扣一环的，一个循环结束了就会开始一个新的循环。这样就形成了一个螺旋上升的过程。

优质产品是设计、制造出来的，而不是检验出来的。基于这一观点，产品的质量取决于设计质量、制造质量和使用质量（如合理的使用和维护等）的全过程，要生产出优质的产品，就必须严格控制质量"产生、形成和实现"的每个环节。按"朱兰质量螺旋"，在市场调查、产品的开发研制、设计、制定产品规格和工艺、采购、生产、检验、运输、储存、销售、安装、使用和维护等各个环节都把好质量关，消除产生不合格品的种种隐患。为此，要求企业逐渐建立并完善一个包括市场调查、设计、生产到销售使用全过程的、能稳定地产出合格品的质量保证体系。

3. 全员参与的质量管理

产品质量是工作质量的反映，企业中每个部门、生产车间以及每位员工的工作质量都必然直接或间接地影响产品的质量。而且，现代企业的生产过程十分复杂，前后工序、车间之间相互影响和制约，仅靠少数人设关保质量是不能真正解决问题的。所以全面质量管理的另一个重要特点是要求企业的全体人员都必须为提高产品质量尽职尽责，只有这样，生产优质产品才有可靠的保证。因此，全员性、群众性是科学质量管理的客观要求。

实行全员性的质量管理，即在生产过程中要求动员和组织广大员工积极参与改善产品质量的活动，组织各种形式的质量管理小组（QC 小组）活动，及时从技术上和组织措施上解决现场中所出现的各种质量问题，特别是关键的质量问题。

产品质量是企业素质的综合反映，涉及全体员工和各个部门，提高产品质量需要靠企业全体员工共同努力，质量管理人人有责。从企业领导人员到每位员工，都要来学习、运用科学质量管理的理论和方法，提高本职工作质量，同时广泛开展群众性的质量管理小组活动。

4. 采用多种多样方法的质量管理

质量管理采用的方法是全面而多种多样的，它是由多种管理技术与科学方法所组成的。科学技术的发展对质量管理提出了更高的要求，进而推动质量管理向科学化、现代化发展。在质量管理过程中应自觉地利用先进的科学技术和管理方法，应用排列图、因果图、直方图、控制图、数理统计、正交试验等技术来分析各部门的工作质量，找出产品质量存在的问题及其关键的影响因素，从而有效地控制生产过程的质量，达到提高产品质量的目的。

17.6.3 全面质量管理的工作程序

全面质量管理采用一套科学的、合乎逻辑的工作程序，即 PDCA 循环（见图 17-12）。PDCA 由英文 Plan（计划）、Do（执行）、Check（检查）、Action（处理）几个词的第一个字母组成。PDCA 循环的概念最早是由美国质量管理专家戴明（W. E. Deming）提出来的，故又称为"戴明环"，是全面质量管理的基本工作方法。它把全面质量管理的工作过程分为计划、执行、检查、处理四个阶段，其中每个阶段又可具体分为若干步骤。

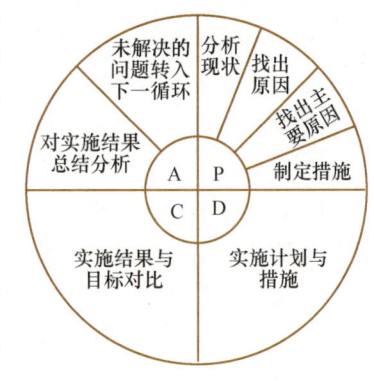

图 17-12 PDCA 循环

1. PDCA 循环的四个阶段

第一阶段是计划（Plan）阶段。以满足顾客的要求并取得经济效果为目标，通过调查、设计、试制，制定技术和经济指标、质量目标，以及达到这些目标的具体措施和方法。所以计划阶段要制定质量目标、活动计划、管理项目和实施方案。

第二阶段是执行（Do）阶段。根据预定计划和措施要求，努力贯彻和实现计划目标和任务。所以执行阶段要按照所制订的计划和措施去实施。

第三阶段是检查（Check）阶段。对照执行结果和预定目标，检查计划执行情况是否达到预期的效果，哪些措施有效，哪些措施效果不好，成功的经验是什么，失败的教训是什么，原因在哪里，所有这些问题都应在检查阶段调查清楚。所以检查阶段要对照计划，检查计划执行的情况和效果，及时发现和总结计划实施过程中的经验和问题。

第四阶段为处理（Action）阶段。要根据检查的结果所采取的措施，巩固成绩，吸取教训，以利再干，这是总结处理阶段。

2. PDCA 循环的八个步骤

全面质量管理工作程序可以具体分为以下八个步骤。

第 1 步，调查研究，分析现状，找出存在的质量问题。

第 2 步，根据存在的问题，分析产生质量问题的各种影响因素，并逐个因素加以分析。

第 3 步，找出影响质量的主要因素，并从主要影响因素中着手解决质量问题。

第 4 步，针对影响质量的主要原因，制定技术、组织的措施和方案，执行计划和预计效果，计划和措施应尽量做到明确具体，并确定具体的执行者、时间进度、地点、部门和完成方法等。

以上四个步骤就是 P 阶段的具体化。

第 5 步，按照既定计划执行，即 D 阶段。

第 6 步，根据计划的要求，检查实际执行结果，即 C 阶段。

第 7 步，根据检查结果进行总结，把成功的经验和失败的教训总结出来，对原有的制度、标准进行修正，把成功的经验制定成标准和规则，以指导实践，对失败的教训要加以总结整理，记录在案，以供借鉴。巩固已取得的成绩，同时防止重蹈覆辙。

第 8 步，提出这一次循环尚未解决的遗留问题，并将其转到下一次 PDCA 循环中去，作为下一阶段的计划目标。

以上第 7、8 步是 A 阶段的具体化。

上述四个阶段八个步骤不是运行一次就完结的，而要周而复始地运行。一个循环完结只解决了一部分问题，可能还有问题没有解决，或者出现了新的问题，需要进入下一次循环，以不断改进质量。

17.6.4　六西格玛管理的理念

六西格玛（Six Sigma，6σ）管理法起源于美国在 20 世纪 80 年代兴起的一场质量革命，最早应用于摩托罗拉（Motorola）公司，取得了令人瞩目的成绩。以后逐步推广到通用电气（GE）、IBM 等一些著名跨国公司，至 20 世纪 90 年代形成了一股"六西格玛风暴"。进入 21 世纪以后，六西格玛管理法仍然是非常有影响力的质量管理理念。

从 20 世纪 70 年代到 80 年代，摩托罗拉在同日本的竞争中先后失掉了收音机、电视机、BP 机和半导体的市场。1985 年，公司面临倒闭，激烈的市场竞争和严酷的生存环境使摩托罗拉的高层领导得出了这样的结论："摩托罗拉失败的根本原因是其产品质量比日本同类产品的质量相差很多。"于是，在其 CEO 的领导下，摩托罗拉开始了六西格玛管理之路。

在摩托罗拉获得成功之后，GE（通用电气）等国际大公司纷纷采用六西格玛管理法，并且取得了可喜的成绩。GE 公司在实施六西格玛管理法后，其收益增长速度不断加快，六西格玛成为 GE 公司成长最主要的驱动因素。GE 公司将六西格玛管理应用于企业经营管理活动的各个方面，并取得了巨大的收益。

17.6.5　衡量六西格玛质量水平的指标

在六西格玛管理法中，通常使用三种方法表示六西格玛管理的质量水平。

1. 西格玛水平 Z

使用西格玛水平 Z 作为满足顾客要求程度的业绩测量，在这种测量中，将每个测量值相对于顾客要求的偏离程度考虑进来。

例如，某顾客对某产品的性能十分关注，要求该性能 $Y=10\pm0.01$。供应商 A 提供的 10 个产品的测量数据为：10.009、10.005、9.992、9.999、10.008、10.007、9.997、9.999、10.009、

9.995。供应商 B 提供的 10 个产品的测量数据为：10.002、10.003、9.998、9.999、10.001、10.003、9.999、9.999、10.002、9.998。那么，谁更能满足顾客要求呢？根据这些数据，可以分别计算出它们的平均值和标准差。供应商 A 的平均值为 10.002，标准差为 0.00632。供应商 B 的平均值为 10.0003，标准差为 0.00211。将这些数据以及顾客要求代入西格玛水平计算公式，可得供应商 A 的西格玛水平为 1.27，供应商 B 的西格玛水平为 4.60。也就是说，供应商 B 的产品更接近顾客要求的目标值（此例中，顾客要求的目标值为 10），因此供应商 B 满足顾客要求的能力远高于供应商 A。

2. DPU、DPO、DPMO

DPU（Defect Per Unit）为单位缺陷数，是指过程的"缺陷"数量与过程输出的"单位"数量之比，用于衡量平均每个单位上有多少缺陷。计算公式为

$$DPU = \frac{缺陷总数}{单位总数}$$

DPO（Defect Per Opportunity）为单位机会缺陷数，是指过程输出的"缺陷"的数量与过程输出的"缺陷机会数"之比。计算公式为

$$DPO = \frac{缺陷总数}{缺陷机会总数}$$

DPMO（Defect Per Million Opportunity）为百万单位缺陷机会缺陷数，是指过程输出的"缺陷"的数量与过程输出的"缺陷机会数"之比乘以 1000000。计算公式为

$$DPMO = DPO \times 1000000$$

假如一位顾客通过电话订购了 4 个汽车备件，希望 5 天内交付。那么，对交付过程来说，关键的顾客要求（CTQ）是及时交付订货，顾客要求的规范限 USL 是从接电话之日起 5 个工作日内，过程的缺陷是备件超过 5 天发出。对这次电话订货来说，有 4 个缺陷机会，因为每一个备件都可能延迟发出。如果该电话销售部门 6 个月内共收到电话订货 20 个，每个订货 4 件，其中未能准时发货的 5 件。那么，该过程的质量水平为

$$DPU = \frac{5}{20} = 0.25$$——表示平均每次订货中有 0.25 件产品不能准时发出

$$DPO = \frac{5}{20 \times 4} = 0.0625$$——表示不能准时发货的产品占发出的所有产品的 6.25%

$$DPMO = 0.0625 \times 1000000 = 62500$$——表示如果发出 1000000 个产品，将有 62500 个产品不能准时发出。

一个服从正态分布的过程，其超出规范限的缺陷百分比与西格玛水平是一一对应的。根据这个规律，可以通过测量缺陷的比率，估算过程的西格玛水平 Z，并以此考察过程满足顾客要求的能力，如表 17-19 所示。

表 17-19 西格玛水平与 PPM 对照表

Z（西格玛水平）	PPM（百万缺陷机会缺陷数）
2	308537
3	66807
4	6210
5	233
6	3.4

17.6.6 六西格玛改进

六西格玛改进（Improvement for Six Sigma，IFSS）与前面介绍的六西格玛组织和六西格玛策划被称为六西格玛管理三部曲，是实现六西格玛突破性改进的三个基本要素。六西格玛项目选定之后，六西格玛项目团队让不同的成员在一起合作，使所有成员能够共同完成他们所做的工作，关键是需要一个共同的方法或程序。这个共同的程序就是DMAIC：界定（Define）、测量（Measurement）、分析（Analysis）、改进（Improvement）、控制（Control）。

依照这个过程的五个步骤，可以有效地实现六西格玛突破性改进。团队的工作从一个问题的陈述到执行解决方案，这中间包括了许多活动。通过DMAIC过程的活动方式，团队成员可以发挥最有效的作用，完成项目使命。

1. DMAIC 的作用

DMAIC改进过程是戴明的PDCA循环的具体应用，其本质与其他的管理程序是一致的。但是当按照DMAIC五个步骤去改进过程时，六西格玛管理法的优势就体现出来了。DMAIC作为解决问题的步骤，其重要作用体现在以下几个方面。

（1）测量问题。在DMAIC过程中，不仅假定知道问题是什么，还必须去证明，用数据的语言来描述产品或过程业绩。

（2）关注顾客。无论是内部顾客还是外部顾客，了解其需求，并在此前提下尝试在过程中降低成本（避免缺陷）。

（3）辨识问题根源。传统的改进可能接受一个原因，但没有充分证明这个原因。现在，六西格玛要求必须用数据和事实来证明认定的原因。

（4）打破传统观念。DMAIC项目的解决问题的方案将不仅仅是在固有的旧过程中做一个较小的改变，真正的变化和结果需要带有创新的解决方案。

（5）进行风险管理。让顾客满意，避免缺陷，这是六西格玛管理的理论基础，充分体现了经济性的特征。有效的DMAIC过程不仅能降低成本，也能降低风险（顾客和组织的双方风险）。

（6）测量结果。任何对价格解决方案的最好的评判标准是财务效益。六西格玛真正结果的测量会给各方提供更多的信任。

（7）持续变革。如果没有持续的变革，即使是由DMAIC团队做出的"最好的实践"，也可能会很快消逝。不断创新，持续创新，启发众多的六西格玛项目团队是至关重要的。

2. DMAIC 过程改进活动

六西格玛改进的方法DMAIC是分五个步骤实施的，每个步骤都有其活动的重点及经常使用的质量管理工具和技术。表17-20给出的是DMAIC过程活动的重点及其采用的工具。

表17-20 DMAIC 过程活动的重点及其采用的工具

阶段	活动要点	常用工具和技术
界定阶段（D）	项目启动 寻找 $Y=f(x)$	头脑风暴法、亲和图、树图、流程图、SIPOC图、因果图、劣质成本、项目管理
测量阶段（M）	确定基准 测量 $Y、X_n$	排列图、因果图、散布图、过程流程图、测量系统分析、过程能力指数、故障模式分析、PDCA分析、直方图、趋势图、检查表
分析阶段（A）	确定主要原因 确定 $Y=f(x)$	头脑风暴法、因果图、水平对比法、5S法、劣质成本分析、试验设计、抽样检验、回归分析、方差分析、假设检验

(续)

阶段	活动要点	常用工具和技术
改进阶段（I）	消除主要原因 优化 $Y=f(x)$	试验设计、质量功能展开、正交试验、测量系统分析、过程改进
控制阶段（C）	维持成果 更新 $Y=f(x)$	控制图、统计过程控制、防差错措施、过程能力指数分析、标准操作程序、过程文件控制

17.7 服务质量管理

17.7.1 服务质量概念

1. 服务质量的定义

1982年，格朗鲁斯首次提出了感知服务质量（Perceived Service Quality）的概念，认为服务质量是顾客对其期望的服务与实际感知到的服务比较的结果。服务质量不能由管理者来决定，它必须建立在顾客的需求和期望之上。更重要的是，服务质量不是一种客观决定的质量，而是顾客对服务的主观感知。

继格朗鲁斯之后，美国服务管理学者帕拉苏拉曼（Parasuraman）、泽丝曼尔（Zeithaml）和贝瑞（Berry）（这三人的组合简称PZB）对顾客感知服务质量进行了更加深入的研究。1985年，他们提出顾客所衡量的不仅仅是服务本身，也包括提供服务的过程，顾客感知的服务质量也是多维的，并利用顾客接受服务前对服务的期望与顾客接受服务后的实际感知的差距来定义服务质量，即感知的服务与期望的服务之间的差距，同样称之为感知服务质量。

2. 服务质量的维度

PZB在格朗鲁斯观点的基础上对感知服务质量进行了更为深入的研究，进而提出顾客对服务质量的感知不是一维的，而是多维的；服务质量不仅针对服务本身，还包括服务过程质量，并涉及顾客接受服务前的期望与接受服务后的实际感知之间的差距。当顾客的感知超过期望时，服务具有很好的质量，会让人感到愉悦；当感知没有达到期望时，服务质量是不可接受的；当顾客的感知和期望一致时，服务质量是令人满意的。

PZB在感知服务质量的基础上，对不同的服务行业进行了充分的研究，从五个维度对服务质量要素进行了概括，分别是可靠性、响应性、保证性、移情性和有形性。

（1）可靠性。可靠性是指组织可靠、准确地履行服务承诺的能力，它要求组织以相同的方式、无差错、准时完成承诺的服务。例如，如果顾客选择银行代缴水、电、气费服务，那就要求银行每月能准时、准确地自动缴纳相关费用。

（2）响应性。响应性是指组织帮助顾客并迅速提供服务的愿望，它要求组织能迅速及时地提供服务。例如，在业务高峰时增加服务人员，以减少顾客的排队时间，可以让顾客感受到服务组织的态度。当服务出现差错时能迅速解决问题，会对服务质量感知带来积极的影响。

（3）保证性。保证性是指员工具备的知识、态度和能力使顾客感到信任和放心。保证性要求服务人员具有胜任服务所需的知识和技能，与顾客接触时保持有礼貌、尊重的态度并能有效沟通，将顾客最关心的事情放在心上。

（4）移情性。移情性是指能换位思考，设身处地地为顾客着想并给予特别的关注。这要求服务人员努力和有效地理解顾客需求，并给予满足。

（5）有形性。有形性是指服务组织提供有形的设施、设备、环境布置、人、各种指示标记等。服务是无形的，但有形的环境条件是服务组织给予顾客细致关怀和照顾的体现，直接影响顾客对服务质量的感知。

17.7.2 服务质量模型

为了更好地测量服务质量，学者们进行了深入的研究，提出了多种服务质量模型，其中最具代表性的是格朗鲁斯的顾客感知服务质量模型和 PZB 的 SERVQUAL 模型。

1. 顾客感知服务质量模型

1982 年，格朗鲁斯提出了感知服务质量的概念，认为服务质量是由企业形象、技术质量和功能质量构成的。随后，他在 1984 年提出了感知服务质量模型。服务的技术质量实质上就是服务最终结果的好坏，服务的提供者与顾客之间的互动形成了最终的服务技术质量结果，而且顾客可以对这种服务质量进行实际的衡量。服务的功能性质量在本质上就是服务的过程质量。

在这个模型中，顾客的感知服务质量取决于顾客期望的服务质量与顾客体验的服务质量的差距。顾客期望的服务质量主要由自身需求、广告、口碑等构成，而顾客体验的服务质量由技术质量和功能质量组成。企业形象对技术质量和功能质量有一定的过滤作用，企业形象好，即使服务出现一些小失误，顾客也会谅解；反之，如果企业形象不佳，那么服务过程中的失误就会影响顾客的体验。

2. 服务质量差距模型

PZB 研究组在 1988 年构建的"服务质量差距模型"（Gaps Model）是在继承"总体感知服务质量模型"的基础上，对该模型的完善和发展。PZB 的 Gaps Model 是第一个能将顾客对服务质量的感知进行量化的研究工具，因此自面世以来一直是服务质量管理实践和科学研究最为有效的工具。

从模型中可以识别出五类服务差距。

（1）服务差距 1 是指企业内部的管理者们没有准确理解顾客对服务的实际期望而造成的差距。

（2）服务差距 2 是指虽然企业管理人员已经准确理解了顾客的真实需求和对服务的期望，但是出于种种原因，企业根本不能完全根据识别出的顾客需求进行服务标准的制定。

（3）服务差距 3 是指在企业根据顾客的需求制定服务质量标准以后，在向顾客传递服务的过程中产生了偏差或出现了失误而造成的服务传递差距。

（4）服务差距 4 是服务在企业外部的沟通差距，也就是当企业向外部进行的服务营销活动宣传的服务内容与企业内部实际能提供给顾客的服务内容不完全相同时，即产生了理想与现实的脱节。

（5）服务差距 5 是指顾客所感受到的总体服务质量差距，即顾客的实际服务体验与服务预期之间存在的差异。服务差距 5 的大小是由前四类服务差距的累积形成的，因此要想减小服务差距 5，使顾客感受良好的服务质量，就必须尽力消除以上所有的服务差距。

根据服务质量的 Gaps Model，顾客最终感受到的服务会出现以下三种情况。

（1）当顾客感受的服务实际绩效小于顾客对服务的期望时，最终的服务质量较差，顾客会感到非常不满：因为顾客感知服务质量低下，所以他们不满意。

（2）当顾客感受的服务实际绩效等于顾客对服务的期望时，虽然这时服务是符合顾客要求和基本需要的，但是如果实际的服务绩效只与正常服务水平相等，顾客会表现为"没有不满"，或者可能会有"不满"的情绪。

（3）只有实际的服务绩效远远超出了顾客的最低期望，才能保证顾客会满意：因为顾客感受的服务实际绩效大于顾客对服务的期望，顾客当然会感到满意，而且如果实际服务绩效远远超出了顾客的预期，大大出乎顾客的意料，那么就很有可能会带来顾客愉悦。

17.7.3 服务质量的评价模型

1. SERVQUAL 评价法

在格朗鲁斯感知服务质量模型的基础上，PZB 提出了著名的 SERVQUAL 模型。SERVQUAL 模型量表有很好的信度和效度，被广泛应用于服务行业，可以定期跟踪服务质量趋势，也可以评估企业每个维度的服务质量和最终质量，确定影响服务质量的各维度的相对重要程度，并据此制定措施以改善服务质量。

SERVQUAL 模型从服务的有形性、可靠性、响应性、保证性和移情性五个维度展开服务质量测量，并根据这五个维度设计了包括 22 个问项的调查表，学者们后来将其称为 SERVQUAL 评价方法。

SERVQUAL 正确的测度方法是在顾客接受服务质量之前就测量顾客的期望（E 表），然后测定顾客的感知绩效（P 表），这样得出的结论才是科学的，但由于样本获取的困难性及成本等方面的考虑，一般会将两张表放在一起进行测量，这在一定程度上影响了测量的质量。

2. SERVPERF 评价法

Taylor 和 Cronin 是 SERVQUAL 评价方法最有力的反对者，他们认为 PZB 的差距模型缺乏实证性研究。为了克服 SERVQUAL 固有的缺陷，1992 年他们提出了"绩效感知服务质量度量方法"，即 SERVPERF（Service Performance）。

SERVPERF 继承了 SERVQUAL 对服务质量维度的划分和度量指标的设定。在 SERVPERF 的研究过程中，仍然采用了 SERVQUAL 所采用的五个维度和 22 个问项的研究模式，所有的问项和语气都没有任何变化，对服务质量概念的界定和对各服务质量维度内涵的解释与 SERVQUAL 完全相同。

尽管 SERVPERF 在理论构架上对 SERVQUAL 有相当程度的依赖性，但作为一种新的评价方法，SERVPERF 摒弃了 SERVQUAL 所采用的差异比较法，只是利用一个变量，即服务绩效来度量顾客感知服务质量（Performance-Based Measurement of Service Quality），在度量的过程中，并不涉及加权问题，所以在应用上比 SERVQUAL 简单实用得多。

本章小结

质量是企业的生命，在激烈的市场竞争环境下，如何保证产品的质量，为客户提供物美价廉的产品和服务是企业运营管理的核心问题。质量管理是一个体系，包含一系列的先进理念、理论、技术和方法。本章首先介绍了质量的概念、质量管理的发展历史和原理，以及应用广泛的六种质量工具的使用方法；接着介绍了统计过程控制原理与过程能力分析方法，质量检验原理和抽样技术；最后简要介绍了 ISO 质量体系、全面质量管理与六西格玛管理，以及服务质量管理。

思考与练习题

1. 质量管理六种工具是指哪六种？它们各自有什么的作用？
2. 什么是全面质量管理？全面质量管理的主要内涵是什么？

3. 什么是六西格玛方法？六西格玛过程改进的步骤有哪些？

4. ISO 9000 系列标准的意义及其重要作用是什么？它与全面质量管理有何联系？

5. 某工厂加工螺栓，其外径尺寸要求为 $\phi 8_{-0.10}^{-0.05}$ mm。现场随机抽样测得频数如表 17-21 所示。试绘制直方图，并判断其是否正常。

表 17-21　螺栓直径数据表　　　　　　　　　　（单位：mm）

组号	组界值	组中值	频数（f_i）	变换后组中值（u_i）	$f_i u_i$	$f_i u_i^2$
1	7.9115~7.9145	7.913	2	−4	−8	32
2	7.9145~7.9175	7.916	2	−3	−6	18
3	7.9175~7.9205	7.919	16	−2	−32	64
4	7.9205~7.9235	7.922	18	−1	−18	18
5	7.9235~7.9265	7.925	23	0	0	0
6	7.9265~7.9295	7.928	17	1	17	17
7	7.9295~7.9325	7.931	15	2	30	60
8	7.9325~7.9355	7.934	3	3	9	27
9	7.9355~7.9385	7.937	4	4	16	64

6. 某化工厂电解酸洗液硫酸的质量分数测定值如表 17-22 所示。试绘制 $\overline{X}$-R 控制图。

表 17-22　硫酸质量分数（%）测定值

组号	X_1	X_2	X_3	$\overline{X}$	R
1	8.30	8.90	9.40	8.87	1.10
2	9.10	9.80	8.50	9.13	1.30
3	8.60	8.00	9.20	8.60	1.20
4	10.60	8.60	9.00	9.40	2.00
5	9.00	8.50	9.30	8.93	0.80
6	8.80	9.80	8.30	8.97	1.50
7	8.90	8.70	11.00	9.53	2.30
8	9.90	8.70	9.00	9.20	1.20
9	10.60	11.90	8.20	10.23	3.70
10	9.20	9.00	9.40	8.73	1.20
11	8.90	10.80	8.70	9.47	2.10
12	9.00	7.90	7.90	8.27	1.10
13	9.70	8.50	9.60	9.27	1.20
14	8.60	9.80	9.20	9.20	1.20
15	10.70	10.70	9.30	10.23	1.40
16	8.70	9.60	9.40	9.23	0.90
17	9.90	9.00	8.80	9.23	1.10
18	10.20	8.50	9.40	9.03	1.70
19	8.40	9.70	9.00	9.03	1.30
20	8.40	10.20	10.00	9.53	1.80

7. 从 $N=5000$ 的批中随机抽取 $n=100$ 的样本，进行合格判定数 $Ac=2$ 的一次抽样检验。试计算，其不合格品率为 1%、2%、3%、4%、5%、6% 的批的接收概率，并画出这一计数抽样方案的 OC 曲线。

8. 某产品批拟实施抽样检验,试求给定 $p_0=2.5\%$,$p_1=19\%$,$\alpha=0.05$,$\beta=0.10$ 时的计数标准型一次抽样检验方案 (n,Ac)。

9. 设有一批交验产品 $N=50$ 件,假定已知其不合格品率 $p=0.06$,从这批产品中随机抽取样本 5 件 $(n=5)$,试求样本中不合格品数 d 分别为 0、1、2、3 时的概率。

案例分析

享有盛名的服务是美国西南航空公司文化的一个重要组成部分。西南公司希望它的乘客感受到的服务是能留下永久印象的、友善温情且愉快的,而且使他们欢笑不断……因此,西南航空公司将经历一个漫长的过程去保护和支持每个敢于违背公司政策而使乘客免受委屈的员工。公司向每位员工灌输的观念是,感到愉快满意的乘客会一次又一次地搭乘公司的飞机,正是他们创造了工作保障。

每大约 1000 名乘客中就会有 1 位给航空公司写信。每位写信者都会在 4 周内收到一封私人回信(不是正式公函)。经常搭乘飞机的乘客甚至会收到生日卡。有 5 名学生每周都要往返至州外的一所医学院,他们投诉说航班会使他们迟到 15min,在这种情况下,航班起飞时间甚至提前了 15min。"顾客至上"同样适用于内部顾客:每个业务部门都被视为一个内部顾客。维修飞机的机械师把飞行员当成顾客,营销人员把订票代理机构当成顾客。飞行员帮助地勤人员装卸行李是很平常的事。正如执行副总经理考琳·巴洛特所说的:"我们不是一家提供大量顾客服务的航空公司,而是一家恰巧从事航运业务的大型顾客服务组织。"

西南航空公司已经成为美国最有盈利能力的航空公司之一。多年来,这家航空公司都被公认为是行李托运服务最佳、乘客投诉最少和起降最准时的航空公司。同时,该公司拥有大量荣誉,包括多年被《财富》杂志评为美国最受欢迎的公司。

思考:

为什么西南航空公司会取得优秀的经营业绩?

第 18 章

先进制造技术及理论

学习目标

（1）掌握约束理论、敏捷制造的定义及其运营管理思想。
（2）了解柔性制造系统、大规模定制等先进制造技术的定义及管理思路。

◆【引导案例】

企业的约束管理

戈德拉特写了一本名为《目标》的管理小说，这本书描述了 Alex Rogo 的生活。Alex 是一位工厂经理，他的工厂在跟进生产计划、减少库存、提高质量和降低成本等方面遇到了很大的麻烦，老板给了他 3 个月的时间去解决这些问题，否则这家工厂将被关闭。这本书最有洞见的一个例子将徒步旅行与工厂管理进行了类比，其中详细描述了 Alex 和他儿子 20mile ⊖ 夜间徒步旅行的经历。

Alex 带领他儿子的童子军徒步，带他们去 20mile 之外地方过夜，然后在第二天早餐之后返回。徒步旅行开始后，队伍的进程落后于预定计划，童子军的队伍拉得很长，最快的孩子 Andy 走在前面，最慢的孩子 Herbie 走在队伍的最后，Alex 的目标是让所有的孩子尽快到达营地，这样他们就可以安排帐篷，吃晚餐，享受篝火带来的乐趣。Alex 观察徒步中出现的状况，走在最前面的 Andy 想要创造速度纪录，而走在最后面的 Herbie 是瓶颈，Herbie 不能快速行动以跟上 Andy 的步伐。为了在 5 个小时内准时完成 10mile 的行程计划，Alex 开始改变这一现状。

Alex 让领先的人停下，并告诉队伍中的每个人都要与他之前和之后的人握手，并且不要放手。随后他将后面的 Herbie 带到了队伍前面，让最慢的 Herbie 作为领队，最快的 Andy 安排到了队伍的最后。Alex 告诉全体孩子，徒步的目标不是以最快的速度到达那里，是团队一起到达那里，而不是一群单独的个人。因此，整个队伍和 Herbie 一起向前行进，这条队伍现在很紧凑，队员与队员之间没有缝隙。但过了几分钟，队伍后面的队员开始抱怨说走得实在太慢，他们快要睡着了！Alex 告诉队员如果想要更快，他们需要找出让 Herbie 更快的方式。当队员观察 Herbie 时，发现他背着比其他人重得多的背包，里面有苏打水、意大利面条、糖果和其他人没有携带的各种东西，所以其他人决定通过帮助携带一些东西来减轻 Herbie 的负担。随后，队伍行进的速度是以前的 2 倍，却能保持整体队形。

⊖ 1mile=1609.344m。

那天晚上，Alex将队伍徒步旅行和他的工厂管理之间进行类比，他恍然大悟，工厂大多数机器都很快，但最慢的机器总是将工作拖延，导致工厂的库存不断增加，交货时间不断拖延，他需要把工厂里的所有流程都联系在一起。然后他需要弄清楚如何从管理这个瓶颈中获得更多的产出，他可以购买另一台机器或者增加那台机器的工作时间，通过这种方式减少库存，提高产出。Alex在陪儿子的徒步旅行中学到了很多。

18.1 约束理论

18.1.1 约束理论的产生背景

约束理论（Theory of Constraints，TOC）是以色列物理学家戈德拉特（Eliyahu M. Goldratt）博士在最优化生产技术（Optimized Production Technology，OPT）的基础上发展起来的。TOC最初是应用于解决制造业瓶颈问题的方法，后来几经改进，发展出以"产销率、库存、经营成本"为基础的指标体系，逐渐形成一种面向增加产销率而不是传统的面向减少成本的管理理论和方法，并最终覆盖企业管理的各个职能方面。

TOC在美国企业界得到广泛应用，在20世纪90年代逐渐形成完善的管理体系。美国生产及库存管理协会（American Product and Inventory Control Society，APICS）称TOC为约束管理（Constraint Management），其中，约束是指企业在实现其目标过程中存在的制约因素。约束管理通过逐个识别和消除这些约束，使企业的改进方向和改进策略明确化，从而达到帮助企业更有效地实现其目标的目的。

18.1.2 约束理论的概念

约束理论是关于改进和如何最好地实施这些改进的一套管理理念和原则，可以帮助企业识别在实现目标过程中存在哪些制约因素（约束），并进一步指出如何实施必要的改进措施来消除这些约束，从而更有效地实现企业目标。

总体来说，对TOC有如下三种诠释。

（1）TOC是一套解决约束的流程，用来逻辑地、系统地回答以下问题：

改进什么（What to change）？

改成什么样子（What to change to）？

怎样实现改进目标（How to cause the change）？

这个定义主要着眼于对阻碍发展的瓶颈因素的理性思考，因此，这三个问题是任何企业改进流程时都必须思考的。

（2）TOC是一套管理工具，可用于大幅提高管理效能。例如，如何有效沟通，如何双赢地解决冲突，如何团队协作，如何进行权利分配等。这个定义着眼于企业顺利实施日常管理，而日常管理是成功解决约束的必要条件和基础工作。

（3）TOC是应用到具体领域的具有创新性的实证方案。这些领域涉及生产、分销、营销和销售、项目管理和企业方向的设定等。这个定义主要着眼于TOC的应用研究。

18.1.3 TOC 的要点

1. TOC 的层次结构

TOC 可以从以下五个层次结构来展开分析。

（1）理论核心层。理论核心层包括 TOC，关于企业的目标、衡量标准、"约束"、管理原则等的定义。

（2）管理技术层。TOC 不仅将其早期发展阶段中的生产与控制系统继承下来，应用于生产制造过程，而且发展形成了一套思维流程（Thinking Process，TP），可以广泛地应用于组织、企业甚至个人，以有效地识别并消除实现目标过程中的约束。这套流程按照逻辑顺序，系统地回答了前述三个在任何改进过程中都必然提出的问题：改进什么？改成什么样子？怎样实现改进目标？

（3）基础工具层。TOC 注重日常管理的顺利开展，视其为成功消除约束的前提条件和基础工作。在这方面，TOC 与其他管理理论思想相互支持、融会贯通，如经典管理理论中所提到的管理方法——如何有效沟通，如何双赢地解决冲突，如何搞好团队协作，如何持续改进等。

（4）应用实践层。TOC 自出现以来，在很多企业中得到实际应用，其中不乏福特汽车公司等名列全球 500 强的企业。这些企业通过具体实践，总结出了各自应用领域的具有创新性的实证方案。这些领域涉及企业战略方向的设定、生产、分销、营销和销售、项目管理等各方面。

（5）支撑环境层。以 TOC 为管理思想内涵的管理软件已经在西方国家得到较广泛的应用。软件、硬件、业务数据与企业管理人员的经验相结合，成为 TOC 管理思想得以落实的支撑环境。

2. 约束的特征

那么约束具有哪些特征呢？戈德拉特博士认为，任何系统都是有约束的。可以用反证法来证明这一点：如果没有约束，系统的产出将是无限的，而现实当中，任何系统都不能无限地产出，所以任何系统都存在一个或者多个约束。

任何系统都可以看成是由一连串环节构成的，环环相扣，整个系统的强度就取决于其中最弱的一环。同理，也可以将企业视为一根链条，其中每个部门都是链条中的一环。企业要达成预期的目标，必须从最弱的环节——瓶颈环节加以改进，才可能得到显著的成效。换句话说，哪个环节约束着企业达成目标，就应该从克服这个约束环节着手进行改革。约束具有两方面的特征：一是约束来自系统内部和外部；二是约束中的因素具有权重关系。

（1）约束来自系统内部和外部。约束一般有三类：资源（Resources）、市场（Markets）和法律法规（Policies）。由于法律法规是一个国家政府所制定的具有强制性的社会约束，因此企业只能在法律法规的约束下，对来自资源和市场的约束环境进行改造。在考虑约束资源时，主要考虑资源约束和市场约束，应该意识到它既受企业外部的约束，也受企业内部的约束。

一般来说，在企业整个业务经营流程中，任何一个环节只要阻碍了企业更大限度地增加有效产出或减少库存和运营费用，那么它就是一个约束，通常也称作瓶颈（Bottle Neck）。通常人们认为，约束资源是指实际生产能力小于或等于生产负荷的资源，而其余的资源则为非约束资源。

（2）约束中的因素具有权重关系。TOC 的管理思想是先抓"重中之重"，使最严重的制约因素凸显出来，从而从技术上消除了"避重就轻""一刀切"等平均主义方式发生的可能。短期来看，是"抓大放小"，而长期来看，由于 TOC 是有主次地一个一个地解决问题，所以大问题、小问题都没忽略，从而使企业整体的生产水平和管理水平日益提高。

用 ABC 分类法来筛选待解决的问题，把最紧迫的、极少数的约束资源挑选出来，从而避免了管理者陷入大量的事务处理当中而不能自拔，企业有限的资源也得到了充分的利用。

18.1.4 约束理论的主要技术工具

1. 思维流程分析法

TOC 最终是要寻求顾客需求与企业能力的最佳配合，对约束环节进行有效的控制，其余的环节相继地与这一环节同步。

一种管理思想总是需要相应管理技术的支持，而思维流程是 TOC 主要的工作方法之一。思维流程主要有以下技术工具。

（1）现实树（Reality Tree）。现实树是因果图，分为当前现实树和未来现实树。现实树的建立要严格遵循若干条逻辑规则，从"树根"开始，向"树干"和"树枝"发展，一直到"树叶"。"树根"是根本性的原因，"树干"和"树枝"是中间结果，"树叶"是最终结果。对于当前现实树来讲，"树叶"是一些人们不满意的现象，"树根"是造成这些现象的根本原因或核心问题所在。而在未来现实树中，它的"树根"是解决核心问题的方案，"树叶"是人们最终想看到的结果。

1）当前现实树（Current Reality Tree，CRT）。描绘 CRT 时，要回答"改进什么"的问题，往往是从可以得到的例证开始着手，即系统中明显地存在着的那些不尽如人意的地方，如发货拖延、库存超标等，总称为"不良效果"（Undesirable Effects，UDE）。值得注意的是，UDE 并不是真正的问题所在，它们只是一些表面现象。通过绘出将这些不良效果联系在一起的逻辑关系图，大大有助于找到真正的问题所在，它们就显示在这个逻辑关系图的最底部。

2）消雾法（Evaporating Cloud，EC）。EC 用来以双赢（Win-Win）的方式解决企业中的冲突。此法的得名是由于企业中的冲突像一团团的云雾一样，人们往往不能很清楚地说出究竟是哪些原因造成了这些冲突。EC 就是要驱散那些弥漫在冲突周围的混淆和含糊，找到解决问题的突破点，也就是去伪存真、去粗存精、由外及内、由表及里，称之为"注入"。

3）未来现实树（Future Reality Tree，FRT）。用 EC 看清问题和冲突，找到"注入"。但这还不是一个充分完整的方案。要回答"改成什么样子"的问题，就需要利用 FRT。在 CRT 图上，把一个个"注入"插入它要进行突破的环节；然后，重绘逻辑连接，在 CRT 的基础上生成 FRT。这时，就要看 UDE 是否转变为"满意效果"（Desirable Effects，DE）。

4）负效应枝条（Negative Effect Branches）。当做完 CRT、EC、FRT 的一系列工作以后，就要找一些与改进后果相关程度最大的人来参与，以保证改进的成功实施。思维流程法是一项需要高度开放、广泛参与的活动。如果不与这些利益相关者进行全面和充分的沟通，就很难消除这部分人抵制改革的情绪。思维流程法认为，正是这些受改进影响最大的人，才对那些意料之外的负面效应（即负效应枝条）了解得最清楚。所以，思维流程法要求主动寻求这些人的参与，并与他们一道找出避免这些负效应枝条长出的办法，以避免实施的失败。此过程可以被形象地描述为"剪去负效应枝条"（Trimming the Negative Branches）。

（2）必备树（Prerequisite Tree）。要注意，问题"怎样实现改进目标"不同于问题"怎样对事物进行改变"。前者是在改进前后的状态都已知晓的情况下，也就是 CRT 和 FRT 都已经描绘出来的情况下，重点强调如何导致这一改进的实际发生。鉴于人们对自己参与设计的改进方案一般抵触较少，所以回答问题"怎样实现改进目标"的关键就是，让那些将与这些转变直接相关的人来制订实施转变所需的行动方案。这个工作是思维流程法中最有力的一环，也是 TOC 与其他那些追求持续改进的思维流程方法相比最显著的一个特色。其中用来显示克服障碍路径的逻辑图就称为"必备树"。

（3）转变树（Transition Tree）。TOC思想的应用成功需要集思广益，找到配合实施最初"注入"的其他"注入"。把所有这些实现成功实施所需的活动集中在一起，并给出它们之间的关系，弄清楚活动的先后顺序应该怎样，就是"转变树"。

通过上述步骤，改革者可以找出制约因素，并对这些制约因素进行改进。

2. 物流分析法

企业内部存在人员流、资金流、信息流和物流。物流是企业流程中的重要组成部分，它历经采购原材料、制作毛坯、加工半成品、组装部件、总装产品及该过程中的物料传输、存储等活动环节。企业的生产管理者可以根据这个活动链中各环节高度相关的内在关系，制订一个详尽而周密的生产作业计划，规定每一种毛坯、零件、部件和产品的投入、出产时间和数量。但在实际中，常常会出现各种问题，如机器损坏、原材料不足、半成品和产成品因质量问题而返工等，这些大量存在的、意外的随机事件常常会打乱原本计划好的活动程序。如何在这些纷乱的头绪中找出干扰企业的约束瓶颈呢？解决的手段之一就是从物流着手。

通过对企业中物流的分类，可以根据不同类型物流的特点，认识它们各自的薄弱点或瓶颈所在，从而有针对性地进行计划与控制。

一般将从原材料到成品这一"产品物流"分为V、A和T三种类型。其中，V型物流是由一种原材料加工或转变成许多种不同的最终产品；A型物流是由许多种原材料加工或转变成一种最终产品；而T型物流则是A型物流的一个变形，其最终产品有多种。

实际上，一家企业的"产品物流"往往不止一种类型，可以根据占主要地位的"产品物流"来相应地划分企业。如果一家企业的物流形态主要是V型物流，那么就称这家企业为V型企业，其余的以此类推。

（1）V型企业。典型的V型企业有炼油厂、钢铁厂等。其特点如下。

1）最终产品的种类较原材料的种类多得多。

2）所有的最终产品，其基本的加工过程相同。

3）企业一般是资金密集型且高度专业化的。

V型企业的工艺流程一般来说比较清楚且设计简单，物流路径清晰，通过对物流的分析，比较容易识别、控制与协调企业的瓶颈。对这类企业的约束分析主要集中在对内部流转环节进行衔接性的匹配，要消除上道工序与下道工序之间的拖延、无效返工等。

（2）A型企业。A型企业主要有造船厂、大型机械装配厂等。其特点如下。

1）由许多制成的零部件装配成相对较少数目的成品，原材料种类比零部件种类多。

2）一些零部件对特殊的成品来说是唯一的。

3）对某一成品来说，其零部件的加工过程往往是不相同的。

（3）T型企业。T型企业主要有制锁厂、汽车制造厂等。其特点如下。

1）由一些共同的零部件装配成相对数目较多的成品。

2）许多成品的零部件是相同的，即存在标准件和通用件。

3）零部件的加工过程通常是不相同的。

A型企业、T型企业与V型企业的最大不同点在于，前两者的物流管理难度大。它们存在着物料清单（BOM），工艺流程较复杂，企业的在制品库存较高，生产提前期较长，约束环节不易识别，协调工序间的工作也非常困难。

要消除A型企业和T型企业的约束环节，主要工作要集中在外部供应链的优化上。要协调好企业与外部供应商、经销商之间的关系，保证企业在满足市场多变需求的同时，均衡地安排内部的采购、生产、储存等活动。

3. 三步诊断法

目前,全球许多企业陷入了地区性或者行业性生产过剩的困境。在供大于求的市场状况下,众多企业出于利润驱动而迅速扩张生产规模,导致企业出现了过剩状态。如何处理企业在生产、存储、人员等各方面的过剩能力?一些企业采取了最直接的削减分支机构、裁员、减薪等措施。这些措施虽然在短期内解决了问题,但是当经济复苏时,企业又会忙于招聘新人,不仅往往难以招聘到合适的员工,而且要为新员工的培训支付相当高的费用。另外,部门的削减也使企业丧失了在一些新的、有潜力的领域的领先地位。

简单的收缩策略、成本削减策略不但没有增强企业自身在市场上的竞争地位,而且实际上恰恰放弃了这种优势。

那么,当企业面对剩余的生产能力时该怎么办?答案是要把市场看成约束因素,努力扩展有效的市场需求。可以利用TOC,着眼于企业的整体功能和长远战略,通过三步诊断法来消除市场的约束因素。

(1) 市场导向的观念。当在仓库里面对堆积如山的产品,需要解决产品产销矛盾时,仅仅想到用减少生产的方式去减少库存是不够的,而应积极采取措施,通过生产市场需要的产品扩大市场的需求。企业应树立这样的观念:如果企业存在生产能力过剩的现象,那么市场就是约束因素。顾客是企业利益实现系统中不可缺少的重要环节,事实上也是最重要的环节,因为它最终决定产品是否能够转化为利润。所以,企业的生产应该坚决以市场为导向。

(2) 改善内部环节。市场是影响企业效益的重要约束因素,要想充分地利用它,把企业的产品和服务带进市场,从而创造最大的企业利润,就必须改善企业内部的各个环节,包括企业的文化氛围。要使员工意识到企业是一个由许多相互制约的子系统组成的有机体,就必须追求企业的整体优化,而不是单个环节或者单个部门的局部优化。因此,只有企业内部各个方面相互合作、相互协调,才能有效地利用约束因素。

(3) 改善外部环境。三步诊断法的第三步是改善约束因素。例如,市场是约束因素,有多种途径改善它。一个较好的办法是开展更有效的广告宣传,或者简单地进行更多的广告宣传。更好的方法是细分市场,寻找合适的顾客群体,使企业的产品恰好能满足该消费群体的需要。事实上,这才是有效利用市场的核心部分。

三步诊断法是一个循环往复的过程,只有通过不断改进,才能实现企业利润和运营水平的进一步提高。

通过采用削减成本以实现利润最大化的方法往往导致失败,或者只能获得短期利润。事实上,削减成本的方法通常也会削弱企业在市场上的竞争力,而它为企业带来的效益却是非常有限的。可以根据TOC所提供的三步诊断法不断改善企业的各个环节,这样才能实现均衡的、长远的利润最大化。

4. TOC 软件

Creative Output 有限公司首先开发了TOC软件。TOC软件能够生成详细的生产作业计划、交货期的执行情况、资源的利用情况、采购计划、库存报告、有关有效产出和库存的财务报告等。实践表明,TOC软件的应用使许多企业都取得了良好的经济效益,因而TOC越来越被人们所重视。TOC软件主要通过建立制造流程的仿真模型、采用各种算法找出流程上的约束环节,制订最优的生产计划。目前,最流行的TOC软件有OPT 21和OPT 5000,其中,OPT 21主要是针对大中型企业的,而OPT 5000则是面向小型企业的。

在应用TOC软件的实践中,人们总结出了如下经验。

(1) TOC软件的应用适合一些零件种数较少、批量大的产品,而在单件生产车间中发挥的效果不佳。

（2）做好数据的收集工作。TOC 软件的具体运行需要大量的数据支持，如物料清单、加工工艺文件，以及精确的加工时间、调整准备时间、最小批量、最大库存、替代设备等数据。TOC 软件对约束资源和近似于约束资源的数据要求精确。因此，源头数据失真会影响 TOC 软件功能的发挥。

（3）员工培训。应用 TOC 软件还需要对员工进行培训，使他们能在不同的生产岗位上及时发现问题、跟踪问题，最终用 TOC 的原理和方法来解决问题。

（4）制订新的考核计划。应用 TOC 软件时力求从全局的观点来进行考核，从原材料的采购一直追踪到产品销售。其考核体系对约束资源与非约束资源是分别对待的，认为对非约束资源的考核不应以生产量为依据，而应以它生产的有效的产品量来考核。

传统的成本会计考核体系一般看重设备和操作工人的利用率及生产成本，而忽视了整个系统的有效性，着重于局部的优化，这必然会助长人们盲目生产的做法，其结果是无论对瓶颈资源还是对非瓶颈资源都力求充分地使用。各环节为了完成工时和设备利用率会盲目生产，最终必然导致高库存和浪费。

针对这些情况，应该建立新的考核机制以保证 TOC 软件的应用效果。

18.2 敏捷制造

18.2.1 敏捷制造的产生背景

20 世纪后半期，全球的竞争越来越严峻。新知识、新概念的不断涌现和新产品、新工艺的迅速更迭加速了市场的变化，企业面临着更严峻的挑战。在市场持续、高速变化的 21 世纪，企业不仅需要针对市场的变化迅速进行必要的调整（包括组织上和技术上的调整），对市场的变化做出快速响应，还要有不断地通过技术创新和产品更新开拓市场、引导市场的能力。只有这样，企业才能及时抓住转瞬即逝的市场机遇而立于竞争的不败之地。

相对于日本的迅速进步，曾经一度领先的美国制造业风光不再。由于片面强调第三产业的重要性而忽视了制造业对国民经济健康发展的保障作用，美国的制造业严重衰退，逐步丧失了其世界霸主的地位，出现了巨额的贸易赤字。1986 年，在美国国家科学基金会（NSF）和企业界的支持下，美国麻省理工学院的工业生产率委员会开始深入研究衰退原因和振兴对策。其研究的结论是："一个国家要生活得好，必须生产得好"，重申作为人类社会赖以生存的物质生产的基础产业和制造业的社会功能，提出以技术先进、有强大竞争力的国内制造业夺回生产优势，振兴制造业的对策。为了应对日本企业的挑战，重振美国制造业的雄风，1988 年，美国通用汽车公司与美国里海大学的几位教授共同首次提出了一种新的制造企业战略——敏捷制造的概念。1991 年，美国里海大学的艾柯卡（Iacocca）研究所在美国国会和国防部的支持下，主持召开了21 世纪发展战略讨论会，历时半年形成了一份著名报告——《21 世纪制造企业战略》，并提交给美国国会。这份报告对敏捷制造的概念、方法及相关技术做了全面的描述。报告提出了以下两个最重要的结论。

（1）影响企业生存、发展的共性问题是目前竞争环境的变化太快，而企业自我调整、适应的速度跟不上。

（2）依靠对现有大规模生产模式和系统的逐步改进和完善是不能实现重振美国制造业雄风目标的。

该结论得到了 200 多位来自美国工业界、政府机构和社会各界人士的认可和赞成。一种新兴的制造体系——敏捷制造的概念开始在美国得到了广泛的研究和应用。

18.2.2 敏捷制造的基本概念

美国敏捷制造研究组织（Agility Forum）将敏捷制造（Agile Manufacturing，AM）定义为：能在不可预测的持续变化的竞争环境中使企业繁荣和成长，并具有面对由顾客需求的产品和服务驱动的市场做出迅速响应的能力。

随着人民生活水平的不断提高，人们对产品的需求和评价标准将从质量、功能和价格转为最短交货周期、最大顾客满意度、资源保护、污染控制等。市场是由顾客需求的产品和服务驱动的，而顾客的需求是多样的和多变的，因此，企业需要具备敏捷性（Agility）的特质，即必须能在无法预测、不断变化的市场环境中保持并不断提高企业的竞争能力。具备敏捷性的生产方式即敏捷制造。

敏捷制造依赖于各种现代技术和方法，而最具代表性的是敏捷虚拟企业（以下简称虚拟企业）的组织方式和拟实制造的开发手段。

虚拟企业也称动态联盟，是指当一个企业内部的某些部门或不同企业在市场机会来临时，按照资源、技术和人员的最优配置，快速组成临时性企业，提供市场需要的产品和服务。虚拟企业的存在时间可长可短，有的虚拟企业在任务完成后即可宣告解散。对于复杂程度高的产品，由一个企业独立开发和制造是不经济的，也是不必要的，因此，组建虚拟企业能更有效地利用诸多外部资源。这种动态联盟的虚拟企业组织方式可以降低企业风险，使生产能力前所未有地提高，从而缩短产品的上市时间，减少相关的开发工作量，降低生产成本，提高企业对市场的响应速度。组成虚拟企业，利用各方的资源优势，迅速响应客户需求，是 21 世纪生产方式——社会集成生产方式的具体表现。需要指出的是，虚拟企业并不限于制造，但制造往往是虚拟企业中重要的组成部分。

敏捷制造的另一种方式是拟实制造。它综合运用仿真、建模、虚拟现实等技术，提供三维可视交互环境，对从产品概念产生、设计到制造的全过程进行模拟实现，以期在真实制造之前，预估产品的功能及可制造性，获取产品的实现方法，从而大大缩短产品的上市时间，降低产品的研发、制造成本。拟实制造的组织方式是由从事产品设计、分析、仿真、制造和支持等方面的人员组成虚拟产品设计小组，通过网络合作并行工作；其应用过程是用数字形式虚拟地创造产品，即完全在计算机上建立产品数字模型，并在计算机上对这一模型产生的形式、配合和功能进行评审、修改，经过对虚拟模型无数次的改进和完善后，再制作最终的实物原型，不仅节省了成本，而且使新产品模型综合了各方面的考虑，做到了最大限度的完善，为产品的实际制造和上市销售打下了坚实的基础。拟实制造充分显示出了信息技术和计算机技术的优势功能。

敏捷制造由以下三大要素组成。

（1）集成。具体来讲，就是要实现企业组织结构由金字塔式的多层次生产管理结构向扁平的网络结构转变；从以技术为中心向以人、组织、管理为中心转变；在企业物理集成、信息集成和功能集成的基础上，实现企业过程的集成、部门的集成。

（2）快速。具体来讲，就是要实现企业对市场机会的迅速响应，能够缩短产品的开发时间，缩短交货期，加快产品的周转率等。

（3）员工的自信心和责任心。任何先进的制造系统都离不开实施人员的努力。离开了人的因素，就根本谈不上先进思想的贯彻。员工不光要有熟练的劳动技能、专业知识，更重要的是要有责任心和自主意识。

敏捷制造模式强调将柔性的、先进的、实用的制造技术，熟练掌握生产技能的、高素质的劳动者，以及企业之间和企业内部灵活的管理，三者有机地集成起来，实现总体最佳，对千变万化的市场做出快速反应。

18.2.3 敏捷制造的特点

敏捷制造的目标是快速响应市场的变化，抓住转瞬即逝的机遇，在尽可能短的时间内向市场提供高性能、高可靠性、价格适宜的环保产品。为了实现这一目标，实现敏捷制造的企业应具有如下特点。

(1) 技术研发能力。信息时代的技术进步速度加快，互联网大大提高了信息传播的速度，扩大了知识普及的范围，新技术被全球各地的人迅速吸收、掌握和应用。企业要保持领先地位，就要拥有强大的技术研发实力，确保新产品及时更替。人们日益意识到，高技术含量的产品带来高附加值。技术成为决定产品利润的重要因素。这也正是美国企业赖以抗衡日本企业的武器。日本人提出了精益生产模式，主要是通过降低成本的方法来提高利润。在长期的生产管理实践中，日本人发现决定产品成本和利润的主要因素是制造过程中的各种消耗，特别是人的工资消耗。于是日本汽车业提出了精益生产，旨在优化生产组织结构，去掉一切不增值的生产过程和环节，通过降低成本的方法来提高利润。而美国人的敏捷制造模式认为，产品结构逐步向多元化、个体化变化，在未来的新经济模式下，决定产品成本、产品利润和产品竞争能力的主要因素是开发、生产该产品所需的知识的价值，而不是材料、设备或劳动力。作为高工资成本的发达国家，美国人认识到他们无法与发展中国家在人员工资和劳动力成本上竞争，于是希望能尽可能地通过把知识融进产品，使之产业化的方法来获取利润。美国企业在高精尖武器、高端计算机、网络设备、大型管理软件等产品中得到了相当高的利润，这印证了技术实力对企业利润的有力支持。

(2) 生产的柔性能力。要想抓住市场机遇，把实验室里新产品的研发模型转化为在成本和价格上具备经济性的产品，就必须有相应的生产体系。过去的生产线是配合大规模生产的，虽然生产效率高，但是比较刚性。这种生产线要求产品部件化、部件标准化、加工工序规范化，然后应用泰勒的管理思想，把工人固定在以一定节奏运转的生产线旁，从事几项简单的、极易熟练的加工工序。而现在的生产潮流是由大量生产转向小批量、多品种的生产方式，因此，刚性生产模式要改成敏捷化生产模式，即通过可重组的、模块化的加工单元，实现快速生产新产品及各种各样的变型产品，从而使生产小批量、高性能产品能达到与大量生产同样的效益，达到同一产品的价格与生产批量无关。敏捷制造型企业在改造生产体系时，十分重视现代技术的应用。它们充分地利用各种信息和现代工程技术，通过并行工程和仿真技术，对全生产过程的仿真模拟来实现"第一个产品就是最优产品"的目标，从而彻底取消了原型和样机的试生产过程。

(3) 个性化生产。敏捷制造型企业按订单组织生产，以合适的价格生产客户的定制产品或个性化产品。这种方式取代了单一品种的生产模式，满足了客户多种多样的要求。敏捷制造生产方式在生活中已经随时可见，"一小时照片冲印"和"立等可取"的配眼镜服务就是敏捷制造的范例。由于先进制造技术和优化思想的应用，这些产品和服务的价格与原来相比并没有大幅度的增长。

(4) 企业间的动态合作。敏捷制造要求企业对内部的生产工艺、流程、机构能迅速进行重组，以对市场机遇做出敏捷反应，生产出客户所需要的产品。当企业发现自己不能单独做出敏捷反应时，就要进行企业间的合作。敏捷制造型企业不强调全能，而强调企业间的动态合作；不要求企业"大而全"，而要求企业"精而深"，拥有某个方面的核心竞争力。敏捷制造型企业较并行工程阶段的制造企业更强调企业结盟，企业利用以网络为基础的集成技术，如异地组建动态联合公司、异地设计、异地制造等有关的集成技术，在信息高速公路上建立工厂子网，乃至全球企业网，通过互联网与其他企业进行合作，组织产品的设计、生产、组装、调试等活动，实现跨企业的动态联盟，对机遇做出快速响应。

（5）激发员工的创造精神。敏捷制造型企业要建立一种能充分调动员工积极性、保持创造性的环境，以巩固和提升企业持续的创新能力。在步入知识经济和信息经济的今天，员工面临着技术进步带来的巨大压力，有的公司预测它们将以每年20%的速率淘汰它们的员工，因为这些员工掌握的技能过时了而没有及时更新，而且商品市场国际化的同时也创造了一个国际化的劳动力市场。教育的发展和普及使得原本相对专业的工作技能成为大众化的普通技能，发达地区的员工受到了发展中地区同行的冲击——他们的技能相似，而后者的薪水更低。以美国为代表的发达国家，其制造业开始提升本国员工的创造性，而不单单培养他们的职业技能，以便保持企业的领先地位。有远见的领导者将具有创新能力的员工看作企业的主要财富，而把对员工的培养和再教育作为企业长期的投资行为。

（6）新型客户关系。敏捷制造型企业强调与客户建立一种崭新的"战略依存关系"，强调客户参与制造的全过程。制造商发现最好的产品不是他们为客户设计的，而是他们与客户一起设计的。要想满足客户越来越高的要求和期望，最好的方法是把客户吸引到产品设计和制造的流程中来。许多企业提供了电子商务平台，根据客户在网络上提交的订单进行生产；还利用网络收集客户的意见和建议，加强产品客户化的程度。海尔公司的左开门冰箱就是一个很好的例子。当时，哈尔滨的一位客户因为家里的空间限制，希望冰箱能够是左开门，而不是标准的右开门。于是，他在海尔公司的电子商务网站上定制了左开门冰箱。由于海尔公司的冰箱生产部件是模块化的，可以根据不同需要进行组装，7天后客户就收到了该产品。

18.3 柔性制造系统

18.3.1 柔性制造系统简介

柔性制造系统（Flexible Manufacturing System，FMS）是指由统一的信息控制系统、物料储运系统和一组数字控制加工设备组成，能适应加工对象变换的自动化机械制造系统。它的出现标志着机械制造行业进入了一个新的发展阶段，克服了原来机械生产线只适合于大量生产的刚性特征，能够适应中小批量、多品种的柔性生产方式，而且将手工操作降到最低，具有很高的自动化特征。随着社会对多品种、中小批量产品的认同，对短生产周期、低制造成本的需求增加，加上微电子技术、计算机技术、通信技术、机械与控制设备技术的日益成熟，柔性制造技术得到了广泛应用。

1967年，英国莫林斯公司首次根据威廉森（Williamson）提出的FMS基本概念，研制了"系统24"。其主要设备是6台模块化结构的多工序数控机床，目标是在无人看管的条件下实现昼夜24h连续加工。但最终由于经济和技术上的困难而未能全部建成。

同年，美国的怀特·森斯特兰公司建成Omniline I系统。它由8台加工中心和2台多轴钻床组成，工件被装在托盘上的夹具中，按固定顺序以一定节拍在各机床间传送和进行加工。这种柔性自动化设备适合在少品种、大批量生产中使用，在形式上与传统的自动生产线相似，所以也称柔性自动线。日本、苏联、德国等也都在20世纪60年代末至70年代初先后开展了FMS的研制工作。

1976年，日本发那科公司展出了由加工中心和工业机器人组成的柔性制造单元，为发展

FMS 提供了重要的设备形式。柔性制造单元一般由 1~2 台数控机床与物料传送装置组成，有独立的工件储存站和单元控制系统，能在机床上自动装卸工件，甚至自动检测工件，可以实现有限工序的连续生产，适合多品种、小批量生产。

20 世纪 70 年代末期，FMS 在技术上和数量上都有了较大发展，到 80 年代初期已进入实用阶段，其中由 3~5 台设备组成的 FMS 最多，但也有规模更庞大的系统投入使用。

1982 年，日本发那科公司建成自动化电机加工车间，由 60 个柔性制造单元（包括 50 个工业机器人）和 1 个立体仓库组成，另有 2 台自动引导车传送毛坯和工件，此外，还有一个无人化电机装配车间，它们都能连续 24h 运转。

这种自动化和无人化车间是向实现计算机集成的自动化工厂迈出的重要一步。与此同时，还出现了若干仅具有 FMS 的基本特征，但自动化程度不是很完善的经济型 FMS，使 FMS 的设计思想和技术成果得到普及和应用。

迄今为止，全世界有大量的 FMS 投入了应用，国际上用 FMS 生产的制成品已经占到全部制成品的 75% 以上，而且比重还在增加。

18.3.2 柔性制造系统的组成

典型的 FMS 由数字控制加工设备、物料储运系统和信息控制系统组成。加工设备主要采用加工中心和数控车床，前者用于加工箱体类和板类零件，后者用于加工轴类和盘类零件。中、大批量少品种生产中所用的 FMS，常采用可更换主轴箱的加工中心，以获得更高的生产效率。为了实现制造系统的柔性，FMS 必须包括下列组成部分。

（1）加工系统。FMS 采用的设备由待加工工件的类别决定，主要有加工中心、车削中心或计算机数控（CNC）车床、铣床、磨床及齿轮加工机床等，用以自动完成多种工序的加工。磨损的刀具可以逐个从刀库中取出更换，也可由备用的子刀库取代装满待换刀具的刀库。车床卡盘的卡爪、特种夹具和专用加工中心的主轴箱也可以自动更换。

（2）物料系统。物料系统用以实现工件及工装夹具的自动供给和装卸，以及完成工序间的自动传送、调运和存储工作，包括各种传送带、自动导引小车、工业机器人及专用起吊运送机等。储存和搬运系统搬运的物料有毛坯、工件、刀具、夹具、检具和切屑等；储存物料的方法有平面布置的托盘库，也有储存量较大的巷道式立体仓库。

（3）计算机控制系统。计算机控制系统用以处理 FMS 的各种信息，输出 CNC 机床和物料系统等自动操作所需要的信息。企业通常采用三级（设备级、工作站级、单元级）分布式计算机控制系统，其中单元级控制系统（单元控制器）是 FMS 的核心。

FMS 信息控制系统的结构组成形式有很多，如群控方式的递阶系统：第一级为各个工艺设备的 CNC 装置，实现过程的控制；第二级为群控计算机，负责把来自第三级计算机的生产计划和数控指令等信息分配给第一级中有关设备的数控装置，同时把它们的运转状况信息上报给上级计算机；第三级是 FMS 的主计算机（控制计算机），其功能是制订生产作业计划，实施 FMS 运行状态的管理，以及各种数据的管理；第四级是全厂的管理计算机。

（4）系统软件。系统软件用以确保 FMS 有效地适应中小批量多品种生产的管理、控制及优化工作，包括设计规划软件、生产过程分析软件、生产过程调度软件、系统管理和监控软件。

性能完善的软件是实现 FMS 功能的基础，除支持计算机工作的系统软件外，更多数量的软件是根据使用要求和用户经验所发展的专门应用软件，大体上包括控制软件（控制机床、物料储运系统、检验装置和监视系统）、计划管理软件（调度管理、质量管理、库存管理和工装管理等）和数据管理软件（仿真、检索和各种数据库）等。

18.3.3 柔性制造技术的分类

1. 柔性制造单元（FMC）

FMC 由单台带多托盘系统的加工中心或 3 台以下的 CNC 机床组成，具有适应加工多品种产品的灵活性。FMC 的柔性最高，可视为 FMS 的基本单元，是 FMS 向廉价、小型化方向发展的产物。FMC 问世并应用于生产比 FMS 晚 6~8 年，现已进入普及应用阶段。

2. 柔性制造线（FML）

FML 是处于非柔性自动线和 FMS 之间的生产线，对物料系统的柔性要求低于 FMS，但生产效率更高。FML 采用的机床大多为多轴主轴箱的换箱式或转塔式组合加工中心，能同时或依次加工少量不同的零件。FML 技术已日趋成熟并进入实用阶段。

3. 柔性制造系统（FMS）

FMS 通常包括 3 台以上的 CNC 机床（或加工中心），由集中的控制系统及物料系统连接起来，可在不停机的情况下实现多品种、中小批量的加工管理。FMS 是使用柔性制造技术最具代表性的制造自动化系统。值得一提的是，由于装配自动化技术远远落后于加工自动化技术，产品最后的装配工序一直是现代化生产的一个瓶颈。研制开发适用于中小批量、多品种生产的高柔性装配自动化系统，特别是柔性装配单元（FAC）及相关设备，已越来越广泛地引起重视。

FMS 兼有加工制造和部分生产管理的功能，因此能综合地提高生产效益。FMS 的工艺范围正在不断扩大，包括毛坯制造、机械加工、装配和质量检验等。20 世纪 80 年代中期投入使用的 FMS，大都用于切削加工，也有用于冲压和焊接的。

采用 FMS 的主要技术经济效果有：①能按装配作业的配套需要，及时安排所需零件的加工，实现及时生产，从而减少毛坯和在制品的库存量及相应的流动资金占用量，缩短生产周期；②提高设备的利用率，减少设备数量和厂房面积；③减少直接劳动力，在少人看管条件下可实现昼夜 24h 的连续"无人化生产"；④提高产品质量的一致性。

18.3.4 FMS 的发展方向

随着各种相关技术日趋成熟，FMS 的柔性也得到了很大提高。早期的 FMS 旨在降低成本及缩短加工周期，着眼于自动化中量方面的优化，而并未考虑质方面的优化（主要指柔性）。当前，以计算机集成制造系统为代表的新一代制造业自动化系统不仅考虑量方面的优化，而且更注重质方面的优化。

（1）加快发展各种工艺内容的 FMC 和小型 FMS。因为 FMC 的投资比 FMS 少得多且效果相仿，更适合财力有限的中小型企业。多品种、大批量生产中应用 FML 的发展趋势是用价格低廉的专用数控机床代替通用的加工中心。

（2）完善 FMS 的自动化功能。FMS 完成的作业内容不断扩大，由早期单纯的机械加工型向焊接、装配、检验及板材加工乃至铸锻等综合性领域发展。另外，FMS 还要与计算机辅助设计（CAD）和辅助制造（CAM）技术相结合，向全盘自动化工厂方向发展。

18.4 并行工程

18.4.1 并行工程的概念及产生背景

并行工程（Concurrent Engineering，CE）产生之前，产品功能设计、生产工艺设计、生产准备等步骤以串行生产方式进行。串行生产方式的缺陷在于后面的工序在前一道工序结束后才参与到生产链中来，它对前一道工序的反馈信息具有滞后性。因此，一旦发现前面的工作中存在较大的失误，就需要对设计进行重新修改，对半成品进行重新加工，于是会延长产品的生产周期，增加产品的生产成本，造成不必要的浪费，产品的质量也不可避免地受到影响。

1986年，美国国防工程系统首次提出了"并行工程"的概念，初衷是改进国防武器和军用产品的生产，缩短生产周期，降低生产成本。由于该方法的有效性，不久，各国的企业界和学术界都纷纷开始研究，并行工程从军用品生产领域扩展到民用品生产领域。

关于并行工程有很多定义，至今得到公认的是1986年美国国防分析研究所在其著名的R-338研究报告中提出的定义："并行工程是对产品及其相关过程（包括制造过程和支持过程）进行并行的一体化设计的一种系统化的工作模式。这种工作模式力图使开发者从一开始就考虑到产品全生命周期（从概念形成到产品报废处理）中的所有因素，包括质量、成本、进度和用户需求。"

简要地讲，并行工程是集成地、并行地设计产品及其零部件和相关各种过程（包括制造过程和相关过程）的一种系统方法。换句话说，就是融合企业的一切资源，在设计新产品时，就前瞻性地考虑和设计与产品全生命周期有关的过程。在设计阶段就预见到产品的制造、装配、质量检测、可靠性、成本等各种因素。

并行工程使企业在设计阶段就预见到产品的整个生命周期，是一种基于产品整个生命周期的、具备高度预见性和预防性的设计。需要指出的是，有人把并行工程简单地等同于并行生产或者并行工作，认为并行工程就是同时或者交错地开展生产活动，这种看法是错误的。并行工程最大的一个特点是强调所有的设计工作都要在生产之前完成。

18.4.2 并行工程的实施方法

并行工程的实质就是要求产品开发人员与其他人员一起工作，在设计阶段就考虑产品整个生命周期从概念形成到产品报废处理的所有因素，包括质量、成本、进度和用户需求。

1. 团队工作方式

并行工程在设计一开始，就应该把产品整个生命周期所涉及的人员都集中起来，确定产品性能，对产品的设计方案进行全面的评估，集中众人的智慧，得到一个优化的结果。这种方式使各方面的专业人才，甚至包括潜在用户都汇集在一个专门小组里，协同工作，以便从一开始就能够设计出便于加工、装配、维修、回收、使用的产品。并行工程需要成员具备团队精神，这样不同专业的人员才能在一起协同工作（Team Work）。

团队工作方式最大限度地克服了原来串行生产模式的弊病。过去，由于单个设计人员知识和经验的局限性，很难全面地考虑产品生产中各个阶段的要求；再加上设备、工艺、材料的复杂性和多样性，难以对多个设计方案进行充分的评价和筛选，在时间紧迫的情况下，设计人员大多选择最方便的方案，而不是最适合的方案，于是返工现象就在所难免。

2. 构建技术平台

（1）一个完整的公共数据库。它必须集成并行工程所需要的各方面知识、信息和数据，并且以统一的形式加以表达。

（2）一个支持各方面人员并行工作甚至异地工作的计算机网络系统。它可以实时、在线地在各个设计人员之间沟通信息，发现并调解冲突。

（3）一套切合实际的计算机仿真模型和软件。它可以由一个设计方案预测、推断产品的制造及使用过程，发现所隐藏的阻碍并行工程实施的问题。

3. 对设计过程实行并行管理

技术平台是并行工程的物质基础，各行业专家是并行工程的思想基础。并行工程是基于专家协作的并行开发。但是，并不是说有了专家和技术平台，就自然而然地产生效益，还要对这个并行过程进行有效的管理。由于每个专业人士受其专业知识的限制，往往对产品的某一个方面的因素考虑得较多，而忽视了产品的整体指标，因此，要确定一个全面的设计方案，就需要各专家多次交流、沟通和协商。在设计过程中，团队领导要定期或者不定期地组织讨论，团队成员都畅所欲言，可以随时对设计出的产品和零部件从各个方面进行审查，力求使设计出的产品不仅外观美、成本低、便于使用，而且便于加工、装配、维修、运送，在产品的综合指标方面达到一个满意值。

并行工程方式与传统方式相比，可以保证设计出的最终原型能够集中各方面专家的智慧，是一个现行情况下最完美的模型，在很大程度上可以避免设计缺陷造成的产品返工，避免由于设计反复修改引起人、财、物的浪费。

4. 强调设计过程的系统性

并行设计将设计、制造、管理等过程纳入一个整体的系统来考虑，设计过程不仅要出图样和其他设计资料，也要进行质量控制、成本核算，还要做出进度计划等。例如，在设计阶段就可同时进行工艺（包括加工工艺、装配工艺和检验工艺）过程设计，并对工艺设计的结果进行计算机仿真，直至用快速原型法做出产品的样件。

5. 基于网络进行快速反馈

并行工程往往采用团队工作方式，包括虚拟团队。在计算机及网络通信技术高度发达的今天，工作小组完全可以通过计算机网络向各方面的专家咨询，专家成员既包括企业内部的专家，也包括企业外部的专家。专家可以对设计结果及时进行审查，并及时反馈给设计人员，不仅可以大大缩短设计时间，还可以保证将错误消灭在萌芽状态。

18.4.3　实施并行工程的效益

1. 缩短产品投放市场的时间

如今客户要求越来越短的交货期。在产品供不应求的时代，客户主要考虑产品的功能，要求功能的完善程度和实用性，其他要求则放在次要位置；随着制造技术的发展，商品充足，客户开始看重产品的价格；当制造商通过精益生产等方式尽力降低成本，把价格降到一定程度后，客户开始注重产品质量；而市场的发展态势表明，缩短交货期将会成为下一阶段的主要特征。并行工程技术的主要作用就是可以大大缩短产品研发和生产准备的时间。

据报道，由于实施了并行工程的虚拟产品开发策略，福特汽车公司和克莱斯勒汽车公司新型汽车的开发周期由 36 个月缩短至 24 个月，设计和试制周期仅为原来的 50%。

2. 降低成本

并行工程可从以下三个方面降低成本。

（1）它可以将错误限制在设计阶段。据有关资料介绍，在产品生命周期中，错误发现得越晚，造成的损失就越大。

（2）并行工程不同于传统的"反复试制样机""反复做直到满意"的做法，它强调"一次达到目的"。这种"一次达到目的"的要求是靠软件仿真和快速样件生成实现的，省去了昂贵的样机试制费用。

（3）由于在设计时考虑到加工、装配、检验、维修等因素，强调了产品的整体成本优化，因此，产品的全生命周期成本就降低了，既有利于客户，也有利于制造者。

3. 提高质量

采用并行工程技术，可以尽可能地将质量问题消灭在设计阶段，使所设计的产品便于制造，易于维护。这就为质量的"零缺陷"提供了基础，使得制造出来的产品甚至不用检验就可以上市。事实上，根据现代质量控制理论，质量首先是设计出来的，其次才是制造出来的，并不是检验出来的。检验只能去除废品，而不能提高质量。并行工程技术从根本上保证了质量的提高。

例如，福特汽车公司和克莱斯勒汽车公司与 IBM 公司合作开发虚拟制造环境，用于其新型汽车的研制，能在样车生产之前就发现其定位系统的控制及其他设计缺陷，从而避免了公司以后的损失。

4. 增强功能的实用性

由于并行工程在设计过程中同时有销售人员参加，有时甚至还包括客户，这样的设计方法紧贴市场趋势，反映了客户的需求，从而保证了去除客户不需要的冗余功能，降低了设备的复杂性，提高了产品的可靠性和实用性。另外，并行工程还增强了企业的市场竞争能力。由于并行工程可以较快地推出适销对路的产品并投放市场，而且设计模型合理，使生产制造成本降低，同时保证了产品质量，因此，企业的市场竞争能力得到加强。

18.5 计算机集成制造系统

18.5.1 计算机集成制造系统概述

计算机集成制造系统（Computer Integrated Manufacturing System，CIMS）是 1973 年美国的约瑟夫·哈林顿（Joseph Harrington）博士在《计算机集成制造》（Computer Integrated Manufacturing）一书中首次提出的。他提出了两个基本观点：①企业生产的各个环节，包括市场分析、产品设计、加工制造、经营管理以至售后服务等全部经营活动，是一个不可分割的整体，要紧密连接，统一考虑；②整个经营过程实质上是一个数据的采集、传递和加工处理的过程，其最终形成的产品可以看作数据的物质表现。因此，企业作为一个统一的整体，必须从系统、全局的观点出发，广泛采用计算机等高新技术，加速信息的采集、传递和加工处理过程，提高工作效率和质量，从而提高企业的总体水平。计算机集成制造是一种理念，其实质就是用信息技术对制造系统进行全局优化。这是一种先进的理念，其内涵是借助以计算机为核心的信息技术，将企业中各种与制造有关的技术系统地集成起来，使企业得到整体优化，从而提高企业适应市场竞争的能力。CIMS 代表了当今工厂综合自动化的最高水平。

从 CIMS 概念的提出到现在已有 50 多年了。50 多年来，CIMS 的概念从美国等发达国家传播到发展中国家，已从典型的离散型机械制造业扩展到化工、冶金等连续或半连续制造业。CIMS 的概念已被越来越多的人所接受，成为指导工厂自动化的思想；越来越多的工厂按 CIMS 的思想，采用计算机技术实现信息集成，建成了不同水平的 CIMS。

CIMS 是自动化程度不同的多个子系统的集成。随着科学的发展和技术的进步，制造业中的计算机应用水平迅速提高，出现了多种不同的自动化系统，如管理信息系统（MIS）、制造资源计划（MRP Ⅱ）系统、计算机辅助设计（CAD）系统、计算机辅助工艺设计（CAPP）系统、计算机辅助制造（CAM）系统、柔性制造系统（FMS），以及数控机床（NC）、机器人等。CIMS 正是在这些自动化系统的基础上发展起来的，它根据企业的需要和经济实力，把各种自动化系统通过计算机实现信息集成和功能集成。当然，这些子系统使用了不同类型的计算机，有的子系统本身也是集成的，如 MIS 实现了多种管理功能的集成、FMS 实现了加工设备和物料输送设备的集成等，但这种集成是在较小的局部完成的，而 CIMS 是针对整个企业的集成。

18.5.2　CIMS 的体系结构

CIMS 一般由四个功能分系统和两个支撑分系统构成。

四个功能分系统分别如下。

（1）管理信息系统。它以 MRP Ⅱ 为核心，包括预测、经营决策、各级生产计划、生产技术准备、销售、供应、财务、成本、设备、工具和人力资源等管理信息功能，通过信息集成，达到缩短产品生产周期、降低流动资金占用、提高企业应变能力的目的。

（2）产品设计与制造工程设计自动化系统。它用计算机辅助产品设计、制造准备以及产品性能测试等阶段的工作，通常称为 CAD、CAPP、CAM 系统。它可以使产品开发工作高效、优质地进行。

（3）制造自动化（柔性制造）系统。它在计算机的控制与调度下，按照 NC 代码将毛坯加工成合格的零件并装配成部件或产品。制造自动化系统的主要组成部分有加工中心、数控机床、运输小车、立体仓库及计算机控制管理系统等。

（4）质量保证系统。该系统通过采集、存储、评价与处理存在于设计、制造过程中与质量有关的大量数据，从而提高产品的质量。

两个支撑分系统分别如下。

（1）网络系统。它是支持 CIMS 各个系统的开放型网络通信系统，采用国际标准和工业标准规定的网络协议（如 MAP、TCP/IP）等，可实现异种机互联、多种网络的互联，满足各应用系统对网络支持服务的不同需求，支持资源共享、分布处理、分布数据库、分层递阶和实时控制。

（2）数据库系统。它支持 CIMS 的各分系统，覆盖企业全部信息，以实现企业的数据共享和信息集成。通常采用集中与分布相结合的三层体系控制结构，即主数据管理系统、分布数据管理系统、数据控制系统，以保证数据的安全性、一致性、易维护性等。

18.6　大规模定制

18.6.1　大规模定制的产生

随着物质的极大丰富，长期卖方市场已彻底转变成买方市场。企业迫切需要随时捕获客户的需求，融入更多的定制，直到每位客户买到自己满意的商品或服务。

许多企业曾试图用增加产品品种来代替客户的定制要求，在迅速分化的市场面前，努力维持大规模生产的状况。但是，这显然不能满足客户越来越高的要求，因为品种的多样化并不等于定制。多样化是指企业先生产出产品，将它们存入成品库，然后等待它们的客户出现；而定制则是指应特定客户的要求生产产品。

大规模定制模式是指对定制的产品和服务进行个别的大规模生产。大规模定制是企业经营的必然趋势，它能在不牺牲企业经济效益的前提下，了解并满足单个客户的需求。其实质是以大规模的生产方式和速度，为单个客户或小批量、多品种的市场定制生产任意数量的产品。

大规模定制模式的实现需要完成以下几个方面的工作：①分析量化和尽量降低产品多样化的成本，对产品线进行优化，削减低利润产品的生产，以极大地提高利润，充分利用宝贵资源，提高生产的柔性程度，促进大规模定制产品的开发；②通过对零件、工艺、工具和原材料进行标准化，作为实施大规模定制的前提条件，降低产品成本，提高加工柔性；③实行敏捷制造，在无须生产准备时间和库存的条件下，根据订单进行产品的快速生产，实行敏捷产品开发过程，以实现产品的超速上市；④并行地设计产品族和柔性制造工艺，围绕模块化的结构、通用的零件、通用的模块、标准化的接口和标准的工艺进行敏捷的产品设计。

大规模定制通过柔性或敏捷制造，以任意的批量生产多样化的产品，且无须为了改变生产系统的设置而将生产停顿。在相同的设备能力下，当设备运转时，进行大规模定制的工厂，其生产效率要比进行大规模生产的工厂高得多。

产品的设计完成之后，很难再通过其他措施来削减成本，所以必须在产品和生产工艺的设计阶段就确定成本，否则，降低的成本甚至不足以补偿实施这类措施本身所需的费用。在典型的企业成本统计中，只记录了材料和人工成本，其他成本作为间接成本而被分摊到企业的所有活动中。然而，各种产品具有不同的间接成本需求，可以通过设计来降低很多间接成本。大规模定制可利用先进的设计技术，设计出需要最少人工和材料成本的产品，用最低的间接成本有效地生产产品。

18.6.2 大规模定制生产的模式

大规模定制生产的模式可以概括为以下三个方面。

1. 产品设计模块化

企业依赖产品创新和技术创新夺取市场，因而企业的产品能否根据客户的当前需要和潜在需求快速抢先提供，将成为企业成败的关键。产品结构和功能的模块化、通用化和标准化是企业推陈出新、快速更新产品的基础。模块化产品便于按不同要求快速重组，产品的更新换代几乎都不是将原有的产品全部推翻而重新设计和制造的。更新一个模块或在主要功能模块中融入新技术，都能使产品登上一个新台阶，甚至成为换代产品，而多数模块是不需要重新设计和重新制造的。因此，在敏捷制造中，模块化产品的发展得到制造企业普遍重视。例如，福特汽车公司的发动机总部将6缸、8缸、10缸、12缸等不同规格的发动机结构进行了模块化，使其绝大部分组件都能相互通用，以尽可能少的规格部件实现最大的灵活组合，并能用同一条生产线制造不同规格的发动机，取得了巨大的经济效益。波音公司在民用飞机的设计和制造中也采用了模块化方法，大大缩短了定制飞机的制造周期。

2. 产品制造专业化

在一般机械类产品中，有70%的功能部件间存在结构和功能的相似性，如果打破行业界线，将相似功能的部件或零件分类和集中起来，完全有可能形成足以组织大量生产的专业化企业的生产批量。这些专业化制造企业承接主干企业研发产品中各种相似部件、零件的制造任务，并能在成组技术的基础上采用大量生产模式进行生产。当然，在现代制造技术的支持下，这种大量生产模式已克服了传统的刚性自动线的缺点，具备一定范围内的柔性（可调性或可重构性）来完成较大批量的相似件制造，协助主干企业实现用大量生产方式快速提供个性化产品的目标。

3. 生产组织和管理网络化

互联网（Internet）的普及和应用，给企业提供了快速组成虚拟企业进行敏捷制造新产品的条件。负责研发新产品的主干企业可以利用互联网发布自己产品的结构和要寻找的合作伙伴的各项条件；专业化制造企业可以在网上发布自己的条件和合作的意图。主干企业将据此寻找合作者，本着共担风险和实现双赢的战略目标进行企业大联合来合作研发和生产新产品。这样的联合是动态的，组成的虚拟企业是"有限生命企业"，它只是为某种产品而结盟，将随产品生命周期的结束而解散，或在另一种产品的基础上调整成新的联合。

通过互联网，系统地构建虚拟企业，可实现产品研发、设计、制造、装配、销售和服务的全过程，通过社会供应链管理系统将合作企业连接起来，按大规模定制生产模式实行有效的控制与管理。

18.6.3　大规模定制生产模式条件下企业间的合作关系

在传统的供求关系管理模式下，制造商与供应商之间只保持一般的合同关系，供应链只是制造企业中的一个内部过程。将通过合同采购的原材料和零部件进行生产，转换成产品并销售至客户，整个过程均局限于企业内部操作。制造商为了减少对供应商的依赖，彼此间经常讨价还价。这种管理模式下的特征是信任度和协作度低、合作期短。但大规模定制生产是以新产品研发、企业与专业化制造企业间的有效合作、互相依存为前提的，构成的网络化虚拟企业的主干企业与伙伴企业间应能达到双赢的合作关系。其合作关系如下：①主干企业与伙伴企业间应共享信息，通过委托代理经常协调彼此的行为；②主干企业必要时应对伙伴企业做出技术支持和投资帮助，使合伙企业降低成本、改进质量、加快产品研发；③在合作过程中建立相互的信任关系，提高运行效率，减少交易和管理成本；④对于通用化、标准化程度高的产品模块，应尽量保持一种持久的关系，以确保产品质量稳定；⑤对于个性化产品的关键模块和零部件，主干企业可吸收伙伴企业参与研发和共同创新，建立战略合作关系，加快新产品的研发过程。

总之，在信息时代，大规模定制生产将是制造业的重要生产模式，成组技术将能发挥更大的作用。

18.7　绿色制造

18.7.1　环境意识与绿色产品

从20世纪70年代开始，人类开始深刻反思其活动与自然环境的相容性，这一反思逐渐渗透到社会发展的各个方面，促使人们理性地审视人口、资源与环境三者之间复杂而微妙的平衡关系。随着工业化进程的加速，尤其是制造业的蓬勃发展，环境问题日益凸显，成为全球关注的焦点。1987年，世界环境与发展委员会在其里程碑式的报告《我们共同的未来》中，首次明确提出可持续发展的概念，这一理念强调经济、社会、资源与环境保护的和谐共生，在实现经济发展的同时，确保大气、淡水、海洋、土地和森林等关键自然资源和环境的保护，为后代留下一个能够持续繁荣、适宜居住的世界。

1992年，国际社会在巴西里约热内卢召开的联合国环境与发展大会上，通过了具有历史意义的《21世纪议程》，这标志着可持续发展理念从理论探讨正式步入实践阶段。该议程不仅为各国政府提供了一个详尽的行动框架，旨在转变不可持续的经济增长模式，还明确了一系列具体行动，包括但不限于：加强大气层保护，遏制森林砍伐、水土流失和沙漠化进程，防控空气污染和水体污染，预防渔业资源枯竭，以及提升有毒废弃物的安全管理和处置能力等。

在此期间，随着环保意识的普及和深化，消费者群体对环境问题的关注度空前高涨，他们不仅关注产品的性能和质量，更看重其生产过程中的环境影响，并愿意为那些采用环保材料、生产过程节能高效、可回收再利用的绿色产品支付溢价。绿色产品，作为绿色科技应用的直接产物，其特点在于整个生命周期（从设计、制造、使用到废弃处理）中都能体现出节能、节水、低污染、低毒性、可再生及易回收的特性。为了区分绿色产品与传统产品，众多国家实施了绿色标志制度,这一标志不仅是对产品环保性能的官方认可,也是引导消费者做出更加环保选择的重要工具,它超越了普通商标的范畴,成为衡量产品是否符合特定环保标准的直观标识。

环境保护观念与制造业的可持续发展紧密相连,两者相互促进,共同推动着全球经济向更加绿色、低碳、循环的方向转型。未来,随着技术的不断进步和消费者环保意识的持续提升,绿色制造和绿色消费将成为推动全球可持续发展的重要力量。

18.7.2　绿色制造的基本技术

绿色制造是一个综合考虑环境影响和资源效益的现代化制造模式。其目标是使产品从设计、制造、包装、运输、使用到报废处理的整个产品生命周期中,对环境的影响最小,资源利用率最高,并使企业经济效益和社会效益协调优化。绿色制造模式是人类可持续发展战略在现代制造业中的体现。

绿色制造技术从内容上应包括"五绿",即绿色设计、绿色材料、绿色工艺、绿色包装和绿色处理五个方面。其中,绿色设计是关键。

1. 绿色设计

产品性能的 70%~80%是在设计阶段决定的,而设计本身的成本仅为产品总成本的 10%。绿色设计的基本思想就是在产品及其生命周期的设计阶段就充分考虑对资源和环境的影响,使设计结果在整个产品生命周期内做到资源充分利用,能量消耗和环境污染最小,并且使产品及零部件能够方便地分类回收且能再生循环或重新利用。绿色设计包括的内容很广泛,如零部件的标准化、模块化、可拆卸和可回收设计。

2. 绿色材料

绿色材料是指在原材料取得、产品制造、应用过程和使用以后的再生循环利用等环节中对地球环境负荷最小和对人类身体健康无害的材料。选择绿色材料是实现绿色制造的前提之一。目前绿色材料的研究内容主要包括材料的设计及开发技术、材料的环境协调性和材料的环境协调性评估技术研究。

3. 绿色工艺

采用绿色工艺是实现绿色制造的重要一环。绿色工艺是指耗能低、耗材少、无废弃物、无污染、无公害、综合利用资源的工业生产工艺。在工艺方案选择的过程中要对环境影响比较大的因素加以分析,例如,加工方法、机床、刀具和切削液的选择;尽量根据车间资源信息,生成具有可选择的多工艺路线,提高工艺选择简捷化程度,达到节约能源,减少消耗及对操作者健康的危害,降低工艺成本和污染处理费用等目的。

4. 绿色包装

绿色包装已经成为一个研究的热点。绿色包装是指对生态环境和人体健康无害,能循环复用和再生利用,可促进国民经济持续发展的包装。产品的包装应摒弃求新、求异的消费理念,简化包装,这样既可以减少资源的浪费,又可以减少对环境的污染和废弃物的处置费用。另外,产品包装应尽量选择绿色材料。

5. 绿色处理

产品的绿色处理在其生命周期中占有重要位置,使得产品的生命周期形成一个闭合的回路。绿色处理包括回收利用、循环再利用和报废处理。拆卸是实现有效回收的重要手段。只有拆卸才能实现完全的材料回收和可能的零部件再利用。只有在产品的设计阶段就考虑报废后的拆卸问题,才能实现产品最终的高效回收。

本章小结

本章分别介绍了国内外多种先进制造技术和模式的产生及发展情况。推动这些先进技术和模式产生的动力主要来自科学技术的快速发展、市场竞争的不断加剧、消费者需求的变化和提高。本章介绍的先进制造技术和模式，包括约束理论、敏捷制造、柔性制造系统、并行工程、计算机集成制造系统、大规模定制等。这些制造技术充实和完善了运营管理理论体系，推动了运营管理体系的不断创新和发展。可以看到，运营管理的主要理论和方法大多来源于实践探索，从解决运营新问题、实践探索运营新模式的过程中，总结、归纳新的理论和方法体系，从而促使运营管理体系不断充实、完善和发展。

思考与练习题

1. 约束理论的主要理论工具有哪些？分别具有哪些特点？
2. 敏捷制造的组成要素是什么？
3. 什么是柔性制造系统？柔性制造技术的主要分类有哪些？
4. 大规模定制的生产模式可分为哪些？其在实际生活中的应用有哪些？请举例说明。
5. 理解绿色制造的内涵并举例说明其在现实生活中具体体现在哪些方面？

案例分析

红领集团的大规模定制道路

青岛红领集团（简称红领）创立于 1995 年，主营业务是正装定制。从 2003 年起，为提高竞争力，红领通过流程再造、组织再造等实现持续改善，同时与互联网、物联网技术深度融合，形成了完整的物联网服务体系，从大批量生产模式转变为更加聚焦消费者的客户直连制造（Customer to Manufacturer，C2M）模式，建成个性化西服定制柔性生产线，打造了独特的正装大规模定制业务，实现了传统纺织企业的转型升级。

通过 C2M 平台，消费者可以在线定制面料、花色、纽扣等上百个衣服细节，并通过平台提交尺寸数据和定制信息，形成订单。这些个性化的需求将统一传输到红领自主研发的板型数据库、工艺数据库、款式数据库、原料数据库中进行自动处理，形成一人一个专属板型和款式的数字模型，突破了人工制作板型的瓶颈。在生产过程中，每件定制产品都有专属芯片，计算机从工业云下载和读取芯片内的订单数据，并将其分解成一道道独立工序，通过控制面板及时下达给流水线上的工人，进行定制生产。C2M 平台是消费者的线上入口，也是大数据平台，从下单、支付到产品实现，全过程都是通过数字化和网络化运作的。大规模定制模式有效减少了企业资金占用、货品积压和成本，缩短了生产周期。传统正装服装定制的生产周期为 20~50 个工作日，价格昂贵，质量无法保证，实现不了量产。红领通过互联网将消费者和生产者、设计者直接连通，使个性化定制的服装 1 件起定制，将生产周期缩短至 7 个工作日内，实现了量产，大幅降低了定制西装的成本和价格。

在供应链管理方面，红领提出了纺织行业个性化产品的标准化解决方案，开始平台化运营，通过信息系统实现集成和协同，打破了企业边界，实现了多个生产单元和上下游企业的数据共享和协同生产。红领通过继续升级 C2M 平台，注册成立了青岛酷特智能股份有限公司，专注于

"互联网+工业"模式的实践和输出,推动牛仔服装、自行车、鞋帽、家具行业的40多家企业进行大规模定制流程改造,形成了以"定制"为核心的新的平台和产业体系。

在传统商业模式中,制造环节投入多、利润薄,为了争夺有限的市场,企业进行价格战,产品质量没有保障,制造行业处于"微笑曲线"的最底端。红领的大规模定制模式通过信息技术将设计、制造和销售整合在一起,实现了规模化生产和低成本协同,同时对接消费者的个性化需求,大大提升了产品价值。红领集团的大规模定制重塑了企业的研发、制造、物流和服务环节,颠覆了传统服装企业的商业规则和经营模式,优化了供给结构,加强了优质供给,是制造业和服务业深度融合的有效实践。

思考:

1. 请简述红领集团的大规模定制模式是如何满足消费者需求的。
2. 请简述在服装行业中,传统大规模制造模式和大规模定制模式的区别。
3. 请讨论其他行业如何开展大规模定制。

参 考 文 献

[1] 史蒂文森,张群,张杰. 运营管理 [M]. 北京:机械工业出版社,2008.
[2] 爱尔沙德,鲍切尔. 生产系统分析与控制 [M]. 郑忠妹,董少英,张铁军,译. 北京:航空工业出版社,1991.
[3] 陈荣秋,马仕华. 生产运作管理 [M]. 6版. 北京:机械工业出版社,2022.
[4] 大野耐一. 丰田生产方式 [M]. 谢克俭,李颖秋,译. 北京:中国铁道出版社,2006.
[5] 雅各布斯,蔡斯. 运营管理:原书第15版 [M]. 苏强,霍佳震,邱灿华,译. 北京:机械工业出版社,2020.
[6] 张毕西,关迎莹,宋静. 考虑学习率的人工作业系统批量加工模式优化 [J]. 系统工程理论与实践,2010(4):622-627.
[7] HOPP,SPEARMAN. 工厂物理学 [M]. 北京:清华大学出版社,2002.
[8] 柴邦衡,刘晓论. 制造过程管理 [M]. 北京:机械工业出版社,2006.
[9] 门田安弘. 丰田现场管理方式 [M]. 李伟,李晴,译. 北京:东方出版社,2013.
[10] 沃尔曼,贝里,雅各布斯,等. 制造计划与控制:基于供应链环境 第5版 [M]. 韩玉启,陈杰,袁小华,等译. 北京:中国人民大学出版社,2009.
[11] 马风才. 运营管理 [M]. 6版. 北京:机械工业出版社,2021.
[12] 陈建龙. 生产现场与优化管理 [M]. 上海:复旦大学出版社,2008.
[13] 陆力斌. 生产与运营管理 [M]. 北京:高等教育出版社,2013.
[14] 陈国华. 生产与运作管理 [M]. 南京:南京大学出版社,2006.
[15] 古畑友三. 五项主义:现场管理者心得 [M]. 陆从容,译. 上海:上海人民出版社,2000.
[16] 李广泰. 生产现场管控 [M]. 深圳:海天出版社,2005.
[17] 嵇国光. 现场管理与现场改善 [M]. 北京:中国计量出版社,2006.
[18] 方爱华. 生产与运营管理 [M]. 武汉:武汉大学出版社,2005.
[19] 张毅. 现代物流管理 [M]. 上海:上海人民出版社,2002.
[20] 武振业,叶成炯,周国华. 生产与运作管理 [M]. 成都:西南交通大学出版社,2000.
[21] 季建华. 运营管理 [M]. 上海:上海交通大学出版社,2004.
[22] 崔介何. 物流学概论 [M]. 6版. 北京:北京大学出版社,2024.
[23] 杨建华,张群,杨新泉. 运营管理 [M]. 北京:清华大学出版社,北京交通大学出版社,2006.
[24] 沃勒. 运营管理:一种供应链方法 [M]. 丁立言,译. 北京:清华大学出版社,2003.
[25] 刘晓冰. 运营管理 [M]. 大连:大连理工大学出版社,2005.
[26] 周艳军. 供应链管理 [M]. 上海:上海财经大学出版社,2004.
[27] 兰洪杰,施先亮,赵启兰. 供应链与企业物流管理 [M]. 北京:清华大学出版社,北京交通大学出版社,2004.
[28] 侯方淼. 供应链管理 [M]. 北京:对外经济贸易大学出版社,2004.
[29] 施先亮. 供应链管理 [M]. 3版. 北京:机械工业出版社,2016.
[30] 查先进. 物流与供应链管理 [M]. 武汉:武汉大学出版社,2003.
[31] 孙元欣. 供应链管理原理 [M]. 上海:上海财经大学出版社,2003.
[32] BARTHOLDI,PLATMAN. An O (N log N) planar traveling salesman heuristic based on spacefilling curves

[J]. Operational Research Letters，1982，1（4）：121-125.

[33] 张群. 生产与运作管理［M］. 3版. 北京：机械工业出版社，2014.

[34] 克拉耶斯夫基，里茨曼，马尔霍特拉. 运营管理：流程与供应链 第10版 下册［M］. 刘晋，向佐春，肖健华，译. 北京：人民邮电出版社，2021.

[35] 蔡建华. 生产与运作管理［M］. 南京：南京大学出版社，2021.

[36] 程国平. 生产运作管理［M］. 北京：人民邮电出版社，2017.

[37] 陈明蔚. 供应链管理［M］. 北京：北京理工大学出版社，2018.

[38] 史蒂文森. 运营管理：原书第13版［M］. 张群，张杰，马风才，译. 北京：机械工业出版社，2019.

[39] 王能民，史玮璇，何正文. 运营管理：新思维、新模式、新方法［M］. 北京：机械工业出版社，2023.

[40] 邓华. 运营管理［M］. 北京：人民邮电出版社，2017.